ILLUSION DE LUMIÈRE

DU MÊME AUTEUR

En plein cœur
Flammarion Québec, 2010

Sous la glace
Flammarion Québec, 2011

Le mois le plus cruel
Flammarion Québec, 2011

Défense de tuer
Flammarion Québec, 2012

Révélation brutale
Flammarion Québec, 2012

Enterrez vos morts
Flammarion Québec, 2013

LOUISE PENNY

ILLUSION DE LUMIÈRE

Traduit de l'anglais (Canada)
par Claire Chabalier et Louise Chabalier

Flammarion
Québec

Catalogage avant publication de Bibliothèque et Archives
nationales du Québec et Bibliothèque et Archives Canada
Penny, Louise
    [Trick of the light. Français]
    Illusion de lumière
    (Armand Gamache enquête)
    Traduction de : A trick of the light.
    ISBN 978-2-89077-446-9
    I. Chabalier, Claire. II. Chabalier, Louise. III. Titre. IV. Titre : Trick
of the light. Français. V. Collection : Penny, Louise. Armand Gamache enquête.
PS8631.E572T7414 2013   C813'.6   C2013-941038-4
PS9631.E572T7414 2013

COUVERTURE
Photo : Louise Tanguay
Conception graphique : Atelier lapin blanc

INTÉRIEUR
Mise en pages : Michel Fleury

Titre original : A Trick of the Light
Éditeur original : Minotaur Books
© 2011, Three Pines Creations, Inc.
© 2013, Flammarion Québec, pour la traduction française

Œuvres citées :
    Extraits de « Réveil », poème de Margaret Atwood publié dans *Matin dans
la maison incendiée*, 2004, traduction de Marie Évangeline Arsenault. Reproduit
avec l'autorisation des Écrits des Forges.
    Extraits de la page 93 du livre *Les Alcooliques anonymes*, © 2008, utilisés avec
l'autorisation de AA World Services.
    Le poème *Not Waving But Drowning*, de Stevie Smith, est utilisé avec l'aimable
autorisation de la succession de James MacGibbon.

ISBN 978-2-89077-446-9
Dépôt légal BAnQ : 3ᵉ trimestre 2013

Imprimé au Canada sur papier Enviro 100 % postconsommation

www.flammarion.qc.ca

*Pour Sharon, Margaret, Louise
et toutes les merveilleuses femmes qui m'ont aidée
à trouver une place tranquille sous un soleil éclatant.*

1

« *Oh non non* », pensa Clara Morrow alors qu'elle se dirigeait vers les portes closes.

Elle voyait des ombres, des formes, comme des spectres qui allaient et venaient, allaient et venaient derrière la vitre dépolie. Apparaissant et disparaissant. Déformés, mais encore humains.

« *Le mort gémissait encore.* »

Pendant toute la journée, les mots avaient flotté dans sa tête, apparaissant et disparaissant. Un poème, dont elle se souvenait à moitié. Les mots émergeaient à la surface, puis coulaient. Le corps du poème lui échappait.

Quels étaient les autres vers ?

Ils semblaient importants.

« *Oh non non.* »

Les silhouettes floues au bout du long corridor paraissaient presque liquides, ou être de la fumée. Elles étaient là, mais n'avaient aucune consistance. Elles étaient fugaces. Fuyantes.

C'est ce que Clara aurait voulu pouvoir faire : fuir.

Voilà, elle était arrivée à destination, à la fin du voyage. Il ne s'agissait pas seulement de la fin du trajet qu'elle et son mari, Peter, avaient parcouru ce jour-là à partir de leur petit village québécois jusqu'au Musée d'art contemporain, à Montréal, un endroit qu'ils connaissaient bien. Intimement. Combien de fois étaient-ils venus au MAC pour admirer les œuvres d'une nouvelle exposition ? Pour soutenir un ami, un artiste comme eux. Ou simplement pour rester tranquillement assis au milieu de l'élégant musée, au milieu d'un jour de semaine, quand le reste de la ville travaillait.

L'art était leur travail. Mais c'était plus que cela, certainement, sinon pourquoi endurer toutes ces années de solitude? D'échecs. De silence de la part d'un milieu artistique déconcerté et même interloqué.

Peter et elle avaient travaillé sans relâche, tous les jours, dans leurs petits studios dans leur petit village, en menant une petite vie ordinaire. Heureux. Mais en aspirant malgré tout à plus.

Clara s'avança un peu plus dans le long, très long corridor en marbre blanc.

Ceci était le «plus». Derrière les portes. Enfin. Le résultat final de toute une vie de travail.

Son premier rêve lorsqu'elle était enfant, son dernier rêve ce matin même, presque cinquante ans plus tard, se trouvait au bout du couloir blanc et dur.

Son mari et elle s'étaient attendus à ce que Peter soit le premier à passer ces portes. Des deux, il était de loin l'artiste le plus réputé, celui qui connaissait le plus de succès grâce à ses remarquables études de la vie en gros plan. Si détaillées et en si gros plan que le monde normal semblait déformé et abstrait. Méconnaissable. Peter prenait pour sujet quelque chose de normal et le faisait paraître anormal.

Les gens adoraient et achetaient ses tableaux. Dieu merci. Ça assurait leur subsistance, et les loups, qui rôdaient constamment autour de leur petite maison de Three Pines, étaient tenus à distance. Grâce à Peter et à son art.

Clara jeta un coup d'œil à son mari qui marchait devant elle, un sourire sur son beau visage. Elle savait que la plupart des gens, quand ils les rencontraient pour la première fois, ne la prenaient jamais pour sa femme. Comme compagne, ils imaginaient plutôt une sorte de femme d'affaires svelte avec un verre de vin blanc dans sa main délicate. Un exemple de sélection naturelle. De semblables qui s'attirent.

L'artiste distingué à la tête grisonnante et aux traits nobles ne pouvait certainement pas avoir choisi la femme avec une bière dans des mains semblables à des gants de boxe. Et du pâté dans ses cheveux frisottés. Et dont l'atelier était rempli de peintures de choux dotés d'ailes et de sculptures réalisées avec de vieilles pièces de tracteur.

Non. Peter Morrow ne pouvait pas l'avoir choisie. Ce ne serait pas normal.

Et pourtant, c'est ce qu'il avait fait.

Et elle l'avait choisi, lui.

Clara aurait souri si elle n'avait pas été à peu près certaine d'être sur le point de vomir.

« *Oh non non* », se dit-elle encore une fois en regardant Peter se diriger d'un pas décidé vers les portes closes et les spectres du monde artistique qui l'attendaient pour la juger.

Clara sentit ses mains devenir froides et engourdies tandis qu'elle avançait lentement, propulsée par une force irrépressible, un mélange indéfini d'excitation et de terreur. Elle voulait se précipiter vers les portes, les ouvrir d'un coup sec et s'exclamer : « Me voici ! »

Mais, plus encore, elle voulait faire demi-tour et s'enfuir, se cacher.

Filer, rebrousser chemin dans le long, très long corridor rempli de lumière, d'œuvres d'art, de marbre. Et avouer qu'elle avait commis une erreur, avait donné la mauvaise réponse lorsqu'on lui avait demandé si elle voulait une exposition solo. Dans ce musée. Lorsqu'on lui avait demandé si elle souhaitait voir tous ses rêves se réaliser.

Elle avait donné la mauvaise réponse. Elle avait dit oui. Et voilà où menait cette réponse.

Quelqu'un avait menti. Ou n'avait pas dit toute la vérité. Dans son rêve, son unique rêve, qu'elle repassait encore et encore dans sa tête depuis l'enfance, elle avait une exposition solo au Musée d'art contemporain. Elle marchait dans ce couloir. Calme et posée. Belle et mince. Spirituelle et populaire.

Elle avançait vers les bras ouverts d'un monde en adoration devant elle.

Il n'y avait pas de terreur. Pas de nausée. Pas de créatures aperçues à travers la vitre dépolie, qui l'attendaient pour la dévorer. La disséquer. La déprécier, ainsi que ses créations.

Quelqu'un avait menti. Ne lui avait pas dit que quelque chose d'autre pouvait être en train de l'attendre.

L'échec.

« *Oh non non*, pensa-t-elle. *Le mort gémissait encore.* »

Quel était le reste du poème ? Pourquoi ne réussissait-elle pas à s'en souvenir ?

Maintenant, à quelques mètres de la fin de son voyage, tout ce qu'elle aurait voulu faire, c'était s'enfuir pour rentrer à la maison à Three Pines. Ouvrir la porte en bois du jardin. Se précipiter le long du sentier bordé de pommiers en fleur. Refermer violemment la porte avant de la maison derrière elle. S'y appuyer. La verrouiller. Presser son corps contre elle, et empêcher le monde extérieur de pénétrer.

Maintenant, trop tard, elle savait qui lui avait menti.

C'était elle-même.

Clara sentait son cœur cogner contre ses côtes, comme un animal en cage terrifié cherchant désespérément à s'échapper. Elle se rendit compte qu'elle retenait son souffle, et se demanda depuis combien de temps. Pour compenser, elle se mit à respirer rapidement.

Peter était en train de parler, mais sa voix était assourdie, comme un son lointain, étouffée par les cris dans la tête de Clara et les furieux battements dans sa poitrine.

Et par le bruit qui s'amplifiait derrière les portes, à mesure que celles-ci se rapprochaient.

– Ça va être très amusant, dit Peter avec un sourire rassurant.

Clara ouvrit la main et laissa échapper son sac à main. Il heurta le sol avec une sorte de « ploc », étant donné qu'il était pour ainsi dire vide, ne contenant qu'une pastille à la menthe et un minuscule pinceau provenant du premier jeu de peinture par numéros que sa grand-mère lui avait donné.

Clara tomba à genoux et fit semblant de ramasser des objets invisibles et de les fourrer dans son sac-pochette. Elle baissa la tête, essayant de reprendre son souffle, et se demanda si elle n'allait pas s'évanouir.

– Inspire profondément, entendit-elle. Expire lentement.

Clara leva les yeux de son sac sur le plancher de marbre re-
luisant vers l'homme accroupi en face d'elle.

Ce n'était pas Peter.

Elle vit plutôt Olivier Brûlé, son ami et voisin de Three
Pines. Agenouillé près d'elle, il la regardait avec des yeux bienveillants, comme s'il s'agissait de gilets de sauvetage lancés à
une femme en train de se noyer, et auxquels Clara s'accrocha.

— Inspire profondément, murmura-t-il d'une voix calme.

Cet instant représentait une sorte de crise privée, leur crise.
Une opération de sauvetage privée.

Clara inspira profondément.

— Je ne crois pas pouvoir le faire.

Elle se pencha en avant, ne se sentant pas bien. Elle avait
l'impression que les murs se rapprochaient et elle voyait les
chaussures cirées en cuir noir de Peter sur le plancher un peu
plus loin devant elle, où il s'était enfin arrêté. Il ne s'était pas
rendu compte immédiatement qu'elle ne le suivait pas, que sa
femme était agenouillée par terre.

— Je sais, chuchota Olivier. Mais je te connais. Que ce soit à
genoux ou debout, tu vas passer cette porte. (D'un geste de la
tête et sans la quitter des yeux, il indiqua le bout du corridor.)
Aussi bien que ce soit debout.

— Mais il n'est pas trop tard.

Clara scruta son visage. Elle vit ses cheveux blonds soyeux,
et les rides visibles seulement de très près. Plus de rides que
devrait en avoir un homme de trente-huit ans.

— Je pourrais partir. Retourner à la maison.

Le doux visage d'Olivier disparut et elle vit de nouveau son
jardin, comme elle l'avait vu ce matin-là, quand la brume matinale ne s'était pas encore dissipée. La rosée avait été abondante
sous ses bottes en caoutchouc. Les roses précoces et les pivoines
tardives, trempées d'humidité, embaumaient. Elle s'était assise
sur le banc de bois dans la cour arrière, avec son café du matin,
et avait pensé à la journée qui débutait.

Pas un seul instant elle ne s'était imaginée effondrée sur le
sol, terrorisée, avec la seule envie de s'en aller, de retourner au
jardin.

Olivier avait raison, cependant. Elle ne rentrerait pas chez elle. Pas tout de suite.

« *Oh non non.* » Elle allait devoir passer ces portes. Il n'y avait pas d'autres moyens de retourner à la maison, maintenant.

– Expire lentement, murmura Olivier, avec un sourire.

Clara rit, et expira.

– Tu ferais une bonne sage-femme.

– Qu'est-ce que vous faites là, tous les deux, par terre? demanda Gabri en regardant son partenaire et Clara. Je sais ce que fait habituellement Olivier dans cette position et j'espère que ce n'est pas ça. Mais ça pourrait expliquer l'éclat de rire, ajouta-t-il en se tournant vers Peter.

– Prête?

Olivier tendit à Clara son sac à main, puis ils se relevèrent. Gabri, jamais loin d'Olivier, étreignit Clara dans ses bras.

– Ça va? demanda-t-il en l'observant attentivement.

Gabri était gros – bien que, pour se décrire, il préférât utiliser le terme «costaud» – et son visage n'était pas marqué de rides d'anxiété comme celui de son partenaire.

– Je suis bien, répondit Clara.

– Bête, inquiète, emmerdeuse et névrosée?

– Exactement.

– Parfait. Moi aussi. Et tout le monde derrière ces portes, là-bas, l'est aussi. Ce que ces gens ne sont pas, c'est la merveilleuse artiste qui présente ses œuvres dans une exposition solo. Tu es donc à la fois bien et célèbre.

– Tu viens? demanda Peter en tendant la main vers Clara et en lui souriant.

Après avoir hésité un instant, elle prit la main de son mari et, ensemble, ils avancèrent dans le corridor. L'écho sonore de leurs pas ne masquait pas complètement les rires de l'autre côté des portes.

«Ils rient, se dit Clara. Ils rient de mes toiles.»

Au même instant, le corps du poème refit surface. Les vers manquants lui revinrent en mémoire.

« *Oh non non* », pensa Clara.

Le mort gémissait encore
J'ai toujours été bien trop loin toute ma vie
Et je ne faisais pas bonjour je me noyais.

Au loin, Armand Gamache entendait des enfants qui jouaient. Il savait d'où provenaient les sons : du parc de l'autre côté de la rue. En cette fin de printemps, cependant, il ne pouvait pas voir les enfants à travers les feuilles des érables. Il aimait parfois rester assis là et faire semblant que les cris et les rires étaient ceux de ses petites-filles, Florence et Zora. Il imaginait que son fils, Daniel, et Roslyn surveillaient leurs enfants dans le parc et que bientôt, main dans la main, ils traverseraient la rue paisible en plein centre de la merveilleuse ville, pour venir souper. Ou bien que Reine-Marie et lui allaient les rejoindre pour jouer au jeu du chat ou au jeu des marrons.

Il aimait faire semblant qu'ils ne se trouvaient pas à des milliers de kilomètres, à Paris.

Mais la plupart du temps il écoutait tout simplement les cris et les rires des enfants du voisinage, en souriant et en se relaxant.

Gamache tendit la main vers sa bière et abaissa le magazine *Le Nouvel Observateur*, l'appuyant sur son genou. Sa femme, Reine-Marie, était assise en face de lui sur leur balcon. Elle aussi avait une bière froide en cette journée de la mi-juin exceptionnellement chaude. Mais son exemplaire de *La Presse* était plié sur la table et elle avait le regard perdu au loin.

– À quoi penses-tu ? demanda Armand.

– Je laissais simplement mon esprit vagabonder.

Gamache demeura silencieux un moment et observa sa femme. Ses cheveux étaient presque entièrement gris maintenant, mais les siens aussi, devait-il reconnaître. Pendant de nombreuses années, elle les avait teints en auburn, mais avait récemment cessé de le faire. Il en était bien content. Comme lui, elle était dans la mi-cinquantaine. Et c'était à cela que ressemblaient un homme et une femme de cet âge. S'ils avaient de la chance.

Ils n'avaient pas l'air de mannequins – aucune méprise possible à ce sujet. Armand Gamache n'était pas gros, mais solidement bâti. Si un étranger venait dans cette demeure, il pourrait penser que M. Gamache était un intellectuel réservé, peut-être un professeur d'histoire ou de littérature à l'Université de Montréal.

Mais il se tromperait.

Dans le grand appartement des Gamache, il y avait des livres partout : des livres d'histoire, des biographies, des romans, des ouvrages sur les antiquités du Québec, de la poésie, bien rangés dans des bibliothèques. Sur presque toutes les tables se trouvaient au moins un livre et, souvent, plusieurs magazines. Et les journaux du samedi reposaient éparpillés sur la table basse du séjour, en face de la cheminée. Si un visiteur était du genre observateur, et se rendait jusqu'au bureau de Gamache, il verrait peut-être l'histoire que racontaient les livres dans cette pièce.

Et il se rendrait rapidement compte que cette demeure n'était pas celle d'un professeur de littérature française réservé. Sur les étagères s'entassaient des rapports d'enquêtes policières, des ouvrages sur la médecine médicolégale, des volumes sur le code civil napoléonien et la common law, ainsi que sur les empreintes digitales, le codage génétique, les blessures et les armes.

Le bureau d'Armand Gamache était rempli d'ouvrages liés au meurtre.

Cependant, même au milieu de ces livres sur la mort, de l'espace était réservé pour des ouvrages portant sur l'histoire ou la poésie.

En observant Reine-Marie assise avec lui sur le balcon, Gamache fut encore une fois frappé par la conviction d'avoir épousé une femme d'un rang supérieur. Pas sur le plan social. Ni professionnel. Mais il ne pouvait jamais s'empêcher d'avoir le sentiment qu'il avait eu de la chance, énormément de chance.

Armand Gamache était conscient d'avoir eu beaucoup de chance dans sa vie, mais rien n'équivalait à celle d'avoir aimé la même femme durant plus de trente-cinq ans. À moins que l'extraordinaire coup de chance soit le fait qu'elle l'aime aussi.

Maintenant, Reine-Marie tournait ses yeux bleus vers lui.

– En fait, je pensais au vernissage de Clara.

– Ah ?

– Nous devrions y aller bientôt.

– C'est vrai.

Il regarda sa montre. Dix-sept heures cinq. La réception pour inaugurer l'exposition de Clara Morrow se déroulait de dix-sept à dix-neuf heures.

– Dès que David arrivera.

Leur gendre avait une demi-heure de retard. Gamache jeta un coup d'œil à l'intérieur de l'appartement, où il put à peine discerner sa fille, Annie, assise dans le séjour en train de lire. En face d'elle se trouvait l'adjoint de Gamache, Jean-Guy Beauvoir, qui pétrissait les incroyables oreilles d'Henri. Le jeune berger allemand des Gamache affichait une sorte de sourire niais, et aurait pu rester ainsi toute la journée.

Jean-Guy et Annie s'ignoraient l'un l'autre. Gamache esquissa un sourire. Au moins, ils ne se lançaient pas des insultes à la tête ou, pire, d'un bout à l'autre de la pièce.

– Aimerais-tu partir maintenant? proposa Armand. On pourrait appeler David sur son cellulaire et lui demander de nous rejoindre là-bas.

– Donnons-lui encore quelques minutes.

Gamache hocha la tête et reprit son magazine, puis l'abaissa lentement.

– Y a-t-il autre chose?

Reine-Marie hésita un instant, puis sourit.

– Je me demandais comment tu te sentais à l'idée d'aller au vernissage, et si tu n'essayais pas de gagner du temps.

Surpris, Armand haussa les sourcils.

Tout en frottant les oreilles d'Henri, Jean-Guy Beauvoir observait la jeune femme en face de lui. Il la connaissait depuis quinze ans, soit depuis l'époque où il était une recrue aux homicides et elle une adolescente – maladroite, empotée, autoritaire.

Il n'aimait pas les enfants. Et certainement pas les ados arrogants. Mais il avait essayé d'aimer Annie Gamache, ne serait-ce que parce que c'était la fille du patron.

Il avait essayé, essayé et essayé encore. Et puis finalement...

Il avait réussi.

Et maintenant il approchait de la quarantaine et elle de la trentaine. Annie était avocate, et mariée. Et toujours maladroite, empotée, autoritaire. Mais il s'était tant efforcé de l'aimer qu'il avait fini par faire abstraction de cela et voir autre chose. Il l'avait vue rire de bon cœur et écouter des gens très ennuyeux comme s'ils étaient fascinants, en donnant l'impression d'être sincèrement contente de les voir, comme s'ils étaient importants. Il l'avait vue danser, les bras battant l'air et la tête renversée en arrière, les yeux brillants.

Et il avait senti sa main sur la sienne. Une seule fois.

À l'hôpital. Il était revenu de très loin, avait combattu la douleur et l'obscurité jusqu'à ce contact étrange, inconnu, mais si délicat. Il savait que la main n'était pas celle de sa femme, Enid, dont la poigne donnait l'impression de griffes d'oiseau. Il ne serait pas revenu pour cela.

Cette autre main était au contraire large, sûre, douce. Et elle l'invitait à revenir.

En ouvrant les yeux, il avait vu Annie Gamache qui le regardait d'un air inquiet. Pourquoi se trouvait-elle là ? s'était-il demandé. Puis la réponse lui était venue.

Parce qu'il n'y avait aucun autre endroit où elle pouvait se trouver. Aucun autre lit d'hôpital à côté duquel elle pouvait s'asseoir.

Parce que son père était mort. Abattu par un terroriste dans l'usine abandonnée. Beauvoir en avait été témoin. Il avait vu Gamache être atteint par les balles du tireur et projeté dans les airs, puis retomber sur le sol en béton.

Et ne plus bouger.

Et maintenant, à l'hôpital, Annie Gamache tenait sa main, parce que la main qu'elle aurait réellement voulu tenir n'était plus là.

Jean-Guy Beauvoir avait entrouvert ses paupières et vu Annie Gamache, à l'air si triste. Et ça lui avait brisé le cœur. Ensuite, il avait vu quelque chose d'autre.

De la joie.

Personne ne l'avait jamais regardé de cette manière : avec une joie non dissimulée, non contenue.

Annie l'avait regardé de cette façon, quand il avait ouvert les yeux.

Il avait essayé de parler, mais en avait été incapable. Elle, cependant, avait deviné ce qu'il essayait de dire.

Elle s'était penchée vers lui et avait murmuré à son oreille. Il avait senti son parfum, légèrement citronné. Subtil et frais. Très différent de celui d'Enid, tenace et capiteux. Annie sentait comme une plantation de citronniers en été.

– Papa est en vie.

Il s'était fait honte, alors. De nombreuses humiliations l'attendaient à l'hôpital, du bassin hygiénique aux couches en passant par la toilette à l'éponge. Mais aucune n'était plus personnelle, plus intime, aucune ne représentait une plus grande trahison que ce que son corps brisé avait fait ensuite.

Jean-Guy avait pleuré.

Annie avait vu ses larmes, mais, depuis ce jour, n'y avait jamais fait allusion.

Au grand étonnement d'Henri, Beauvoir cessa de lui frotter les oreilles et posa une de ses mains sur l'autre, en un geste maintenant devenu habituel.

Voilà ce qu'il avait ressenti quand Annie avait posé sa main sur la sienne.

C'était tout ce qu'il obtiendrait jamais d'elle – la fille mariée de son patron.

– Ton mari est en retard.

Il entendit le reproche dans sa voix. La pique.

Lentement, très lentement, Annie abaissa son journal et lui lança un regard furieux.

– Qu'est-ce que tu veux dire, exactement ?

En effet, que voulait-il dire ?

– Nous allons être en retard à cause de lui.

– Alors vas-y. Je m'en fous.

Il avait chargé le pistolet, l'avait pointé sur sa tempe, et avait supplié Annie d'appuyer sur la détente. Et maintenant il sentait les mots le frapper, lui percer la peau, s'enfoncer en lui et exploser.

« Je m'en fous. »

La douleur, se rendit-il compte, était presque réconfortante. S'il forçait la jeune femme à le blesser suffisamment, profondément, peut-être en viendrait-il à ne plus rien ressentir.

— Écoute, dit-elle d'un ton un peu plus doux, en se penchant en avant. Je suis désolée pour toi et Enid. Votre séparation…

— Ouais, eh bien, ça arrive. En tant qu'avocate, tu devrais le savoir.

Elle le regarda avec des yeux scrutateurs, comme ceux de son père, puis hocha la tête.

— Ça arrive.

Après un moment de silence, elle ajouta :

— Surtout après le genre d'épreuve que tu viens de traverser, j'imagine. Ça doit amener quelqu'un à s'interroger sur sa vie. Aimerais-tu en parler ?

Parler d'Enid avec Annie ? De toutes les chamailleries mesquines, des petites insultes, des piques et des blessures infligées. Cette idée le dégoûtait, et ça devait paraître, car Annie se redressa et rougit comme s'il l'avait giflée.

— Oublie ce que j'ai dit, lâcha-t-elle d'un ton brusque en relevant le journal devant sa figure.

Jean-Guy chercha quelque chose à dire, une façon de jeter un pont entre eux, de rétablir la communication avec elle. Les secondes s'écoulèrent, devinrent des minutes.

— Le vernissage, laissa-t-il enfin échapper.

C'était la première chose qui avait surgi dans sa tête vide, comme la Magic Eight Ball, cette boule magique qui, lorsqu'on cessait de la secouer, produisait un unique mot. Soit, dans le cas présent, « vernissage ».

Le journal descendit de nouveau et le visage impassible d'Annie apparut.

— Les gens de Three Pines seront là, tu sais.

Le visage d'Annie demeura inexpressif.

— Ce village, dans les Cantons-de-l'Est, poursuivit-il en agitant mollement la main en direction de la fenêtre. Au sud de Montréal.

— Je sais où sont les Cantons-de-l'Est.

– C'est l'exposition de Clara, mais tout le monde sera là, j'en suis sûr.

Encore une fois, Annie releva le journal. Le dollar canadien était fort, lut Beauvoir de sa place en face d'elle. «Nids-de-poule non réparés», lut-il. «Enquête sur la corruption au gouvernement», lut-il.

Rien de nouveau.

– Un des villageois déteste ton père.

Lentement, Annie abaissa le journal.

– Que veux-tu dire?

D'après son expression, Jean-Guy se rendit compte qu'il était peut-être allé trop loin.

– Eh bien… Pas assez, du moins, pour lui faire du mal.

– Papa m'a déjà parlé de Three Pines et de ses habitants, mais il n'a jamais mentionné ça.

Elle était troublée, maintenant, et Jean-Guy aurait préféré n'avoir rien dit, mais, au moins, il avait obtenu ce qu'il voulait. Elle lui parlait de nouveau. Son père était le pont.

Annie déposa son journal sur la table et regarda, au-delà de Beauvoir, ses parents qui bavardaient tranquillement sur le balcon.

Soudain, elle ressembla à l'adolescente que Jean-Guy avait d'abord rencontrée. Elle ne serait jamais la plus belle femme dans une pièce. C'était évident, même à l'époque. Annie n'était pas dotée d'une ossature fine ni d'une silhouette gracile. Elle avait un corps plus athlétique que gracieux. Elle aimait être bien habillée, mais aimait aussi se sentir à l'aise.

C'était une femme aux idées bien arrêtées, avec une grande force de caractère. Et forte physiquement. Beauvoir pouvait l'emporter sur elle dans une partie de bras de fer, il le savait, parce qu'ils s'étaient affrontés plusieurs fois, mais il avait vraiment dû se forcer.

L'idée de jouer à ce jeu avec Enid ne lui aurait jamais traversé l'esprit. Et elle ne l'aurait jamais proposé.

Non seulement Annie Gamache avait-elle proposé de se mesurer à lui, mais elle s'était sérieusement attendue à gagner.

Puis, après avoir perdu, elle avait ri.

Alors que d'autres femmes, dont Enid, étaient ravissantes, Annie Gamache était pleine de vie.

Jean-Guy Beauvoir s'était rendu compte beaucoup trop tard à quel point c'était important, attrayant et rare d'être pleinement en vie.

Annie tourna de nouveau la tête vers Beauvoir.

— Pourquoi un des villageois détesterait-il papa?

— Bon, écoute, répondit-il en baissant la voix. Voici ce qui s'est passé.

Annie se pencha en avant. Moins d'un mètre les séparait, et Beauvoir décelait son parfum. S'il s'était écouté, il aurait pris ses mains dans les siennes.

— Un meurtre a été commis dans le village de Clara, Three Pines.

— Oui, papa m'en a parlé. Dans la région, le meurtre semble presque une industrie artisanale.

Malgré lui, Beauvoir rit.

— « Où l'on voit beaucoup de lumière il y a plus d'ombre. »

Le regard stupéfait d'Annie fit de nouveau rire Beauvoir.

— Laisse-moi deviner, dit-elle. Tu ne viens pas d'inventer ça.

Beauvoir sourit et secoua la tête.

— Ce sont les mots d'un Allemand dont j'oublie le nom, et que ton père a répétés.

— Quelques fois?

— Assez souvent pour que je me réveille la nuit en criant.

Annie sourit.

— Je sais. À l'école, j'étais la seule qui citait le poète Leigh Hunt.

Sa voix changea légèrement lorsqu'elle se souvint d'un vers :

— « Mais, surtout, il aimait un visage heureux. »

Gamache sourit en entendant les rires dans le séjour.

— Sont-ils finalement en train de faire la paix, crois-tu? demanda-t-il avec un petit geste de la tête vers l'intérieur.

— C'est soit ça, soit un signe annonciateur de l'Apocalypse, répondit Reine-Marie. Si quatre cavaliers sortent du parc au grand galop, c'est chacun pour soi, monsieur!

– Ça fait du bien d'entendre Jean-Guy rire.

Depuis sa séparation d'avec Enid, Beauvoir avait semblé distant. Il n'avait jamais été d'un naturel expansif, mais, ces derniers temps, il était plus réservé que jamais, comme s'il avait érigé des murs plus hauts et plus épais autour de lui et levé son étroit pont-levis.

Armand Gamache le savait: l'érection de murs ne donnait jamais rien de bon. Le sentiment de sécurité que croyaient éprouver les gens était en fait une forme de captivité. Et peu de choses s'épanouissaient en captivité.

– Il lui faudra du temps, dit Reine-Marie.

– Oui, avec le temps il ira mieux, répondit Armand.

Dans son for intérieur, cependant, il se demandait si c'était bien ça qui se produirait. Le temps pouvait guérir, il ne l'ignorait pas. Mais il pouvait aussi causer encore plus de dommages. Au fil du temps, un incendie de forêt non maîtrisé finissait par tout consumer.

Après avoir jeté un dernier regard aux deux jeunes, Gamache poursuivit sa conversation avec sa femme.

– Penses-tu réellement que je ne veux pas aller au vernissage?

Reine-Marie réfléchit un moment avant de répondre.

– Je ne suis pas certaine. Disons simplement que tu ne sembles pas pressé d'arriver là-bas.

Gamache hocha la tête et réfléchit à son tour.

– Je sais que tout le monde sera là. La situation pourrait être embarrassante, je suppose.

– Tu as arrêté l'un d'eux pour un crime qu'il n'avait pas commis.

Ce n'était pas une accusation. Reine-Marie avait prononcé ces paroles d'un ton doux. Dans l'espoir de faire ressortir les véritables sentiments de son mari, des sentiments qu'il n'était peut-être même pas conscient d'éprouver.

– Et selon toi il s'agit d'un faux pas, d'un impair mal vu en société? demanda-t-il avec un sourire.

– À mon avis, c'est plus qu'un impair.

Elle rit, soulagée de voir une bonne humeur non feinte sur son visage. Un visage maintenant rasé de près. Il n'y avait plus de moustache ni de barbe grisonnante. Seulement Armand, qui la regardait avec ses yeux brun foncé. Elle soutint son regard et réussit presque à oublier la cicatrice au-dessus de sa tempe gauche.

Après un moment, le sourire d'Armand s'évanouit et, encore une fois, il hocha la tête, puis respira profondément.

— C'était une horrible chose à faire à quelqu'un, dit-il.

— Tu ne l'as pas fait exprès, Armand.

— C'est vrai, mais son séjour en prison n'a pas été plus agréable pour autant.

Gamache réfléchit un moment, en se tournant du côté des arbres dans le parc. Un cadre naturel. Voilà ce à quoi il aspirait, lui qui consacrait ses journées à pourchasser ce qui était contre nature. Des meurtriers. Des personnes qui enlevaient la vie à d'autres. Souvent de manière horrible, sordide. Armand Gamache était le chef de la section des homicides de la réputée Sûreté du Québec. Il faisait de l'excellent travail.

Mais il n'était pas parfait.

Il avait arrêté Olivier Brûlé pour un meurtre qu'il n'avait pas commis.

— Et alors, qu'est-il arrivé ? demanda Annie.

— Eh bien, tu connais à peu près toute l'histoire, non ? Cette affaire a été rapportée dans tous les journaux.

— J'ai lu les articles, évidemment, et j'ai parlé de ce cas avec papa. Mais jamais il n'a laissé entendre qu'une des personnes impliquées pouvait le détester encore.

— Comme tu le sais, le crime remonte à environ un an. Un homme a été trouvé mort dans le bistro de Three Pines. Nous avons enquêté et les preuves recueillies semblaient on ne peut plus accablantes. Nous avons relevé des empreintes digitales et, cachés dans le bistro, nous avons trouvé l'arme du crime et des objets volés dans la cabane de la victime dans la forêt. Nous avons arrêté Olivier. Il a subi son procès et a été jugé coupable.

— Croyais-tu qu'il avait commis le meurtre ?

— J'en étais persuadé. Ce n'est pas seulement ton père qui était convaincu de sa culpabilité.

– Alors pourquoi as-tu changé d'idée? Quelqu'un d'autre est-il passé aux aveux?

– Non. Tu te rappelles, il y a quelques mois, quand ton père est allé passer un peu de temps à Québec pour récupérer après le raid dans l'usine?

Annie répondit par un hochement de tête.

– Eh bien, il a commencé à avoir des doutes, alors il m'a demandé de retourner à Three Pines pour enquêter de nouveau.

– Et c'est ce que tu as fait.

Jean-Guy fit oui de la tête. Bien sûr qu'il était retourné au village. Il était prêt à faire n'importe quoi que lui demandait l'inspecteur-chef. Même si lui-même n'avait entretenu aucun doute. Il était certain que le coupable était en prison. Malgré tout, il avait repris l'enquête, et découvert quelque chose qui l'avait profondément secoué.

Le vrai meurtrier. Et le vrai mobile du crime.

– Mais, depuis l'arrestation d'Olivier, tu es retourné à Three Pines, dit Reine-Marie. Ce ne sera pas la première fois que tu revois ces gens.

Elle aussi était déjà allée à Three Pines et s'était liée d'amitié avec Clara, Peter et les autres. Il y avait un certain temps, cependant, qu'elle ne les avait pas vus. Pas depuis les derniers événements.

– C'est vrai. Jean-Guy et moi avons ramené Olivier là-bas après sa libération.

– Je ne peux même pas imaginer comment il se sentait.

Gamache ne répondit pas. Il revoyait le soleil qui reluisait sur les bancs de neige. À travers les vitres givrées, il voyait les villageois rassemblés au bistro, au chaud et en sécurité, les feux qui flamboyaient dans les cheminées, les bocks de bière et les bols de café au lait, et entendait les rires.

Il voyait aussi Olivier, incapable d'avancer. Figé à une cinquantaine de centimètres de la porte close, qu'il regardait fixement.

Jean-Guy s'était apprêté à l'ouvrir, mais Gamache avait posé une main gantée sur son bras. Et ensemble, dans le froid glacial, ils avaient attendu. Attendu qu'Olivier fasse le geste.

Après ce qui avait paru une éternité, mais n'équivalait sans doute qu'à quelques battements de cœur, Olivier avait avancé la main, hésité un instant, puis ouvert la porte.

— J'aurais bien aimé voir la figure de Gabri, dit Reine-Marie.

Elle imaginait la réaction du gros homme expansif lorsqu'il avait aperçu son partenaire revenu à la maison. À son retour, Gamache lui avait tout décrit, mais Reine-Marie avait beau imaginer la plus grande extase, il savait que la réalité avait été plus extraordinaire encore. Du moins en ce qui concernait Gabri. Les autres villageois aussi avaient été transportés de joie à la vue d'Olivier, mais…

— Qu'y a-t-il? demanda Reine-Marie.

— Eh bien, Olivier n'avait pas tué l'homme, mais, comme tu le sais, beaucoup de choses désagréables à son sujet ont été révélées au procès. Olivier avait très certainement volé l'Ermite, profité de leur amitié et de l'état d'esprit fragile de l'homme. De plus, il s'avère qu'Olivier avait utilisé l'argent que lui avaient rapporté les objets de l'Ermite pour acheter beaucoup de propriétés dans Three Pines. Gabri n'était même pas au courant de ça.

Reine-Marie demeura silencieuse, réfléchissant à ce qu'elle venait d'entendre.

— Je me demande ce que les amis d'Olivier pensent de ça, dit-elle enfin.

Gamache aussi se posait la question.

— Olivier est celui qui déteste mon père? demanda Annie. Mais comment est-ce possible? Papa l'a fait libérer de prison et l'a ramené à Three Pines.

— Oui, mais Olivier voit les choses autrement. C'est moi, d'après lui, qui l'ai fait sortir de prison. Ton père, lui, l'y avait fait enfermer.

Annie fixa Beauvoir, puis secoua la tête.

— Ton père s'est excusé, tu sais, poursuivit Beauvoir. Devant tout le monde dans le bistro. Il a dit à Olivier qu'il était désolé, regrettait ce qu'il avait fait.

— Et qu'a répondu Olivier?

— Qu'il ne pouvait pas lui pardonner. Pas encore.

Annie réfléchit un moment, puis demanda :

– Comment papa a-t-il réagi ?

– Il n'a pas paru surpris, ni vexé. En fait, je crois qu'il aurait été surpris si Olivier avait soudainement décidé que tout était oublié et pardonné. Il n'aurait pas été sincère.

La seule chose pire que de refuser le pardon, Beauvoir le savait, c'était de l'accorder sans être sincère.

Jean-Guy devait reconnaître qu'Olivier, au lieu de feindre d'accepter les excuses, avait enfin dit la vérité. La blessure était trop profonde. Il n'était pas prêt à pardonner.

– Et maintenant ? demanda Annie.

– Nous verrons, j'imagine.

2

– Magnifique, n'est-ce pas?

Armand Gamache se tourna vers l'homme plus âgé à côté de lui.

– En effet, répondit l'inspecteur-chef.

Pendant un moment, ils admirèrent en silence le tableau devant eux. Ils entendaient le brouhaha de la réception, les conversations, les rires, les voix d'amis qui échangent les dernières nouvelles, d'étrangers qui font connaissance.

Mais les deux hommes semblaient avoir créé un lieu paisible, leur propre petit monde tranquille.

Au mur trônait l'œuvre maîtresse de l'exposition solo de Clara Morrow. Le choix de l'emplacement avait-il été délibéré ou s'était-il imposé naturellement? Ses toiles, principalement des portraits, étaient accrochées aux murs blancs de la salle principale du Musée d'art contemporain. Certaines étaient regroupées, réunies en une sorte de rassemblement. D'autres se trouvaient seules, isolées. Comme celle-là.

Le portrait le plus sobre sur le mur le plus grand.

Aucun autre tableau ne lui faisait compétition, ne lui tenait compagnie. Un État insulaire. Un portrait souverain.

Seul.

– Que ressentez-vous devant ce tableau? demanda l'homme en tournant un regard pénétrant vers Gamache.

L'inspecteur-chef sourit.

– Eh bien, je l'ai déjà vu. Ma femme et moi sommes des amis des Morrow. J'étais présent lorsque Clara l'a sorti de son atelier la première fois.

– Heureux homme.

Gamache but une gorgée de l'excellent vin rouge et convint que c'était vrai. Il était un heureux homme, en effet.

– François Marois, dit l'homme en tendant la main.

– Armand Gamache.

L'homme le regarda plus attentivement et hocha la tête.

– Désolé. J'aurais dû vous reconnaître, inspecteur-chef.

– Je vous en prie. Je suis plus heureux quand les gens ne me reconnaissent pas, répondit Gamache en souriant. Êtes-vous un artiste ?

Il avait plutôt l'air d'un banquier. Un collectionneur, peut-être ? L'autre extrémité de la chaîne artistique. Selon Gamache, il avait environ soixante-dix ans. Un homme d'affaires prospère, portant un complet fait sur mesure et une cravate en soie. Un léger parfum d'eau de Cologne chère se dégageait de lui. Sa coupe de cheveux, récente et impeccable, laissait voir un début de calvitie. Il était rasé de près et avait des yeux bleus, un regard intelligent. L'inspecteur-chef Gamache remarqua tout ça instinctivement d'un rapide coup d'œil. François Marois, à la fois très animé et discret, semblait à l'aise dans ce milieu réservé à des initiés, et passablement artificiel.

Gamache embrassa du regard la salle remplie d'hommes et de femmes qui allaient et venaient, bavardaient, tout en maniant habilement hors-d'œuvre et verre de vin. Au milieu de l'immense pièce, on avait installé quelques bancs stylisés, inconfortables. Plus décoratifs que fonctionnels. Plus loin, il vit Reine-Marie qui parlait à une femme, et Annie. David venait d'arriver et, après avoir enlevé son manteau, il rejoignit sa femme. Gamache continua son examen de la pièce et trouva Gabri et Olivier, côte à côte. Il se demanda s'il devait aller parler à Olivier.

Et faire quoi ? S'excuser, encore une fois ?

Reine-Marie avait-elle raison ? Voulait-il être pardonné ? Cherchait-il à expier sa faute ? Voulait-il que son erreur soit effacée de son dossier personnel ? Celui qu'il conservait au plus profond de lui et dans lequel il écrivait tous les jours.

Le livre des comptes.

Voulait-il rayer cette erreur du livre ?

En fait, il pouvait très bien vivre sans le pardon d'Olivier. En revoyant Olivier, cependant, il frissonna légèrement et se demanda s'il voulait réellement ce pardon. Et aussi si Olivier était prêt à le lui accorder.

Ses yeux revinrent se poser sur l'homme à côté de lui.

Alors que les meilleures œuvres artistiques reflétaient les valeurs humaines et la nature, humaine ou autre, les musées, eux, trouvait Gamache, étaient souvent froids et austères. Des lieux ni invitants ni naturels.

Et pourtant, M. Marois était à l'aise. Le marbre et les formes anguleuses semblaient faire partie de son habitat naturel.

– Non, répondit Marois. Je ne suis pas un artiste.

Il émit un petit rire, puis ajouta :

– Je n'ai malheureusement pas l'esprit créatif. Comme la plupart de mes collègues, j'ai tâté de l'art quand j'étais un jeune blanc-bec et j'ai immédiatement compris, dans une révélation quasi mystique, que je n'avais absolument aucun talent. Ç'a été plutôt bouleversant.

Gamache rit.

– Alors pourquoi êtes-vous ici ?

C'était une réception privée avant l'ouverture officielle de l'exposition de Clara. Seul un petit groupe de privilégiés étaient invités à un vernissage, surtout au célèbre Musée d'art contemporain de Montréal. Des gens au portefeuille bien garni, des personnes influentes, les amis et la famille de l'artiste. Dans cet ordre.

Personne ne s'attendait à beaucoup de la part d'un artiste à un vernissage. La plupart des conservateurs s'estimaient chanceux si les artistes portaient des vêtements et n'étaient pas ivres. Gamache jeta un coup d'œil à Clara, qui paraissait affolée et débraillée dans un tailleur conçu pour projeter une image d'autorité, mais qui de toute évidence avait connu des ratés. La jupe était légèrement de travers et le col de la veste était remonté très haut, comme si Clara avait essayé de se gratter le milieu du dos.

– Je suis un marchand d'œuvres d'art, répondit Marois en tendant sa carte à Gamache.

Sur un fond crème apparaissaient des caractères simples, en relief : son nom et un numéro de téléphone. Rien d'autre. Le carton était épais, le grain fin. Il s'agissait d'une carte professionnelle de grande qualité. À l'image, sans aucun doute, de l'entreprise.

– Vous connaissez les œuvres de Clara ? demanda Gamache en rangeant la carte dans sa poche de poitrine.

– Pas du tout. Mais je suis un ami de la conservatrice en chef du musée et elle m'a remis une brochure. Vraiment, j'ai été surpris. Selon l'information donnée, Mme Morrow frise la cinquantaine et a toujours habité au Québec. Or personne ne semble la connaître. Elle est apparue comme ça, comme si elle était arrivée de nulle part.

– Elle est arrivée de Three Pines, dit Gamache.

Voyant l'expression d'incompréhension sur le visage de l'homme, il ajouta :

– Il s'agit d'un petit village au sud de Montréal, près de la frontière du Vermont. Peu de gens le connaissent.

– Ni la connaissent, elle. Une artiste inconnue dans un village inconnu. Et pourtant...

Dans un geste élégant et éloquent, M. Marois ouvrit les bras pour indiquer la salle et l'exposition.

Puis, Gamache et lui se tournèrent de nouveau vers le portrait devant eux. Le tableau représentait la tête et les épaules maigres d'une très vieille femme qui, d'une main veinée aux doigts arthritiques, agrippait un châle bleu. Celui-ci avait glissé et dévoilait une peau tendue sur la clavicule et les tendons.

Mais c'était le visage qui retenait l'attention des deux hommes.

Le regard de la femme était dirigé vers eux et la salle où on entendait le tintement de verres, le bruit de conversations animées, des rires.

La vieille femme était en colère. Pleine de mépris. Détestant ce qu'elle entendait et voyait. Les rires. Le bonheur autour d'elle. Haïssant le monde qui l'avait laissée derrière, l'avait abandonnée sur ce mur. Pour regarder, observer, en restant toujours à l'écart.

Comme Prométhée enchaîné, cette noble âme subissait des tourments éternels. Et était devenue amère, mesquine.

À côté de lui, Gamache entendit une inspiration et sut ce qu'elle signifiait. François Marois, le marchand d'œuvres d'art, avait vu ce que le tableau représentait. Pas la colère, si évidente, mais quelque chose de plus complexe, de plus subtil. Marois avait compris ce que Clara avait reproduit.

– Mon Dieu, dit-il en expirant.

Il détourna les yeux de la peinture et regarda Gamache.

À l'autre extrémité de la pièce, Clara hochait la tête et souriait, sans toutefois enregistrer grand-chose.

Un hurlement résonnait dans ses oreilles, sa vue était embrouillée et ses mains étaient engourdies. Elle perdait l'usage de ses sens.

«Inspire profondément, expire lentement», se répétait-elle.

Peter lui avait apporté un verre de vin et son amie Myrna une assiette de hors-d'œuvre, mais Clara tremblait tellement qu'elle avait dû les leur redonner.

Maintenant, elle s'efforçait de ne pas paraître cinglée. Son nouvel ensemble lui irritait la peau et, se rendait-elle compte, lui donnait l'air d'une comptable. De l'ancien bloc de l'Est. Ou peut-être d'une maoïste. Une comptable maoïste.

Ce n'était pas le look qu'elle avait eu en tête quand elle avait acheté le tailleur dans une boutique huppée de la rue Saint-Denis, à Montréal. Elle avait voulu faire un changement, s'éloigner de ses jupes et robes bouffantes habituelles. Elle cherchait une tenue chic, minimaliste et coordonnée.

Dans le magasin, les vêtements lui étaient allés à merveille. Elle avait souri à la vendeuse souriante dans le miroir et lui avait parlé de l'exposition solo qui allait avoir lieu bientôt. Clara en parlait à tout le monde. Aux chauffeurs de taxi, aux serveurs, à l'ado assis à côté d'elle dans l'autobus, branché à son iPod, sourd. Cela n'avait pas empêché Clara de lui en parler quand même.

Et le jour de l'exposition était enfin arrivé.

Assise dans son jardin à Three Pines ce matin-là, elle avait osé penser que, cette fois, ce serait différent. Elle s'était vue entrant par les deux énormes portes en verre dépoli au bout du corridor sous des applaudissements nourris. Resplendissante dans son tailleur neuf. La communauté artistique était subjuguée. Les critiques et les conservateurs se précipitaient vers elle, impatients de passer un moment en sa compagnie, multipliant les félicitations, s'efforçant de trouver les mots justes pour décrire ses tableaux.

Extraordinaires. Magnifiques. Lumineux. Sublimes.

Tous des chefs-d'œuvre.

Dans son paisible jardin, Clara avait fermé les yeux, tendu son visage au soleil matinal et souri.

Le rêve devenu réalité.

De parfaits inconnus buvaient ses paroles. Certains prenaient même des notes. Lui demandaient conseil. L'écoutaient, captivés, parler de sa vision, de sa philosophie, de sa perception du monde de l'art. De la direction que celui-ci prenait, des chemins qu'il avait empruntés.

On l'adorait et la respectait, elle si belle et intelligente. Des femmes élégantes lui demandaient où elle avait acheté sa tenue. Elle lancerait une nouvelle mode.

Mais la réalité était tout autre. Elle avait l'impression d'être une mariée débraillée à une réception qui avait dérapé. Où les invités, plus intéressés par la nourriture et l'alcool, l'ignoraient. Où personne ne voulait attraper son bouquet ni la conduire à l'autel. Ni danser avec elle. Et elle avait l'air d'une comptable maoïste.

Elle se gratta la hanche, et étala du pâté dans ses cheveux. Puis elle regarda sa montre.

«*Dear God*, encore une heure. *Oh non non*», se dit-elle. Maintenant, elle essayait seulement de survivre. De garder la tête hors de l'eau. De ne pas s'évanouir, vomir, faire pipi. Son nouvel objectif: rester lucide et garder le contrôle de sa vessie.

– Au moins, tu n'es pas en train de brûler.

– Pardon? dit Clara en se tournant vers la femme noire corpulente vêtue d'un caftan d'un vert éclatant à côté d'elle.

C'était Myrna Landers, son amie et voisine. Psychologue pratiquant autrefois à Montréal, elle était maintenant à la retraite et la propriétaire de la librairie de livres neufs et usagés à Three Pines.

— En ce moment, tu n'es pas en train de brûler, dit-elle.

— C'est vrai. Tu es très perspicace. Et je ne suis pas en train de voler non plus. On peut dresser une longue liste de ce que je ne suis pas en train de faire.

Myrna rit.

— Mais on peut aussi dresser une longue liste de ce que tu es.

— T'apprêtes-tu à me lancer des bêtises?

Myrna garda le silence et regarda Clara un moment. Presque chaque jour, Clara venait à sa boutique pour boire du thé et parler. Ou alors c'était elle qui se rendait chez Peter et Clara pour le souper.

Mais aujourd'hui était différent. Clara n'avait jamais vécu un jour comme celui-ci et n'en vivrait probablement jamais d'autres. L'ancienne psychologue connaissait les peurs, les échecs, les déceptions de son amie, comme Clara connaissait ceux de Myrna.

Et chacune connaissait les rêves de l'autre.

— C'est un moment difficile pour toi, je sais.

Myrna se tenait devant son amie et de son gros corps l'empêchait de voir la salle. Fourmillante de monde quelques instants auparavant, la pièce était soudainement devenue un endroit très intime. Le corps de Myrna était une sphère verte parfaite qui bloquait la vue et étouffait les sons. Les deux femmes se trouvaient dans leur propre monde.

— Je voulais que tout soit parfait, murmura Clara en espérant ne pas se mettre à pleurer.

Alors que d'autres petites filles rêvaient de leur mariage, Clara rêvait d'une exposition solo. Au Musée d'art contemporain. Ici. Elle ne l'avait simplement pas vue se déroulant ainsi.

— Parfait selon qui? Qu'est-ce qui rendrait ton exposition parfaite?

Clara réfléchit un moment.

— Si seulement je n'étais pas paralysée par la peur.

— Quelle est la pire chose qui pourrait se produire? demanda doucement Myrna.

– Les gens détesteront mes toiles, diront que je n'ai aucun talent, me trouveront ridicule. Qualifieront mes tableaux de risibles. Diront qu'une terrible erreur a été commise. L'exposition sera un fiasco et on se moquera de moi.

– Exactement, dit Myrna en souriant. Des choses horribles auxquelles il est possible de survivre. Que feras-tu ensuite?

Clara ne répondit pas immédiatement.

– Je monterai dans l'auto avec Peter et retournerai à Three Pines.

– Et?

– Je ferai la fête là-bas ce soir, avec des amis.

– Et?

– Et le lendemain, je me lèverai…

Elle ne finit pas sa phrase. Dans sa tête, elle voyait sa vie après l'apocalypse. Demain, elle reprendrait sa vie paisible dans le petit village. Promenant le chien, prenant un verre sur la terrasse ou un café au lait et des croissants devant une des cheminées du bistro, soupant avec des amis. Passant des heures assise dans son jardin. À lire, à réfléchir.

À peindre.

Rien de ce qui se produirait ici ne changerait ça.

– Au moins, je ne suis pas en train de brûler, dit-elle en se fendant d'un sourire.

Myrna prit les mains de son amie et les tint dans les siennes un moment.

– La plupart des gens tueraient pour vivre une journée comme celle-ci. Ne la laisse pas passer sans en jouir. Tes tableaux sont des chefs-d'œuvre, Clara.

Clara serra les mains de Myrna. Pendant toutes ces années, tous ces mois et ces jours où personne ne s'était intéressé à ce que faisait Clara dans le silence de son atelier, Myrna avait été là. Et dans le silence elle avait murmuré:

– Tes tableaux sont des chefs-d'œuvre.

Et Clara avait osé la croire. Osé continuer à travailler, poussée par ses rêves et cette voix douce, rassurante.

Myrna fit un pas de côté, et un monde bien différent apparut. La pièce était remplie de gens qui ne représentaient pas une menace. Ces gens riaient, s'amusaient, étaient là pour célébrer la première exposition solo de Clara au MAC.

– C'est de la merde! cria un homme dans l'oreille de la femme à ses côtés pour se faire entendre par-dessus le vacarme des conversations. Clara Morrow qui fait une exposition solo, c'est incroyable, non?

La femme secoua la tête et grimaça. Elle portait une jupe flottante, un t-shirt ajusté et des foulards autour du cou et des épaules. De grosses boucles pendaient à ses oreilles et elle avait une bague à chaque doigt.

À une autre époque et dans un autre lieu, on l'aurait prise pour une gitane. Ici, on la prenait pour ce qu'elle était: une artiste connaissant un succès mitigé.

Son mari, également un artiste, était vêtu d'un pantalon en velours côtelé et d'une veste élimée. L'écharpe nouée autour de son cou lui donnait un air désinvolte. Il se tourna vers la peinture.

– Lamentable.

– Pauvre Clara, dit sa femme. Les critiques vont la démolir.

À côté des deux artistes, Jean-Guy Beauvoir, dos au tableau, pivota pour le regarder.

Parmi plusieurs portraits sur le mur se trouvait la plus grande peinture, représentant trois femmes, toutes très âgées, qui riaient.

Elles se regardaient, se touchaient en se tenant les mains ou un bras. Leurs têtes inclinées se rejoignaient. Quelle que soit la chose qui les avait fait rire, elles étaient complices et se tournaient les unes vers les autres. Comme elles le feraient si quelque chose d'horrible survenait. Comme elles le feraient, naturellement, en toutes circonstances.

Plus que l'amitié, la joie et même l'amour, cette peinture révélait un moment d'une profonde intimité.

Jean-Guy détourna les yeux, incapable de regarder le tableau. Puis il balaya la pièce des yeux jusqu'à ce qu'il la trouve de nouveau.

– Regarde-les, dit l'homme, qui disséquait l'œuvre. Elles ne sont pas très attirantes.

Annie Gamache se trouvait à l'autre bout de la salle bondée, à côté de son mari, David. Ils écoutaient un homme plus âgé. David paraissait distrait, peu intéressé, contrairement à Annie dont les yeux brillaient. Elle était pendue aux lèvres de l'homme. Fascinée.

Beauvoir éprouva un pincement de jalousie. Il désirait qu'elle le regarde de cette façon.

«Regarde par ici, lui ordonna Beauvoir, par ici.»

— Et elles rient, dit l'homme derrière lui, en regardant d'un air désapprobateur le portrait des trois vieilles femmes. Pas très original. Aussi bien peindre des clowns.

À côté de lui, la femme ricana.

À l'autre extrémité de la pièce, Annie posa la main sur le bras de son mari, mais celui-ci ne parut pas s'en rendre compte.

Beauvoir posa doucement la main sur son propre bras. Voilà ce qu'il ressentirait.

— Ah, vous voilà, Clara, dit la conservatrice en chef du musée en la prenant par le bras et en l'éloignant de Myrna. Toutes mes félicitations! C'est un triomphe.

Clara côtoyait des gens du milieu artistique depuis suffisamment longtemps pour savoir que ce qu'ils qualifiaient de «triomphe», d'autres le qualifiaient simplement d'«événement». Mais c'était quand même mieux qu'un coup de pied dans les tibias.

— C'est vrai?

— Absolument. Les gens adorent vos toiles.

La femme serra Clara très fort dans ses bras. Elle portait des lunettes en forme de petits rectangles. Clara se demanda si, dans son monde, elle voyait en permanence une barre rectiligne devant ses yeux, causée par une sorte d'astigmatisme. Elle avait les cheveux courts, à la coupe anguleuse, comme ses vêtements. Et son visage était d'une pâleur maladive. Elle était une installation ambulante.

Mais elle était gentille, et Clara l'aimait.

— Très joli, dit la conservatrice en reculant d'un pas pour avoir une vue d'ensemble de Clara. J'aime ça. Très rétro, très chic. Vous ressemblez à…

Ses mains dessinaient des cercles pendant qu'elle réfléchissait.

– Audrey Hepburn?

– C'est ça! répondit la conservatrice en frappant dans ses mains et en riant. À coup sûr, vous lancerez une nouvelle mode.

Clara rit aussi et tomba un peu amoureuse. À l'autre bout de la salle, elle vit Olivier à côté, comme toujours, de Gabri. Alors que celui-ci bavardait avec un parfait inconnu, son compagnon regardait droit devant lui.

Clara suivit son regard. Il aboutissait à Armand Gamache.

– Alors, dit la conservatrice en passant son bras autour de la taille de Clara, qui connaissez-vous?

Avant que Clara puisse répondre, la femme indiqua du doigt quelques personnes dans la pièce bondée.

– Vous connaissez probablement ces gens-là.

Elle fit un geste de la tête en direction du couple dans la cinquantaine derrière Jean-Guy. L'homme et la femme semblaient subjugués par la peinture intitulée *Les trois Grâces*.

– Normand et Paulette. Ils sont mari et femme et forment une équipe. Lui dessine les grandes lignes des œuvres et elle ajoute les détails.

– Comme les maîtres de la Renaissance, qui travaillaient en équipe.

– En quelque sorte. Plutôt comme Christo et Jeanne-Claude, je dirais. Il est très rare de trouver un couple qui s'accorde aussi bien sur le plan artistique. Ce que les deux font ensemble est très bien. Et je vois qu'ils adorent votre tableau.

Effectivement, Clara les connaissait, mais, selon elle, ils n'utiliseraient pas le mot « adorer ».

– Qui est-ce? demanda Clara en indiquant l'homme distingué à côté de Gamache.

– François Marois.

Clara écarquilla les yeux et regarda autour d'elle. Pourquoi les gens ne se précipitaient-ils pas pour parler au marchand de tableaux réputé? Pourquoi Armand Gamache, qui n'était même pas un artiste, était-il le seul à parler avec M. Marois? Le but d'un vernissage n'était pas de rendre hommage à un artiste, mais de réseauter. Et François Marois figurait en tête de liste des personnes à rencontrer. Puis elle se dit que, parmi les gens présents dans la salle, très peu devaient le connaître.

– Comme vous le savez, il ne vient pratiquement jamais à des expositions, mais je lui ai donné un catalogue. Il a trouvé vos œuvres fantastiques.

– Vraiment ?

Même si elle traduisait le mot « fantastique » du langage du monde de l'art dans le langage des gens ordinaires, c'était un compliment.

– François connaît tous ceux qui ont de l'argent et du goût, dit la conservatrice. Quelle chance pour vous ! S'il aime vos tableaux, votre succès est assuré.

La conservatrice regarda avec attention l'homme à côté de Marois.

– Je ne connais pas l'homme avec qui il est en train de parler. Probablement un professeur d'histoire de l'art.

Clara s'apprêtait à la corriger quand elle vit Marois se tourner du portrait vers Armand Gamache. Il paraissait stupéfié.

Clara se demanda ce qu'il venait de voir. Et ce que cela signifiait.

– Bon, dit la conservatrice en faisant pivoter Clara. André Castonguay, là-bas, est une autre personne dont il est utile de faire la conquête.

Regardant dans la direction indiquée par la conservatrice, Clara vit un personnage bien connu dans le milieu des arts. Contrairement à François Marois qui se montrait réservé, André Castonguay, sorte d'éminence grise de la communauté artistique du Québec, aimait s'afficher. Légèrement plus jeune, plus grand et plus corpulent que Marois, Castonguay était entouré de plusieurs cercles de personnes. Le cercle intérieur était composé de critiques travaillant pour des journaux influents. Ensuite venaient les galeristes et les critiques de second plan. Quant aux artistes, ils se trouvaient dans le cercle extérieur.

Ils étaient les satellites, et André Castonguay le soleil.

– Venez, je vais vous le présenter.

– Fantastique, dit Clara.

Dans sa tête, elle traduisit ce « fantastique » par ce qu'elle avait réellement voulu dire : « Merde. »

– Est-ce possible ? demanda François Marois en scrutant le visage de l'inspecteur-chef Gamache.

Gamache le regarda, puis sourit et hocha la tête.

Marois se retourna vers le portrait.

De plus en plus d'invités arrivaient dans la salle et le vacarme devenait presque assourdissant. Mais François Marois n'avait d'yeux que pour un visage. Celui de la vieille femme dépitée sur le mur. Plein de reproche et de désespoir.

– C'est Marie, n'est-ce pas ? murmura Marois.

Gamache n'était pas certain si le marchand d'art s'adressait à lui, alors il ne dit rien. Marois avait vu ce que peu d'autres personnes avaient saisi.

Clara n'avait pas seulement peint le portrait d'une vieille femme en colère, mais celui de la Vierge Marie. Âgée. Abandonnée par un monde las des miracles, et qui s'en méfiait. Un monde trop occupé pour remarquer qu'une pierre avait été roulée. Il était passé à d'autres merveilles.

Le portrait représentait Marie à la fin de sa vie. Oubliée. Seule.

Elle lançait un regard furieux à tous ces gens intelligents qui sirotaient du bon vin en passant devant elle sans la voir.

À l'exception de François Marois, qui eut beaucoup de difficulté à détacher les yeux de la peinture pour se tourner encore une fois vers Gamache.

– Qu'a fait Clara ? demanda-t-il doucement.

Gamache garda le silence un moment et réfléchit avant de répondre.

– Salut, couille molle, dit Ruth Zardo en glissant un bras maigre sous celui de Jean-Guy Beauvoir. Dites-moi comment vous vous sentez.

C'était un ordre. Peu de gens avaient le courage d'ignorer Ruth. Mais il faut dire, aussi, que peu de gens s'étaient fait demander par Ruth comment ils allaient.

— Je vais bien.

— *Bullshit*, dit la vieille poète. Vous avez une mine affreuse. Vous êtes maigre, pâle, ridé.

— C'est vous que vous décrivez, vieille ivrogne.

Ruth Zardo gloussa.

— C'est vrai. Vous ressemblez à une vieille femme aigrie. Et ce n'est pas un compliment, contrairement à ce qu'on pourrait croire.

Beauvoir sourit. Il avait eu hâte, au fond, de revoir Ruth. Il examina la femme âgée, grande et maigre, appuyée sur sa canne. Ses cheveux fins et blancs, coupés ras, donnaient l'impression d'un crâne dénudé. Pour Beauvoir, la description était assez juste. Tout ce que Ruth avait dans la tête était toujours étalé au grand jour ou exprimé. C'était son cœur qu'elle ne montrait pas.

Mais il apparaissait dans ses poèmes. Ruth Zardo avait remporté le Prix du Gouverneur général dans la catégorie Poésie. Comment cela se pouvait-il ? Beauvoir n'en avait aucune idée. Il ne comprenait rien à ses poèmes. Heureusement, Ruth elle-même était beaucoup plus facile à décoder.

— Pourquoi êtes-vous ici ? demanda-t-elle en le fixant.

— Et vous ? Ne me dites pas que vous êtes venue d'aussi loin que Three Pines pour soutenir Clara.

Ruth le regarda comme s'il avait perdu la tête.

— Bien sûr que non. Je suis ici pour la même raison que tout le monde : la nourriture et l'alcool gratuits. Mais j'ai mangé et bu tout mon soûl. Venez-vous à Three Pines pour la fête ?

— J'ai été invité, mais je ne crois pas que j'irai.

Ruth hocha la tête.

— Tant mieux. Ça en fera plus pour moi. J'ai entendu parler de votre divorce. Elle vous a trompé, je suppose. Rien de plus normal.

— Vieille sorcière, marmonna Beauvoir.

— Tête de nœud.

Beauvoir détourna les yeux et Ruth suivit son regard, qui se posa sur la jeune femme à l'autre extrémité de la pièce.

— Vous pouvez trouver mieux qu'elle.

Ruth sentit le bras sous le sien se raidir. Beauvoir garda le silence. Elle tourna vers lui des yeux perçants, puis fixa de nouveau la jeune femme.

Fin vingtaine, ni grosse ni maigre, ni grande ni petite. Pas vraiment jolie, mais pas affreusement laide non plus.

Elle paraissait tout à fait quelconque, ordinaire. Elle avait quelque chose de particulier, cependant.

Il émanait d'elle une impression de bien-être.

Pendant que Ruth l'observait, une femme plus âgée s'approcha, passa un bras autour de la taille de la jeune femme et l'embrassa.

Reine-Marie Gamache. Ruth l'avait rencontrée à quelques reprises.

La vieille poète ratatinée se tourna vers Beauvoir et le regarda avec un intérêt accru.

Peter Morrow courtisait quelques galeristes. Il s'agissait de personnages mineurs dans le monde de l'art, mais il était préférable de les garder heureux.

André Castonguay, de la Galerie Castonguay, assistait au vernissage et Peter mourait d'envie de le rencontrer. Il avait également remarqué la présence des critiques du *New York Times* et du *Figaro*. Il parcourut la pièce des yeux et vit un photographe prendre une photo de Clara.

Se détournant un instant du photographe, Clara croisa le regard de son mari et haussa les épaules. Il leva son verre pour la saluer, et sourit.

Devrait-il aller voir Castonguay? Mais il y avait tant de monde autour de lui. Peter ne voulait pas paraître désespéré. Ne voulait pas donner l'impression de rôder autour du galeriste. Mieux valait ne pas s'approcher, comme si Castonguay ne signifiait rien pour lui, comme s'il n'avait pas besoin de lui.

Peter focalisa de nouveau son attention sur le propriétaire d'une petite galerie, qui lui expliquait qu'il serait ravi d'organiser une exposition de ses œuvres, mais que toutes les dates étaient prises.

Du coin de l'œil, Peter vit les cercles autour de Castonguay s'ouvrir pour laisser passer Clara.

– Vous m'avez demandé ce que je ressentais devant cette peinture, dit Armand Gamache.

Les deux hommes contemplaient le portrait.

– Je me sens en paix. Réconforté.

François Marois le dévisagea avec étonnement.

– Réconforté ? Mais comment ? Êtes-vous content de ne pas éprouver vous-même une telle colère ? Sa rage extrême rend-elle la vôtre plus acceptable ? Quel titre Mme Morrow a-t-elle donné à cette œuvre ?

Marois retira ses lunettes et se pencha vers la description écrite au pochoir sur le mur.

Puis il se recula, plus perplexe que jamais.

– Elle l'a intitulée *Nature morte*. Je me demande pourquoi.

Tandis que le marchand d'art se concentrait sur la peinture, Gamache vit Olivier, à l'autre bout de la salle, qui avait les yeux braqués sur lui. L'inspecteur-chef sourit en guise de salut, mais ne fut pas surpris de voir Olivier se détourner.

Au moins il avait sa réponse.

À côté de lui, Marois expira.

– Je comprends.

Gamache regarda le marchand de tableaux. Celui-ci n'avait plus l'air étonné. Sous le vernis de civilité et de raffinement craquelé apparut un sourire franc.

– C'est dans ses yeux, n'est-ce pas ?

Gamache fit signe que oui.

Marois inclina la tête sur le côté et, l'air songeur, fixa non pas le portrait, mais la foule. Il se tourna encore une fois vers le tableau, puis de nouveau vers les gens.

Gamache suivit son regard et ne fut pas surpris de le voir se poser sur la femme âgée parlant avec Jean-Guy Beauvoir.

Ruth Zardo.

Beauvoir paraissait agacé, contrarié, comme cela arrivait souvent aux personnes se trouvant en compagnie de Ruth. La poète, cependant, semblait plutôt satisfaite.

– C'est elle, n'est-ce pas? demanda Marois d'un ton animé et en baissant la voix, comme s'il voulait garder le secret pour eux.

Gamache hocha la tête.

– Une voisine de Clara à Three Pines.

Fasciné, Marois avait les yeux rivés sur Ruth, comme si la peinture avait pris vie. Puis, Gamache et lui se tournèrent vers le portrait.

Clara avait peint la poète sous les traits d'une Vierge Marie oubliée et à l'humeur belliqueuse. Usée par l'âge et la rage, par le ressentiment à la suite d'offenses réelles ou imaginées. Par des amitiés trahies. Des droits niés. L'amour qui lui avait été refusé. Mais il y avait autre chose. De ces yeux fatigués se dégageait quelque chose. Une impression plutôt qu'un sentiment réel. Rien de tangible. Cela s'apparentait davantage à une vague promesse, à une rumeur au loin.

En fin de compte, ce n'étaient pas les coups de pinceau, ni la composition, ni la couleur ou les demi-teintes qui importaient, c'était un minuscule détail. Un point blanc. Dans les yeux.

Clara Morrow avait peint le moment où le désespoir se transforme en espoir.

François Marois fit un pas en arrière et hocha gravement la tête.

– C'est extraordinaire, magnifique. À moins que, dit-il en s'adressant à Gamache, il s'agisse d'un leurre.

– Que voulez-vous dire?

– Ce n'est peut-être pas du tout de l'espoir, mais seulement une illusion d'optique.

3

Le lendemain matin, Clara se leva de bonne heure. Elle mit ses bottes en caoutchouc, enfila un pull par-dessus son pyjama, se versa une tasse de café et alla s'asseoir dans un des fauteuils Adirondack dans la cour arrière.

Les traiteurs avaient tout nettoyé et il ne restait plus aucun signe du barbecue géant et de la danse de la veille.

Clara ferma les yeux et sentit le doux soleil de juin sur son visage tourné vers le haut. Elle entendait des cris d'oiseaux et le murmure de la rivière Bella Bella au bout du jardin. Derrière ces bruits, il y avait le vrombissement de bourdons qui grimpaient dans les pivoines, par-dessus, autour, et se perdaient. Qui s'affairaient de façon si désordonnée.

Leur agitation chaotique paraissait comique, ridicule. Mais c'était le cas de beaucoup de choses, si on n'en comprenait pas le sens.

Sa tasse chaude dans les mains, Clara Morrow huma les odeurs de café et de gazon fraîchement coupé, des lilas, des pivoines et des roses parfumées écloses du matin.

C'était ce village qui avait existé sous ses couvertures lorsque Clara était enfant. Qui avait été construit derrière la mince porte en bois de sa chambre. De l'autre côté de cette porte, ses parents se disputaient, ses frères l'ignoraient, le téléphone sonnait, mais pas pour elle. Les regards glissaient sur elle, à travers elle, pour se poser sur quelqu'un d'autre, quelqu'un de plus joli, plus intéressant. Les gens lui coupaient la parole comme si elle avait été invisible, l'interrompaient comme si elle n'avait pas été en train de parler.

Mais quand, enfant, Clara fermait les yeux et tirait les couvertures par-dessus sa tête, elle voyait le beau petit village dans la vallée. Avec les forêts, les fleurs et les gentils habitants.

Où s'affairer de manière désordonnée était considéré comme une vertu.

Du plus loin qu'elle s'en souvienne, Clara n'avait toujours voulu qu'une chose, encore plus qu'une exposition solo. Ce n'était pas la richesse, ni le pouvoir, ni même l'amour.

Clara Morrow voulait se sentir à sa place, être acceptée. Et maintenant, à près de cinquante ans, elle avait atteint son but.

L'exposition constituait-elle une erreur? En y consentant, s'était-elle séparée du reste?

Des scènes de la veille lui revinrent en mémoire. Ses amis, d'autres artistes, Olivier qui croisait son regard et lui faisait un signe d'encouragement. L'excitation de rencontrer André Castonguay et d'autres. Le visage réjoui de la conservatrice. Le barbecue organisé dans la soirée au village. La nourriture, les boissons, les feux d'artifice. L'orchestre et les gens qui dansaient. Les rires.

Le soulagement.

Maintenant, cependant, au grand jour, l'anxiété était revenue. Il ne s'agissait plus de la tourmente qu'elle avait affrontée au plus fort de son affolement, mais plutôt une brume légère qui voilait le soleil.

Et Clara savait pourquoi.

Peter et Olivier étaient partis chercher les journaux. Ils reviendraient bientôt avec les mots qu'elle attendait de lire depuis une éternité. Les critiques. Les mots des experts.

Œuvres brillantes. Visionnaires. Magistrales.

Œuvres ordinaires. Peu originales. Sans surprise.

Qu'est-ce que ce serait?

En sirotant son café, Clara essaya de s'en ficher. Essaya de ne pas remarquer les ombres qui s'allongeaient, se rapprochaient sournoisement d'elle à mesure que s'écoulaient les minutes.

Une portière d'auto claqua et Clara sursauta, arrachée à sa rêverie.

– On est revenuuus, lança Peter d'une voix chantante.

Elle entendit des pas sur le côté de la maison. Elle se leva et se tourna pour accueillir Peter et Olivier. Mais les deux hommes, au lieu de marcher vers elle, étaient immobiles, figés, comme s'ils avaient été transformés en nains de jardin. Et au lieu de regarder Clara, ils avaient les yeux braqués sur une platebande de fleurs.

– Qu'y a-t-il? demanda-t-elle.

Elle se dirigea vers eux, accélérant le pas lorsqu'elle aperçut leur expression.

– Qu'est-ce qui ne va pas?

Peter se tourna et, après avoir laissé tomber les journaux sur l'herbe, l'empêcha d'aller plus loin.

– Appelle la police, dit Olivier à Clara.

Il s'avança petit à petit d'une platebande contenant des pivoines, des cœurs-saignants et des pavots.

Et quelque chose d'autre.

L'inspecteur-chef Gamache se redressa et soupira.

Aucun doute possible, il s'agissait d'un meurtre.

La femme à ses pieds avait le cou cassé. Si elle s'était trouvée au bas d'un escalier, il aurait pu penser que la mort avait été un accident. Mais elle reposait sur le dos à côté d'une platebande. Sur l'herbe tendre.

Les yeux ouverts, rivés sur le soleil de cette fin de matinée.

Gamache s'attendait presque à la voir cligner des paupières.

Du regard, il parcourut le jardin agréable. Le jardin familier. Combien de fois s'était-il retrouvé là avec Peter, Clara et d'autres, une bière à la main, en train de bavarder autour d'un barbecue allumé?

Ce n'était pas le cas ce jour-là.

Peter et Clara, Olivier et Gabri étaient près de la rivière et observaient la scène. Entre Gamache et eux, il y avait le ruban jaune. D'un côté de cette ligne de partage se trouvaient les enquêteurs; de l'autre, ceux sur qui portait leur enquête.

– Une femme de race blanche, dit la médecin légiste.

La D^{re} Harris, à genoux, était penchée au-dessus de la victime, comme l'était l'agente Isabelle Lacoste. L'inspecteur Jean-Guy

Beauvoir dirigeait l'équipe de techniciens de scènes de crime de la Sûreté du Québec. Ceux-ci inspectaient méthodiquement les lieux : recherchaient des indices, prenaient des photos, recueillaient soigneusement, méticuleusement la preuve médicolégale.

— D'âge moyen, poursuivit la médecin légiste d'une voix neutre, qui énonçait simplement des faits.

L'inspecteur-chef Gamache l'écoutait énumérer ses observations. Il connaissait, mieux que la plupart des gens, le pouvoir des faits. Cependant, il savait aussi qu'on découvrait peu de meurtriers dans les faits.

— Cheveux blonds teints, racines grisonnantes tout juste visibles. Léger embonpoint. Pas de bague à l'annulaire de la main gauche.

Les faits étaient nécessaires. Ils indiquaient la voie, et aidaient à tendre les filets. Toutefois, pour attraper un meurtrier, il fallait suivre non seulement des faits, mais aussi des sentiments. Les émotions putrides qui avaient transformé un homme en assassin.

— Cou cassé net au niveau de la seconde vertèbre.

L'inspecteur-chef écoutait et observait. La routine lui était familière, mais non moins horrifiante pour autant.

Qu'une personne en ait tué une autre le consternait toujours, même après toutes ces années à la tête de la section des homicides de la célèbre Sûreté du Québec. Après tous ces meurtres, tous ces meurtriers.

Ce qu'un être humain pouvait faire à un autre le stupéfiait encore.

Peter Morrow regardait les chaussures rouges qui dépassaient derrière la platebande. Elles étaient rattachées aux pieds de la morte, qui étaient rattachés à son corps, qui était étendu sur sa pelouse. Il ne pouvait pas voir le corps, caché par les hautes fleurs, mais il voyait les pieds. Il détourna les yeux et essaya de se concentrer sur autre chose. Sur les enquêteurs, Gamache et son équipe, qui se penchaient, inclinaient la tête, murmuraient, comme s'ils participaient à une cérémonie, à un rituel macabre, dans son jardin.

Gamache ne prenait aucune note, remarqua Peter. Il écoutait et hochait respectueusement la tête. De temps en temps, il posait une question, le visage pensif. Il laissait la prise de notes à d'autres, soit, ce jour-là, à l'agente Lacoste.

Peter tenta de regarder ailleurs, de fixer son attention sur la beauté de son jardin.

Mais ses yeux ne cessaient de revenir au corps dans son jardin.

Puis soudain, pendant que Peter l'observait, Gamache se tourna vivement vers lui. Et Peter, immédiatement et instinctivement, baissa les yeux, comme s'il avait fait quelque chose de honteux.

Regrettant aussitôt son geste, il releva les yeux, mais l'inspecteur-chef ne regardait plus Peter et les autres. Il s'avançait vers eux.

Peter envisagea de se tourner dans l'autre direction, d'une manière désinvolte, comme s'il avait entendu un chevreuil dans la forêt de l'autre côté de la rivière Bella Bella.

Il commença à tourner la tête, puis s'interrompit.

Il n'avait pas à détourner le regard, se dit-il. Il n'avait rien fait de mal. Ce devait sûrement être normal de regarder la police.

N'est-ce pas ?

Pourtant, Peter Morrow, toujours si sûr de lui, sentit le sol bouger sous ses pieds. Il ne savait plus ce qui était normal. Ne savait plus quoi faire avec ses mains, ses yeux, son corps entier. Sa vie. Sa femme.

– Clara, dit l'inspecteur-chef Gamache en tendant la main vers elle.

Puis il l'embrassa sur les deux joues. Si les autres enquêteurs trouvaient étrange que leur chef embrasse une suspecte, ils ne le laissèrent pas paraître. Et Gamache, de toute évidence, s'en fichait.

Il fit le tour du petit groupe et serra la main à chaque personne. Il se présenta devant Olivier en dernier, avec l'intention manifeste de lui donner le temps de se préparer à cette rencontre. Gamache tendit la main. Et les autres regardèrent les deux hommes, le corps momentanément oublié.

Olivier n'hésita pas. Il serra la main de Gamache, mais ne fut pas tout à fait capable de le regarder dans les yeux.

L'inspecteur-chef Gamache adressa à tous un petit sourire presque contrit, comme si la présence du corps était sa faute. Était-ce ainsi que d'horribles choses commençaient? se demanda Peter. Pas avec un coup de tonnerre, ni avec un hurlement, ni avec des sirènes, mais avec un sourire? Quelque chose d'épouvantable qui s'invitait chez soi, dissimulé sous une attitude courtoise et de bonnes manières.

Mais la chose épouvantable était déjà venue, et repartie. En laissant derrière elle un corps.

– Comment vous sentez-vous? demanda Gamache en tournant de nouveau son regard vers Clara.

Ce n'était pas une question posée négligemment. Il semblait sincèrement préoccupé.

Peter se détendit, en sentant le poids du corps transféré de ses épaules à celles de cet homme robuste.

Clara secoua la tête.

– Abasourdie, répondit-elle enfin.

Puis elle ajouta, en jetant un bref regard derrière elle:

– Qui est cette femme?

– Vous ne le savez pas?

Gamache regarda Clara puis Peter, ensuite Gabri et, finalement, Olivier. Tous secouèrent la tête.

– Elle ne faisait pas partie des personnes invitées à votre fête?

– Je suppose que oui, dit Clara. Mais ce n'est pas moi qui l'ai invitée.

– Qui est-elle? demanda Gabri.

– L'avez-vous bien regardée? voulut aussi savoir Gamache, pas encore prêt à répondre à la question.

Ils hochèrent tous la tête.

– Après qu'on a appelé la police, je suis retournée dans le jardin, pour la voir, dit Clara.

– Pourquoi?

– Je voulais savoir si je la connaissais. Voir si c'était une amie ou une voisine.

– Elle n'était pas d'ici, dit Gabri. Je préparais le petit-déjeuner pour les clients de notre gîte quand Olivier a téléphoné pour me dire ce qui était arrivé.

– Et vous êtes donc venus chez les Morrow? demanda Gamache.

– Vous ne le feriez pas, vous? demanda le gros homme.

– Je suis un détective aux homicides. Je n'ai pour ainsi dire pas le choix. Vous, oui.

– Je suis un indécrottable écornifleur, dit Gabri. Moi non plus, je n'ai pour ainsi dire pas le choix. Et, comme Clara, je voulais vérifier si nous la connaissions.

– En avez-vous parlé à d'autres personnes? Quelqu'un d'autre est-il venu dans le jardin pour la voir?

Ils secouèrent la tête.

– Donc, vous l'avez bien regardée, et personne ne l'a reconnue?

– Qui est-elle? demanda de nouveau Clara.

– Nous l'ignorons, avoua Gamache. Elle est tombée sur son sac à main, et la D^re Harris n'est pas encore prête à déplacer le corps. Mais nous ne devrions pas tarder à connaître son identité.

Après un moment d'hésitation, Gabri se tourna vers Olivier et demanda:

– Elle ne te rappelle pas quelque chose?

Olivier demeura silencieux, mais pas Peter.

– La sorcière est morte?

– Peter! s'exclama Clara. Cette femme a été assassinée et laissée dans notre jardin. Quelle horrible chose à dire!

– Je suis désolé, dit Peter, lui-même scandalisé par ses propos. Mais c'est vrai qu'elle ressemble à la méchante Sorcière de l'Ouest, avec ses souliers rouges qui dépassent de la platebande.

– Nous ne disons pas qu'elle est une sorcière, se dépêcha d'ajouter Gabri. Mais tu ne peux pas nier que dans cet accoutrement elle ne ressemble à personne du Kansas.

Clara roula les yeux et, en secouant la tête, marmonna:

– *Jesus!*

Gamache devait toutefois admettre que son équipe et lui avaient parlé de la même chose. Pas que la morte leur rappelait la méchante Sorcière, mais qu'elle n'était manifestement pas habillée pour un barbecue à la campagne.

— Je ne l'ai pas vue, hier soir, dit Peter.

— Et on s'en souviendrait, si ç'avait été le cas, dit Olivier, parlant enfin. Il aurait été difficile de ne pas la remarquer.

Gamache hocha la tête. Il en était venu à la même conclusion. La femme ne serait pas passée inaperçue, dans sa robe écarlate. Chez elle, tout semblait hurler : « Regardez-moi ! »

Il se tourna pour la regarder et fouilla sa mémoire. La veille, au vernissage, avait-il vu une femme vêtue d'une robe rouge vif ? Elle était peut-être venue à Three Pines directement du musée, comme, supposait-il, avaient dû le faire bon nombre d'invités. Cependant, il ne se rappelait aucune personne ainsi habillée. La plupart des femmes, à l'exception notable de Myrna, portaient des vêtements aux couleurs sobres.

Soudain, il lui vint une pensée.

— *Excuse me*, dit-il.

Il traversa rapidement la pelouse, parla brièvement avec Beauvoir, puis revint, plus lentement, en réfléchissant.

— J'ai lu le rapport pendant le trajet en voiture pour venir ici, mais j'aimerais entendre moi-même comment la femme a été découverte.

— Peter et Olivier l'ont vue les premiers, dit Clara. J'étais assise dans ce fauteuil.

Elle indiqua un des deux fauteuils Adirondack jaunes. Sur un des bras en bois se trouvait encore sa grande tasse à café.

— Les gars étaient partis chercher les journaux à Knowlton, et j'attendais leur retour.

— Pourquoi ? demanda l'inspecteur-chef.

— Pour lire les critiques.

— Ah, bien sûr. Et cela expliquerait…

Il fit un geste en direction de la pile de journaux sur la pelouse, dans la zone délimitée par le ruban jaune de la police.

Clara aussi la regarda. Elle aurait voulu pouvoir dire que le choc de la découverte du corps lui avait fait complètement oublier les critiques, mais non. Le *New York Times*, le *Globe and*

Mail de Toronto et le *Times* de Londres étaient empilés à l'endroit où Peter les avait laissés tomber par terre.

Hors de sa portée.

Gamache, perplexe, regarda Clara.

– Mais si vous aviez si hâte de les lire, pourquoi ne pas tout simplement aller sur Internet? Les critiques ont dû être mises en ligne il y a plusieurs heures, non?

Peter lui avait posé la même question. Olivier aussi. Comment pouvait-elle expliquer son choix?

– Parce que je voulais sentir les journaux dans mes mains. Je voulais lire les critiques de mes toiles de la même façon que je lis les critiques des œuvres de tous les artistes que j'aime. En tenant le journal. En sentant l'odeur du papier. En tournant les pages. J'ai rêvé à ça toute ma vie. Une heure de plus d'attente me semblait valoir la peine.

– Donc, ce matin, vous avez été seule dans le jardin durant environ une heure?

Clara fit oui de la tête.

– De quelle heure à quelle heure?

– De sept heures et demie jusqu'à ce que Peter et Olivier reviennent, vers huit heures et demie.

Clara regarda son mari.

– C'est exact, confirma Peter.

– Et lorsque vous êtes revenus, qu'avez-vous vu? demanda Gamache en s'adressant aux deux hommes.

– Nous sommes sortis de l'auto et, sachant que Clara était dans le jardin, nous avons décidé de la rejoindre en passant par là.

Peter pointa le doigt vers un côté de la maison, où un vieux lilas retenait les dernières fleurs de la saison.

– Je suivais Peter, quand soudain il s'est arrêté, dit Olivier.

– Au moment où nous tournions l'angle, j'ai remarqué quelque chose de rouge par terre, reprit Peter. Je crois avoir supposé qu'il s'agissait d'un pavot tombé par terre. Mais c'était trop gros. J'ai donc ralenti le pas et regardé de plus près. C'est alors que j'ai vu que c'était une femme.

– Qu'avez-vous fait?

– J'ai d'abord pensé que c'était une des invitées, probablement tombée ivre morte après avoir trop bu, expliqua Peter. Et qui cuvait son vin dans notre jardin. Mais ensuite j'ai vu que ses yeux étaient ouverts et sa tête…

Il inclina la sienne, mais, évidemment, ne réussit pas à former le même angle. Aucun être vivant n'y parviendrait. C'était un exploit réservé aux morts.

– Et vous? demanda Gamache à Olivier.

– J'ai demandé à Clara d'appeler la police. Puis j'ai téléphoné à Gabri.

– Vous avez dit que vous avez des clients? demanda Gamache. Des gens venus pour la fête?

Gabri hocha la tête.

– Quelques artistes venus de Montréal ont décidé de rester à coucher au gîte. D'autres logent à l'auberge et spa.

– S'agit-il de réservations de dernière minute?

– Au gîte, oui. Elles ont été faites au cours de la soirée.

Après avoir de nouveau hoché la tête, Gamache se retourna et fit signe à l'agente Isabelle Lacoste, qui vint aussitôt le rejoindre, écouta le chef murmurer des instructions, puis s'éloigna rapidement. Elle parla à deux jeunes agents de la Sûreté, qui hochèrent la tête et quittèrent ensuite les lieux.

Clara était toujours fascinée de constater la facilité avec laquelle Gamache prenait le commandement des opérations, et de voir que les gens acceptaient ses ordres de façon si naturelle. Des ordres jamais aboyés, jamais criés, jamais durs. Toujours exprimés de manière on ne peut plus calme, courtoise même, presque formulés comme des requêtes. Pourtant, personne ne les prenait pour de simples demandes.

Gamache se retourna du côté des quatre amis pour leur accorder toute son attention.

– Un de vous a-t-il touché le corps?

Ils se regardèrent en secouant la tête, puis tournèrent de nouveau la tête vers l'inspecteur-chef.

– Non, répondit Peter.

Il se sentait plus sûr de lui, maintenant. Le sol sous ses pieds s'était raffermi, bien rempli de faits, de questions simples et de réponses claires.

Il n'y avait là rien à craindre.

— Vous permettez? Ça ne vous dérange pas? dit Gamache en commençant à se diriger vers le fauteuil Adirondack.

Même si ça les avait ennuyés, ça n'aurait eu aucune importance. Il allait là-bas, et ils étaient les bienvenus s'ils voulaient le suivre.

— Avant que Peter et Olivier reviennent, lorsque vous étiez assise ici toute seule, vous n'avez rien remarqué d'étrange? demanda-t-il tandis qu'ils marchaient tous les cinq.

Il semblait évident que, si Clara avait vu un corps dans son jardin, elle l'aurait mentionné plus tôt. Mais Gamache ne s'intéressait pas seulement au cadavre. Clara connaissait bien, très bien son jardin. Il y avait peut-être quelque chose d'autre qui n'était pas normal. Une plante écrasée, un arbuste dont certaines branches seraient cassées.

Un détail que ses enquêteurs ne remarqueraient pas. Quelque chose de si subtil qu'elle-même aurait pu ne pas le remarquer, avant que Gamache lui pose directement la question.

Clara ne lui lança pas une réplique sarcastique, ce qui était tout à son honneur. Mais Gabri, oui.

— Comme le corps?

— Non, dit le chef au moment où ils arrivaient au fauteuil.

Il se tourna et balaya le jardin du regard. De cet endroit, constata-t-il, il était en effet impossible de voir la morte, cachée par les platebandes.

— Je veux dire autre chose.

Il posa ses yeux pensifs sur Clara.

— Y a-t-il quelque chose qui vous paraît inhabituel dans votre jardin ce matin?

Il jeta un regard d'avertissement à Gabri, qui mit son index sur ses lèvres.

— Un petit détail? Un élément insolite?

Clara regarda autour d'elle. La pelouse était entrecoupée ici et là de grandes platebandes de fleurs, certaines rondes, d'autres oblongues. De grands arbres le long des berges de la rivière projetaient une ombre tachetée de lumière, mais la majeure partie de la cour arrière était baignée par le soleil éclatant de midi. Clara parcourut son jardin du regard, comme le firent aussi les autres.

Y avait-il quelque chose de différent ? Il était extrêmement difficile de l'affirmer, maintenant, avec toutes les personnes qu'il y avait dans la cour, les journaux, le va-et-vient des enquêteurs, le ruban jaune de la police. Les journaux. Le corps. Les journaux.

Tout était différent.

Clara se retourna vers Gamache et, de ses yeux, demanda de l'aide.

Gamache éprouvait beaucoup de réticence à l'aider, à suggérer des pistes de réponse, au cas où cela l'amènerait à voir quelque chose qui n'était pas vraiment là.

— Il est possible que le meurtrier se soit caché ici, dit-il enfin. Attendant son heure.

Il s'en tint à ça, mais vit que Clara avait compris. Elle se tourna de nouveau vers le jardin. Un homme résolu à tuer était-il resté là à attendre ? Dans son lieu de refuge, son sanctuaire ?

S'était-il caché dans les platebandes ? S'était-il accroupi derrière les pivoines ? Avait-il observé les lieux dissimulé derrière les gloires du matin qui grimpaient le long du treillis ? S'était-il agenouillé derrière les phlox ?

Attendant ?

Clara regarda chacune des vivaces, chaque arbuste, à la recherche de quelque chose qu'on aurait fait tomber par terre, qui serait de travers, une branche tordue, une tige cassée.

Mais tout était parfait. Myrna et Gabri avaient consacré plusieurs journées à travailler dans le jardin, pour qu'il soit impeccable le jour de la fête. Et il l'avait été, la veille. Et l'était toujours ce matin.

Sauf pour ce qui était des policiers, qui l'avaient envahi comme des insectes ravageurs. Et du corps dans la robe d'un rouge si vif, comme une tache, une ternissure.

— Vois-tu quelque chose ? demanda Clara à Gabri.

– Non. Si le meurtrier s'est caché dans la cour, ce n'était pas dans une des platebandes. Derrière un arbre, peut-être?

D'un geste du bras, il indiqua les érables, mais Gamache secoua la tête.

– C'est trop loin. Il lui aurait fallu trop de temps pour traverser la pelouse et contourner les platebandes. La femme l'aurait vu arriver.

– Où s'est-il caché, alors? demanda Olivier.

– Il ne s'est pas caché, répondit Gamache.

Il s'assit dans le fauteuil. De cet endroit aussi, constata-t-il, il était impossible de voir le corps. Non, Clara n'avait pas pu apercevoir la morte.

– Il ne s'est pas caché, répéta-t-il en se relevant. Il a attendu sans se dissimuler.

– Et elle est allée à sa rencontre? dit Peter. Elle le connaissait?

– Ou bien lui est allé à sa rencontre. Que ce soit l'une ou l'autre de ces possibilités, elle n'était ni inquiète ni effrayée.

– Que faisait-elle ici? demanda Clara. Le barbecue était par là-bas, dit-elle en agitant le bras en direction de l'avant de la maison. Tout se trouvait dans le parc. La nourriture, les boissons, la musique. Les traiteurs y avaient installé toutes les tables et les chaises.

– Mais si les gens le voulaient, ils pouvaient entrer dans les cours arrière? demanda l'inspecteur-chef, qui essayait de se faire une image de la fête.

– Bien sûr, répondit Olivier. S'ils le voulaient. Il n'y avait ni clôtures ni cordes pour les en empêcher. Mais il n'y avait aucune raison de le faire.

– Eh bien…, dit Clara.

Ils se tournèrent tous vers elle.

– Je ne suis pas venue ici hier soir, mais il m'est arrivé de le faire à l'occasion d'autres fêtes. Pour m'échapper, en quelque sorte, durant quelques minutes. Vous comprenez?

À la surprise des autres, Gabri hocha la tête.

– Je fais la même chose, parfois. Pour profiter d'un peu de silence, m'éloigner de tout le monde pendant un moment.

– L'avez-vous fait hier soir? demanda Gamache.

Gabri secoua la tête.

– Il y avait trop à faire. Même si on a des traiteurs, il faut superviser le déroulement des activités.

– Il est donc possible que la femme soit venue ici pour jouir de quelques instants de tranquillité, dit Gamache. Elle ignorait peut-être qu'il s'agissait de votre maison, ajouta-t-il en regardant Clara et Peter. Elle a pu simplement choisir un endroit retiré, à l'écart de la foule.

Ils gardèrent tous le silence pendant un moment et imaginèrent la femme dans la robe «regardez-moi» d'un rouge éclatant, qui se glissait sur le côté de la vieille maison en brique et s'éloignait de la musique, des feux d'artifice, des gens qui la regardaient.

Pour pouvoir passer quelques minutes dans le calme et la tranquillité.

– Elle ne semble pas du genre timide, dit Gabri.

– Vous non plus, dit Gamache avec un petit sourire.

Encore une fois, il parcourut le jardin du regard. Il y avait un problème. En fait, il y en avait plusieurs, mais celui qui, à ce moment-là, suscitait la perplexité de l'inspecteur-chef était le fait qu'aucune des quatre personnes à côté de lui n'avait vu la morte en vie, à la fête.

– Bonjour.

L'inspecteur Jean-Guy Beauvoir se dirigeait vers le groupe. Lorsqu'il fut tout près, Gabri l'accueillit avec un sourire et lui tendit la main.

– Je commence à croire que vous portez malheur, dit-il. Chaque fois que vous venez à Three Pines, il y a un cadavre.

– Et moi, je pense que vous fournissez des corps seulement pour pouvoir jouir du plaisir de ma compagnie, répondit Beauvoir en serrant chaleureusement la main de Gabri, puis celle d'Olivier.

Ils s'étaient vus la veille, au vernissage. À ce moment-là, ils avaient été dans un environnement que Peter et Clara connaissaient bien, où ils étaient dans leur élément. Le musée. Maintenant, cependant, ils se trouvaient dans l'habitat de Beauvoir. Une scène de crime.

L'art effrayait Beauvoir. Mais vous pouviez accrocher un cadavre au mur, et il se sentait parfaitement bien. Ou, comme dans le cas présent, en laisser tomber un dans un jardin. Ça, il comprenait. C'était simple. Toujours si simple.

Quelqu'un avait suffisamment détesté la victime pour la tuer.

Son travail, à lui, consistait à trouver cette personne et à la mettre sous les verrous.

Il n'y avait rien de subjectif là-dedans. Aucune appréciation à donner, aucun jugement de valeur à poser. Ce n'était pas une question de perspective ou de nuance. Il n'y avait pas de zones d'ombre. Rien qu'il fallait interpréter. Il avait des tâches bien définies à accomplir, point.

Rassembler des faits, les placer dans le bon ordre, débusquer le tueur.

Évidemment, même si c'était simple, ce n'était pas toujours facile.

Mais il préférait cent fois un meurtre à un vernissage.

Toutefois, comme les autres personnes du groupe, il pressentait que dans le présent cas le meurtre et le vernissage étaient étroitement liés.

Cette pensée le consterna.

— Voici les photos que vous avez demandées, dit-il à l'inspecteur-chef en les lui remettant.

Après les avoir étudiées, Gamache dit :

— Merci. C'est parfait.

Il leva ensuite les yeux vers les quatre personnes qui l'observaient.

— J'aimerais que vous regardiez tous ces photographies de la victime.

— Mais nous l'avons déjà vue, dit Gabri.

— Je me demande si c'est bien vrai. Lorsque je vous ai demandé si vous l'aviez vue à la fête, vous avez tous répondu qu'avec sa robe rouge il aurait été difficile de ne pas la remarquer. Je me suis dit la même chose. Quand j'ai moi-même essayé de me rappeler si je l'avais vue à votre vernissage, Clara, j'ai, en fait, fouillé ma mémoire en cherchant à me souvenir d'une femme dans une tenue écarlate. Je focalisais mon attention sur la robe et non sur la femme.

– Et alors? dit Gabri.

– Et alors, supposons qu'elle n'ait mis la robe rouge que plus tard. La femme était peut-être présente au vernissage, mais vêtue plus sobrement. Elle était peut-être même ici…

– Et se serait changée au milieu de la fête pour enfiler la robe rouge? demanda Peter d'un air incrédule. Pourquoi quelqu'un ferait-il ça?

– Pourquoi quelqu'un l'a-t-il tuée? demanda Gamache. Pourquoi une parfaite étrangère serait-elle venue à la fête? On peut se poser toutes sortes de questions, et je n'affirme pas avoir la bonne réponse, mais c'est une possibilité. Il se peut que, si impressionnés par la robe, vous n'ayez pas vraiment prêté attention au visage de la femme.

Il leva une photographie.

– Voici de quoi elle a l'air.

Il tendit la photo à Clara en premier. La femme avait maintenant les yeux fermés. Elle semblait reposer paisiblement. Sa peau, cependant, paraissait flasque. Même dans le sommeil, il y a de la vie dans les traits d'un visage. Cette figure était inanimée, sans expression. Vide de toute pensée, toute émotion.

Clara secoua la tête et passa la photo à Peter. Celle-ci fit le tour du cercle d'amis, en suscitant la même réaction.

Non, cette femme ne leur disait rien.

– La médecin légiste est prête à déplacer le corps, dit Beauvoir.

Gamache hocha la tête et mit la photo dans sa poche. Il savait que Beauvoir, Lacoste et les autres auraient leur propre copie. Après s'être excusés, les deux policiers retournèrent auprès du corps.

Deux assistants, debout à côté d'une civière, attendaient d'y déposer la femme et de la transporter jusqu'à la camionnette garée en avant. Le photographe aussi attendait. Tous regardaient l'inspecteur-chef Gamache, attendant qu'il donne l'ordre d'emporter le corps.

— Savez-vous depuis quand elle est morte ? demanda Beauvoir à la médecin légiste, qui venait de se relever et remuait ses jambes engourdies.

— Depuis douze à quinze heures, répondit la D^{re} Harris.

Gamache jeta un coup d'œil à sa montre et fit le calcul. Il était maintenant onze heures et demie le dimanche matin. La femme avait donc été en vie à vingt heures trente la veille et était morte avant minuit. Elle n'avait rien vu de la journée du dimanche.

— Elle ne semble pas avoir été agressée sexuellement. À l'exception du cou cassé, il n'y a aucune marque de violence, précisa la médecin légiste. La mort a certainement été instantanée. Elle ne s'est pas débattue. À mon avis, le meurtrier devait se trouver derrière elle et lui a tordu le cou.

— Aussi simple que ça, D^{re} Harris ? demanda l'inspecteur-chef.

— Je le crois, oui. Surtout si la victime ne s'est pas raidie. Si elle était détendue et a été attaquée par surprise, elle n'a dû opposer aucune résistance. Dans un tel cas, une simple torsion suffit et le cou se brise net.

— Mais la plupart des gens savent-ils comment casser le cou à quelqu'un ? demanda l'agente Lacoste en lissant son pantalon avec ses mains.

Comme beaucoup de Québécoises, elle était menue et réussissait à paraître d'une élégance décontractée même lorsqu'elle était habillée pour la campagne.

— Ça ne prend pas grand-chose, vous savez, répondit la D^{re} Harris. Seulement une torsion. Il est possible, cependant, que le tueur ait eu un plan B. Il avait peut-être l'intention de l'étrangler si jamais la torsion ne fonctionnait pas.

— À vous entendre, on dirait un plan d'affaires, dit Lacoste.

— Ce l'était peut-être, en quelque sorte. Un plan rationnel, élaboré froidement. Il est peut-être relativement facile, physiquement, de briser un cou, mais, croyez-moi, ce doit être extrêmement difficile sur le plan émotionnel. Voilà pourquoi la plupart des meurtriers utilisent une arme à feu ou assènent un coup sur la tête, ou, encore, se servent d'un couteau. Ils préfèrent avoir recours à un objet pour donner la mort. Mais le faire de leurs propres mains? Pas au cours d'une bagarre, mais froidement, délibérément? Non. (La médecin légiste se retourna vers la morte.) Seule une personne très spéciale a pu faire ça.

— Et qu'entendez-vous par «très spéciale»? demanda Gamache.

— Vous savez ce que je veux dire, inspecteur-chef.

— Mais j'aimerais que vous l'exprimiez clairement.

— Soit quelqu'un qui s'en fichait complètement, un psychotique. Soit une personne qui éprouvait des sentiments très, très profonds, qui voulait faire ça à mains nues. Pour, littéralement, enlever elle-même la vie à cette femme.

La D^{re} Harris regarda fixement Gamache, qui hocha la tête.

— Merci.

Il jeta un coup d'œil aux assistants de la médecin légiste et, à son signal, ceux-ci placèrent le corps sur la civière, le recouvrirent d'un drap, puis emportèrent la morte, qui ne serait plus jamais au soleil.

Le photographe commença à prendre des photos et les membres de l'équipe médicolégale s'approchèrent pour recueillir tout élément de preuve qui aurait pu se trouver sous le corps. Le sac-pochette, notamment, dont le contenu fut soigneusement catalogué, vérifié et photographié. Les techniciens relevèrent également les empreintes avant de remettre le tout à Beauvoir.

Il y avait du rouge à lèvres, du fond de teint, des clés d'auto et de maison ainsi qu'un portefeuille.

Beauvoir l'ouvrit, regarda le permis de conduire, puis le tendit à l'inspecteur-chef.

— Nous avons un nom, chef. Et une adresse.

Gamache jeta un bref regard au permis et leva ensuite la tête en direction des quatre villageois qui l'observaient. Il retraversa la pelouse pour aller les rejoindre.

— Nous connaissons l'identité de la morte.

Après avoir consulté le permis de conduire, il ajouta:

— Elle s'appelle Lillian Dyson.

– Que dites-vous ? s'exclama Clara. Lillian Dyson ?

Gamache se tourna vers elle.

– Vous la connaissez ?

Clara fixa Gamache avec un air de profonde incrédulité, puis plongea son regard dans la forêt au loin, au-delà de son jardin, de l'autre côté de la sinueuse rivière Bella Bella.

– Ce n'est pas possible, murmura-t-elle.

– Qui était-elle ? demanda Gabri.

Mais Clara semblait avoir été frappée de stupeur et elle continua de regarder la forêt d'un air perplexe.

– Puis-je voir sa photo ? demanda-t-elle enfin.

Gamache lui remit le permis de conduire. Ce n'était pas la plus belle photo, mais elle était certainement meilleure que celle prise ce matin-là. Clara l'examina, puis inspira profondément et retint son souffle pendant un moment avant d'expirer.

– Ce pourrait être elle. Les cheveux sont différents. Blonds. Et elle est beaucoup plus vieille, plus corpulente. Mais ce pourrait être elle.

– Qui ? demanda de nouveau Gabri.

– Lillian Dyson, évidemment, dit Olivier.

– Bien oui, c'est son nom, je le sais, rétorqua sèchement Gabri à son partenaire. Mais qui est-elle ?

– Lillian était…

Peter s'interrompit lorsque Gamache leva la main. Il ne s'agissait pas d'un geste de menace, mais plutôt une façon d'ordonner à Peter de se taire, ce qu'il fit.

– Je dois l'entendre de la bouche de Clara en premier, dit l'inspecteur-chef. Aimeriez-vous parler en privé ?

Clara réfléchit un moment, puis hocha la tête.

– Quoi ? Sans nous ? demanda Gabri.

– Je suis désolée, mon beau Gabri, répondit Clara, mais je préfère parler tranquillement avec les enquêteurs.

Gabri parut blessé, mais accepta de s'en aller. Olivier et lui quittèrent les lieux en longeant un côté de la maison.

Gamache attira l'attention de l'agente Lacoste et hocha la tête. Puis il regarda les fauteuils Adirondack.

– Pourrait-on trouver deux autres fauteuils ?

Avec l'aide de Peter, deux autres fauteuils Adirondack furent apportés. Tous les quatre s'assirent en cercle. S'il y avait eu un feu de camp au centre, on aurait pu avoir l'impression que Clara s'apprêtait à raconter une histoire de fantôme.

Et, d'une certaine façon, c'est ce qu'elle fit.

4

Gabri et Olivier retournèrent au bistro juste à temps pour servir la foule du midi. L'endroit était bondé de monde, mais toute conversation, toute activité cessa lorsque les deux hommes entrèrent.

– Alors, qui a dégueulé? demanda Ruth dans le silence qui régnait.

Ses paroles furent immédiatement suivies d'un flot de questions, comme si un barrage avait cédé.

– Sait-on qui c'est?

– Il paraît que c'est quelqu'un de l'auberge.

– Une femme.

– Sans doute quelqu'un qui était à la fête. Est-ce que Clara la connaissait?

– Est-ce quelqu'un du village?

– Était-ce un meurtre? demanda Ruth.

Alors que tout à l'heure elle avait brisé le silence, maintenant elle en créa un. Les gens arrêtèrent de poser des questions et leurs yeux allèrent de la vieille poète aux propriétaires du bistro.

Gabri se tourna vers Olivier.

– Que devrait-on dire?

Son compagnon haussa les épaules.

– Gamache ne nous a pas ordonné de nous taire.

– Allez, merde, dites-le! lança Ruth d'un ton sec. Et donnez-moi quelque chose à boire. Mieux encore, apportez-moi d'abord ma consommation et parlez ensuite.

Il y eut un début de discussion et Olivier leva les bras.

– OK, OK. Nous vous dirons ce que nous savons.

Et il le leur dit.

Le corps était celui d'une femme appelée Lillian Dyson. Cette révélation fut d'abord accueillie par un silence. Puis, un léger bourdonnement se fit entendre tandis que les gens échangeaient leurs points de vue. Mais il n'y eut aucun cri, et personne ne s'évanouit ni ne déchira ses vêtements.

Personne ne connaissait la femme.

Elle avait été trouvée dans le jardin des Morrow, confirma Olivier.

Assassinée.

Un long silence suivit ce mot.

– Il doit y avoir quelque chose dans l'eau, marmonna Ruth qui était incapable de se taire, quelle que soit la circonstance. Comment a-t-elle été tuée?

– Elle a eu le cou brisé, répondit Olivier.

– Qui était cette Lillian? demanda quelqu'un à l'arrière du bistro bondé.

– Clara semble la connaître, dit Olivier. Mais elle ne m'a jamais parlé d'elle.

Il se tourna vers Gabri, qui secoua la tête.

C'est à ce moment qu'Olivier remarqua une personne debout près de la porte, qui était entrée après eux.

L'agente Isabelle Lacoste avait observé la scène, envoyée par l'inspecteur-chef Gamache qui avait compris que les deux hommes diraient tout. Le chef voulait savoir si quelqu'un dans le bistro se trahirait en entendant les révélations d'Olivier et de Gabri.

– Racontez-moi tout, dit Gamache.

Assis dans le fauteuil, il était penché en avant, les coudes sur les genoux. Une main tenait légèrement l'autre. Un geste nouveau, mais nécessaire.

À côté de lui, l'inspecteur Beauvoir avait sorti son carnet et un stylo.

Bien enfoncée dans le fauteuil en bois, Clara s'agrippait aux bras larges et chauds, comme pour bien se tenir. Mais au lieu d'être propulsée vers l'avant, elle fut projetée en arrière.

Elle se vit passant la porte de sa maison, sortant de Three Pines, remontant les décennies. Revenant à Montréal à l'époque où elle étudiait l'art, assistant aux cours, prenant part aux expositions d'œuvres d'étudiants. Poursuivant sa folle remontée dans le temps, elle arriva à l'école secondaire, puis à l'école primaire. Et ensuite à la maternelle.

S'arrêtant net, enfin, devant la petite fille aux cheveux roux brillants, qui habitait à côté.

Lillian Dyson.

– Lillian était ma meilleure amie. Elle était ma voisine et avait deux mois de plus que moi. Nous étions inséparables. Mais complètement différentes. Elle s'est développée rapidement, est devenue grande et élancée, mais pas moi. Elle était intelligente, réussissait bien à l'école. Moi, j'ai dû bûcher. J'étais bonne dans certaines matières, mais, en classe, j'avais tendance à rester figée. J'étais nerveuse. Des élèves ont commencé tôt à s'en prendre à moi, mais Lillian m'a toujours protégée. Personne ne s'attaquait à Lillian. C'était une dure à cuire.

Clara sourit en revoyant son amie à la chevelure flamboyante regarder fixement un groupe de filles qui la harcelaient. Les mettant au défi de l'affronter. Clara se tenait derrière elle. Mourant d'envie de se tenir à ses côtés, sans toutefois en avoir le courage. Pas encore.

Lillian, l'enfant unique et adorée.

L'amie adorée.

Lillian, la jolie ; Clara, la bizarre.

Elles étaient plus proches que des sœurs. Plutôt des âmes sœurs, comme elles l'écrivaient dans les nombreuses notes au style fleuri qu'elles échangeaient. Des amies pour toujours. Elles avaient inventé des codes et des langages secrets pour communiquer. Elles s'étaient piqué le doigt et avaient mêlé leur sang. Voilà, avaient-elles déclaré solennellement. Elles étaient sœurs.

Elles étaient amoureuses des mêmes garçons de séries télévisées, embrassaient leurs affiches, et toutes deux avaient pleuré quand le groupe Bay City Rollers s'était dissous et lorsque l'émission *The Hardy Boys* avait été annulée.

Tout ça, elle le raconta à Gamache et à Beauvoir.

– Qu'est-il arrivé? demanda Gamache doucement.

– Comment savez-vous qu'il s'est passé quelque chose?

– Parce que vous ne l'avez pas reconnue.

Clara secoua la tête. Qu'était-il arrivé? Comment expliquer ce qui s'était produit?

– Lillian était ma meilleure amie, répéta Clara, comme si elle-même devait l'entendre de nouveau. Elle a sauvé mon enfance. J'aurais été malheureuse sans elle. Je ne comprends toujours pas pourquoi elle m'a choisie pour amie. Tout le monde voulait être son amie. Du moins, au début.

Les hommes attendirent la suite. Le soleil de midi dardait ses rayons sur eux. La chaleur devenait incommodante, mais ils restèrent là.

– Il y avait un prix à payer pour être l'amie de Lillian, dit enfin Clara. Elle avait créé un monde merveilleux, amusant, où on se sentait en sécurité. Mais elle devait toujours avoir raison et devait toujours être première. C'était ça, le prix de son amitié. Ça semblait juste, au début. Elle établissait les règles et je les suivais. J'étais plutôt pitoyable de toute façon, alors ça ne me dérangeait pas. Ça ne semblait pas important.

Clara inspira profondément, puis expira.

– Plus tard, par contre, oui, poursuivit-elle. Au secondaire, les choses ont commencé à changer, mais je ne m'en suis pas rendu compte immédiatement. Lorsque je l'appelais le samedi soir pour lui demander si elle voulait sortir, aller au cinéma ou faire autre chose, elle me répondait qu'elle me rappellerait, mais elle ne le faisait pas. Quand je retéléphonais, j'apprenais qu'elle était partie.

Clara regarda les trois hommes. Elle voyait bien qu'ils comprenaient les mots, mais pas nécessairement les émotions qui y étaient rattachées. Celles qu'elle avait ressenties. Surtout la première fois. Quand elle avait été laissée derrière.

L'incident semblait si banal, si insignifiant. Mais ç'avait été la première fêlure.

Clara ne l'avait pas compris à ce moment-là. Elle s'était dit que Lillian avait peut-être oublié. D'ailleurs, elle avait bien le droit de sortir avec d'autres amies.

Puis, un week-end, Clara avait à son tour décidé de sortir avec une nouvelle copine.

Et Lillian avait pété les plombs.

— Il lui a fallu des mois pour me pardonner.

Clara vit alors l'air dégoûté de Jean-Guy. À cause de la façon dont Lillian l'avait traitée, ou de la manière dont Clara avait réagi? Comment lui expliquer ce qui s'était passé? Comment se l'expliquer à elle-même?

À l'époque, cela lui avait paru normal. Elle aimait beaucoup Lillian, et son amie l'aimait. L'avait protégée des filles qui la tourmentaient. Jamais Lillian ne l'aurait blessée. Pas délibérément.

Si les deux filles se brouillaient, ce devait être la faute de Clara.

Ensuite, tout changeait. Lillian lui pardonnait et elles redevenaient les meilleures amies du monde. Clara était de nouveau invitée à réintégrer le refuge qu'était Lillian.

— À quel moment l'avez-vous pressenti? demanda Gamache.

— Pressenti quoi?

— Que Lillian n'était pas votre amie.

C'était la première fois qu'elle entendait ces mots prononcés à haute voix. Si clairement, si simplement. Leur relation lui avait toujours paru si compliquée, tendue. Clara la maladroite en manque d'affection. Qui laissait tomber son amie, brisait leur amitié. Lillian la forte qui n'avait besoin de personne. Qui lui pardonnait, recollait les morceaux.

Jusqu'au jour où…

— C'était la fin du secondaire. Si la plupart des filles se brouillaient, c'était à cause de garçons, de clans ou de simples malentendus. De sensibilités écorchées. Les enseignants et les parents pensent que les salles de classe et les corridors sont remplis d'élèves, mais c'est faux. Ils sont remplis de sentiments. Qui se heurtent. Se blessent les uns les autres. C'est affreux.

Clara ôta ses bras du fauteuil Adirondack. Ils étaient en train de cuire sous le soleil. Elle les croisa sur le ventre.

— Tout se passait bien entre Lillian et moi. Les réactions en montagnes russes semblaient avoir cessé. Puis un jour, dans la classe d'arts plastiques, notre enseignant préféré m'a félicitée pour une œuvre que j'avais réalisée. Cette matière était la seule dans laquelle je valais quelque chose, la seule qui comptait pour moi, même si je réussissais assez bien en anglais et en histoire. Mais les arts plastiques étaient ma passion. Et celle de Lillian. On testait nos idées l'une sur l'autre. Aujourd'hui, je me rends compte qu'elle était ma muse, et moi la sienne. À l'époque, cependant, je ne connaissais pas le terme. Je me souviens même de l'œuvre que le prof avait aimée : une chaise sur laquelle un oiseau était perché.

Heureuse, Clara s'était tournée vers Lillian. Pressée de voir son regard. Ç'avait été un petit compliment, un petit moment de gloire pour Clara. Elle avait voulu le partager avec la seule autre personne qui pouvait comprendre sa joie.

Et celle-ci avait compris. Mais… Mais juste avant qu'apparaisse le sourire de Lillian, Clara avait vu quelque chose d'autre. De la méfiance.

Puis était venu le sourire complice, heureux. Tout s'était passé si rapidement. Clara s'était presque convaincue que c'était son insécurité qui lui avait fait voir quelque chose qui n'existait pas vraiment.

C'était sa faute, ça aussi.

En y repensant, toutefois, Clara savait que la fêlure s'était agrandie. Certaines fissures laissent entrer la lumière, d'autres laissent sortir la noirceur.

Elle avait eu un aperçu de ce qu'il y avait à l'intérieur de Lillian. Et ce n'était pas beau.

– Nous avons toutes les deux été admises à une école d'art et avons partagé un appartement. J'avais appris à minimiser l'importance des compliments faits sur mon art. Et je répétais sans cesse à Lillian que ses œuvres étaient magnifiques. Elles l'étaient. Mais, bien sûr, comme tout ce que nous faisions, elles évoluaient. Nous expérimentions. C'était mon cas, du moins. Pour moi, c'était justement le but de fréquenter une école des beaux-arts. Pas de réussir du premier coup, mais de voir les possibilités qui existaient. D'explorer toutes les avenues.

Clara marqua une pause et baissa les yeux sur ses mains croisées.

– Mais Lillian n'était pas contente. Mes toiles étaient trop étranges et, selon elle, cela donnait une mauvaise impression d'elle. Si les gens la voyaient comme ma muse, prétendait-elle, ils devaient penser qu'elle était le sujet de mes peintures. Et puisque celles-ci, de même que d'autres pièces, étaient bizarres, Lillian devait être bizarre.

Clara se tut un instant avant d'ajouter :

– Elle m'a demandé d'arrêter.

Pour la première fois depuis qu'elle avait commencé à raconter son histoire, elle vit Gamache réagir. Ses yeux se plissèrent légèrement, puis sa figure et son attitude redevinrent normales. Neutres. Il ne portait aucun jugement.

Du moins, en apparence.

Il ne dit rien, se contentant d'écouter.

– Et je lui ai obéi, dit Clara à voix basse.

La tête inclinée, elle regardait ses genoux. Elle inspira par à-coups, puis expira et sentit son corps se dégonfler.

La même sensation qu'à l'époque. Comme s'il y avait une petite déchirure dans son corps par où l'air s'échappait.

– Je ne cessais de lui répéter qu'elle avait été ma source d'inspiration pour certaines peintures, que certaines d'entre elles se voulaient même un hommage à notre amitié, mais que mes tableaux ne la représentaient pas, elle. Ça n'avait pas d'importance, selon elle. Que les gens le pensent, voilà ce qui importait. Si elle comptait pour moi, si j'étais son amie, j'arrêterais de peindre n'importe comment et ferais de jolis tableaux. Alors c'est ce que j'ai fait. J'ai détruit toutes mes œuvres et commencé à produire des choses qui plaisaient aux gens.

Clara se dépêcha de poursuivre son récit, sans oser regarder les hommes qui l'écoutaient.

– J'ai même obtenu de meilleures notes. Et je me suis convaincue que c'était le bon choix. Que ç'aurait été mal de troquer une amitié contre une carrière.

Elle leva la tête, plongea ses yeux dans ceux de Gamache et remarqua, encore une fois, la grosse cicatrice à la tempe. Et son regard calme, pensif.

– Ça ne me semblait pas un gros sacrifice. Puis, il y a eu l'exposition des œuvres des étudiants. J'y présentais quelques toiles, mais pas Lillian. Elle a plutôt décidé d'écrire un texte dans le cadre du cours d'analyse critique d'œuvres d'art, un compte rendu pour le journal de l'école. Dans son article, elle a parlé en termes élogieux de certaines pièces des étudiants, mais a dénigré les miennes, les disant ineptes, dénuées d'émotion. Sans originalité.

Clara sentait encore la colère qui avait bouillonné, grondé en elle, explosé.

Leur amitié avait volé en éclats. Il n'en restait absolument rien. Aucune réconciliation n'était possible.

Mais des ruines avait surgi une profonde inimitié. Une haine. Réciproque, apparemment.

Clara se tut. Le seul fait d'y penser la faisait trembler encore aujourd'hui. Peter, décroisant ses doigts crispés, prit une de ses mains et la caressa.

Le soleil continuait de taper fort. Gamache se leva et d'un geste indiqua qu'ils devraient déplacer les fauteuils à l'ombre. Clara se leva aussi, lança un petit sourire à Peter et retira sa main de la sienne. Prenant chacun leur fauteuil, ils allèrent jusqu'au bord de la rivière, où il y avait de la fraîcheur et de l'ombre.

– Je crois que nous devrions faire une pause, dit Gamache. Aimeriez-vous boire quelque chose?

Clara fit oui de la tête, incapable de parler.

– Bien, dit Gamache en regardant son équipe de techniciens de scènes de crime. Eux aussi, je pense. Si vous allez chercher quelques sandwichs au bistro, dit-il à Beauvoir, Peter et moi préparerons les boissons.

Peter et l'inspecteur-chef se dirigèrent vers la cuisine et Beauvoir vers le bistro. Clara marcha le long de la berge, perdue dans ses pensées.

– Connaissiez-vous Lillian? demanda Gamache à Peter dans la cuisine.

– Oui.

Peter sortit deux gros pichets et des verres pendant que Gamache sortait la limonade rose vif du congélateur et faisait glisser le concentré congelé dans les contenants.

– Nous nous sommes tous connus à l'école d'art.

– Que pensiez-vous d'elle?

Peter pinça les lèvres, un signe qu'il se concentrait.

– Elle était très attirante. Sémillante serait peut-être un terme plus juste. Elle avait une forte personnalité.

– Étiez-vous attiré par elle?

Les deux hommes étaient côte à côte devant le comptoir et regardaient par la fenêtre. À droite, ils voyaient l'équipe de techniciens fouiller la scène de crime et, devant eux, Clara qui faisait ricocher des cailloux sur la rivière Bella Bella.

– Il y a quelque chose que Clara ignore, dit Peter en détournant les yeux de sa femme pour faire face à Gamache.

L'inspecteur-chef attendit. Peter avait de la difficulté à poursuivre, Gamache le constatait bien, mais il préférait laisser le silence se prolonger. Mieux valait attendre quelques minutes pour obtenir toute la vérité que le presser et en avoir seulement la moitié.

Peter finit par baisser les yeux vers l'évier et commença à remplir les pichets, en marmonnant. L'eau coulant du robinet couvrit ses paroles.

– Pardon? dit Gamache d'un ton calme, posé.

– C'est moi qui ai dit à Lillian que les œuvres de Clara étaient ridicules, répondit Peter en levant la tête et en haussant la voix.

Il était fâché maintenant. Il s'en voulait d'avoir agi ainsi et en voulait à Gamache de l'avoir forcé à l'avouer.

– J'ai dit que les toiles de Clara étaient banales, superficielles. C'est ma faute si Lillian a écrit cette critique.

Gamache était surpris. Abasourdi, en fait. Quand Peter avait dit qu'il y avait quelque chose que Clara ignorait, il avait pensé à une liaison. Une brève aventure amoureuse entre les deux étudiants.

Il ne s'était pas attendu à ça.

– J'étais allé à l'exposition et j'avais vu les tableaux de Clara. Je me trouvais à côté de Lillian et d'autres personnes, et elles ricanaient. Puis, elles m'ont vu et m'ont demandé mon opinion. Clara et moi avions commencé à sortir ensemble. Je savais déjà à ce moment-là, je crois, qu'elle était une artiste authentique. Elle ne faisait pas semblant d'être une artiste, elle en était véritablement une. Elle avait, et a toujours, une âme créative.

Peter s'interrompit. Il n'utilisait pas souvent le mot « âme », mais quand il pensait à Clara, c'était le terme qui lui venait à l'esprit.

– Je ne sais pas ce qui m'a pris. C'est un peu comme, quand le silence règne, il me prend une envie de hurler. Ou quand je tiens un objet délicat, j'ai envie de le laisser tomber. Je ne sais pas pourquoi.

Il regarda l'homme massif, calme, à côté de lui. Mais Gamache demeurait silencieux. Attentif.

Peter inspira et expira à quelques reprises.

– Je crois, aussi, que je voulais impressionner ces personnes, et c'est plus facile de paraître intelligent quand on critique quelqu'un. Alors j'ai dit des choses pas très gentilles sur les œuvres de Clara, et elles se sont retrouvées dans la critique de Lillian.

– Clara ne sait rien de tout ça ?

Peter secoua la tête.

– Lillian et elle ne se sont presque plus adressé la parole après ça, et Clara et moi nous sommes rapprochés. J'ai même réussi à oublier ce qui s'était produit, ou que ç'avait eu de l'importance. En fait, j'étais persuadé d'avoir rendu service à Clara. En n'étant plus l'amie de Lillian, elle pouvait donner libre cours à sa créativité artistique. Essayer tout ce qu'elle voulait. Vraiment explorer toutes les avenues. Et voyez où cela l'a menée. À une exposition solo au Musée d'art contemporain.

– Vous vous en attribuez le mérite ?

– J'ai subvenu à ses besoins pendant toutes ces années, répondit Peter, légèrement sur la défensive. Où serait-elle sans mon soutien ?

– Sans vous? demanda Gamache en regardant l'homme en colère dans les yeux. Je n'en ai aucune idée. Et vous?

Peter serra les poings.

– Qu'est-il arrivé à Lillian après les Beaux-Arts?

– Elle ne valait pas grand-chose comme artiste, mais elle s'est révélée être une excellente critique. Elle a décroché un emploi dans un hebdomadaire de Montréal et a fait son chemin jusqu'à ce que *La Presse* l'embauche.

Gamache haussa les sourcils.

– *La Presse*? Je ne me souviens pas d'avoir vu d'articles signés Lillian Dyson. Écrivait-elle sous un pseudonyme?

– Non. Sa participation dans ce journal remonte à des années, à des décennies, en fait. À une époque où nous en étions tous à nos débuts. Ça doit bien remonter à vingt ans, peut-être plus.

– Que s'est-il passé ensuite?

– Clara et moi ne sommes pas restés en contact avec elle. Nous la voyions seulement à l'occasion de vernissages et, même là, nous l'évitions. Si ce n'était pas possible, nous adoptions une attitude cordiale, mais nous préférions ne pas avoir affaire à elle.

– Mais savez-vous ce qu'il est advenu d'elle? Elle a arrêté de travailler à *La Presse* il y a vingt ans, avez-vous dit. Qu'a-t-elle fait après?

– Elle a déménagé à New York, apparemment. À mon avis, elle s'était rendu compte que le climat, ici, lui était néfaste.

– Trop froid?

Peter sourit.

– Non. C'était plutôt que l'air était irrespirable. Par «climat», je veux dire «milieu artistique». Comme critique, elle ne s'était pas fait beaucoup d'amis.

– C'est le prix à payer, je suppose.

– Sans doute.

Cependant, Peter ne semblait pas convaincu.

– Qu'y a-t-il? demanda Gamache pour le pousser à parler.

– Il y a beaucoup de critiques et la plupart sont respectés par la communauté artistique. Ils sont justes, formulent des commentaires constructifs. Très peu ont l'esprit mesquin.

– Et Lillian Dyson?

– Elle avait l'esprit mesquin. Ses critiques pouvaient être claires, sensées, constructives et même louangeuses. Mais de temps en temps elle publiait une critique fielleuse. C'était amusant au début, puis ça l'a été de moins en moins quand il est devenu évident qu'elle choisissait ses cibles au hasard. Et que ses attaques étaient virulentes. Comme celle contre Clara. Complètement injustes.

Peter semblait avoir déjà oublié sa propre participation, se dit Gamache.

– Lillian a-t-elle fait la critique d'une de vos expositions?

Peter hocha la tête.

– Mais elle a aimé mes tableaux, dit-il en rougissant. À mon avis, Lillian a écrit un article élogieux seulement pour faire enrager Clara, en espérant creuser un fossé entre elle et moi. Elle était si mesquine et jalouse, et croyait que Clara l'était aussi.

– Elle ne l'était pas?

– Clara? Attention, ne vous méprenez pas. Clara peut être exaspérante, contrariante. Impatiente aussi. Et anxieuse, parfois. Mais quand elle est heureuse, c'est toujours pour les autres. Pour moi.

– Et vous êtes heureux pour elle?

– Bien sûr. Elle mérite tout le succès qu'elle connaît présentement.

C'était un mensonge. Pas qu'elle méritait son succès. Cette partie-là était vraie, Gamache le savait. Peter aussi. Cependant, tous deux savaient que Peter était loin d'être heureux de la situation.

Si Gamache avait posé la question, ce n'était pas parce qu'il ne connaissait pas la réponse. Il voulait voir si Peter allait lui mentir.

Et il l'avait fait. S'il avait menti sur ce point, avait-il menti sur autre chose?

Gamache, Beauvoir et les Morrow prirent leur repas dans le jardin. De l'autre côté des platebandes de hautes vivaces, les techniciens de scènes de crime buvaient de la limonade et mangeaient des sandwichs du bistro. Pour les deux enquêteurs et les Morrow, Olivier avait préparé quelque chose de spécial. L'inspecteur était donc revenu avec un potage froid au concombre, garni de menthe et accompagné de tranches de melon, une salade de tomates et basilic arrosée d'un filet de vinaigre balsamique et du saumon poché froid.

Le décor était idyllique, mais de temps en temps un enquêteur des homicides qui traversait la pelouse ou apparaissait près d'une platebande gâchait la vue.

Gamache avait placé Peter et Clara dos aux activités des techniciens. Seuls Beauvoir et lui voyaient ce qui se passait, mais, il en était conscient, c'était un truc qui ne bernait pas les Morrow. Ils savaient très bien que la scène paisible devant eux – la rivière, les fleurs de la fin du printemps, la forêt tranquille – ne constituait pas toute la réalité.

Et s'ils l'avaient oublié, la conversation le leur rappellerait.

– Quand, la dernière fois, avez-vous eu des nouvelles de Lillian ? demanda Gamache à Clara.

Il prit un morceau de saumon avec sa fourchette et y ajouta un peu de mayonnaise. Sa voix était douce, ses yeux pensifs, son regard bienveillant.

Mais Clara n'était pas dupe. Gamache était peut-être courtois et aimable, mais il gagnait sa vie à débusquer des meurtriers. Et ce n'était pas en se montrant gentil qu'il y arrivait.

– Ça remonte à des années.

Elle prit une gorgée du potage froid, rafraîchissant. Elle se demanda s'il était normal d'avoir si faim. Curieusement, elle avait perdu l'appétit quand elle ignorait encore qui était la victime. Sachant maintenant que c'était Lillian, elle était affamée.

Elle prit une baguette et en arracha un morceau, sur lequel elle étala du beurre.

– Était-ce délibéré, selon vous ? demanda-t-elle.

– Qu'est-ce qui était délibéré ? demanda Beauvoir.

Il n'avait pas vraiment faim et chipotait dans son assiette. Avant le repas, il s'était rendu à la salle de bains et avait pris un analgésique. Il ne voulait pas que le chef le voie avaler un comprimé. Ne voulait pas qu'il sache qu'il souffrait toujours, des mois après la fusillade.

Assis maintenant dans l'ombre fraîche, il sentait la douleur s'atténuer et le stress diminuer.

– Vous, qu'en pensez-vous? demanda Gamache à Clara.

– À mon avis, ça ne peut pas être une coïncidence si Lillian a été tuée ici.

Elle pivota dans son fauteuil et perçut un mouvement à travers les feuilles vert foncé. Des agents, qui essayaient de découvrir ce qui s'était passé.

Lillian était venue ici le soir de la fête. Et avait été assassinée.

Ces faits, à tout le moins, étaient incontestables.

Quand Clara s'était tournée, Beauvoir l'avait observée. Il était d'accord avec elle. La présence de Lillian ici était étrange.

La seule explication qui semblait plausible était que Clara avait tué la femme. Il s'agissait de sa maison, de sa fête, de son ancienne amie. Elle avait eu une raison et l'occasion de commettre le crime. Toutefois, il se demanda combien de petites pilules il devrait prendre avant de voir en Clara une tueuse. Beauvoir savait que la plupart des gens étaient capables de meurtre. Et, contrairement à Gamache qui croyait en la bonté, il savait que ce sentiment était passager. Tant que le soleil brillait et qu'il y avait du saumon poché dans l'assiette, les gens pouvaient être bons.

Mais éliminez ces deux choses et voyez ce qui se passe. Enlevez la nourriture, les fauteuils, les fleurs, la maison, les amis, le conjoint qui subvient aux besoins, le revenu, et voyez ce qui arrive.

D'après le chef, si on passait le mal au crible, on trouverait du bon dans le fond. Il y avait une limite au mal, selon lui. Mais ce n'était pas l'opinion de Beauvoir. Si on passait le bon au tamis, croyait-il, on trouverait le mal. Et aucune frontière, aucun frein, aucune limite ne l'arrêteraient.

Et, tous les jours, la constatation que cette vérité échappait complètement à Gamache l'effrayait, comme si elle était hors de son champ de vision. Car d'horribles choses surgissaient d'angles morts.

Quelqu'un avait tué une femme cinq mètres à peine de l'endroit où ils étaient assis et faisaient un pique-nique composé de mets raffinés. C'était un acte délibéré, perpétré à mains nues. Et il ne s'agissait presque certainement pas d'une coïncidence. Lillian Dyson était morte ici. Dans le jardin impeccable de Clara Morrow.

— Pouvez-vous nous donner une liste des gens invités à votre vernissage et au barbecue qui a suivi? demanda Gamache.

— Eh bien, nous pouvons vous dire qui nous avons invité, mais, pour obtenir la liste complète, vous devrez vous adresser au musée, répondit Peter. Quant à la fête qui a eu lieu ici hier...

Il regarda Clara, qui sourit.

— Nous n'avons aucune idée de qui est venu, dut-elle admettre. Tout le monde du village et de la campagne environnante était invité. Les gens pouvaient arriver et partir quand ils le voulaient.

— Mais vous avez dit que des personnes présentes à l'inauguration étaient venues, dit Gamache.

— C'est vrai, reconnut Clara. Je peux vous dire qui nous avons invité. Je ferai une liste.

— Tout le monde présent au vernissage n'était pas invité au barbecue? demanda Gamache.

Reine-Marie et lui l'avaient été, tout comme Beauvoir. Ils n'avaient pas pu assister à la fête, mais Gamache avait présumé que l'invitation avait été lancée à tous. De toute évidence, ce n'était pas le cas.

— Non. Un vernissage est une occasion pour établir des contacts, réseauter, faire de la lèche, répondit Clara. Nous voulions une ambiance plus relax. Une célébration.

— Oui, mais..., dit Peter.

— Quoi?

— André Castonguay?

— Ah, lui.

— De la Galerie Castonguay? demanda Gamache. Il était au musée?

— Et ici, répondit Peter.

Clara confirma d'un hochement de tête. Sans l'avouer à Peter, elle avait invité Castonguay et d'autres marchands d'art au barbecue uniquement pour lui. Dans l'espoir qu'ils lui donnent une chance.

– J'ai effectivement invité quelques gros bonnets, dit-elle. Et quelques artistes. La soirée a été très agréable.

Elle s'était même amusée. Ç'avait été incroyable de voir Myrna bavarder avec François Marois et Ruth échanger des injures avec des amis artistes soûls. De voir Billy Williams et les agriculteurs de la région rire et parler avec d'élégants propriétaires de galeries.

Et quand minuit avait sonné, tout le monde dansait.

Sauf Lillian, étendue dans le jardin de Clara.

« Ding, dong », fit Clara dans sa tête.

La sorcière est morte.

5

L'inspecteur-chef Gamache ramassa la pile de journaux à l'intérieur de la zone délimitée par le ruban jaune de la police et les remit à Clara.

— Je suis certain que les critiques ont adoré votre exposition, dit-il.

— Pourquoi, mais pourquoi donc n'êtes-vous pas critique d'art plutôt que de perdre votre temps à exercer une profession aussi insignifiante?

— Quelle vie gaspillée, en effet! répondit le chef avec un sourire.

— Eh bien, dit Clara en regardant les journaux, comme je ne peux probablement pas compter sur la découverte d'un autre corps, je suppose que je vais devoir lire ces journaux, maintenant.

Elle jeta un coup d'œil autour d'elle. Peter était rentré dans la maison et elle se demanda si elle aussi ne devrait pas le faire. Pour lire les critiques en paix. En secret.

Mais au lieu de cela, après avoir remercié Gamache, elle se dirigea vers le bistro en serrant les lourds journaux contre sa poitrine. Elle voyait Olivier qui servait des clients sur la terrasse. Attablé sous un parasol bleu et blanc, M. Béliveau sirotait un Cinzano en lisant les journaux du dimanche.

Toutes les tables étaient occupées par des villageois et des amis venus pour le brunch dominical. Quand Clara s'approcha, la plupart des yeux se tournèrent vers elle.

Puis regardèrent ailleurs.

Et elle sentit la colère gronder en elle. Elle n'en voulait pas à ces gens, mais à Lillian qui, en gâchant le jour le plus important de sa vie professionnelle, suscitait une telle réaction. Maintenant, au lieu de l'accueillir en souriant et de lui parler de la grande fête organisée pour célébrer son succès, les gens se détournaient. Encore une fois, Lillian l'empêchait de jouir de son triomphe.

Clara regarda l'épicier, M. Béliveau, qui baissa aussitôt les yeux.

Ce que fit aussi Clara.

Lorsqu'elle les releva un instant plus tard, elle sursauta de surprise en voyant Olivier à quelques centimètres devant elle, avec deux verres dans les mains.

— *Shit!* lâcha-t-elle.

— Ce sont des panachés, dit-il. Faits avec du soda au gingembre et de la bière blonde, comme tu les aimes.

Clara regarda les verres, puis de nouveau Olivier. Une brise légère soulevait ses cheveux blonds, qui commençaient à s'éclaircir. Même avec un tablier autour de son corps svelte, il réussissait à paraître distingué et détendu. Mais Clara se souvenait du regard qu'ils avaient échangé lorsqu'ils étaient tous les deux à genoux dans le couloir du MAC.

— Tu as fait vite, dit-elle.

— Ils ont été préparés pour quelqu'un d'autre, en fait, mais j'ai jugé que ton cas était urgent.

— C'est à ce point évident?

— Comment pourrait-il en être autrement, quand un cadavre apparaît chez soi? Je sais ce que c'est.

— Oui, c'est vrai, tu le sais.

Olivier indiqua le banc dans le parc du village et ils s'y dirigèrent. Clara laissa échapper la grosse pile de journaux sur le banc, puis s'y laissa tomber lourdement.

Elle accepta le panaché que lui offrait Olivier, et ils restèrent assis là, côte à côte, le dos tourné au bistro, aux gens, à la scène du crime. Aux yeux scrutateurs et aux yeux détournés.

— Comment te sens-tu? demanda Olivier.

Il avait failli lui demander si elle allait bien, mais c'était impossible, bien sûr.

– J'aimerais pouvoir te répondre. Ç'aurait été tout un choc de voir Lillian en vie dans notre jardin, mais qu'elle y soit morte est inconcevable.

– Qui était-elle ?

– Une amie d'enfance, mais qui n'était plus mon amie depuis longtemps. Nous nous sommes brouillées.

Clara n'en dit pas plus, et Olivier ne la pressa pas de questions. Ils sirotèrent tranquillement leur boisson à l'ombre des trois énormes pins qui se dressaient au-dessus d'eux, au-dessus du village.

– Comment c'était de revoir Gamache ? demanda Clara.

Olivier réfléchit un moment, puis sourit. Il faisait très jeune, beaucoup plus jeune que ses trente-huit ans.

– Pas très agréable. Penses-tu qu'il s'en est rendu compte ?

– C'est bien possible, répondit Clara en lui serrant doucement la main. Tu ne lui as pas pardonné ?

– Le pourrais-tu, toi ?

C'était maintenant au tour de Clara de prendre le temps de réfléchir. Pas à sa réponse, toutefois, car elle la connaissait. Elle se demandait plutôt si elle devait exprimer sa pensée.

– Nous t'avons pardonné, à toi, dit-elle enfin.

Elle espérait avoir utilisé un ton suffisamment doux, pour que ses paroles ne paraissent pas aussi acerbes qu'elles pouvaient l'être. Malgré tout, elle sentit Olivier se raidir, s'éloigner d'elle. Pas physiquement, mais elle eut l'impression qu'il venait de faire un pas en arrière sur le plan émotionnel.

– M'avez-vous vraiment pardonné ? demanda-t-il après un moment.

Son ton aussi était doux. Olivier ne formulait pas un reproche, il semblait davantage exprimer de l'étonnement, comme s'il s'agissait d'une question qu'il se posait tous les jours. Lui avait-on pardonné ? Enfin ?

S'il n'avait pas tué l'Ermite, il l'avait par contre trahi, volé. Il avait pris tous les objets que le reclus déconnecté de la réalité lui avait offerts, et même certains qu'il ne lui avait pas donnés. Olivier avait tout pris au vieil homme fragile. Il lui avait même ravi sa liberté, en l'emprisonnant dans sa cabane en rondins, avec des mots cruels.

Et quand tout cela avait été révélé au cours de son procès, il avait vu les expressions sur les visages de ses amis.

Comme s'ils regardaient un étranger, un monstre qui avait vécu parmi eux.

– Qu'est-ce qui te fait croire que nous ne t'avons pas pardonné ?

– Eh bien, il y a Ruth, par exemple.

Clara rit.

– Allons donc ! Elle t'a toujours appelé tête de nœud.

– C'est vrai. Mais sais-tu comment elle m'appelle, maintenant ?

– Non, comment ? demanda Clara avec un sourire.

– Olivier.

Le sourire de Clara s'effaça lentement.

– Tu sais, je croyais que le pire, ce serait la prison. Les humiliations, la terreur. C'est incroyable, les choses auxquelles on peut s'habituer. Les souvenirs de mon séjour en prison commencent déjà à s'estomper. Non, pas vraiment à s'estomper, mais, maintenant, ils sont plus dans ma tête. Et moins ici. (Il pressa la main contre sa poitrine.) Mais sais-tu ce qui ne disparaît pas ?

Clara secoua la tête et se prépara mentalement pour ce qui allait suivre.

– Dis-moi.

Elle ne voulait pas écouter ce qu'Olivier s'apprêtait à raconter. Un souvenir cuisant. D'un gai qui avait passé du temps en prison. D'un homme bon, en prison. Il était loin d'être parfait. Dieu sait s'il avait des défauts, peut-être plus que la plupart des gens. Mais son châtiment avait été disproportionné par rapport au crime.

Clara ne se croyait pas capable d'entendre ce qu'il y avait de mieux en prison, et maintenant elle allait entendre ce qu'il y avait de pire. Mais Olivier avait besoin de l'exprimer, et Clara devait l'écouter.

– Ce n'est pas le procès, ni même la prison.

Olivier la regarda avec des yeux tristes.

– Sais-tu ce qui me réveille à deux heures du matin et me fait faire une crise d'angoisse?

Son propre cœur battant fort, Clara attendit.

– Le pire, ç'a été ici. Après que j'ai été libéré. Quand j'ai marché avec Beauvoir et Gamache de l'auto jusqu'au bistro. Une si longue marche dans la neige.

Clara dévisagea son ami, ne comprenant pas réellement ce qu'il voulait dire. Comment le souvenir du retour à Three Pines pouvait-il être plus terrifiant que d'être enfermé derrière des barreaux?

Elle se souvenait très bien de ce jour-là. C'était un dimanche après-midi de février. Une autre journée d'hiver où le froid était piquant. Myrna, Ruth, Peter et elle, de même que la plupart des autres villageois, étaient bien au chaud dans le bistro, où ils buvaient du café au lait tout en bavardant. Elle avait été en train de papoter avec Myrna lorsqu'elle avait remarqué Gabri, soudain immobile, qui regardait fixement par la fenêtre, dans une attitude figée qui ne lui ressemblait pas. Elle aussi avait alors regardé dehors. Des enfants jouaient au hockey sur l'étang gelé. D'autres faisaient du toboggan, se lançaient des boules de neige ou construisaient des forts. Elle avait vu la Volvo qu'elle connaissait bien entrer dans Three Pines en descendant la rue du Moulin, puis s'arrêter à côté du parc. Trois hommes emmitouflés dans d'épais parkas étaient sortis du véhicule. Après être restés debout un instant sans bouger, ils avaient franchi la courte distance qui les séparait du bistro.

Gabri s'était levé, en faisant presque tomber sa tasse de café. À ce moment-là, le bistro était devenu silencieux. Tout le monde avait suivi le regard de Gabri, puis observé les trois silhouettes. C'était presque comme si les pins avaient pris vie et s'approchaient.

Clara ne dit rien et attendit qu'Olivier continue.

– Je sais qu'il s'agissait seulement de quelques mètres, dit-il enfin. Mais le bistro me semblait si loin. Il faisait un froid glacial, du genre qui te pénètre jusqu'à la moelle des os. Le bruit de nos bottes sur le sol était si fort. La neige crissait, couinait, comme si on marchait sur quelque chose de vivant et qu'on lui faisait mal.

Olivier marqua une pause et plissa les yeux.

– Je voyais tout le monde à l'intérieur. Je voyais les bûches qui brûlaient dans l'âtre. Je voyais le givre sur les fenêtres.

En écoutant Olivier, Clara aussi pouvait voir tout ça, comme lui l'avait vu.

– Je n'ai parlé de ça à personne, pas même à Gabri. Je ne voulais pas le blesser, ne voulais pas qu'il le prenne mal. Quand nous nous dirigions vers le bistro, j'ai failli m'arrêter et demander à Beauvoir et Gamache de m'amener ailleurs, n'importe où.

– Pourquoi ? demanda Clara dans un murmure.

– Parce que j'étais terrifié. J'avais peur comme jamais ça ne m'était arrivé dans ma vie. J'étais plus effrayé qu'en prison.

– Mais de quoi avais-tu peur ?

Olivier sentit de nouveau le froid mordant lui pincer les joues. Il entendit le hurlement de la neige sous ses pas. Et il vit le bistro chaleureux à travers les fenêtres à meneaux, le feu dans la cheminée. Ses amis, ses voisins, un verre à la main, qui parlaient, riaient. Ils étaient tous au chaud et en sécurité.

Eux étaient à l'intérieur. Lui, à l'extérieur.

Il voyait aussi la porte close entre lui et tout ce qu'il avait jamais voulu.

Il s'était presque évanoui de peur. S'il avait pu émettre un son, il aurait fort probablement crié à Gamache de le ramener à Montréal et de le déposer à la porte d'un petit hôtel miteux. Où il ne se sentirait peut-être pas accepté, mais où on ne le rejetterait pas.

– J'avais peur que vous ne vouliez plus de moi ici, que je ne sois plus chez moi.

Olivier soupira et baissa la tête, les yeux braqués sur le sol comme pour examiner chaque brin d'herbe.

– Oh mon Dieu, Olivier !

Clara posa son verre sur les journaux, mais il tomba, et le panaché se répandit et pénétra dans les pages.

– Jamais on n'a pensé ça.

– En es-tu certaine ?

Il releva la tête et scruta le visage de Clara à la recherche d'un signe qui le rassurerait.

– Absolument. Tout est oublié, vraiment. On n'y pense plus.

Il demeura silencieux pendant un moment. Ruth venait de sortir de sa petite maison à l'autre bout du parc et tous les deux l'observèrent tandis qu'elle ouvrait sa barrière et se dirigeait en boitant vers l'autre banc. Lorsqu'elle y fut arrivée, elle se tourna vers eux et leva la main.

« S'il te plaît, pensa Olivier. Fais-moi un doigt d'honneur. Lance-moi quelque chose de grossier. Appelle-moi un pédé, une tapette. Tête de nœud. »

– Tu dis ça, oui, mais je ne crois pas réellement que vous l'avez fait.

Olivier continuait d'observer Ruth, mais parlait à Clara.

– Que vous avez tout oublié, je veux dire.

Ruth regarda Olivier, hésita, et agita la main.

Olivier attendit un instant, puis hocha la tête. Se retournant vers Clara, il lui fit un sourire las.

– Merci de m'avoir écouté. Si jamais tu veux parler de Lillian, ou d'autre chose, tu sais où me trouver.

D'un geste du bras il indiqua non pas le bistro, mais Gabri, occupé à bavarder avec un ami sans se soucier des clients. Olivier le regarda avec un sourire sur les lèvres.

« Oui, se dit Clara, Gabri représente son chez-soi. »

Elle ramassa ses journaux trempés et commença à traverser le parc, quand Olivier l'appela. Elle se tourna vers lui et il la rattrapa.

– Tiens, dit-il en lui tendant son panaché. Tu as renversé le tien.

– Non, merci. Je vais prendre quelque chose chez Myrna.

– S'il te plaît ?

Elle jeta un coup d'œil au panaché partiellement bu, puis vit ses yeux doux et son air implorant. Et elle prit le verre.

– Merci, mon bel Olivier.

Tout en se dirigeant vers les boutiques du village, elle réfléchit à ce qu'Olivier avait dit. Et se demanda s'il avait raison. Ses amis ne lui avaient peut-être pas pardonné.

À ce moment-là, deux hommes sortirent du bistro et commencèrent à monter lentement la rue du Moulin, en direction de l'auberge et spa sur la colline. Elle se tourna pour les observer, surprise. Surprise qu'ils soient là, et qu'ils soient ensemble.

Son regard se déplaça ensuite du côté de sa maison, près de laquelle un homme, immobile, observait aussi les deux silhouettes.

C'était l'inspecteur-chef Gamache.

Gamache regarda François Marois et André Castonguay monter lentement la colline.

Ils ne semblaient pas être en train de converser, mais ils semblaient à l'aise ensemble, comme des gens qui s'entendent bien.

En avait-il toujours été ainsi? se demanda Gamache. Ou la situation avait-elle été différente, quelques décennies auparavant, quand ils étaient tous deux de jeunes-turcs au début de leur carrière? Qui luttaient pour se faire une place, pour exercer de l'influence, pour attirer des artistes.

Les deux hommes s'étaient peut-être toujours aimés et respectés. Mais Gamache en doutait. L'un et l'autre étaient trop puissants, trop ambitieux. Trop orgueilleux. Et les enjeux, trop importants. Leurs rapports pouvaient être polis, courtois même, mais, Gamache en était presque certain, ils n'étaient pas des amis.

Pourtant, les voilà qui montaient la colline ensemble, comme de vieux combattants.

Pendant qu'il les observait, Gamache sentit un parfum familier. Il se tourna légèrement et se rendit compte qu'il était près d'un vieux lilas aux branches noueuses à côté de la maison de Peter et Clara.

L'arbuste paraissait délicat, fragile, mais Gamache savait que les lilas vivaient longtemps. Ils survivaient aux tempêtes et aux sécheresses, aux hivers glaciaux et aux gelées tardives. Ils prospéraient et fleurissaient là où d'autres plantes d'apparence plus robuste mouraient.

Les lilas abondaient dans le village de Three Pines, remarqua-t-il. Il ne s'agissait pas de ces nouveaux hybrides aux fleurs doubles et aux couleurs éclatantes, mais d'arbustes aux fleurs blanches ou bleu-mauve, comme ceux du jardin de sa grand-mère. Depuis quand étaient-ils là ? De jeunes soldats revenant de Vimy, des Flandres ou de Passchendaele étaient-ils passés à côté de ces mêmes lilas ? En avaient-ils humé l'odeur et avaient-ils alors su que, enfin, ils étaient chez eux ? En paix.

Gamache se retourna juste à temps pour voir les deux hommes âgés entrer ensemble dans l'auberge, puis disparaître à l'intérieur.

— Chef, dit l'inspecteur Beauvoir, qui arrivait de la cour arrière de Peter et Clara. L'équipe des scènes de crime a presque terminé son travail et Lacoste est revenue du bistro. Comme vous le pensiez, il n'a pas fallu plus de trente secondes avant que Gabri et Olivier annoncent à tout le monde ce qui s'est produit.

— Et ?

— Et puis rien. D'après Lacoste, les gens ont tous réagi comme on s'y attendait. Ils étaient curieux, troublés, ils craignaient pour leur sécurité, mais ils ne paraissaient pas nerveux. Personne ne semblait connaître la morte. Lacoste a fait le tour des tables pour montrer la photo de la victime et la décrire. Apparemment, personne ne se souvient de l'avoir vue au barbecue.

Gamache était déçu, mais pas surpris. Il avait de plus en plus l'impression que cette femme ne devait pas être vue. Pas en vie, du moins.

— Lacoste est en train d'installer le bureau provisoire dans la vieille gare ferroviaire.

— Bien.

Gamache commença à traverser le parc et Beauvoir lui emboîta le pas.

— Je me demande si nous ne devrions pas la transformer en bureau local permanent, dit le chef.

Beauvoir rit.

— Pourquoi ne pas carrément déménager toute la section des homicides ici ? Au fait, nous avons trouvé l'auto de Mme Dyson. Elle semble donc être venue par ses propres moyens. La voiture est là-haut. (Beauvoir indiqua la rue du Moulin.) Voulez-vous la voir ?

– Bien sûr.

Ils changèrent de direction et empruntèrent le même chemin de terre qu'avaient gravi les deux hommes âgés quelques instants plus tôt. Lorsqu'ils eurent atteint la crête de la colline, Gamache vit, à une centaine de mètres, une Toyota grise garée sur le bord de la route.

– C'est loin de la maison des Morrow et du lieu de la fête, commenta Gamache, qui sentait la chaleur du soleil de l'après-midi qui brillait à travers les feuilles.

– C'est vrai. Il devait y avoir énormément de voitures dans le village. Elle n'a probablement pas pu trouver un endroit plus près.

Gamache hocha lentement la tête.

– Cela signifie donc qu'elle n'était pas parmi les premiers arrivés. Ou sinon, elle s'est peut-être garée aussi loin exprès.

– Pourquoi aurait-elle fait ça ?

– Elle ne voulait peut-être pas qu'on la voie.

– Mais alors, pourquoi porter une robe d'un rouge aussi voyant qu'un néon ?

Gamache sourit. C'était une objection valable.

– C'est très agaçant d'avoir un adjoint intelligent. Je m'ennuie de l'époque où vous vous contentiez de faire le salut militaire et d'être d'accord avec moi.

– Et c'était quand, ça ?

– Vous avez encore une fois raison. Il faut que ça cesse, dit Gamache en souriant intérieurement.

Ils s'arrêtèrent à côté de l'auto.

– Les techniciens l'ont passée au peigne fin et ont relevé les empreintes. Mais je voulais que vous la voyiez avant qu'on la fasse remorquer.

– Merci.

Beauvoir déverrouilla les portières et l'inspecteur-chef s'assit à la place du conducteur. Comme il était pas mal plus gros que la femme, il recula le siège pour être plus à l'aise.

Sur le siège passager se trouvaient des cartes routières du Québec.

Gamache se pencha et ouvrit la boîte à gants. Elle contenait l'habituelle collection de choses qu'on pense utiliser, sans se souvenir ensuite qu'elles sont là. Des serviettes en papier, des élastiques, des pansements adhésifs, une pile AA. Et de l'information concernant la voiture, avec les certificats d'assurance et d'immatriculation, que Gamache sortit et lut. L'auto avait cinq ans, mais Lillian Dyson l'avait achetée seulement huit mois auparavant. Il ferma la boîte à gants et prit les cartes. Après avoir mis ses lunettes de lecture, il les examina. Elles avaient été mal repliées, un peu n'importe comment, comme le font des personnes impatientes avec des cartes enquiquinantes.

L'une d'elles couvrait tout le Québec. Pas très utile à moins d'être en train de planifier une invasion et d'avoir seulement besoin de savoir où se situaient, grosso modo, les villes de Montréal et de Québec. L'autre montrait les Cantons-de-l'Est.

Lillian Dyson l'ignorait quand elle l'avait achetée, mais cette carte, comme la première, n'était d'aucune utilité. Juste pour s'en assurer, il l'ouvrit. À l'endroit où aurait dû être Three Pines, il y avait la sinueuse rivière Bella Bella, des collines, une forêt. Et rien d'autre. En ce qui concernait les cartographes, Three Pines n'existait pas.

On n'avait jamais procédé au levé du village. Aucun système de géolocalisation par satellite, aussi sophistiqué soit-il, ne réussirait à le trouver. Il apparaissait comme par hasard de l'autre côté de la colline. Soudainement. Il était impossible de le trouver, à moins d'être perdu.

Lillian Dyson s'était-elle perdue? Était-elle tombée sur Three Pines et la fête par hasard?

Pourtant non. Ce serait une trop grande coïncidence. Elle était vêtue pour assister à une fête. Pour impressionner. Être vue. Être remarquée.

Alors pourquoi personne ne l'avait-il vue?

– Pourquoi Lillian était-elle ici? demanda Gamache, se parlant presque à lui-même.

– D'après vous, savait-elle seulement qu'il s'agissait de la maison de Clara? demanda Beauvoir.

– Je me suis posé la question, répondit Gamache.

Il retira ses demi-lunes et sortit de l'auto.

– Quoi qu'il en soit, elle est venue, dit Beauvoir.

– Mais comment ?

– En auto.

– Oui, j'ai fini par comprendre ça, dit le chef avec un sourire. Mais une fois montée dans l'auto, comment s'est-elle rendue jusqu'ici ?

– Les cartes ? répondit Beauvoir, avec infiniment de patience. Mais lorsqu'il vit Gamache secouer la tête, il réfléchit.

– Pas les cartes ?

Gamache demeura silencieux pour laisser son adjoint trouver la réponse lui-même.

– Elle n'aurait pas trouvé Three Pines sur ces cartes, dit Beauvoir lentement, parce que le village n'y figure pas.

Il s'interrompit, songeur.

– Alors comment a-t-elle trouvé le chemin pour venir ici ?

Gamache pivota et commença à redescendre vers le village d'un pas mesuré.

Une autre question vint à l'esprit de Beauvoir lorsqu'il rejoignit le chef.

– Comment toutes les autres personnes sont-elles venues ? Tous ces gens de Montréal.

– Clara et Peter ont envoyé des invitations contenant la direction à suivre.

– Eh bien, voilà votre réponse. La victime savait quel trajet emprunter.

– Mais elle n'avait pas été invitée. Et même si elle avait réussi à mettre la main sur une invitation et l'information concernant le trajet, où sont-elles ? Pas dans son sac à main ni sur elle. Pas non plus dans l'auto.

Beauvoir tourna la tête et réfléchit.

– Donc, pas de cartes ni d'indications du chemin. Comment a-t-elle trouvé l'endroit ?

Gamache s'arrêta en face de l'auberge.

– Je ne sais pas, avoua-t-il.

Il se tourna ensuite pour regarder l'auberge qui, à une certaine époque, avait été une monstruosité, un vieux bâtiment

pourrissant, décrépit. Une maison victorienne qu'un propriétaire bouffi d'orgueil avait fait ériger, tel un trophée, plus d'un
siècle auparavant à la sueur du front d'autres hommes.

Et qui était censée dominer le village. Mais, tandis que
Three Pines avait survécu aux récessions, aux dépressions et aux
guerres, cette mocheté à tourelles s'était délabrée, en n'attirant
que le malheur et le chagrin.

Lorsque les villageois levaient les yeux vers la colline, au lieu
de voir un trophée, ils ne voyaient qu'une ombre, qui semblait
soupirer.

Mais plus maintenant. La maison avait été transformée en
une auberge élégante et brillante de propreté.

Parfois, cependant, selon l'angle sous lequel il l'observait,
selon la lumière qui l'enveloppait, Gamache pouvait encore
percevoir la tristesse du lieu. Et, au crépuscule, il croyait entendre des soupirs dans la brise.

Dans sa poche de poitrine se trouvait la liste des personnes
venues de Montréal à l'invitation de Clara et Peter. Le nom du
meurtrier y figurait-il ?

Ou le meurtrier était-il quelqu'un des environs, et non un
invité ?

– Bonjour !

Beauvoir sursauta. Il essaya de ne pas le laisser paraître,
mais cette vieille maison, malgré les rénovations, lui donnait
encore le frisson.

Dominique Gilbert apparut sur le côté de l'auberge. Elle
portait des jodhpurs et une bombe en velours noir, et tenait à
la main une cravache en cuir. Elle s'apprêtait ou bien à aller
faire de l'équitation, ou bien à diriger le tournage d'un court
métrage à la Mack Sennett.

Lorsqu'elle reconnut les deux hommes, elle sourit et tendit
la main.

– Inspecteur-chef, dit-elle en lui serrant la main.

Elle se tourna ensuite vers Beauvoir et lui serra la sienne.
Puis son sourire s'évanouit.

– C'est donc vrai, ce qu'on raconte au sujet du corps dans
le jardin de Clara ?

Elle retira sa bombe. La transpiration avait aplati sa chevelure brune sur son crâne. Dominique Gilbert, qui approchait de la cinquantaine, était grande et mince. Comme son mari, elle était une réfugiée de la ville. Ils avaient fait leur baluchon et s'étaient échappés.

Ses collègues à la banque avaient prédit qu'ils ne tiendraient pas le coup au-delà d'un hiver. Pourtant, leur établissement était ouvert depuis près de deux ans maintenant, et ils ne semblaient aucunement regretter d'avoir acheté la vieille ruine et de l'avoir convertie en une auberge accueillante et un spa.

– Oui, malheureusement, c'est vrai, répondit Gamache.

– Puis-je utiliser votre téléphone ? demanda l'inspecteur Beauvoir.

Tout en sachant parfaitement bien que ça ne fonctionnerait pas, il avait essayé quelques fois d'appeler l'équipe médicolégale en se servant de son cellulaire.

– Merde, avait-il marmonné, on se croirait revenu au Moyen Âge, ici.

– Mais bien sûr, répondit Dominique en pointant le doigt vers la maison. Il n'est même plus nécessaire de le remonter à la manivelle pour qu'il fonctionne.

Son trait d'humour échappa à l'inspecteur, qui entra à grandes enjambées dans l'auberge tout en continuant de taper sur la touche de recomposition de son portable.

– J'ai entendu dire que des personnes venues à la fête ont logé à l'auberge hier soir, dit Gamache, debout sur la galerie.

– Quelques-unes. Certaines avaient une réservation, les autres sont des clients de dernière minute.

– Des gens qui avaient un peu trop levé le coude ?

– Qui étaient beurrés.

– Sont-ils toujours ici ?

– Ça fait une ou deux heures que l'un après l'autre ils s'extirpent du lit. Votre agent leur a demandé de ne pas quitter Three Pines, mais la plupart ont à peine réussi à quitter leur lit. Ils ne risquent pas de s'enfuir. De partir en rampant, peut-être, mais pas de s'enfuir.

– Où est mon agent ?

Gamache jeta un coup d'œil aux alentours. Lorsqu'il avait appris que certains invités étaient restés au village après la fête, il avait demandé à l'agente Lacoste d'envoyer un agent subalterne monter la garde au gîte et un autre ici.

– Il est en arrière avec les chevaux.

– Vraiment ? Il les surveille ?

– Comme vous le savez, inspecteur-chef, nos chevaux ne risquent pas non plus de prendre la fuite.

Il le savait, en effet. Une des premières choses que Dominique avait faites après avoir déménagé ici, c'était d'acheter des chevaux – la réalisation d'un rêve d'enfance.

Mais au lieu de se procurer des bêtes ressemblant à Black Beauty, Flicka ou Pégase, elle avait trouvé quatre vieux canassons mal en point. Des animaux plus bons à rien, destinés à l'abattoir.

D'ailleurs, l'un d'eux faisait davantage penser à un orignal qu'à un cheval.

Mais telle était la nature des rêves. Ils n'étaient pas toujours reconnaissables, au début.

– Ils vont venir chercher la voiture dans un instant, dit Beauvoir en sortant de l'auberge.

Gamache remarqua qu'il avait gardé son cellulaire à la main. Comme un bébé qui a besoin de sa sucette pour être rassuré.

– Des clientes un peu plus intrépides que les autres voulaient faire une randonnée à cheval. Je m'apprêtais à partir avec elles. Votre agent a dit que c'était OK. Il s'est d'abord montré réticent, mais, après avoir vu les chevaux, il s'est laissé fléchir. Il a compris, j'imagine, qu'ils n'allaient pas se précipiter vers la frontière. J'espère que je ne lui ai pas attiré des ennuis.

– Pas du tout, dit Gamache.

Beauvoir cependant, à en juger par son air, n'aurait probablement pas donné la même réponse.

Tandis qu'ils traversaient la pelouse en direction de l'écurie, ils virent des gens et des animaux à l'intérieur. Tous dans l'ombre, comme s'il s'agissait de silhouettes découpées et collées là.

Et parmi elles on distinguait le profil d'un jeune agent de la Sûreté en uniforme. Svelte. Dégingandé, même vu d'une certaine distance.

L'inspecteur-chef Gamache sentit alors son cœur palpiter et le sang lui monter à la tête. Il fut pris de vertige et se demanda s'il allait s'évanouir. Ses mains devinrent froides. Il se demanda si Jean-Guy Beauvoir avait remarqué sa réaction soudaine, cette convulsion de douleur inattendue qui l'avait secoué quand le souvenir d'un autre jeune agent lui était venu à l'esprit. Un agent ressuscité, pour un instant.

Et qui était mort, encore une fois.

La violence du choc ébranla profondément Gamache pendant un moment. Il chancela presque, mais, le choc passé, il se rendit compte que son corps avançait toujours, que les muscles de son visage étaient détendus. Rien ne trahissait ce qui venait de se produire. Cette crise spasmodique d'émotion.

Rien sauf un léger, très léger tremblement de la main droite, qu'il ferma aussitôt en un poing.

La silhouette du jeune agent se sépara des autres et sortit au soleil. Et devint complète. Le jeune homme au beau visage, où se lisaient à la fois le désir de plaire et l'inquiétude, se hâta vers Gamache et Beauvoir.

– Monsieur, dit-il en faisant le salut militaire.

L'inspecteur-chef lui fit signe de baisser la main.

– Je suis venu juste pour voir, expliqua précipitamment l'agent. Pour m'assurer que ce serait OK si ces personnes allaient faire du cheval. Je n'avais pas l'intention de laisser l'endroit sans surveillance.

Le jeune agent n'avait encore jamais rencontré l'inspecteur-chef Gamache. Il l'avait évidemment vu de loin. Comme la plupart de la province, d'ailleurs. Au téléjournal, dans des entrevues, sur des photographies dans les journaux. Dans le cortège funèbre lors des obsèques, retransmises à la télévision, des policiers qui étaient morts, sous le commandement de Gamache, seulement six mois auparavant.

Il avait même assisté à une des conférences que le chef avait données à l'école de police.

Mais maintenant, tandis qu'il regardait l'inspecteur-chef, toutes ces images disparurent, pour être remplacées par celles d'un montage vidéo de l'intervention policière au cours de laquelle tant de personnes étaient mortes. Personne n'aurait dû voir ces images, mais ils avaient été des millions à les voir quand la vidéo virale avait circulé sur Internet. Il était difficile maintenant, en voyant l'inspecteur-chef avec la cicatrice qui lui zébrait la tempe gauche, de ne pas aussi se rappeler la vidéo.

Mais voilà que l'homme en chair et en os se trouvait devant lui. Le réputé chef du réputé service des homicides. Il était si près que le jeune agent pouvait même sentir son parfum. Un soupçon de bois de santal et autre chose. De l'eau de rose. L'agent plongea son regard dans les yeux brun foncé de Gamache et se rendit compte qu'il n'avait jamais vu des yeux comme ceux-là. Il avait été dévisagé par de nombreux policiers hauts gradés. En fait, tout le monde était d'un grade supérieur au sien. Mais jamais il n'avait expérimenté quelque chose de semblable.

Le regard de l'inspecteur-chef était intelligent, pensif, inquisiteur.

Mais alors que d'autres regards étaient fondamentalement cyniques et sévères, celui de l'inspecteur-chef Gamache était autre chose.

Il était bienveillant.

L'agent rencontrait enfin face à face cet homme célèbre, et où le chef l'avait-il trouvé? Dans une écurie. Puant le crottin de cheval et en train de donner des carottes à un animal qui ressemblait à un orignal. Occupé à seller des chevaux pour des suspects dans une affaire de meurtre.

Il attendit l'éclat de colère, la verte remontrance.

Mais au lieu de le réprimander, l'inspecteur-chef Gamache fit l'impensable.

Il lui tendit la main.

Le jeune agent la fixa pendant un instant, et remarqua le très, très léger tremblement. Puis il la serra et sentit la poigne ferme et solide.

– Inspecteur-chef Gamache, dit l'homme à la forte carrure.

– Oui, patron. Je suis l'agent Yves Rousseau, du poste de Cowansville.

– Tout va bien ici?

– Oui, monsieur. Je suis désolé. Je n'aurais probablement pas dû autoriser ces personnes à aller faire une balade à cheval.

Gamache sourit.

– Vous ne pouvez pas le leur interdire. De plus, je ne crois pas qu'elles se rendront bien loin.

Les trois policiers de la Sûreté tournèrent la tête vers les deux femmes et Dominique, qui sortaient de l'écurie en guidant chacune un cheval au son du claquement des sabots.

Gamache posa de nouveau son regard sur l'agent devant lui, si jeune et désireux de plaire.

– Leur avez-vous demandé leur nom et leur adresse?

– Oui, monsieur. Et je les ai confirmés en vérifiant leurs pièces d'identité. J'ai les informations personnelles de tout le monde.

Il ouvrit le bouton-pression de sa poche, pour sortir son calepin.

– Vous pourriez peut-être apporter la liste au bureau provisoire, dit Gamache, et la donner à l'agente Lacoste.

– Oui, bien sûr, répondit Rousseau, en notant la suggestion dans son carnet.

Jean-Guy Beauvoir grommela intérieurement.

«Et voilà que ça recommence, pensa-t-il. Il va inviter ce jeunot à participer à l'enquête. N'apprendra-t-il donc jamais?»

Armand Gamache hocha la tête et sourit à l'agent Rousseau, puis pivota sur ses talons et se dirigea vers l'auberge, laissant derrière lui deux hommes surpris. Rousseau était étonné que l'inspecteur-chef lui ait parlé si poliment, et Beauvoir que Gamache n'ait pas fait ce qu'il avait fait au cours de presque toutes les enquêtes dans le passé, soit proposer à un jeune agent d'un poste local de se joindre à l'équipe.

Beauvoir savait qu'il devrait s'en réjouir, se sentir soulagé.

Alors pourquoi était-il si triste?

* * *

Une fois à l'intérieur, l'inspecteur-chef Gamache fut de nouveau frappé par la beauté du lieu, par l'atmosphère calme et apaisante de l'auberge. La vieille ruine victorienne avait été restaurée avec amour. Les vitraux des linteaux avaient été nettoyés et réparés, si bien que le soleil jetait de chatoyants reflets émeraude, rubis et saphir sur le dallage noir et blanc bien poli du hall d'entrée circulaire, d'où montait un majestueux escalier en acajou.

Un arrangement floral composé de lilas, de sceaux-de-Salomon et de branches de pommier trônait sur une table en bois reluisante au centre de la pièce.

Le hall était propre, clair et accueillant.

– Puis-je vous aider? demanda une jeune réceptionniste.

– Nous cherchons deux de vos clients. MM. Marois et Castonguay.

– Ils sont dans le salon, répondit la jeune femme avec un sourire, puis elle se dirigea vers la droite en les invitant à la suivre.

Les deux policiers de la Sûreté savaient parfaitement bien où se trouvait le salon, y étant entrés à de nombreuses occasions, mais ils laissèrent la réceptionniste faire son travail.

Après leur avoir offert du café, qu'ils refusèrent, elle les laissa à la porte du salon. Gamache embrassa la pièce du regard. Elle aussi était vaste et claire, avec des fenêtres allant du plancher au plafond et qui donnaient sur le village en contrebas. Il y avait des bûches dans la cheminée, mais on n'avait pas allumé de feu, et des vases de fleurs avaient été déposés sur des tables d'appoint. La pièce était à la fois moderne, avec son mobilier contemporain, et traditionnelle dans le choix des éléments de décoration. Les Gilbert avaient fait du beau travail en aménageant la vieille ruine victorienne au goût du vingt et unième siècle.

– Bonjour.

François Marois se leva d'un des fauteuils Eames et déposa son exemplaire du *Devoir* du week-end.

André Castonguay, qui lisait le *New York Times*, regarda vers la porte. Lui aussi se leva du fauteuil rembourré dans lequel il était assis lorsque les deux policiers entrèrent dans le salon.

Gamache, bien sûr, connaissait déjà François Marois, ayant parlé avec lui la veille au vernissage. L'autre homme, cependant, il ne le connaissait que de réputation. Castonguay était grand, constata Gamache, et il avait le teint brouillé, probablement après avoir fait la fête le soir précédent. Il avait le visage bouffi et rougeaud à cause des veinules de son nez et de ses joues qui avaient éclaté.

— Je ne m'attendais pas à vous voir ici, dit Gamache.

Il s'avança vers Marois et lui serra la main comme si lui-même logeait à l'auberge et saluait un autre client.

— Moi non plus, je ne m'attendais pas à vous voir. André, voici l'inspecteur-chef Gamache de la Sûreté du Québec. Connaissez-vous mon collègue André Castonguay ?

— Seulement de réputation. Et votre réputation est très bonne. La Galerie Castonguay jouit d'une grande renommée. Vous représentez d'excellents artistes.

— Je suis heureux que vous le pensiez, inspecteur-chef.

Gamache présenta ensuite Beauvoir, qui se hérissa et éprouva une antipathie immédiate pour cet homme. En fait, celui-ci lui avait inspiré une opinion défavorable avant même de faire sa remarque désobligeante au chef. À ses yeux, n'importe quel propriétaire de galerie d'art haut de gamme était immédiate-ment suspect, d'arrogance sinon de meurtre. Jean-Guy Beauvoir avait très peu d'indulgence pour l'une et l'autre.

Gamache, cependant, ne paraissait pas vexé. Au contraire, il semblait presque content de la réponse d'André Castonguay. Beauvoir remarqua autre chose, aussi.

Castonguay avait commencé à se détendre, à se sentir plus sûr de lui. Il avait lancé une pique à ce policier, et celui-ci n'avait pas riposté. De toute évidence, Castonguay se croyait supérieur.

Beauvoir esquissa un petit sourire et baissa la tête afin que le galeriste ne le voie pas.

— Votre agent a pris en note nos noms et adresses, dit Castonguay en s'installant dans le large fauteuil près de la cheminée. Nos adresses à la fois personnelles et commerciales. Cela signifie-t-il que nous sommes des suspects ?

— Mais non, monsieur, répondit Gamache en s'assoyant sur le canapé en face de lui.

Beauvoir resta un peu à l'écart et François Marois prit place près du foyer.

— J'espère que nous ne vous avons pas occasionné des désagréments, ajouta Gamache.

Il avait l'air préoccupé, contrit même. André Castonguay se détendit encore plus. Il était clair qu'il était habitué à imposer son autorité. À obtenir ce qu'il voulait.

Jean-Guy Beauvoir observa l'inspecteur-chef qui donnait l'impression d'être d'accord avec Castonguay, de s'incliner devant la plus forte personnalité. Il ne parlait pas avec affectation, car la tromperie aurait été trop évidente. Il consentait simplement à céder la place.

— Bon, dit Castonguay, je suis heureux que nous ayons clarifié ça. Non, vous ne nous avez pas occasionné des désagréments. Nous avions l'intention de rester quelques jours de toute façon.

« Il a dit *nous* », pensa Beauvoir en se tournant vers François Marois. Les deux hommes devaient être du même âge, supposat-il. Castonguay avait une épaisse chevelure blanche, Marois des cheveux gris bien taillés qui commençaient à se faire rares. Tous deux, d'apparence soignée, étaient élégamment vêtus.

— Voici ma carte, inspecteur-chef, dit Castonguay en tendant à Gamache une carte professionnelle.

— Vous spécialisez-vous dans l'art moderne ? demanda Gamache en croisant les jambes comme s'il s'installait en vue d'une plaisante conversation.

Beauvoir, qui connaissait bien Gamache, observa la scène avec intérêt et un certain amusement. Le chef faisait la cour à Castonguay, en quelque sorte. Et ça fonctionnait. Manifestement, le galeriste considérait l'inspecteur-chef Gamache comme un être d'un rang juste au-dessus de l'espèce animale. Une créature évoluée qui marchait en position debout, mais au lobe frontal peu développé. Beauvoir pouvait deviner ce que Castonguay pensait de lui. Au mieux, il devait le voir comme le chaînon manquant.

Beauvoir aurait tant voulu faire un commentaire intelligent, une remarque judicieuse, savante. Ou sinon, dire quelque chose de si horriblement grossier que cet homme suffisant ne croirait plus qu'il avait la moindre autorité sur quoi que ce soit.

Cependant, au prix d'un certain effort, il n'ouvrit pas la bouche. Surtout parce qu'il ne trouvait rien d'intelligent à dire au sujet de l'art.

Castonguay et l'inspecteur-chef discutaient maintenant des grandes tendances de l'art moderne. Le galeriste pontifiait et Gamache l'écoutait comme s'il était captivé.

Et François Marois?

Jean-Guy Beauvoir l'avait presque oublié. Marois était demeuré si discret. Mais, tournant maintenant les yeux du côté de l'homme silencieux, il se rendit compte que lui aussi regardait fixement devant lui. Il ne dévisageait pas Castonguay, cependant.

Il fixait l'inspecteur-chef Gamache. L'observait. Attentivement. Puis il tourna la tête et arrêta son regard sur Beauvoir. Il ne s'agissait pas d'un regard froid, mais il était clair et pénétrant.

Et Beauvoir sentit son sang se glacer dans ses veines.

La conversation entre l'inspecteur-chef et Castonguay était revenue sur l'affaire du meurtre.

– C'est terrible, dit le galeriste, comme s'il émettait un commentaire d'une rare perspicacité.

– Terrible en effet, convint Gamache, en se redressant dans son fauteuil. Nous avons quelques photographies de la victime. Je me demandais si ça ne vous dérangerait pas d'y jeter un coup d'œil.

Beauvoir tendit les photos à François Marois, qui les regarda et les passa ensuite à André Castonguay.

– Désolé, mais je ne la connais pas, dit Castonguay.

Beauvoir dut au moins lui reconnaître – à contrecœur – le mérite d'avoir paru peiné de voir la morte.

– Qui était-elle?

– Monsieur Marois? demanda Gamache en se tournant vers l'autre homme.

– Non, je regrette, mais son visage ne me dit rien à moi non plus. Elle était à la fête?

– C'est ce que nous essayons de déterminer. L'un de vous l'a-t-il vue hier soir? Comme vous avez pu le constater sur une des photos, elle portait une robe rouge très voyante.

Les deux hommes échangèrent un regard, mais secouèrent la tête.

– Désolé, répondit Castonguay. J'ai passé la soirée à parler avec des amis que je ne vois pas souvent. Il se peut qu'elle ait été là et que je ne l'aie tout simplement pas remarquée. Qui était-elle? demanda-t-il de nouveau.

Les photos furent remises à Beauvoir.

– Elle s'appelle Lillian Dyson.

Le nom ne suscita aucune réaction.

– Était-elle une artiste? demanda Castonguay.

– Qu'est-ce qui vous fait poser cette question? voulut savoir Gamache.

– Sa tenue d'un rouge flamboyant. Ou bien les artistes ressemblent à des clochards, se lavent à peine, sont soûls et sales la plupart du temps, ou bien ils ont l'air de… ça. (D'un geste, il indiqua les photos dans la main de Beauvoir.) Ils sont excessifs, excentriques. Des m'as-tu-vu. Quel que soit leur genre, ils ne sont pas de tout repos.

– Vous ne semblez pas aimer les artistes, dit Gamache.

– Vous avez raison. J'aime le produit, pas la personne. Les artistes sont des êtres capricieux, exigeants, des cinglés qui prennent beaucoup de place et accaparent énormément de votre temps. S'occuper d'eux est épuisant. C'est comme prendre soin de bébés.

– Et pourtant, tu as déjà été un artiste, si je ne me trompe, dit François Marois.

Les policiers de la Sûreté se tournèrent vers l'homme près de la cheminée qui était demeuré silencieux. Affichait-il un air satisfait?

– Oui, c'est vrai. Mais j'étais trop sain d'esprit pour avoir du succès.

Marois rit, et Castonguay parut vexé. Il n'avait pas dit cela en blague.

— Vous étiez au vernissage hier, n'est-ce pas, monsieur Castonguay ? demanda Gamache.

— Oui. La conservatrice en chef m'avait invité. Et, bien sûr, Vanessa est une amie intime. Nous soupons ensemble lorsque je vais à Londres.

— Vanessa Destin Browne ? La responsable du Tate Modern ? demanda Gamache, apparemment impressionné. Elle était là hier soir ?

— Oui, au musée et ici. Nous avons eu une longue conversation sur l'avenir de l'art figuratif et…

— Mais elle n'est pas restée ? Ou compte-t-elle parmi les clients de l'auberge ?

— Non, elle est partie tôt. À mon avis, les hamburgers et la musique folklorique ne sont pas son style.

— Mais ils correspondent au vôtre ?

Beauvoir se demanda si André Castonguay avait senti le vent tourner.

— Habituellement non, mais il y avait des personnes, ici, à qui je voulais parler.

— Qui ?

— Pardon ?

L'inspecteur-chef Gamache demeurait affable et courtois, mais il était évident qu'il avait la situation bien en main, et ce, depuis le début.

Encore une fois, Beauvoir jeta un coup d'œil à François Marois. Celui-ci, se douta-t-il, ne devait pas être surpris du changement dans les rapports de force.

— À qui en particulier vouliez-vous parler, à la fête ? demanda clairement Gamache, avec patience.

— Eh bien, à Clara Morrow, entre autres. Je voulais la remercier pour ses œuvres.

— À qui d'autre ?

— Cela relève d'une affaire privée, répondit Castonguay.

Il avait donc remarqué que le vent avait tourné. Mais trop tard. L'inspecteur-chef Gamache était le vent et André Castonguay une feuille. Le mieux qu'il pouvait espérer, c'était de ne pas être emporté dans un tourbillon.

– L'information pourrait s'avérer importante, monsieur. Si elle n'a aucun lien avec l'affaire de meurtre, cela restera entre nous, je vous le promets.

– Eh bien, j'espérais établir un contact avec Peter Morrow. C'est un artiste accompli.

– Mais pas aussi talentueux que sa femme.

François Marois avait parlé doucement, d'une voix murmurée, mais tout le monde se tourna pour le regarder.

– Le travail de Clara est si bon que ça? demanda l'inspecteur-chef.

Marois observa Gamache pendant un instant.

– Je répondrai volontiers à cette question, mais je suis curieux de connaître votre opinion. Vous étiez au vernissage. C'est vous qui avez attiré mon attention sur ce remarquable portrait de la Vierge Marie.

– Le quoi? demanda Castonguay. Il n'y avait aucune peinture représentant la Vierge Marie.

– Il y en avait une si on savait regarder, lui assura Marois avant de se retourner vers l'inspecteur-chef. Vous étiez l'une des rares personnes à vraiment prêter attention aux œuvres de l'artiste.

– Comme je crois l'avoir mentionné hier soir, Clara et Peter Morrow sont des amis personnels, dit Gamache.

Ces mots suscitèrent la surprise et la suspicion chez Castonguay.

– C'est permis? Cela signifie que dans le cadre de votre enquête sur le meurtre vous devez considérer des amis comme des suspects potentiels, n'est-ce pas?

Beauvoir fit un pas en avant.

– Au cas où vous ne le sauriez pas, l'inspecteur-chef Gamache…

Mais le chef leva la main et Beauvoir réussit à s'interrompre.

– La question est légitime, dit Gamache en se retournant vers André Castonguay. Ils sont des amis et, oui, ils sont aussi des suspects. En fait, j'ai beaucoup d'amis dans ce village, et tous sont également des suspects. Je comprends que cela puisse être interprété comme étant un désavantage, mais le fait est que je connais ces gens. Je les connais bien. Pour démasquer le meurtrier parmi eux, n'y a-t-il pas mieux placé que quelqu'un qui connaît leurs faiblesses, leurs défauts, leurs peurs? Mais si vous pensez, ajouta Gamache en se penchant lentement vers Castonguay, que je pourrais découvrir le meurtrier et le laisser échapper à la justice…

Les paroles étaient amicales, il y avait même un léger sourire sur le visage de l'inspecteur-chef, mais même André Castonguay pouvait percevoir la gravité dans la voix et les yeux.

– Non, je ne crois pas que vous feriez ça.

– Je suis heureux de vous l'entendre dire.

Gamache se renfonça dans son fauteuil.

Beauvoir garda les yeux fixés sur Castonguay quelques instants encore, pour s'assurer qu'il ne s'apprêtait pas à remettre de nouveau en question l'intégrité du chef. Gamache pouvait trouver normal et même sain qu'on remette en question sa façon d'agir, mais pas Beauvoir.

– Tu as tort, tu sais, François, au sujet des œuvres de Mme Morrow, dit Castonguay, l'air maussade. Il ne s'agit que d'une série de portraits de vieilles femmes. Il n'y a rien de nouveau là-dedans.

– Tout est nouveau, si on regarde au-delà des apparences, répondit Marois en venant s'asseoir dans le fauteuil à côté de Castonguay. Regarde encore, mon ami.

Il était évident, cependant, qu'ils n'étaient pas des amis. Peut-être pas des ennemis non plus, mais rechercheraient-ils la compagnie de l'autre pour dîner ensemble au café-bistro Leméac ou prendre un verre au bar de L'Express, à Montréal?

Non. Castonguay le ferait peut-être, mais pas Marois.

– Et pour quelle raison êtes-vous ici, monsieur? demanda Gamache à Marois.

Il ne semblait y avoir aucune lutte de pouvoir entre les deux hommes. C'était inutile, car chacun était sûr de lui.

– Je suis un marchand d'œuvres d'art, mais je ne possède pas de galerie. Comme je vous l'ai dit hier soir, la conservatrice m'a remis un catalogue et j'ai été impressionné par les tableaux de Mme Morrow. Je tenais à les voir moi-même. Et, ajouta-t-il d'un air contrit, j'avoue être, même à mon âge, un sentimental.

— Allez-vous admettre que vous avez le béguin pour Clara Morrow? demanda Gamache.

François Marois rit.

— Pas vraiment, bien qu'après avoir vu ses œuvres il soit difficile de ne pas l'aimer. Mais mon sentimentalisme se situe davantage sur le plan philosophique.

— Dans quel sens?

— J'aime l'idée que l'on ait découvert et sorti de l'anonymat une artiste âgée de près de cinquante ans. Quel artiste n'entretient pas un tel rêve? Quel artiste n'est pas persuadé, chaque matin, que cela se produira avant la fin de la journée? Vous vous rappelez Magritte? Le peintre belge?

— *Ceci n'est pas une pipe*? dit Gamache.

Beauvoir était complètement perdu. Il espérait que le chef ne commençait pas à débiter des absurdités parce qu'il venait de subir un AVC.

— Oui, ce peintre-là. Il s'est consacré à sa peinture durant des années, des décennies. Croupissant dans la misère noire, il subvenait à ses besoins en peignant de faux Picasso et en fabriquant de faux billets de banque. Lorsque Magritte peignait ses propres œuvres, non seulement les galeries et les collectionneurs ne s'y intéressaient pas, mais d'autres artistes, le croyant cinglé, se moquaient de lui. Et ça va très mal, je peux vous le dire, quand même d'autres artistes vous croient cinglé.

Gamache rit.

— Et l'était-il?

— Eh bien, peut-être. Vous avez vu ses tableaux?

— Oui, et je les aime, mais je ne sais pas vraiment comment j'aurais réagi si quelqu'un ne m'avait pas dit qu'il s'agissait d'œuvres géniales.

— Exactement, dit Marois en se redressant soudain dans son fauteuil, plus vivant que Beauvoir ne l'avait vu jusqu'alors, presque exalté. Voilà pourquoi mon travail ressemble à Noël tous les jours. Alors que chaque artiste se réveille persuadé que c'est ce jour-là qu'on reconnaîtra son génie, chaque marchand de tableaux se réveille persuadé que c'est ce jour-là qu'il découvrira un artiste de génie.

— Mais comment savoir ?

— Voilà justement ce qui rend tout ça si excitant.

Beauvoir voyait bien que Marois ne jouait pas la comédie. Il avait les yeux étincelants et gesticulait, pas frénétiquement, mais avec enthousiasme.

— Le portfolio que moi je juge brillant, une autre personne peut le trouver quelconque, peu original. À preuve nos réactions devant les peintures de Clara Morrow.

— Je soutiens toujours qu'elles ne présentent aucun intérêt, dit Castonguay.

— Et je soutiens le contraire. Et qui peut affirmer lequel de nous deux a raison ? Voilà ce qui rend fous à la fois les artistes et les marchands. C'est si subjectif.

— Selon moi, les artistes sont nés fous, marmonna Castonguay, et Beauvoir partageait le même avis.

— Cela explique donc votre présence au vernissage, dit Gamache. Mais pourquoi êtes-vous venu à Three Pines ?

Marois hésita avant de répondre, réfléchissant à ce qu'il était prêt à révéler, sans même chercher à cacher son indécision.

Gamache attendit. Beauvoir, qui avait sorti son calepin et son stylo, se mit à griffonner. Un bonhomme fil de fer et un cheval. Ou peut-être était-ce un orignal. Du fauteuil où était assis Castonguay provenait le bruit sonore de sa respiration.

— J'avais un client, autrefois. Mort il y a des années. Un homme charmant. Il était dessinateur publicitaire, mais également un artiste de talent. Sa maison était remplie de ses magnifiques peintures. Lorsque je l'ai découvert, il était déjà pas mal vieux. À bien y penser, cependant, il était plus jeune que je le suis aujourd'hui.

Marois sourit, de même que Gamache, qui comprenait comment il se sentait.

— C'était un de mes premiers clients et il réussissait assez bien. Il était très content, et sa femme aussi. Un jour, il m'a demandé une faveur. Il voulait inclure quelques tableaux de sa femme dans sa prochaine exposition. J'ai poliment refusé, mais il a insisté, ce qui n'était pas son genre. Je ne connaissais pas bien sa femme, et ne connaissais pas du tout ses œuvres. Elle devait faire pression sur le vieil homme, ai-je pensé. Mais je voyais bien à quel point c'était important pour lui, alors j'ai cédé à sa demande. J'ai attribué un coin de la salle d'exposition à sa femme, et lui ai donné un marteau.

Il s'interrompit et ses yeux papillotèrent.

– Je n'en suis pas fier, maintenant. J'aurais dû la traiter avec respect, ou alors carrément refuser de monter cette exposition. Mais j'étais jeune et avais encore beaucoup à apprendre. (Il poussa un soupir.) J'ai vu ses œuvres pour la première fois le soir du vernissage. Quand je suis entré dans la pièce, tout le monde était entassé dans ce coin. Vous pouvez imaginer ce qui s'est produit.

– Toutes ses toiles furent vendues, dit Gamache.

Marois hocha la tête.

– Toutes, en effet. De plus, certaines personnes ont acheté, sans les voir, des tableaux qu'elle avait laissés chez elle. Il y a même eu une guerre des enchères pour plusieurs d'entre eux. Mon client était un artiste doué, mais sa femme était meilleure, infiniment meilleure. Une découverte stupéfiante. Une authentique oreille de Van Gogh.

– Pardon ? dit Gamache. Une quoi ?

Castonguay, prêtant soudain attention à la conversation, lui coupa la parole pour demander :

– Qu'a fait le vieil homme ? Il devait être furieux.

– Non. C'était vraiment un homme charmant. Il m'a appris comment être affable, car il a fait montre d'une grande dignité. C'est sa réaction à elle, cependant, que je n'oublierai jamais.

Il resta muet pendant un instant, de toute évidence revoyant dans sa tête les deux artistes âgés.

– Elle a abandonné la peinture. Non seulement elle n'a plus jamais exposé ses œuvres, mais elle n'a plus jamais peint non plus. Elle avait vu la douleur qu'avait éprouvée son mari, même s'il l'avait bien cachée. Pour elle, son bonheur à lui était plus important que le sien. Que son art.

L'inspecteur-chef Gamache savait qu'il aurait dû avoir l'impression d'entendre une histoire d'amour. De sacrifice, de choix désintéressés. Pourtant, ça lui semblait une tragédie.

— Est-ce pour cela que vous êtes ici? demanda-t-il au marchand d'art.

Marois hocha la tête.

— J'ai peur.

— De quoi? demanda Castonguay, qui venait de perdre le fil encore une fois.

— N'as-tu pas vu comment Clara Morrow regardait son mari hier? demanda Marois.

— Et comment lui la regardait, ajouta Gamache.

Les deux hommes échangèrent un regard.

— Mais Clara n'est pas cette femme dont vous vous souvenez, dit l'inspecteur-chef.

— C'est vrai, reconnut Marois. Mais Peter n'est pas non plus mon client âgé.

— Croyez-vous réellement que Clara pourrait abandonner la peinture? demanda Gamache.

— Pour sauver son mariage? Sauver son mari? La plupart des épouses ne le feraient pas, mais la femme qui a créé les toiles exposées au MAC le pourrait bien.

Armand Gamache n'avait jamais pensé à une telle possibilité, mais il y réfléchit et se rendit compte que François Marois pouvait avoir raison.

— Mais si c'était le cas, dit-il, qu'espériez-vous pouvoir faire?

— Eh bien… Pas grand-chose. Mais je voulais au moins voir l'endroit où elle se cachait depuis toutes ces années. J'étais curieux.

— C'est tout?

— N'avez-vous jamais voulu visiter Giverny pour voir où Monet peignait, ou aller voir l'atelier de Winslow Homer à Prouts Neck? Ou encore les lieux où Shakespeare et Victor Hugo écrivaient?

— Vous avez raison, avoua Gamache. Ma femme et moi avons visité les demeures d'un bon nombre de nos artistes, auteurs et poètes préférés.

– Pourquoi?

Gamache prit le temps de réfléchir.

– Parce qu'elles semblent magiques.

André Castonguay ronchonna. Beauvoir se hérissa, gêné pour l'inspecteur-chef. C'était une réponse ridicule. Qui montrait peut-être même de la faiblesse. Avouer à un suspect qu'il croyait peut-être à la magie…

Mais Marois demeura immobile, les yeux fixés sur Gamache. Finalement, il hocha la tête, légèrement et lentement. Beauvoir pensa même qu'il pouvait s'agir d'un tressaillement.

– C'est ça, dit enfin Marois. La magie. Je n'avais pas prévu venir, mais quand j'ai vu ses œuvres au vernissage, j'ai voulu voir le village qui avait créé tant de magie.

La conversation se poursuivit durant quelques minutes encore. Marois et Castonguay parlèrent de leurs déplacements au cours de la fête, des gens qu'ils avaient vus, de ceux à qui ils avaient parlé. Mais, comme toutes les autres personnes interrogées, ils ne révélèrent rien d'intéressant.

L'inspecteur-chef Gamache et l'inspecteur Beauvoir laissèrent les deux hommes assis dans le salon inondé de lumière de l'auberge et partirent à la recherche des autres clients. Une heure plus tard, ils les avaient tous questionnés.

Personne ne connaissait la victime. Personne n'avait remarqué quoi que ce soit d'étrange ou qui puisse être utile.

Tandis qu'ils redescendaient la colline en direction du village, Gamache pensa aux interrogatoires qu'ils venaient de mener et à ce que François Marois avait dit.

Mais Three Pines n'était pas seulement un endroit magique. Quelque chose de monstrueux avait rôdé dans le parc du village, avait mangé et dansé avec les villageois. Quelque chose de sinistre s'était joint à la fête, ce soir-là.

Et n'avait pas créé de la magie, mais avait plutôt commis un meurtre.

6

De la fenêtre de sa librairie, Myrna voyait Armand Gamache et Jean-Guy Beauvoir descendre le chemin de terre jusqu'au village.

Puis elle se tourna vers l'intérieur de sa boutique, avec ses étagères remplies de livres neufs et usagés et son parquet aux larges lattes de pin. Clara était assise sur le canapé près de la fenêtre, face au poêle à bois.

Elle était arrivée quelques minutes plus tôt, serrant une pile de journaux sur sa poitrine, comme une immigrante débarquée à Ellis Island étreignant quelque chose tout en lambeaux mais précieux.

Myrna se demanda si ce que Clara tenait contre sa poitrine était réellement si important.

Elle ne se faisait pas d'illusions. Elle savait ce que contenaient ces journaux : le jugement des autres, l'opinion du reste du monde. Ce que les gens voyaient en regardant les tableaux de Clara.

Myrna savait autre chose également. Elle savait ce que ces pages imbibées de bière disaient.

Elle aussi s'était réveillée tôt ce matin-là, avait sorti son corps fatigué du lit et s'était traînée jusqu'à la salle de bains. Elle s'était douchée, brossé les dents, avait enfilé des vêtements propres. Et, dans le petit matin de ce nouveau jour, elle était montée dans son auto et s'était rendue à Knowlton.

Pour chercher les journaux. Elle aurait pu les télécharger sur Internet, mais si Clara voulait lire la version papier, alors elle aussi.

Elle se fichait de l'opinion du reste du monde sur les toiles de Clara. C'étaient des chefs-d'œuvre, elle le savait.

Mais elle aimait beaucoup Clara.

Maintenant, son amie était affaissée sur le canapé devant le fauteuil où elle était assise.

– Une bière ? demanda Myrna en pointant le doigt vers la pile de journaux.

– Non, merci, j'ai la mienne, répondit Clara avec un sourire en désignant sa poitrine mouillée.

– Tu dois être la femme dont rêvent tous les hommes, dit Myrna en riant. Enfin, une femme entièrement faite de bière et de croissants.

– C'est ça. Celle qu'ils voient dans un rêve érotique, répondit Clara en souriant.

– As-tu eu l'occasion de les lire ?

Myrna n'eut pas besoin d'indiquer de nouveau les journaux puants. Toutes les deux savaient de quoi elle parlait.

– Non. Il y a toujours quelque chose qui m'en empêche.

– Quelque chose ?

– Un putain de corps, lança Clara.

Puis, faisant un effort pour se contenir, elle ajouta :

– Mon Dieu, Myrna, je ne sais pas ce qui ne tourne pas rond chez moi. Je devrais être bouleversée, atterrée par ce qui s'est produit. Affligée par ce qui est arrivé à la pauvre Lillian. Mais sais-tu ce que je me répète ? Sais-tu quelle est la seule et unique chose à laquelle je ne cesse de penser ?

– Qu'elle a gâché le jour le plus important de ta vie.

Elle énonçait un fait. Et c'était vrai. C'est ce que Lillian avait fait. Il fallait admettre, cependant, qu'elle n'avait pas connu une bonne journée, elle non plus. Mais cela ferait l'objet d'une autre discussion.

Clara fixa Myrna, s'attendant à voir un regard réprobateur.

– Qu'est-ce qui ne tourne pas rond chez moi ?

– Rien, répondit Myrna en se penchant vers son amie. Je ressentirais la même chose. Comme tout le monde, d'ailleurs. Sauf que nous ne l'avouerions sans doute pas.

Myrna sourit, puis ajouta :

– Si ç'avait été moi, étendue là-bas…

Vivement interrompue par Clara, Myrna ne termina pas sa phrase.

– Je t'interdis de penser une telle chose.

Clara paraissait réellement effrayée, comme si la probabilité que quelque chose se produise augmentait du fait de l'exprimer à haute voix. Comme si son Dieu – quel qu'il soit – transformerait ses paroles en réalité. Mais Myrna savait que ni le Dieu de Clara ni le sien n'étaient à ce point désorganisés et mesquins qu'ils aient besoin d'écouter ou de tenir compte de si ridicules suggestions.

– Si c'était moi, reprit Myrna, ça ne te laisserait pas indifférente.

– Mon Dieu, je ne m'en remettrais jamais !

– Et ces journaux n'auraient aucune importance.

– Absolument aucune.

– Si c'était Gabri, Peter ou Ruth…

Toutes les deux gardèrent le silence. Myrna était peut-être allée trop loin.

– Quoi qu'il en soit, poursuivit Myrna, même si c'était une parfaite étrangère, tu aurais été touchée.

Clara hocha la tête.

– Mais Lillian n'était pas une étrangère.

– J'aurais aimé qu'elle le soit, avoua Clara d'une voix douce. J'aurais aimé ne jamais l'avoir connue.

– Qu'est-ce qu'elle était pour toi ? demanda Myrna.

Elle connaissait l'histoire dans les grandes lignes, mais maintenant elle voulait entendre les détails.

Et Clara lui raconta tout. Lui parla de la jeune Lillian, de la Lillian adolescente, de la femme dans la vingtaine. Plus Clara avançait dans son récit, plus sa voix faiblissait, devenait traînante, comme si les mots constituaient un poids.

Puis, elle se tut. Myrna la regarda, mais demeura silencieuse un moment.

– On dirait un vampire psychoaffectif, dit-elle enfin.

– Un quoi ?

– Un vampire suceur d'émotions, si tu préfères. J'ai rencontré pas mal de personnes comme elle quand j'exerçais ma profession. Des gens qui sucent les autres jusqu'à la moelle. On en connaît tous. Après avoir passé du temps en leur compagnie, on se sent, sans raison, complètement vidé.

Clara hocha de nouveau la tête. Elle connaissait de telles personnes, mais il n'y en avait aucune à Three Pines. Même Ruth n'en était pas une. Tout ce qu'elle vidait, c'était leurs bouteilles d'alcool. Curieusement, Clara se sentait toujours revigorée après une visite de la vieille poète folle.

Cependant, d'autres personnes lui sapaient toute son énergie.

Lillian avait été une de celles-là.

– Mais elle n'a pas toujours été comme ça, dit Clara qui voulait être juste. Elle a déjà été une amie.

– C'est souvent le cas. La grenouille dans la casserole d'eau chaude.

Clara ne savait pas trop comment réagir à cela. Parlaient-elles encore de Lillian, ou étaient-elles soudainement passées à une bizarre émission de cuisine française?

– Tu veux dire que le vampire suceur d'émotions est dans une casserole d'eau chaude? demanda-t-elle.

Elle était presque certaine qu'aucun autre être humain n'avait prononcé une telle phrase. Du moins l'espérait-elle.

Myrna rit et, se reculant dans son fauteuil, leva les jambes pour les poser sur le coussin.

– Non, ma petite. Lillian est le vampire. Toi, tu es la grenouille.

– On dirait un conte des frères Grimm, qui aurait été rejeté: *La grenouille et le vampire suceur d'émotions.*

Les deux femmes se turent un moment en imaginant les illustrations.

Myrna revint la première à la réalité.

– «La grenouille dans l'eau chaude» est une expression utilisée pour décrire un phénomène psychologique, expliqua-t-elle. Si on plonge une grenouille dans une casserole d'eau chaude, que fera-t-elle?

– Elle s'échappera?

– Elle s'échappera, oui. Mais si on en met une dans de l'eau à température ambiante qu'on chauffe ensuite graduellement, que se passera-t-il?

Clara réfléchit un instant.

– Elle sautera hors de la casserole quand l'eau deviendra trop chaude?

Myrna secoua la tête.

– Non.

Elle enleva ses jambes du coussin et se pencha de nouveau vers l'avant, le regard intense.

– La grenouille ne bouge pas. L'eau devient de plus en plus chaude, mais elle reste là. Elle s'habitue à la température. Elle ne sort jamais de la casserole.

– Jamais? dit doucement Clara.

– Jamais. Elle reste là jusqu'à ce qu'elle meure.

Clara inspira lentement et profondément, puis expira.

– J'ai constaté ce phénomène chez des patients qui avaient été physiquement ou psychologiquement agressés. La relation ne commence jamais par un coup de poing à la figure ou une insulte, sinon il n'y aurait pas de deuxième rencontre. Non. Elle commence toujours en douceur. D'une manière agréable. L'autre personne t'attire vers elle par des paroles enjôleuses. Pour gagner ta confiance. Pour que tu dépendes d'elle. Puis, petit à petit, elle change. Elle augmente graduellement la chaleur, pour reprendre l'analogie avec l'eau dans la casserole, jusqu'à ce que tu ne puisses plus t'échapper.

– Mais Lillian n'était pas une amante ni un mari. Seulement une amie.

– Les amis peuvent se montrer abusifs. Les amitiés peuvent tourner à l'aigre, devenir malsaines. Lillian se nourrissait de ta gratitude, de ton sentiment d'insécurité, de ton amour pour elle. Mais tu as fait quelque chose auquel elle ne s'attendait absolument pas.

Clara attendit la suite.

– Tu t'es tenue debout. Tu as défendu ton art. Et tu es partie. Et elle t'a détestée à cause de ça.

– Mais alors, pourquoi est-elle venue ici ? Je ne l'ai pas vue depuis au moins vingt ans. Pourquoi est-elle revenue ? Que voulait-elle ?

Myrna secoua la tête. Elle ne dit pas ce qu'elle pensait. Selon elle, une seule raison pouvait expliquer pourquoi Lillian était revenue.

Pour gâcher le jour le plus important de la vie de Clara.

Et elle avait réussi. Mais presque certainement pas comme Lillian avait planifié de le faire.

Ce qui, bien sûr, soulevait la question : Qui avait planifié ça ?

– Je peux te dire quelque chose ?

Clara grimaça.

– Je déteste que les gens me demandent ça. Ça annonce habituellement quelque chose de terrible. Que veux-tu me dire ?

– « L'espoir trouve sa place parmi les maîtres modernes. »

– J'avais tort, dit Clara, perplexe, mais soulagée. Ça ne veut rien dire. C'est un nouveau jeu ? Est-ce que je peux jouer ? La chaise papier peint est souvent des vaches. Ou as-tu recommencé à fumer ton caftan ? ajouta-t-elle en fixant Myrna avec suspicion. Le chanvre n'est pas vraiment une drogue, paraît-il, mais je m'interroge encore.

– « Grâce à l'art de Clara Morrow, se réjouir est de nouveau cool. »

– Ah, c'est une conversation où on saute du coq à l'âne. C'est comme parler à Ruth, mais avec beaucoup moins de *fuck* et autres jurons.

Myrna sourit.

– Sais-tu qui je citais ?

– C'étaient des citations ?

Myrna fit oui de la tête et se tourna vers la pile de journaux humides et puants. Clara suivit son regard, puis ses yeux s'agrandirent. Myrna se leva et monta à l'étage pour aller chercher ses exemplaires des journaux. Propres et secs. Clara voulut les prendre, mais ses mains tremblaient tellement que Myrna dut chercher les cahiers à sa place.

Le portrait de Ruth, peinte sous les traits de la Vierge Marie et lançant un regard furieux, apparaissait sur la première page du cahier des arts du *New York Times*. Au-dessus de la photo, il y avait un seul mot: ASCENSION. Et au-dessous: L'ESPOIR TROUVE SA PLACE PARMI LES MAÎTRES MODERNES.

Clara laissa tomber le cahier et s'empressa de chercher la critique du *Times* de Londres. Sur la première page du cahier des arts, le journal avait mis la photo d'une comptable maoïste présente au vernissage, accompagnée de la légende: «Grâce à l'art de Clara Morrow, se réjouir est de nouveau cool.»

– Les critiques sont dithyrambiques, Clara, dit Myrna en se fendant d'un sourire si large qu'elle en eut mal.

Les pages tombèrent des mains de Clara, qui regarda son amie. Celle qui avait murmuré dans le silence.

Clara se leva. «Ascension, se dit-elle. Une ascension.»

Et elle serra Myrna dans ses bras.

Peter Morrow se terrait dans son atelier pour ne pas avoir à répondre au téléphone qui sonnait.

Dring. Dring. Dring.

Il était allé dans la maison après le repas dans l'espoir d'y trouver le calme et la paix. Clara était partie avec les journaux, probablement pour les lire seule, en toute tranquillité. Il n'avait donc aucune idée de ce que les critiques avaient dit. Mais dès qu'il avait passé la porte, le téléphone s'était mis à sonner et n'avait pratiquement pas cessé de sonner depuis. On appelait pour féliciter Clara.

Il y avait des messages des conservateurs du musée, ravis des critiques et de la vente de billets. Vanessa Destin Browne, du Tate Modern, à Londres, avait aussi laissé un message dans lequel elle les remerciait pour la fête, félicitait Clara et demandait s'ils pouvaient se rencontrer pour discuter d'une exposition.

Des œuvres de Clara.

Peter avait fini par laisser le téléphone sonner et s'était rendu au studio de sa femme. La porte était ouverte. De là, il voyait quelques marionnettes dont elle avait pensé, à un moment donné, peindre une série de toiles.

– Peut-être trop politique, avait dit Clara.

– Peut-être, avait répondu Peter en se disant, toutefois, que « politique » n'était pas le mot qui lui venait spontanément à l'esprit.

Il voyait aussi les *Utérus guerriers* empilés dans un coin. Remisés après une autre exposition désastreuse.

– Peut-être trop avant-gardiste, avait dit Clara.

– Peut-être, avait répondu Peter en se disant, toutefois, qu'« avant-gardiste » n'était pas non plus le mot qui, dans ce cas, lui venait spontanément à l'esprit.

Quand elle avait commencé la toile sur les trois Grâces et que les trois vieilles amies avaient servi de modèles, il avait éprouvé de la pitié pour elles, trouvant Clara égoïste de demander à des femmes âgées de tenir la pose pour une peinture que personne ne verrait jamais.

Mais cela n'avait pas dérangé les femmes. S'il se fiait aux rires qui l'avaient déconcerté, elles avaient semblé s'amuser.

Maintenant, la peinture des trois amies se trouvait au Musée d'art contemporain tandis que ses propres œuvres, minutieusement exécutées, étaient accrochées dans un escalier chez quelqu'un ou, s'il était chanceux, au-dessus d'un foyer. Vues par une dizaine de personnes par année. Et remarquées autant que le papier peint ou les rideaux. Elles faisaient partie de la décoration intérieure d'une riche demeure.

Comment les portraits de femmes ordinaires peints par Clara pouvaient-ils être des chefs-d'œuvre ?

Peter tourna le dos au studio de sa femme, mais seulement après avoir vu les rayons du soleil de l'après-midi frapper les énormes pieds en fibre de verre qui semblaient marcher dans le fond de l'atelier.

– Peut-être trop subtil ? avait dit Clara.

– Peut-être, avait marmonné Peter.

Il ferma la porte et alla à son atelier, la sonnerie du téléphone résonnant dans ses oreilles.

L'inspecteur-chef Gamache était assis dans le salon du gîte. Les murs étaient crème et les meubles, choisis avec soin par

Gabri, provenaient du stock d'antiquités amassé par Olivier au fil des ans. Mais au lieu d'opter pour le style victorien, Gabri avait privilégié le confort. Deux larges canapés, de part et d'autre de la cheminée en pierre, se faisaient face. Des fauteuils placés dans différents coins de la pièce créaient des zones plus privées, parfaites pour des conversations intimes. Alors que sur la colline l'auberge de Dominique Gilbert resplendissait tel un magnifique joyau, le gîte de Gabri, en contrebas, avait un aspect paisible, accueillant, un peu vieillot. Comme la maison de grand-maman, si grand-maman avait été un gros homosexuel.

Occupés au bistro à servir la clientèle du midi, Gabri et Olivier avaient laissé les deux enquêteurs de la Sûreté seuls avec les clients du gîte.

Les interrogatoires avaient plutôt mal commencé, et ce, avant même que les policiers aient franchi le seuil. Au moment où ils étaient arrivés aux marches de la galerie, Beauvoir avait tiré doucement le chef à part.

— Il y a quelque chose que vous devriez savoir.

Armand Gamache regarda son adjoint d'un air amusé.

— Qu'avez-vous fait?

— Que voulez-vous dire?

— Vous ressemblez à Daniel quand il était adolescent et avait fait une bêtise.

— J'ai mis Peggy Sue enceinte au bal de fin d'année.

Pour un instant, Gamache parut surpris, puis il sourit.

— Qu'y a-t-il, réellement?

— J'ai fait quelque chose de stupide.

— Ahh… Vraiment, oui, ça me ramène dans le passé. C'était une belle époque. Continuez.

— Eh bien…

— Monsieur Beauvoir, quel plaisir de vous revoir.

La porte moustiquaire s'ouvrit et une femme approchant de la soixantaine les accueillit.

Gamache se tourna vers Beauvoir.

— Qu'avez-vous fait, exactement?

— Vous vous souvenez de moi, j'espère, dit la femme en souriant d'un air faussement timide. Je m'appelle Paulette. Nous nous sommes rencontrés au vernissage hier soir.

La porte s'ouvrit de nouveau et un homme d'âge moyen apparut. Apercevant Beauvoir, il se fendit d'un sourire radieux.

— C'est bien vous, dit-il. Il me semblait vous avoir vu descendre le chemin il y a quelques minutes. Je pensais vous voir au barbecue, mais vous n'étiez pas là.

Gamache jeta un regard inquisiteur à Beauvoir.

Beauvoir tourna le dos aux artistes qui souriaient.

— Je leur ai dit que j'étais le critique d'art au journal *Le Monde*.

— Et pourquoi avez-vous fait ça ?

— C'est une longue histoire.

En fait, l'explication était plus embarrassante que longue.

Les deux artistes étaient ceux qui avaient dénigré les œuvres de Clara. Qui s'étaient moqués de la toile intitulée *Les trois Grâces*, la comparant à une peinture de clowns. Si Beauvoir n'aimait pas beaucoup l'art, en revanche, il aimait bien Clara. Et il avait connu et admiré les femmes qui avaient servi de modèles.

Il s'était alors tourné vers les artistes prétentieux et avait dit qu'il admirait l'œuvre. Il avait utilisé quelques expressions, entendues dans la salle, sur la perspective, la culture, les pigments. Plus il parlait, plus il trouvait difficile de s'arrêter. Et plus ses propos étaient ridicules, s'était-il rendu compte, plus le couple l'écoutait avec attention.

Puis, il avait porté le coup de grâce.

Il avait lancé un mot prononcé par quelqu'un au cours de la soirée, un mot qu'il n'avait jamais entendu et dont il ne connaissait pas le sens. Se tournant vers le tableau représentant les trois vieilles femmes joyeuses, il avait déclaré :

— Le seul mot qui vient à l'esprit est, bien sûr, *chiaroscuro*.

Comme on pouvait s'y attendre, les artistes l'avaient regardé comme s'il était fou.

Et cela l'avait rendu furieux. Sous l'effet de la colère, il avait dit quelque chose et avait immédiatement regretté ses paroles.

— Je ne me suis pas présenté, avait-il dit. Je suis monsieur Beauvoir, critique d'art au journal *Le Monde*.

— Monsieur Beauvoir ? avait dit l'homme en écarquillant les yeux.

— Oui. Seulement monsieur Beauvoir. Je ne vois pas la nécessité d'utiliser un prénom. Trop bourgeois. Ça prend de la place sur une page. Vous lisez mes critiques, bien sûr ?

Le reste de la soirée s'était déroulé de façon agréable, après que la nouvelle de la présence au musée du célèbre critique parisien M. Beauvoir eut fait le tour de la pièce. Et tout le monde avait convenu que les tableaux de Clara étaient de magnifiques exemples de *chiaroscuro*.

Un de ces jours, s'était-il dit, il allait devoir chercher le sens de ce mot.

Les deux artistes s'étaient simplement présentés comme Normand et Paulette.

— Nous utilisons seulement nos prénoms.

Ils plaisantaient, avait-il pensé. Mais apparemment pas. Et voilà qu'ils étaient de nouveau devant lui.

Normand portait le même pantalon, la même veste élimée en tweed et la même écharpe que la veille, et sa compagne, Paulette, la même jupe paysanne, le même t-shirt et les mêmes foulards.

Ils regardèrent Beauvoir, puis Gamache, et de nouveau l'inspecteur.

— J'ai deux mauvaises nouvelles à vous annoncer, dit Gamache en les guidant vers l'intérieur. Un meurtre a été commis, et cet homme n'est pas M. Beauvoir, critique d'art au journal *Le Monde*, mais l'inspecteur Beauvoir, enquêteur de la section des homicides de la Sûreté du Québec.

Normand et Paulette étaient déjà au courant du meurtre. C'est donc la nouvelle au sujet de Beauvoir qu'ils trouvèrent contrariante. Gamache les observa d'un air amusé tandis qu'ils prenaient l'inspecteur à partie.

Remarquant le sourire de Gamache, Beauvoir chuchota :

— Sachez que j'ai également dit que vous étiez M. Gamache, conservateur en chef du Louvre. Amusez-vous bien.

Voilà ce qui expliquait, se dit Gamache, le très grand nombre d'invitations à des expositions qu'il avait reçues au cours de la soirée du vernissage. Il prit bonne note de ne se présenter à aucune.

– Quand avez-vous décidé de passer la nuit ici ? demanda le chef après que le couple eut fini de déverser sa colère sur Beauvoir.

– Eh bien, nous avions pensé retourner à la maison après la fête, mais il se faisait tard et…

Paulette hocha la tête en direction de Normand, comme pour signifier qu'il avait trop bu.

– Le propriétaire du gîte nous a donné des articles de toilette et des robes de chambre, expliqua Normand. Nous partons pour Cowansville dans quelques minutes pour acheter des vêtements.

– Vous ne retournez pas à Montréal ? demanda Gamache.

– Pas immédiatement. Nous pensons rester un jour ou deux. Prendre des vacances, en quelque sorte.

À l'invitation de Gamache, ils s'assirent tous les quatre dans le salon accueillant, les artistes côte à côte sur un des canapés, Beauvoir et le chef en face d'eux.

– Alors, qui a été tué ? Pas Clara, n'est-ce pas ? demanda Paulette, en réussissant presque à dissimuler l'espoir qu'il pourrait s'agir d'elle.

– Non, répondit Beauvoir. Êtes-vous des amis de Mme Morrow ? demanda-t-il même si la réponse semblait évidente.

En entendant la question, Normand poussa une sorte de grognement amusé.

– De toute évidence, vous ne connaissez pas les artistes, inspecteur. Nous pouvons être polis les uns envers les autres, aimables même. Mais amis ? Mieux vaut se lier d'amitié avec un carcajou.

– Qu'est-ce qui vous a amenés ici, alors, si ce n'est pas l'amitié ? demanda Beauvoir.

– La nourriture et l'alcool gratuits. Beaucoup d'alcool, répondit Normand en repoussant les cheveux qui lui tombaient devant les yeux.

Une impression de lassitude se dégageait de lui. Comme s'il avait parcouru le monde et vu des choses qui l'avaient à la fois légèrement amusé et attristé.

— Donc, ce n'était pas pour célébrer le succès de Clara en tant qu'artiste?

— Ses œuvres ne sont pas mauvaises, répondit Paulette. Je les préfère à celles d'il y a une décennie.

— Elle abuse du *chiaroscuro*, dit Normand qui, manifestement, avait oublié qui avait utilisé ce mot en premier. Son exposition, hier soir, était une amélioration, même si dans son cas ce n'est pas difficile de faire mieux. Qui pourrait oublier son exposition de pieds gigantesques?

— Non mais vraiment, Normand, des portraits? dit Paulette. Quel artiste qui se respecte peint des portraits de nos jours?

Normand hocha la tête.

— Ses peintures sont banales. Superficielles. Oui, les visages des sujets expriment des émotions et les œuvres sont bien exécutées, mais on ne peut pas vraiment parler de nouveauté. Il n'y a rien d'original ni d'osé. Rien qu'on ne verrait pas dans une galerie provinciale de second ordre en Slovénie.

— Pourquoi le Musée d'art contemporain a-t-il organisé une exposition solo de ses tableaux si son art est si mauvais? demanda Beauvoir.

— Qui sait? répondit Normand. Il s'agit peut-être d'une faveur. Ou alors c'est politique. Les grandes institutions que sont les musées ne s'intéressent pas à l'art véritable, ne font pas preuve d'audace. Elles ne prennent aucun risque.

Paulette hochait vigoureusement la tête.

— Donc, si Clara Morrow n'est pas une amie et si vous trouvez son art merdique, pourquoi êtes-vous ici? redemanda Beauvoir à Normand. Je comprends que vous soyez allés au vernissage pour la nourriture et l'alcool gratuits, mais venir jusqu'ici?

Il avait réussi à coincer l'homme, et tous les deux en étaient conscients.

Après un moment, Normand répondit:

– Parce que les critiques, les galeristes et les marchands d'art se trouvaient ici. Parce qu'il y avait Destin Browne du Tate Modern, Castonguay, Fortin de même que Bishop du MAC. L'important, dans les vernissages et les expositions, ce n'est pas ce qui est accroché aux murs, c'est qui est dans la salle. C'est ça qui compte. Je suis venu réseauter. Je ne sais pas comment les Morrow y sont arrivés, mais ils ont réussi à réunir dans un même endroit un incroyable groupe de critiques et de conservateurs.

– Fortin? dit Gamache, visiblement surpris. S'agit-il de Denis Fortin?

C'était maintenant au tour de Normand de paraître surpris. Ce flic rustaud savait qui était Denis Fortin?

– Oui, répondit-il, de la Galerie Fortin.

– Denis Fortin était au vernissage, ou ici? voulut savoir Gamache.

– Au vernissage et ici. J'ai essayé de l'aborder, mais il était occupé avec d'autres personnes.

Il y eut un silence, et l'artiste plein de lassitude sembla s'affaisser un peu sur lui-même, ployer sous le lourd poids de la futilité de sa tentative.

– On a été étonnés de voir Fortin, dit Paulette, compte tenu de ce qu'il a fait à Clara.

Elle n'en dit pas plus, ouvrant la porte à une question. Paulette et Normand regardèrent les deux enquêteurs avec un vif intérêt, comme des enfants affamés fixant des yeux un gâteau.

À la grande joie de Beauvoir, l'inspecteur-chef Gamache choisit d'ignorer la tactique. De toute façon, ils savaient déjà ce que Denis Fortin avait fait à Clara. D'où leur grand étonnement en apprenant qu'il était à la fête.

Beauvoir observa le couple. L'homme et la femme paraissaient épuisés. À la suite de quoi? se demanda-t-il. D'une longue nuit passée à boire et à manger? Ou du temps, plus long encore, qu'ils avaient passé à tenter désespérément de réseauter? Ou étaient-ils simplement fatigués de faire tant d'efforts pour garder la tête hors de l'eau et de couler quand même?

L'inspecteur-chef Gamache sortit une photographie de sa poche.

— Voici une photo de la victime. Veuillez la regarder, s'il vous plaît.

Il la tendit à Normand, qui haussa immédiatement les sourcils.

— C'est Lillian Dyson.

— C'est une blague? dit Paulette, s'approchant et lui arrachant la photo des mains. C'est bien elle, confirma-t-elle.

Paulette leva les yeux vers l'inspecteur-chef. Son regard était intense, intelligent. Elle n'était pas cette personne immature qu'elle avait paru être au début. Elle donnait peut-être l'impression d'être une enfant, mais alors une enfant rusée, pensa Gamache.

— Donc, vous connaissiez Mme Dyson? demanda Beauvoir.

— Eh bien, pas exactement, répondit Normand.

Gamache le trouvait mou, amorphe. Apathique, comme quelqu'un qui se laisse porter par le courant.

— Que voulez-vous dire, exactement? demanda Beauvoir.

— Nous l'avons connue il y a très longtemps, mais nous ne l'avions pas vue depuis un bon moment. Puis, cet hiver, elle a refait surface, apparaissant à quelques expositions.

— D'œuvres d'art? demanda Beauvoir.

— Évidemment. De quoi d'autre? répondit Normand d'un ton agacé, comme si aucune autre forme de culture n'existait ou n'avait d'importance.

— Moi aussi, je l'ai vue, dit Paulette qui ne voulait pas être laissée de côté.

Gamache s'interrogea au sujet de leur collaboration et se demanda quelles créations pouvaient bien en découler.

— À quelques expositions. Je ne l'ai pas reconnue tout de suite. Il a fallu qu'elle se présente. Ses cheveux, autrefois d'un rouge vif, orange même, étaient teints en blond. Et elle avait pris du poids.

— Travaillait-elle comme critique d'art? demanda Gamache.

— Pas que je sache. Je n'ai aucune idée de ce qu'elle faisait.

Gamache regarda la femme pendant un moment.

— Étiez-vous des amies?

Paulette hésita.

— Plus maintenant.

— Et avant? Avant qu'elle quitte Montréal? demanda le chef.

— Je le croyais. Ma carrière débutait et je connaissais un peu de succès. Normand et moi venions de nous rencontrer et envisagions de collaborer. C'est très inhabituel pour deux artistes de travailler à une même peinture.

— Tu as commis l'erreur de demander l'avis de Lillian, dit Normand.

— Et que pensait-elle? demanda Beauvoir.

— Je ne le sais pas, mais je peux vous dire ce qu'elle a fait, répondit Paulette.

Elle était en colère, maintenant. Ça se voyait dans ses yeux, s'entendait dans sa voix.

— Elle m'a dit que Normand avait tenu des propos désobligeants sur moi à un vernissage, ri de mes œuvres et clamé qu'il préférait travailler avec un chimpanzé. Elle me révélait tout ça en tant qu'amie, m'a-t-elle assuré, pour me mettre en garde.

— Peu de temps après, Lillian est venue me voir pour me dire que Paulette m'accusait de copier ses œuvres, de voler ses idées. Elle savait que ce n'était pas vrai, a-t-elle dit, mais elle voulait que je sache ce que Paulette racontait à tout le monde.

— Que s'est-il passé ensuite? demanda Gamache.

L'air autour d'eux sembla soudain devenu vicié, pollué par de vieux mots et des pensées amères.

— Que Dieu nous pardonne, dit Paulette. Nous l'avons crue et nous avons rompu. Ça pris des années pour nous rendre compte que Lillian nous avait menti.

— Mais maintenant nous sommes ensemble, dit Normand en posant doucement une main sur celle de sa femme et en lui souriant. Malgré toutes les années perdues.

«C'est peut-être ça qui épuise Normand, pensa Gamache. D'avoir à trimbaler ce souvenir.»

Contrairement à Beauvoir, l'inspecteur-chef Gamache avait beaucoup de respect pour les artistes. C'étaient des personnes sensibles. Souvent égocentriques et mal adaptées à la vie en société. Certains artistes, soupçonnait-il, avaient l'esprit profondément perturbé. Ces gens n'avaient pas la vie facile. Vivant en marge, bien souvent dans la pauvreté. Ignorés par le reste du monde. Ou ridiculisés. Par la société, les organismes de financement et même par d'autres artistes.

Les propos de François Marois sur Magritte ne s'appliquaient pas seulement à l'artiste belge. L'homme et la femme assis dans le gîte étaient tous les deux des Magritte. Luttant pour être entendus, vus, respectés et acceptés.

N'importe qui trouverait une telle vie difficile, alors que dire de personnes aussi sensibles que des artistes?

Vivre de cette façon devait susciter la peur, soupçonnait Gamache. Et la peur engendrait la colère. Et beaucoup de colère emmagasinée suffisamment longtemps menait à une femme morte, dans un jardin.

Oui, Armand Gamache aimait bien les artistes. Mais il ne se leurrait pas. Il les savait capables d'actes de grande création, mais aussi de grande destruction.

– Quand Lillian a-t-elle quitté Montréal? demanda Beauvoir.

– Je ne sais pas et je m'en fous, répondit Paulette.

– Vous foutiez-vous aussi de son retour?

– Et vous, est-ce que vous vous en ficheriez? répondit Paulette en le foudroyant du regard. Je gardais mes distances. Nous savions tous ce qu'elle avait fait et était capable de faire. Vous ne voulez pas être dans la ligne de mire d'une telle personne.

– « Il a un talent naturel, produisant de l'art comme si c'était une fonction physiologique », dit Normand.

– Pardon? dit Beauvoir.

– C'est une citation tirée d'une de ses critiques, répondit Paulette. Elle a rendu Lillian célèbre. Les agences de presse l'ont reprise et diffusée, et sa critique a été connue dans le monde entier.

– De qui parlait-elle? demanda Beauvoir.

– C'est ça le plus drôle: tout le monde se rappelle la citation, mais personne ne se souvient de l'artiste.

C'était faux, les deux enquêteurs le savaient.

«Il a un talent naturel, produisant de l'art comme si c'était une fonction physiologique.»

La formulation était astucieuse, c'était presque un compliment. Puis, les mots prenaient un autre sens, chargé de mépris.

Quelqu'un se souviendrait de cette critique.

L'artiste visé.

7

Armand Gamache et Jean-Guy Beauvoir descendirent de la grande et large galerie du gîte.

Il faisait chaud et Beauvoir avait soif.

– Un verre ? proposa-t-il au chef.

Il était à peu près certain de la réponse, mais Gamache le surprit.

– Dans quelques minutes. J'ai quelque chose à faire, avant.

Les deux hommes s'arrêtèrent un moment près du chemin de terre. La journée chaude était en train de devenir presque brûlante. Certains des iris blancs dans les platebandes autour du parc du village étaient complètement ouverts, comme si les pétales avaient explosé pour exhiber le centre noir.

Beauvoir y vit une sorte de confirmation : à l'intérieur de chaque être vivant, aussi beau soit-il, on découvrait de la noirceur s'il s'ouvrait complètement.

– Je trouve intéressant le fait que Normand et Paulette connaissaient Lillian Dyson, dit Gamache.

– Pourquoi est-ce intéressant ? N'est-ce pas ce à quoi on s'attendrait ? Après tout, ils évoluaient dans les mêmes milieux, aussi bien il y a vingt-cinq ans que récemment, il y a quelques mois à peine. Qu'ils ne se connaissaient pas aurait été surprenant.

– C'est vrai. Ce qui me semble intéressant, c'est que ni François Marois ni André Castonguay n'ont admis la connaître. Comment Normand et Paulette pouvaient-ils connaître Lillian, mais pas Marois et Castonguay ?

– Ils ne circulaient probablement pas dans les mêmes cercles.

S'éloignant du gîte, ils se dirigèrent vers la colline par laquelle on sortait de Three Pines. Beauvoir retira sa veste, mais le chef garda la sienne. Il lui faudrait plus qu'une simple journée chaude pour se promener en bras de chemise.

– La scène artistique québécoise ne compte pas énormément de cercles, dit Gamache. Et si les marchands d'art ne sont pas nécessairement des amis proches de toutes les personnes qui la composent, ils s'assureraient au moins d'être au fait de ce qui s'y déroule. Si ce n'est aujourd'hui, du moins il y a vingt ans, quand Lillian était une critique.

– Ils ont menti, alors.

– C'est ce que je veux déterminer. J'aimerais que vous alliez voir comment les choses progressent au bureau provisoire. Nous pourrions nous rencontrer au bistro dans…

Gamache jeta un coup d'œil à sa montre.

– … quarante-cinq minutes, environ.

Les deux hommes se séparèrent. Pendant un instant, Beauvoir regarda le chef monter la colline, d'un pas résolu.

Puis il commença à traverser le parc en direction du bureau provisoire. À un moment donné, il ralentit, tourna vers la droite et alla s'asseoir sur le banc.

– *Hello*, tête de nœud.

– *Hello*, vieille ivrogne.

Ruth Zardo et Jean-Guy Beauvoir étaient assis côte à côte. Entre eux se trouvait un pain rassis. Beauvoir en prit une partie, l'émietta grossièrement et lança les morceaux pour les merles rassemblés dans l'herbe.

– Qu'est-ce que vous faites? C'est mon lunch, ça.

– Nous savons tous les deux que vous ne mastiquez plus depuis des années, répliqua sèchement Beauvoir, ce qui fit glousser Ruth.

– C'est vrai. Malgré tout, vous me devez un lunch, maintenant.

– Je vous paierai une bière plus tard.

– Et alors, qu'est-ce qui vous ramène à Three Pines? demanda Ruth en lançant d'autres morceaux de pain pour les oiseaux, ou aux oiseaux.

– Le meurtre.

– Oh, ça.

– Avez-vous vu cette femme hier soir, à la fête?

Beauvoir tendit une photographie de la victime à Ruth. Elle l'étudia, puis la lui rendit.

– Non.

– Comment était la fête?

– Le barbecue? Trop de monde. Trop de bruit.

– Mais l'alcool était gratuit.

– Gratuit? *Shit!* Finalement, je n'avais pas besoin de me servir en cachette. Mais c'est quand même plus amusant de le voler.

– Rien d'étrange ne s'est produit? Pas de disputes, pas de prises de bec? Avec tout ce monde qui buvait, personne n'est devenu agressif?

– Boire mènerait à de l'agressivité? D'où vous est venue une telle idée, crétin?

– Il ne s'est passé absolument rien d'inhabituel hier soir?

– Je n'ai rien vu.

Ruth arracha un autre morceau de pain et le lança à un gros merle.

– Je suis désolée, au sujet de votre séparation. L'aimez-vous?

– Ma femme?

Beauvoir se demanda ce qui avait incité Ruth à poser cette question. Était-ce de la sollicitude, ou simplement une totale incompréhension du concept de limites personnelles à respecter.

– Je pense…

– Non, pas votre femme. L'autre. Celle qui est quelconque.

Beauvoir sentit son cœur se contracter et le sang se retirer de son visage.

– Vous êtes soûle, dit-il en se levant.

– Et agressive. Mais j'ai aussi raison. J'ai vu comment vous la regardiez. Et je crois savoir qui elle est. Vous êtes dans le pétrin, jeune monsieur Beauvoir.

– Vous ne savez rien.

Il s'éloigna. En essayant de ne pas se mettre à courir. En s'obligeant à marcher d'un pas lent et mesuré. Gauche, droite. Gauche, droite.

Devant, il voyait le pont, et le bureau provisoire de l'autre côté. Où il serait en sécurité.

Cependant, le jeune M. Beauvoir commençait à comprendre quelque chose.

Il n'existait aucun endroit sûr. Plus maintenant.

— As-tu lu ça? demanda Clara.

Elle posa son verre de bière vide sur la table et tendit l'*Ottawa Star* à Myrna.

— Le *Star* a détesté l'exposition.

— Hein? Qu'est-ce que tu dis?

Myrna prit le journal et parcourut rapidement l'article. La critique, devait-elle reconnaître, n'était pas élogieuse.

— Comment on me décrit, encore? demanda Clara, venue s'asseoir sur le bras du fauteuil de Myrna. Tiens, c'est là, dit-elle en pointant le doigt sur un passage. «Clara Morrow est un vieux perroquet fatigué qui imite d'authentiques artistes.»

Myrna éclata de rire.

— Tu trouves ça drôle?

— Ne me dis pas que tu prends ce commentaire au sérieux.

— Pourquoi pas? Si je prends les bons commentaires au sérieux, est-ce que je ne dois pas aussi accepter ceux qui sont défavorables?

— Mais regarde toutes ces critiques, dit Myrna en indiquant d'un geste du bras les journaux sur la table basse. Le *Times* de Londres, le *New York Times*, *Le Devoir*: tous sont d'avis que tes œuvres sont originales, novatrices, fascinantes. Admirables.

— Le critique du *Monde* était là, paraît-il, mais il n'a même pas daigné rédiger un compte rendu.

Myrna dévisagea son amie.

— Il le fera à un moment donné, j'en suis convaincue, et il sera d'accord avec tout le monde. Ton exposition est un succès monstre.

— «Ses tableaux, bien que jolis, n'ont rien de révolutionnaire ni d'audacieux», lut Clara par-dessus l'épaule de Myrna. La personne qui a écrit ça ne voit pas l'exposition comme un succès monstre.

– Mais c'est l'*Ottawa Star*, pour l'amour de Dieu! Il fallait bien s'attendre à ce que quelqu'un n'aime pas tes toiles. Heureusement, c'est le critique de ce journal.

Clara regarda l'article, puis sourit.

– Tu as raison.

Elle retourna à son fauteuil.

– Est-ce qu'on t'a déjà dit que les artistes sont fous?

– Première fois que j'en entends parler.

En regardant par la fenêtre de la librairie, Myrna vit Ruth bombarder des oiseaux avec de gros croûtons de pain. Sur le sommet de la colline, elle vit Dominique Gilbert se diriger vers son écurie, montée sur une bête qui ressemblait à un orignal. Sur la terrasse devant le bistro, Gabri, assis à une table, était en train de manger le dessert de la cliente.

Three Pines apparut à Myrna – non pour la première fois – comme l'équivalent d'une société protectrice des animaux. Le village accueillait les êtres blessés, non désirés. Les fous, les amochés.

Cet endroit était un refuge. Mais, à l'évidence, pas un refuge où donner la mort était interdit.

Dominique Gilbert brossait la croupe de Bouton d'or. Sa main faisait, encore et encore, des mouvements circulaires. Ce geste lui rappelait toujours une scène de *Karaté Kid*. «Lustrer, frotter. Lustrer, frotter.» Sauf que, au lieu d'utiliser une peau de chamois, elle se servait d'une étrille. Et au lieu d'une auto, elle frottait un cheval – en tout cas, un animal ressemblant à un cheval.

Bouton d'or se trouvait dans l'allée centrale de l'écurie, à l'extérieur de son box. Chester regardait la séance de brossage en exécutant sa petite danse comme s'il avait un orchestre de mariachis dans la tête. Macaroni était dans le champ, ayant déjà été pansé, et se roulait maintenant dans la boue.

Tandis qu'elle enlevait les plaques de boue séchée sur les flancs de l'énorme cheval, Dominique remarquait les croûtes, les cicatrices, les endroits où des crins ne pousseraient plus jamais, les blessures étant si profondes.

Et pourtant, le cheval au corps massif la laissait le toucher. La laissait le panser. La laissait le monter. Comme le faisaient aussi Chester et Macaroni. Si des bêtes avaient acquis le droit de regimber, c'étaient bien elles. Mais, au lieu de cela, elles se comportaient comme les plus douces des créatures.

Soudain, Dominique entendit des voix à l'extérieur.

– Vous nous avez déjà montré la photo.

C'était un de ses clients, et elle savait lequel. André Castonguay. Le galeriste. La plupart des clients étaient partis, mais il en restait deux. MM. Castonguay et Marois.

– J'aimerais que vous la regardiez de nouveau.

Cette voix était celle de l'inspecteur-chef Gamache, revenu à l'auberge. Dominique jeta un coup d'œil dans la direction du carré de lumière à une extrémité de l'écurie, en se cachant partiellement derrière l'énorme croupe de Bouton d'or. Elle se sentait un peu mal à l'aise et se demandait si elle devait manifester sa présence. Les trois hommes étaient en plein soleil, appuyés contre la clôture. Ils devaient certainement savoir que ce n'était pas un endroit idéal pour un entretien privé. De plus, elle était arrivée la première. Et en plus, elle voulait entendre leur conversation.

Alors elle ne dit rien, mais continua d'étriller Bouton d'or, qui n'en revenait pas de sa chance. Le pansage durait beaucoup plus longtemps que d'habitude. Mais ce qui semblait être un penchant excessif pour sa croupe était préoccupant.

– Nous devrions peut-être regarder la photo encore une fois, dit Marois d'un ton conciliant, amical même.

Il y eut un silence. Dominique vit Gamache donner une photo à chacun des deux hommes. Marois et Castonguay regardèrent celle qui leur avait été remise, puis firent un échange.

– Vous avez dit que vous ne connaissiez pas la victime, dit Gamache.

Lui aussi paraissait détendu, comme s'il s'agissait d'une conversation anodine entre amis. Mais Dominique n'était pas dupe. Elle se demanda si Gamache avait réussi à berner les deux hommes. Peut-être Castonguay, mais probablement pas Marois.

— J'ai pensé, continua l'inspecteur-chef, que vous aviez peut-être été surpris et aviez besoin de voir de nouveau des photographies de la victime.

— Je ne..., commença Castonguay, mais Marois posa une main sur son bras, et il s'interrompit.

— Vous avez parfaitement raison, inspecteur-chef. Je ne peux répondre pour André, mais je suis gêné de devoir avouer que je la connais. C'est Lillian Dyson, n'est-ce pas?

— Eh bien, moi, je ne la connais pas, dit Castonguay.

— Vous devriez peut-être fouiller un peu plus profondément dans votre mémoire, dit Gamache.

Son ton de voix, bien que toujours affable, était un peu plus grave, moins léger qu'un instant auparavant.

Derrière Bouton d'or, Dominique se surprit à souhaiter que Castonguay accepte la perche que lui tendait l'inspecteur-chef. Qu'il comprenne qu'il s'agissait d'un cadeau et non d'un piège.

Castonguay se tourna du côté du champ, imité par les deux autres. De l'endroit où elle se trouvait, Dominique ne voyait pas le champ, mais elle connaissait très bien ce panorama, le regardait tous les jours. Souvent, à la fin de la journée, elle s'assoyait sur la terrasse à l'arrière de la maison, dont l'accès était interdit aux clients, et, un gin tonic à la main, regardait fixement devant elle. Comme, autrefois, elle regardait fixement par la fenêtre de son bureau au dix-septième étage de la tour de la banque.

La vue qu'elle avait maintenant de ses fenêtres était plus limitée, mais encore plus belle. De hautes herbes, de délicates fleurs sauvages. Des montagnes et des forêts, et les vieux chevaux en piteux état qui se promenaient dans les champs d'un pas lourd.

À son avis, il n'y avait rien de plus magnifique.

Dominique savait ce que les hommes voyaient, mais pas ce qu'ils pensaient.

Elle pouvait deviner, cependant.

L'inspecteur-chef Gamache était revenu. Pour interroger de nouveau ces deux hommes. Leur poser les mêmes questions qu'il avait déjà posées. Ça, c'était très clair. Comme l'était la conclusion à tirer.

La première fois, ils avaient menti.

François Marois ouvrit la bouche pour parler, mais d'un geste Gamache lui demanda de se taire.

Personne n'allait venir à la rescousse de Castonguay ; il devait se tirer d'embarras lui-même.

– C'est vrai, dit enfin le galeriste. J'imagine que je la connais.

– Vous imaginez, ou vous la connaissez ?

– Je la connais, d'accord ?

Gamache lui lança un regard sévère et rangea les photographies.

– Pourquoi avez-vous menti ?

Castonguay soupira et secoua la tête.

– Je n'ai pas menti. J'étais fatigué, j'avais peut-être un peu la gueule de bois. Je n'ai pas regardé la photo assez attentivement la première fois, c'est tout. Il ne s'agissait pas d'un mensonge délibéré.

Gamache doutait fort que ce soit vrai, mais décida de ne pas insister. Ce serait une perte de temps, et l'homme se tiendrait encore plus sur la défensive.

– Connaissiez-vous bien Lillian Dyson ? demanda-t-il plutôt.

– Non, pas bien. Je l'avais vue à quelques vernissages récemment. Une fois, elle m'a même abordé.

Castonguay dit cela comme si elle avait fait quelque chose de déplaisant.

– Elle m'a demandé si elle pouvait me montrer son portfolio.

– Et qu'avez-vous répondu ?

Castonguay regarda Gamache avec stupéfaction.

– J'ai dit non, bien sûr. Avez-vous la moindre idée du nombre d'artistes qui m'envoient leur portfolio ?

Gamache demeura muet, attendant la réponse arrogante.

– J'en reçois des centaines chaque mois, des quatre coins de la planète.

– Vous avez donc refusé de jeter un coup d'œil à ses peintures ? Mais son travail était peut-être excellent.

À la suite de cette remarque, l'inspecteur-chef fut gratifié d'un autre regard méprisant.

– Si elle avait eu du talent, j'en aurais entendu parler. Elle n'était pas ce qu'on pourrait appeler un jeune talent prometteur. S'ils sont le moindrement doués, la plupart des artistes réussissent à produire de bonnes choses avant la trentaine et sont connus.

– Mais ce n'est pas toujours le cas, dit Gamache, revenant à la charge. Clara Morrow a le même âge que Mme Dyson et on ne la découvre que maintenant.

– Eh bien, pour moi, ce n'est pas une découverte. J'affirme toujours que sa peinture est de la merde.

Gamache se tourna vers François Marois.

– Et vous, monsieur? Connaissiez-vous bien Lillian Dyson?

– Non, pas très bien. Moi aussi, je l'avais vue à des vernissages au cours des derniers mois et je savais qui elle était.

– Comment le saviez-vous?

– La communauté artistique est assez petite, à Montréal. Il y a beaucoup d'artistes du dimanche, plutôt médiocres. Un bon nombre dont le talent pourrait être qualifié de moyen. Ceux qui exposent de temps en temps, qui n'ont pas fait sensation, mais qui accomplissent du travail honnête, de qualité. Comme Peter Morrow. Et puis il y a une poignée d'artistes exceptionnels. Comme Clara Morrow.

– Et où Lillian Dyson se situait-elle, là-dedans?

– Je ne sais pas, avoua Marois. Comme à André, elle m'a demandé de regarder son portfolio, mais je ne pouvais tout simplement pas accepter. J'étais trop occupé.

– Pourquoi avez-vous décidé de rester à Three Pines, hier? demanda Gamache.

– Comme je vous l'ai déjà dit, c'était une décision de dernière minute. Je voulais voir l'endroit où Clara crée ses œuvres.

– Oui, c'est ce que vous avez dit. Mais vous n'avez pas précisé dans quel but.

– Doit-il y avoir un but? demanda Marois. Voir ne suffit-il pas?

– Pour la plupart des gens, peut-être, mais pas pour vous, à mon avis.

Marois braqua ses yeux perçants sur Gamache. Il n'était pas très content.

– Écoutez, Clara Morrow se trouve à la croisée des chemins. Elle doit prendre une décision. On vient de lui offrir une chance inouïe. Pour l'instant, les critiques l'adorent, mais demain ils adoreront un autre artiste. Elle a besoin de quelqu'un pour la guider. Un mentor.

Gamache parut perplexe.

– Un mentor ?

Il n'ajouta rien, et un silence long et lourd s'installa.

– Oui, répondit enfin Marois, ayant retrouvé ses manières raffinées. Ma carrière s'achève, je le sais. Je peux encore guider un artiste remarquable, peut-être deux. Il faut donc que je fasse un choix judicieux. Je n'ai pas de temps à perdre. Ça fait un an que je cherche un tel artiste, qui sera peut-être mon dernier. J'ai assisté à des centaines de vernissages un peu partout dans le monde. Pour finir par trouver Clara Morrow ici même.

Le distingué marchand d'art regarda autour de lui, arrêtant son regard sur le vieux cheval dans le champ, sauvé de l'abattoir, puis sur les arbres et la forêt.

– Juste à côté de chez moi.

– Au milieu de nulle part, tu veux dire, dit Castonguay, qui continua ensuite à fixer le paysage avec grand déplaisir.

Ignorant son commentaire, Marois poursuivit :

– Clara est incontestablement une artiste remarquable. Mais les dons exceptionnels qui font d'elle une artiste si admirable la rendent aussi incapable de faire son chemin dans le monde artistique.

– Vous la sous-estimez peut-être, dit Gamache.

– C'est possible, mais il se peut que vous sous-estimiez le milieu artistique. Ne vous laissez pas berner par le vernis de civilité et de créativité. C'est un monde brutal, rempli de personnes angoissées et cupides. La peur et la cupidité : voilà ce qu'on remarque à l'occasion de vernissages. De grosses sommes d'argent sont en jeu. Des fortunes. Et les acteurs impliqués ont de gros ego. C'est une combinaison explosive.

Marois jeta un regard furtif à Castonguay, puis revint à l'inspecteur-chef.

— Je connais ce milieu, sais comment m'y retrouver. Je peux les mener jusqu'au sommet.

— Les ? demanda Castonguay.

Gamache avait supposé que le galeriste s'était désintéressé de la conversation et écoutait à peine, mais il se rendait compte maintenant qu'il n'en avait pas perdu un mot. Et, dans son for intérieur, il se conseilla de ne sous-estimer ni la vénalité du monde artistique ni cet homme hautain.

Marois accorda toute son attention à Castonguay, manifestement surpris lui aussi de constater qu'il avait bien suivi la conversation.

— Oui, *les*.

— Qu'est-ce que tu veux dire ? demanda Castonguay.

— Je veux dire les deux Morrow. Je veux les représenter tous les deux.

Castonguay ouvrit grands les yeux et plissa les lèvres et, quand il parla, sa voix avait monté d'un ton.

— Et c'est toi qui parles de cupidité ? Pourquoi voudrais-tu prendre en charge leur carrière à tous les deux ? Tu n'aimes même pas les peintures de Peter.

— Mais toi, oui ?

— À mon avis, elles sont infiniment meilleures que celles de sa femme. Tu peux avoir Clara, je vais m'occuper de Peter.

En écoutant cet échange de propos, Gamache se demanda si c'était ainsi que les traités de paix avaient été négociés après la Grande Guerre. Quand l'Europe avait été divisée entre les vainqueurs. Il se demanda également si les présentes « négociations » auraient des conséquences aussi désastreuses.

— Je n'en veux pas un, dit Marois d'une voix posée, suave, mesurée. Je veux les deux.

— Espèce de salaud ! cracha Castonguay.

Marois, cependant, semblait s'en ficher. Il se retourna vers l'inspecteur-chef comme si Castonguay venait de lui faire un compliment.

– À quel moment, hier, avez-vous décidé que Clara Morrow était l'artiste que vous cherchiez? demanda Gamache.

– Vous étiez avec moi, inspecteur-chef. C'est quand j'ai vu l'éclat de lumière dans l'œil de la Vierge Marie.

Gamache demeura silencieux durant quelques instants, se rappelant ce moment, puis dit:

– Si je me souviens bien, vous pensiez qu'il pouvait s'agir d'une illusion d'optique.

– Je le pense encore. Mais n'est-ce pas extraordinaire? Que Clara Morrow ait réussi, en quelque sorte, à saisir et à rendre l'expérience humaine. L'espoir d'une personne est la cruauté d'une autre. Est-ce de la lumière, ou une fausse promesse?

Gamache se tourna vers Castonguay, qui paraissait complètement décontenancé par leur conversation, comme s'ils n'avaient pas visité la même exposition que lui.

– J'aimerais revenir à la victime, dit Gamache.

Pendant un moment, Castonguay sembla perdu. Le meurtre ayant été éclipsé par la cupidité. Et la peur.

– Le retour de Lillian Dyson à Montréal vous a-t-il surpris? demanda le chef.

– Surpris? dit Castonguay. Je m'en fichais. Elle m'était totalement indifférente.

– Je dois avouer, inspecteur-chef, la même absence de réaction, dit Marois. Mme Dyson à Montréal ou Mme Dyson à New York, c'était du pareil au même pour moi.

Gamache l'observa avec intérêt.

– Comment saviez-vous qu'elle avait vécu à New York?

Pour la première fois, Marois hésita. Il avait perdu son aplomb.

– Quelqu'un a dû le mentionner. Le monde des arts est rempli de commères.

Le monde des arts, pensa Gamache, était rempli d'autre chose qu'il aurait pu mentionner, dont Marois offrait un bel exemple. Il dévisagea le marchand jusqu'à ce qu'il baisse les yeux et fasse mine d'enlever un cheveu sur sa chemise impec-cable.

— J'ai entendu dire qu'un autre de vos collègues se trouvait à la fête. Denis Fortin.

— En effet, dit Marois. J'ai été étonné de le voir.

— C'est le moins qu'on puisse dire! grogna Castonguay. Après la façon dont il a traité Clara Morrow. Avez-vous entendu parler de ça?

— Racontez-moi, dit Gamache, même s'il connaissait par-faitement bien l'histoire et que les artistes Normand et Paulette venaient de la lui rappeler avec un certain plaisir.

Et alors, avec grande joie, André Castonguay relata com-ment Denis Fortin avait proposé à Clara de lui organiser une exposition solo, pour ensuite changer d'idée et la laisser tomber.

— Et il ne l'a pas tout simplement laissée tomber, il l'a trai-tée comme de la merde. Il a dit à tout le monde qu'elle ne valait rien. À vrai dire, je suis d'accord avec lui, mais pouvez-vous imaginer son étonnement quand le Musée d'art contemporain – rien de moins – a ensuite décidé d'exposer les œuvres de Clara Morrow?

Cette histoire plaisait à Castonguay, car elle dépréciait à la fois Clara et son compétiteur, Denis Fortin.

— Alors pourquoi est-il venu ici, à votre avis? demanda Gamache.

Les deux hommes réfléchirent un moment.

— Je n'en ai pas la moindre idée, avoua Castonguay.

— Il a dû être invité, dit Marois, mais je ne peux pas croire qu'il figurait sur la liste des invités de Clara Morrow.

— Certaines personnes viennent-elles à ce genre de fête même si elles n'ont pas reçu d'invitation? demanda Gamache.

— Oui, parfois, répondit Marois, mais il s'agit en général d'artistes cherchant à établir des contacts.

— Des pique-assiettes attirés par la nourriture et l'alcool gratuits, ronchonna Castonguay.

S'adressant à lui, Gamache demanda:

– Vous avez dit que Mme Dyson voulait vous montrer son portfolio, mais que vous avez refusé. Pourtant, j'avais l'impression qu'elle était une critique, et non une artiste.

– C'est vrai. Elle écrivait dans *La Presse*, mais c'était il y a longtemps. Elle a ensuite disparu et quelqu'un d'autre l'a remplacée.

Il paraissait à peine poli et semblait s'ennuyer.

– Était-elle une bonne critique?

– Comment voulez-vous que je m'en souvienne?

– De la même façon que je m'attendais à ce que vous vous souveniez d'elle en voyant la photo, monsieur.

Gamache regarda le galeriste droit dans les yeux. Le visage déjà rougeaud de Castonguay devint cramoisi.

– Je me souviens de ses critiques, inspecteur-chef, dit Marois.

Puis, se tournant vers Castonguay, il ajouta:

– Et toi aussi.

– Pas du tout, répliqua Castonguay en lui lançant un regard méprisant.

– «Il a un talent naturel, produisant de l'art comme si c'était une fonction physiologique.»

Castonguay éclata de rire.

– C'est Lillian Dyson qui a écrit ça? Eh bien. Avec une telle aigreur, elle était peut-être une artiste digne de ce nom, après tout.

– Mais de qui parlait-elle dans l'article? demanda Gamache aux deux hommes.

– Ce ne devait pas être quelqu'un de célèbre, sinon on s'en souviendrait, répondit Marois. Probablement un pauvre artiste qui a sombré dans l'oubli.

«Attaché à cette critique dure comme la pierre», pensa Gamache.

– Est-ce important de le savoir? demanda Castonguay. Ça remonte à vingt ans, peut-être davantage. Vous pensez qu'un article écrit il y a des décennies pourrait être lié à son meurtre?

– Je pense qu'un meurtrier a la mémoire longue.

– Je vous prie de m'excuser, mais j'ai des appels à faire, dit André Castonguay.

Marois et Gamache le regardèrent se diriger vers l'auberge.

– Vous savez ce qu'il va faire, n'est-ce pas ? dit Marois en se retournant vers l'inspecteur-chef.

– Appeler les Morrow pour les convaincre de le rencontrer.

Marois sourit.

– Exactement.

À leur tour, sans se presser, les deux hommes marchèrent en direction de l'auberge.

– Ça ne vous inquiète pas ?

– Ce que fait André ne m'inquiète jamais. Il ne représente pas une menace pour moi. Si les Morrow sont assez stupides pour signer un contrat avec lui, il peut les avoir.

Gamache, cependant, n'en croyait pas un mot. Il y avait un éclat trop vif dans les yeux perçants de Marois, et son attitude détendue était trop étudiée.

Non, cet homme ne s'en fichait pas du tout, au contraire. Il était riche. Il était puissant. S'il était préoccupé, c'était donc pour une autre raison.

La peur et la cupidité : voilà ce qui menait le monde des arts. Et c'était probablement vrai, pensait Gamache. Donc, si ce n'était pas l'appât du gain qui motivait Marois, ce devait être la peur.

Mais que pouvait craindre cet éminent marchand d'art ?

– Voulez-vous m'accompagner, monsieur ? Je vais au village.

Gamache étendit le bras, invitant François Marois à marcher avec lui.

Marois, qui n'avait eu aucune intention de retourner à Three Pines, prit le temps de réfléchir à l'invitation et la reconnut pour ce qu'elle était : une requête polie. Pas vraiment un ordre, mais presque.

Il prit sa place à côté de l'inspecteur-chef et tous deux descendirent lentement la pente jusqu'au village.

– Très joli, commenta Marois.

Il s'arrêta et embrassa Three Pines du regard, un sourire sur les lèvres.

– Je comprends pourquoi Clara Morrow a décidé de vivre ici. Cet endroit est bel et bien magique.

– Je me demande parfois à quel point le lieu où ils travaillent a de l'importance pour les artistes, dit Gamache en observant lui aussi le village tranquille. Il y en a tant qui choisissent de grandes villes comme Paris, Londres ou Venise. Des appartements ou des lofts sans eau chaude à Soho ou Chelsea. Lillian Dyson, par exemple, a déménagé à New York. Mais pas Clara. Les Morrow ont choisi Three Pines. L'endroit où ils vivent influence-t-il ce qu'ils créent?

– Oh, sans aucun doute. L'endroit où ils vivent et les gens qu'ils côtoient. Selon moi, la série de portraits de Clara n'aurait pas pu être créée ailleurs qu'ici.

– Je trouve très intéressant de constater que certaines personnes, en regardant ses toiles, ne voient que de jolis portraits de vieilles femmes. Traditionnels, assez ordinaires même. Mais pas vous.

– Ni vous, inspecteur-chef. Pas plus que, lorsque vous et moi regardons Three Pines, nous ne voyons un village.

– Et que voyez-vous, monsieur Marois?

– Je vois une peinture.

– Une peinture?

– Très belle, d'ailleurs. Mais toutes les peintures, les plus troublantes et les plus exquises, sont constituées de la même chose: de jeux d'ombre et de lumière. C'est ce que je vois. Beaucoup de lumière, mais aussi beaucoup d'ombre, de zones sombres. C'est ce que les gens ne remarquent pas dans les œuvres de Clara. La lumière est si évidente qu'ils se laissent berner par elle. Certaines personnes mettent du temps avant de prendre conscience des ombres. À mon avis, c'est une des raisons qui expliquent pourquoi Clara est si géniale. Elle est très subtile, mais elle a aussi un côté très subversif. Elle a beaucoup de choses à dire, et prend son temps pour les révéler.

– C'est intéressant, ça, dit Gamache en hochant la tête.

Ce que venait de dire Marois n'était pas très différent de ce que lui-même pensait de Three Pines. Le village aussi mettait un certain temps avant de se révéler. Mais l'analogie de Marois avait ses limites. Une peinture, aussi impressionnante soit-elle, ne serait jamais autre chose qu'un tableau à deux dimensions.

Était-ce ainsi que Marois voyait le monde? Y avait-il une dimension qui lui échappait complètement?

Les deux hommes se remirent en marche. Dans le parc, ils virent Clara se laisser tomber lourdement sur le banc à côté de Ruth, qui balançait des morceaux de pain rassis aux oiseaux. Il n'était pas facile de déterminer si elle essayait de les nourrir ou de les tuer.

François Marois fronça les sourcils.

— Cette femme, c'est celle dans le tableau de Clara.

— En effet. Ruth Zardo.

— La poète? Je la croyais morte.

— Erreur excusable. Il est normal de le penser, dit Gamache en saluant Ruth de la main, qui lui fit un doigt d'honneur. Son cerveau semble bien fonctionner, c'est seulement son cœur qui a arrêté de battre.

Le soleil dardait ses rayons directement sur François Marois, le forçant à plisser les yeux. Mais derrière lui s'étendait une longue ombre bien visible.

— Pourquoi voulez-vous les deux Morrow, demanda Gamache, alors que de toute évidence vous préférez les œuvres de Clara? Les tableaux de Peter, les aimez-vous?

— Non. Je les trouve très superficiels. Exécutés de manière trop réfléchie. C'est un peintre talentueux, mais je crois qu'il pourrait se révéler un très grand artiste s'il se fiait davantage à son instinct et laissait un peu tomber la technique. C'est un très bon dessinateur.

Il avait exprimé son opinion sans méchanceté, ce qui rendait la froide analyse encore plus accablante. Et peut-être exacte.

— Vous avez dit qu'il ne vous restait pas énormément de temps, d'énergie, reprit Gamache. Je comprends pourquoi vous choisiriez Clara. Mais pourquoi Peter, un artiste que vous n'aimez même pas?

Marois ne répondit pas immédiatement.

— La situation sera tout simplement plus facile à gérer. Nous pourrons prendre ensemble des décisions concernant la carrière de l'un et de l'autre. Je veux que Clara soit heureuse et, à mon avis, elle sera le plus heureuse si on s'occupe aussi de Peter.

Gamache regarda le marchand d'art. Sa remarque était fine. Mais elle n'allait pas assez loin. Éludant la question, Marois avait donné l'impression de se soucier principalement du bonheur de Clara et Peter.

L'inspecteur-chef se rappela alors l'histoire qu'avait racontée Marois, au sujet de son premier client, l'artiste âgé surpassé par sa femme. Pour protéger l'ego fragile de son mari, la femme n'avait plus jamais peint.

Était-ce ce que craignait Marois? De perdre sa dernière cliente, sa dernière découverte, parce que l'amour de Clara pour son mari était plus grand que son amour de l'art?

Ou bien s'agissait-il de quelque chose d'encore plus personnel? Cela n'avait peut-être rien à voir avec Clara, Peter ou l'art. Marois avait-il tout simplement peur de perdre?

André Castonguay possédait des œuvres d'art. Mais Marois possédait les artistes. Lequel était le plus puissant? Mais aussi le plus vulnérable?

Des tableaux encadrés ne pouvaient pas se lever et partir. Des artistes, oui.

De quoi François Marois avait-il peur? se demanda de nouveau Gamache.

– Pourquoi êtes-vous ici?

Marois parut surpris.

– Je vous l'ai déjà dit, inspecteur-chef. Deux fois. Je suis ici pour essayer de signer une entente avec Peter et Clara Morrow.

– Et pourtant vous affirmez ne pas être préoccupé si M. Castonguay les rencontre en premier.

– Je n'ai aucun contrôle sur la stupidité des gens, répondit Marois avec un sourire.

Tandis que Gamache scrutait son visage, le sourire du marchand d'art vacilla.

– J'ai rendez-vous pour prendre un verre et je suis en retard, monsieur, dit Gamache d'un ton plaisant. Si nous n'avons plus rien à nous dire, je vais y aller.

Il pivota et se dirigea vers le bistro.

* * *

– Du pain ?

Ruth offrit à Clara quelque chose qui ressemblait à une brique.

Toutes les deux cassèrent des morceaux. Ruth lança les siens aux merles, qui s'enfuirent. Clara se contenta de bombarder le sol à ses pieds.

Boum, boum, boum.

– Il paraît que les critiques ont vu dans tes peintures quelque chose que je ne vois absolument pas, moi, dit Ruth.

– Que veux-tu dire ?

– Ils les ont aimées.

Boum, boum, boum.

– Pas tous, répondit Clara en riant. Selon l'*Ottawa Star*, mes tableaux sont jolis, mais n'ont rien de révolutionnaire ni d'audacieux.

– Ahh, l'*Ottawa Star*. Un journal important. Une fois, je me souviens, *Le Clairon de Drummondville* a décrit ma poésie comme étant ennuyeuse et inintéressante.

Ruth renâcla.

– Tiens, attrape celui-là, dit-elle en pointant le doigt vers un geai bleu particulièrement hardi.

Clara ne bougea pas, alors Ruth lança à l'oiseau un croûton de pain dur comme de la pierre.

– Je l'ai presque eu.

De l'avis de Clara, cependant, si Ruth avait voulu l'atteindre, elle n'aurait pas manqué son coup.

– Dans l'article, on me traite de vieux perroquet fatigué qui imite d'authentiques artistes.

– C'est ridicule. Ce ne sont pas les perroquets qui imitent les gens, mais les mainates. Les perroquets apprennent des mots et les disent à leur façon.

– Fascinant, marmonna Clara. Il va falloir que j'écrive une lettre sévère pour corriger l'erreur.

– Le *Kamloops Record* s'est plaint de l'absence de rimes dans mes poèmes.

– Te souviens-tu de toutes les critiques écrites à ton sujet ?

– Seulement des mauvaises.

– Pourquoi ?

Ruth se tourna pour regarder Clara. Dans ses yeux, il n'y avait ni colère, ni froideur, ni méchanceté. Son regard exprimait plutôt de l'étonnement.

– Je ne sais pas. C'est peut-être le prix à payer pour créer de la poésie. Et des œuvres d'art, apparemment.

– Que veux-tu dire ?

– Il faut souffrir pour créer. Pas de souffrance, pas de résultat.

– C'est ce que tu crois ?

– Pas toi ? Qu'a dit le *New York Times* au sujet de tes toiles ?

Clara fouilla dans sa mémoire. Elle savait que les commentaires avaient été favorables. Il y était question d'espoir et de quelque chose qui montait.

– Bienvenue au banc, dit Ruth. Tu arrives tôt. Je pensais qu'il te faudrait encore dix ans. Mais te voilà.

Pendant un instant, Ruth eut exactement le même air que dans le portrait qu'avait peint Clara. Elle paraissait aigrie, déçue. Bien qu'assise au soleil, elle se remémorait, passait en revue, se répétait toutes les insultes, toutes les remarques désagréables. Elle les ressortait et les examinait comme s'il s'agissait de cadeaux d'anniversaire décevants.

« *Oh non non*, pensa Clara. *Le mort gémissait encore*. Est-ce ainsi que ça commence ? »

Elle regarda Ruth lancer un autre gros morceau de pain immangeable sur un oiseau.

Puis elle se leva pour partir.

– « L'espoir trouve sa place parmi les maîtres modernes. »

Clara se retourna vers Ruth, dont les yeux chassieux furent soudain éclairés par un rayon de soleil.

– C'est ça qui était écrit dans le *New York Times*, dit Ruth. Et le critique du *Times* de Londres a dit : « Grâce à l'art de Clara Morrow, se réjouir est de nouveau cool. » Ne l'oublie pas, Clara, murmura-t-elle.

Ruth se détourna. Assise raide comme un piquet, elle resta seule avec ses pensées et son pain lourd et dur, presque pétrifié. De temps en temps, elle jetait un coup d'œil au ciel vide.

8

Gabri déposa une citronnade devant Beauvoir et un thé glacé devant l'inspecteur-chef. Un quartier de citron reposait sur le bord des verres, qui suintaient déjà sous le soleil chaud de l'après-midi.

— Voulez-vous faire une réservation au gîte ? demanda Gabri. Nous avons de la place.

— Nous en discuterons. Merci, patron, répondit Beauvoir avec un petit sourire.

Il ne se sentait pas très à l'aise de se lier d'amitié avec des suspects, mais il ne semblait pas pouvoir s'en empêcher. Bien sûr, ils lui tapaient sur les nerfs, mais il les aimait, aussi.

Gabri s'en alla et les deux hommes burent en silence pendant un moment.

Arrivé le premier au bistro, Beauvoir s'était immédiatement rendu aux toilettes et avait aspergé sa figure d'eau froide. Il avait eu envie de prendre une pilule, mais il s'était promis d'attendre au coucher avant d'en avaler une, pour l'aider à dormir.

À son retour, le chef était déjà assis à la table.

— Vous avez appris quelque chose ? demanda Beauvoir.

— Les marchands de tableaux ont avoué connaître Lillian Dyson, mais pas très bien.

— Les croyez-vous ?

C'était toujours *la* question. Qui fallait-il croire ? Et comment arrivait-on à décider ?

Gamache réfléchit un instant, puis secoua la tête.

— Je ne sais pas. Je pensais connaître le monde des arts, mais je me rends compte, maintenant, que je voyais seulement ce qu'on voulait bien que je – que tout le monde – voie. L'art. Les galeries. Mais il se passe tellement plus de choses dans ce milieu. Par exemple, dit-il en se penchant vers Beauvoir, André Castonguay est le propriétaire d'une galerie réputée. Il expose des œuvres d'artistes, représente des artistes. Mais François Marois? Qu'a-t-il, lui?

Beauvoir ne dit rien. Il observait le chef, voyait l'étincelle dans ses yeux et son enthousiasme pendant qu'il racontait ce qu'il avait appris. Il ne parlait pas de choses visibles, mais d'émotions. De ce qui relevait du domaine de l'esprit.

On pouvait facilement penser que l'inspecteur-chef était un chasseur, car il traquait et capturait des meurtriers. Mais il n'en était pas un, Jean-Guy le savait. L'inspecteur-chef Gamache était, de nature, un explorateur. Il n'était jamais plus heureux que lorsqu'il repoussait les limites, explorait les territoires intérieurs, des endroits que les personnes elles-mêmes n'avaient jamais explorés, jamais examinés. Probablement parce qu'ils étaient trop effrayants.

Mais Gamache n'hésitait pas. Il se rendait aux confins du monde connu, et au-delà. Pénétrait dans des lieux secrets, sombres. Regardait dans les crevasses, où se cachaient les pires choses.

Et Jean-Guy Beauvoir le suivait.

– Ce que François Marois a, poursuivit Gamache en regardant son adjoint droit dans les yeux, ce sont les artistes. Mais il a quelque chose d'encore plus important: de l'information. Il connaît des gens. Les acheteurs, les artistes. Il sait comment composer avec un monde complexe constitué d'argent, de gros ego et de perceptions. Marois garde pour lui ce qu'il sait. Selon moi, il accepte de révéler de l'information seulement quand ça l'arrange ou quand il n'a pas le choix.

– Ou quand on le surprend à mentir, dit Beauvoir. Comme vous l'avez fait cet après-midi.

– Mais combien d'autres choses sait-il qu'il ne nous dit pas? demanda Gamache.

Il ne s'attendait pas à une réponse, et n'en obtint pas.

Beauvoir parcourut le menu d'un œil distrait.

– Avez-vous fait votre choix? demanda Gabri, le stylo à la main.

Beauvoir ferma le menu et le tendit à Gabri.

– Rien pour moi, merci.

– Pour moi non plus. Merci, patron, dit le chef.

En remettant le menu à Gabri, il observa Clara qui quittait Ruth et marchait vers la librairie de Myrna.

Clara serra son amie dans ses bras et sentit ses gros bourrelets sous le caftan jaune vif.

Quand finalement les deux femmes se séparèrent, Myrna regarda Clara et dit:

– C'était pour quoi, ça?

– Je viens de parler à Ruth et…

– *Oh, dear*, dit Myrna en étreignant Clara. Combien de fois t'ai-je dit de ne jamais parler seule à Ruth? C'est beaucoup trop dangereux. Tu ne devrais pas t'aventurer dans cette tête sans être accompagnée.

Clara rit.

– Tu ne me croiras pas, mais elle m'a aidée.

– Comment?

– Elle m'a montré quel serait mon avenir si je ne fais pas attention.

Ayant compris, Myrna sourit.

– J'ai pensé à ce qui s'est produit. Au meurtre de ton amie.

– Elle n'était pas une amie.

Myrna hocha la tête.

– Que dirais-tu d'un rituel? Quelque chose qui apporterait la guérison.

– Du jardin?

C'était un peu tard pour guérir Lillian, pensa Clara, et elle se demanda si, de toute façon, elle aurait voulu la ramener à la vie.

– De ton jardin et de n'importe quoi d'autre qui pourrait avoir besoin d'une guérison, répondit Myrna en la fixant d'un air mélodramatique.

– Moi? Selon toi, le fait de trouver une femme, que je détestais, morte dans mon jardin pourrait m'avoir dérangé l'esprit?

– Je l'espère, répondit Myrna. On pourrait procéder à un rituel de fumigation pour chasser l'énergie négative et les mauvaises pensées qui traînent encore dans ton jardin.

Dit comme ça, avec beaucoup d'assurance, cela paraissait absurde, Clara le savait. Comme si le fait de répandre de la fumée au-dessus d'un endroit où un meurtre avait été commis pouvait avoir un effet. Mais elles avaient déjà pratiqué des rituels de fumigation et ils avaient eu un effet calmant, hautement réconfortant. Et en ce moment Clara avait besoin de calme et de réconfort.

– Parfait, dit-elle. J'appelle Dominique…

– Et moi, je vais chercher les objets pour le rituel.

Quand Clara raccrocha le téléphone, Myrna était déjà revenue de son appartement au-dessus de la boutique. Elle tenait à la main un vieux bâton noueux, des rubans et ce qui ressemblait à un énorme cigare. Ou à autre chose.

– Je pense avoir une envie de fumigation, dit Clara en indiquant le cigare.

– Tiens, prends ça, dit Myrna en lui tendant la branche d'arbre.

– Qu'est-ce que c'est? Un bâton?

– Pas n'importe quel bâton. Un bâton de prière.

– Alors, je ne devrais probablement pas m'en servir pour battre le critique de l'*Ottawa Star*, dit Clara en suivant Myrna à l'extérieur.

– Il ne vaudrait peut-être mieux pas. Et ne l'utilise pas non plus pour battre ta coulpe.

– Qu'est-ce qui en fait un bâton de prière?

– C'est un bâton de prière parce que je dis que c'en est un.

Dominique descendait la rue du Moulin et les trois femmes se saluèrent de la main.

– Attends une seconde.

Clara changea de direction pour aller parler à Ruth toujours assise sur le banc.

– Nous allons dans mon jardin. Veux-tu venir avec nous ?

Ruth regarda Clara, qui tenait le bâton, puis Myrna et le cigare fait de sauge et de foin d'odeur séchés.

– Vous n'allez pas accomplir un de ces rites relevant de la sorcellerie, n'est-ce pas ?

– Mais certainement, dit Myrna, derrière Clara.

– Alors je suis partante, répondit Ruth en se levant avec difficulté.

La police avait quitté les lieux. Le jardin était désert. Personne ne montait la garde devant l'endroit où quelqu'un avait perdu la vie. Où on avait enlevé la vie à une personne. Le ruban de scène de crime encerclait une partie de la pelouse et l'une des platebandes, et frémissait.

– J'ai toujours pensé que ce jardin était un crime, dit Ruth.

– Mais tu dois admettre qu'il paraît beaucoup mieux depuis que Myrna a commencé à m'aider, dit Clara.

Ruth se tourna vers Myrna.

– Ah, voilà qui tu es. Je me le demandais depuis quelque temps. Tu es la jardinière.

– Je te planterais, riposta Myrna, si tu n'étais pas si toxique.

Ruth rit.

– Bien envoyé !

– C'est ici qu'on a trouvé le corps ? demanda Dominique en pointant le doigt vers le cercle.

– Non. Le ruban fait partie du plan d'aménagement du jardin, répondit sèchement Ruth.

– Vieille bique, dit Myrna.

– Vieille sorcière, répondit Ruth.

Les deux femmes commençaient à bien s'entendre, remarqua Clara.

– Devrait-on l'enjamber ? demanda Myrna, qui ne s'était pas attendue à voir le ruban jaune.

– Non, répondit Ruth en rabattant le ruban au sol avec sa canne et en passant par-dessus.

Se tournant vers les autres, elle ajouta :

– Allez, venez, l'eau est bonne.

– Oui, sauf qu'elle est très chaude, dit Clara à Dominique.

— Et il y a un requin dedans, dit celle-ci.

Les trois femmes rejoignirent la vieille poète. Si quelqu'un pouvait contaminer un site, c'était Ruth, et le dommage avait probablement déjà été fait. De toute façon, elles étaient là pour décontaminer les lieux.

— Alors, que devons-nous faire? demanda Dominique pendant que Clara enfonçait le bâton de prière dans la platebande où le corps de Lillian avait été trouvé.

— Nous allons pratiquer un rituel. Une fumigation. Nous allumons ceci, dit Myrna en levant le rouleau d'herbes séchées, et nous marchons dans le jardin.

Ruth fixait le cigare de sauge et de foin d'odeur.

— Freud aurait peut-être un commentaire à faire au sujet de ton rituel.

— Parfois, un rouleau d'herbes séchées n'est rien d'autre qu'un rouleau d'herbes séchées, dit Clara.

— Pourquoi faisons-nous ça? demanda Dominique.

Elle découvrait un côté de ses voisines qu'elle n'avait jamais vu, et ça ne semblait pas être une amélioration.

— Pour chasser les mauvais esprits, répondit Myrna.

Dit d'une manière si abrupte, cela paraissait peu probable. Mais Myrna le croyait de tout son cœur, qui était immense.

Dominique se tourna vers Ruth.

— Eh bien, les carottes sont cuites pour toi, je crois.

Il y eut un silence, puis Ruth s'étrangla de rire. En l'entendant, Clara se demanda si devenir Ruth Zardo serait une si mauvaise chose.

— D'abord, nous devons former un cercle, expliqua Myrna.

Après qu'elles l'eurent fait, Myrna alluma le rouleau de sauge et de foin d'odeur. Passant devant Clara, Dominique et Ruth, elle envoya d'un geste de la main la fumée parfumée au-dessus de chacune. Pour les protéger. Pour qu'elles trouvent la paix.

Clara inspira et ferma les yeux quand la douce fumée tourbillonna pendant un moment autour d'elle. Elle prenait toute l'énergie négative, disait Myrna, tous les mauvais esprits, extérieurs et intérieurs. Les absorbait, favorisant ainsi la guérison.

Elles firent ensuite le tour du jardin. Elles ne se contentèrent pas de marcher autour de l'endroit où Lillian était morte, mais sur toute la superficie. L'une après l'autre, elles dirigèrent la fumée vers les arbres, au-dessus des eaux gazouillantes de la rivière Bella Bella, vers les roses, les pivoines et les iris au centre noir.

Et elles finirent par revenir à leur point de départ. Au ruban jaune. Au trou dans le jardin, où une vie avait pris fin.

– « Maintenant en voici une bonne », dit Ruth, citant un de ses poèmes en regardant l'endroit.

Tu es allongé sur ton lit de mort.
Il te reste une heure à vivre.
À qui, exactement, as-tu eu besoin
toutes ces années de pardonner ?

Myrna tira des rubans de couleurs vives de sa poche et en donna un à chacune en disant :

– Nous attachons notre ruban au bâton de prière et envoyons des pensées agréables.

Elles se tournèrent vers Ruth, attendant le commentaire cynique. Qui ne vint pas. Dominique fut la première à attacher son ruban, rose, au bâton noueux.

Puis ce fut au tour de Myrna de s'approcher. Attachant un ruban mauve, elle ferma les yeux un instant en pensant à des pensées agréables.

– Ce ne sera pas la première fois que j'en attache un, avoua Ruth avec un sourire.

Elle noua un ruban rouge. Posant sa main veinée sur le bâton de prière comme s'il s'agissait d'une canne, elle s'immobilisa un moment et leva la tête vers le ciel.

Et écouta.

Mais elle entendit seulement le bourdonnement d'abeilles.

Enfin, Clara attacha un ruban vert. Elle devait penser à quelque chose de positif au sujet de Lillian, elle le savait. Elle devait trouver quelque chose. Une chose. Elle fouilla son cœur, regarda dans les coins sombres, ouvrit des portes fermées depuis des années. Essayant de trouver une chose gentille à dire sur Lillian.

Les autres femmes attendirent tandis que le temps s'écoulait.

Clara ferma les yeux et repensa aux années passées aux côtés de Lillian, il y avait si longtemps. Elles défilèrent rapidement, les souvenirs heureux du début de leur relation gâtés par les horribles événements survenus plus tard.

«Stop!» ordonna Clara à son cerveau. De telles pensées menaient tout droit au banc du parc. Et aux morceaux de pain durs comme la pierre, immangeables.

Non. Il y avait eu des moments agréables, et c'était ce dont elle devait se souvenir. Pour libérer l'esprit de Lillian, sinon le sien.

À qui, exactement, as-tu eu besoin
toutes ces années de pardonner?

— Tu as été gentille avec moi, souvent. Et tu as été une bonne amie. À une époque.

Les rubans aux couleurs de pierres précieuses, les quatre rubans féminins, ondoyèrent et s'emmêlèrent.

Myrna se pencha pour tasser le sol autour du bâton de prière.

— C'est quoi, ça?

Elle se leva en tenant un objet couvert de terre. Après l'avoir nettoyé, elle le montra aux autres. C'était une pièce de monnaie de la taille d'un dollar en argent, comme il en existait au temps du Far West.

— C'est à moi, dit Ruth en avançant la main pour la prendre.

— Pas si vite, Miss Kitty. En es-tu sûre? demanda Myrna.

L'une après l'autre, Dominique et Clara examinèrent l'objet. Ça semblait bien une pièce de monnaie, mais pas un dollar en argent. En fait, l'objet était recouvert d'une couche de couleur argentée, mais paraissait en plastique. Et il y avait une inscription.

— Qu'est-ce que c'est? demanda Dominique en remettant la pièce à Myrna.

– Je crois le savoir. Et je suis pas mal certaine que ça ne t'appartient pas, répondit Myrna en s'adressant à Ruth.

L'agente Isabelle Lacoste se joignit à l'inspecteur-chef Gamache et à l'inspecteur Beauvoir sur la terrasse. Elle commanda un Coca-Cola sans sucre et fit son rapport.

Le bureau provisoire était installé dans la vieille gare ferroviaire. Tout était en place : les ordinateurs, les lignes téléphoniques, la liaison satellite, les bureaux, les fauteuils pivotants, les classeurs. L'installation avait été faite rapidement et de façon experte. Les membres de la division des homicides de la Sûreté étaient habitués de se rendre dans des communautés éloignées pour enquêter sur des meurtres. Comme le Corps des ingénieurs de l'armée, ils savaient à quel point le temps et la précision comptaient.

– J'ai obtenu de l'information sur Lillian Dyson et sa famille, dit Lacoste. (Elle avança sa chaise et ouvrit son calepin.) Divorcée. Pas d'enfants. Ses parents vivent encore. Ils habitent avenue Harvard dans le quartier Notre-Dame-de-Grâce.

– Quel âge ont-ils ? demanda Gamache.

– Le père a quatre-vingt-trois ans, la mère quatre-vingt-deux. Lillian était enfant unique.

Gamache hocha la tête. Voilà, bien sûr, la pire partie de toute affaire de meurtre : annoncer la mort aux vivants.

– Savent-ils ?

– Pas encore, répondit Lacoste. Je me demandais si vous…

– J'irai à Montréal cet après-midi et leur parlerai.

Dans la mesure du possible, il annonçait lui-même la nouvelle à la famille.

– Il faudrait aussi fouiller l'appartement de Mme Dyson, ajouta-t-il.

Il sortit la liste d'invités de sa poche de poitrine.

– Pouvez-vous envoyer des agents interroger les gens sur cette liste ? Ils étaient présents à la fête hier soir ou au vernissage, ou aux deux événements. J'ai fait une marque devant les noms des personnes déjà rencontrées.

Beauvoir avança la main pour prendre la feuille.

C'était son rôle, ils le savaient, de coordonner les interrogatoires, de recueillir les preuves, de distribuer les tâches aux agents.

L'inspecteur-chef hésita un instant, puis tendit la liste à Lacoste, lui donnant ainsi la responsabilité de l'organisation de l'enquête. Les deux agents furent surpris.

— J'aimerais que vous m'accompagniez à Montréal, dit Gamache à son adjoint.

— D'accord, répondit Beauvoir, perplexe.

Au sein de la division des homicides, ils avaient tous un rôle bien défini. Le chef tenait à ce qu'il n'y ait pas de malentendus possibles, pas de fissures. Aucun chevauchement de responsabilités. Ils savaient quelles étaient leurs tâches, savaient ce qu'on attendait d'eux. Ils formaient une équipe où il n'y avait ni rivalités ni querelles intestines.

L'inspecteur-chef Gamache était le patron incontesté et l'inspecteur Jean-Guy Beauvoir son adjoint.

Isabelle Lacoste, qui attendait de monter en grade, était l'agent de police supérieur. Et sous eux trois se trouvaient plus d'une centaine d'agents et d'enquêteurs. Et quelques centaines d'employés de bureau.

Le chef avait été très clair. C'était dans la désorganisation et les fissures que résidait le danger. Il ne s'agissait pas seulement de chamailleries internes ou de luttes de pouvoir, mais de quelque chose de réel et de menaçant. S'ils ne communiquaient pas clairement entre eux, s'ils ne formaient pas une équipe cohésive, un criminel violent pouvait s'échapper. Ou pire. Tuer de nouveau.

Les meurtriers se cachaient dans les fentes les plus minuscules. Et jamais, au grand jamais, l'inspecteur-chef Gamache ne laisserait son personnel fournir la moindre petite fissure.

Or le chef venait d'enfreindre une de ses propres règles fondamentales. Il avait confié la conduite de l'enquête, les opérations quotidiennes, à l'agente Isabelle Lacoste plutôt qu'à Beauvoir.

Lacoste prit la liste, la parcourut rapidement et hocha la tête.

— Je m'en occupe immédiatement, chef.

Les deux hommes la regardèrent partir, puis Beauvoir se pencha en avant.

– OK, patron. Ça rime à quoi, ça ? murmura-t-il.

Mais au moment où Gamache allait répondre, ils virent quatre femmes qui se dirigeaient vers eux. Myrna venait en tête, suivie de Clara et de Dominique. Ruth fermait la marche.

Gamache se leva et, inclinant légèrement la tête, demanda :

– Voulez-vous vous joindre à nous ?

– Nous ne resterons pas longtemps, mais nous voulions vous montrer quelque chose. Nous avons trouvé ceci dans la plate-bande où la femme a été tuée, dit Myrna en lui tendant la pièce de monnaie.

– Vraiment ? dit Gamache, surpris.

Il baissa les yeux sur l'objet sale dans sa paume. Les techniciens avaient minutieusement fouillé tout le jardin, tout le village. Qu'est-ce qui avait bien pu leur échapper ?

Il y avait une image d'un chameau, tout juste visible sous les taches de boue.

– Qui a touché à cette pièce ? demanda Beauvoir.

– Nous y avons toutes touché, répondit Ruth avec fierté.

– Ne savez-vous pas ce qu'il faut faire avec des éléments de preuve trouvés sur une scène de crime ?

– Ne savez-vous pas comment recueillir des éléments de preuve ? demanda Ruth. Si c'était le cas, nous ne l'aurions pas découverte.

– Cette pièce reposait simplement sur le sol ? demanda Gamache.

Il retourna l'objet du bout du doigt, en prenant garde de ne pas le toucher plus qu'il n'était nécessaire.

– Non, répondit Myrna. Elle était enfouie.

– Alors comment l'avez-vous découverte ?

– Avec le bâton de prière, répondit Ruth.

– Qu'est-ce qu'un bâton de prière ? demanda Beauvoir, même s'il craignait d'entendre la réponse.

– Nous pouvons vous montrer, proposa Dominique. Nous l'avons enfoncé dans la platebande où la femme a été assassinée.

– Nous procédions à un rituel de purification…, dit Clara avant d'être interrompue par Myrna.

– Phhht! Pavas un mavot de pavlavus.

Beauvoir fixa les deux femmes. Non seulement elles étaient anglophones et avaient un bâton de prière, mais voilà maintenant qu'elles parlaient javanais. Pas étonnant qu'il y eût tant de meurtres ici. Le seul mystère était comment les enquêteurs de la Sûreté arrivaient à les élucider, avec une aide semblable.

– Je m'étais penchée pour tasser la terre autour du bâton, et cette chose est apparue, expliqua Myrna, comme si compacter le sol était une activité normale sur les lieux d'un crime.

– N'avez-vous pas vu le ruban de la police? demanda Beauvoir.

– N'avez-vous pas vu la pièce de monnaie? riposta Ruth.

Gamache leva la main et ils cessèrent de se disputer.

Sur le côté maintenant exposé de la pièce se trouvait une inscription. Qui ressemblait à un poème.

Mettant ses demi-lunes, Gamache fronça les sourcils en essayant de déchiffrer les mots sous la saleté.

Non, il ne s'agissait pas d'un poème.

C'était une prière.

9

Pour la deuxième fois ce jour-là, Armand Gamache se releva après avoir été accroupi à côté de la même platebande.

La première fois, il avait regardé une femme morte, et cette fois c'était un bâton de prière dont les rubans aux couleurs vives flottaient dans la brise légère, captant, selon Myrna, des courants d'énergie positive. Si elle avait raison, il devait y en avoir beaucoup dans les environs, car les rubans voletaient gaiement, dansaient.

En se redressant, il épousseta les genoux de son pantalon. À côté de lui, le regard mauvais, l'inspecteur Beauvoir fixait l'endroit où la pièce avait été trouvée.

Où il ne l'avait pas remarquée avant.

Beauvoir était responsable de la collecte d'indices et de l'analyse de la scène de crime, et avait lui-même inspecté le lieu où le corps avait été découvert.

— Vous l'avez trouvée précisément là ? demanda le chef en indiquant un petit tas de terre.

Myrna et Clara avaient rejoint les deux policiers. Beauvoir avait appelé l'agente Lacoste, qui arriva à ce moment-là avec une trousse pour scène de crime.

— Oui, répondit Myrna. Dans la platebande. Elle était enterrée et recouverte de terre. Difficile à voir.

— Je vais prendre ça, dit Beauvoir en saisissant la trousse.

La condescendance qu'il avait cru déceler dans le ton de voix de Myrna l'avait agacé. Comme si elle devait fournir des excuses pour expliquer son erreur. Il se pencha pour examiner la terre.

— Pourquoi ne l'avons-nous pas découverte avant? demanda le chef.

Gamache ne critiquait pas les membres de son équipe. Il était réellement perplexe. Ses collaborateurs accomplissaient leur travail consciencieusement, méticuleusement. Malgré tout, ils commettaient parfois des erreurs. Mais sûrement pas celle, pensa-t-il, de ne pas remarquer une pièce en argent reposant dans une platebande à moins d'un mètre du corps de la victime.

— Je sais pourquoi personne ne l'a vue, dit Myrna. Gabri aussi pourrait vous le dire, de même que toute personne qui s'adonne au jardinage. Hier matin, nous avons désherbé les platebandes et remué la terre pour qu'elle soit foncée et fasse ressortir les fleurs. C'est ce que les jardiniers appellent « biner ». Ça ameublit la croûte dure du sol, mais la terre devient friable. Il m'est arrivé de perdre des outils dans une terre fraîchement travaillée. Je les pose sur le sol, et on dirait qu'ils disparaissent dans une crevasse, à demi enfouis.

— Il s'agit d'une platebande, dit Gamache, pas de l'Himalaya. Un objet peut-il vraiment s'engloutir là-dedans?

— Vous n'avez qu'à faire un essai.

L'inspecteur-chef se dirigea vers l'autre côté de la platebande.

— Avez-vous biné ici aussi?

— Partout, répondit Myrna. Allez, essayez.

Gamache s'agenouilla et laissa tomber une pièce de un dollar. Elle resta à la surface du sol, bien visible. Gamache la reprit, se releva et regarda Myrna.

— Avez-vous d'autres suggestions?

Elle lança un regard noir à la terre.

— La terre doit s'être stabilisée. Si on venait tout juste de la retourner, ça fonctionnerait.

Elle alla chercher un transplantoir dans la remise de Clara et creusa la terre, la retourna, l'ameublit.

— Bon. Essayez encore.

Gamache s'agenouilla et laissa de nouveau tomber la pièce de monnaie dans la platebande. Cette fois, elle se tourna sur le côté et glissa dans une petite crevasse.

— Vous voyez ? dit Myrna.

— Eh bien, oui, je vois. Je vois la pièce de monnaie. Malheureusement, l'expérience ne me convainc pas. La pièce aurait-elle pu se trouver là depuis un certain temps ? Elle a pu tomber dans la platebande il y a des années. Puisqu'elle est en plastique, elle n'aurait pas rouillé, ne se serait pas détériorée.

— Ça m'étonnerait, répondit Clara. On l'aurait trouvée il y a longtemps. Gabri et Myrna l'auraient sûrement trouvée lorsqu'ils ont désherbé et biné, hier. Qu'en penses-tu, Myrna ?

— J'ai arrêté de penser.

Ils retournèrent à l'endroit où travaillait Beauvoir.

— Il n'y a rien d'autre, chef, dit-il en se relevant et en se donnant de grandes tapes sur les genoux pour faire tomber la terre. Je ne comprends pas qu'on ne l'ait pas vue la première fois.

— Eh bien, nous l'avons maintenant.

Gamache regarda la pièce dans le sac pour éléments de preuve que tenait Lacoste. Ce n'était pas de l'argent, ça ne correspondait à aucune devise. Il s'était d'abord demandé s'il pouvait s'agir d'une pièce de monnaie d'un pays du Moyen-Orient, en raison du chameau. Après tout, au Canada, il y avait bien un caribou sur la pièce de vingt-cinq cents. Alors pourquoi un chameau ne figurerait-il pas sur la monnaie de l'Arabie Saoudite ?

Mais les mots étaient en anglais. Et aucune unité monétaire n'était précisée.

Il n'y avait que le chameau d'un côté et la prière de l'autre.

— Vous êtes certaine qu'elle n'appartient ni à vous ni à Peter ? demanda-t-il à Clara.

— Absolument certaine. Ruth a prétendu qu'elle était à elle, mais selon Myrna, c'est impossible.

Gamache, sourcils levés, se tourna vers la grosse femme vêtue d'un caftan.

— Et comment le savez-vous ?

— Je sais ce qu'est cet objet, et je sais que Ruth n'en posséderait jamais un. J'avais présumé que vous l'aviez reconnu.

— Je n'ai aucune idée de ce que ça peut être.

Ils regardèrent tous la pièce dans le sac en plastique.

– Puis-je? demanda Myrna.

Après que Gamache eut hoché la tête, Lacoste tendit le sac transparent à Myrna, qui lut l'inscription:

Mon Dieu, donnez-moi la sérénité d'accepter
les choses que je ne peux changer,
le courage de changer les choses que je peux,
et la sagesse d'en connaître la différence.

– C'est un jeton des Alcooliques anonymes, donné aux personnes qui commencent à pratiquer l'abstinence.

– Comment savez-vous cela? demanda le chef.

– Lorsque j'exerçais la profession de psychologue, j'ai suggéré à un bon nombre de clients de devenir membres des AA. Quelques-uns m'ont ensuite montré ce qu'ils appelaient leur jeton de débutant, qui ressemblait exactement à celui-là, dit-elle en indiquant le sac qu'avait repris l'agente Lacoste. La personne qui l'a laissé tomber est membre des AA.

– Je comprends ce que vous voulez dire, au sujet de Ruth, dit Beauvoir.

Après avoir remercié Clara et Myrna, Gamache les regarda retourner à la maison pour rejoindre les autres.

Beauvoir et Lacoste s'étaient mis à parler entre eux, à comparer leurs notes et les informations recueillies. L'inspecteur Beauvoir allait donner des instructions à sa collègue, Gamache le savait, lui suggérerait des pistes à explorer pendant qu'eux deux seraient à Montréal.

Le chef se promena dans le jardin. Un mystère était élucidé. L'objet trouvé était un jeton d'un membre débutant des AA.

Mais qui l'avait laissé échapper? Lillian Dyson quand elle était tombée? Cependant, même si c'était le cas, sa petite expérience venait de démontrer que le jeton serait resté à la surface. Les enquêteurs l'auraient vu immédiatement.

Était-ce le meurtrier qui l'avait perdu? Mais, s'il s'apprêtait à briser le cou de sa victime avec ses mains, il n'aurait pas tenu un jeton dans l'une d'elles. De plus, le résultat de l'expérience s'appliquait aussi dans le cas du tueur. S'il avait laissé tomber le jeton, pourquoi ne l'avait-on pas découvert? Comment s'était-il retrouvé enfoui?

L'inspecteur-chef s'immobilisa dans le jardin ensoleillé et imagina un meurtre. Quelqu'un qui s'approchait en catimini de Lillian Dyson dans l'obscurité, lui agrippait le cou, puis le tordait. Rapidement. Avant qu'elle puisse crier ou se débattre.

Mais elle aurait fait quelque chose. Elle aurait battu l'air de ses bras, ne serait-ce qu'un instant.

Gamache se rendit alors compte qu'il avait commis une erreur.

Il revint vers la platebande et appela Beauvoir et Lacoste, qui le rejoignirent aussitôt.

De sa poche, il tira de nouveau la pièce de un dollar. Il la lança ensuite dans les airs et la regarda retomber vers la terre fraîchement retournée, rester un moment sur le dessus d'une motte, puis glisser et disparaître, enfouie par la terre qui s'émiettait.

— Mon Dieu, s'exclama Lacoste, elle s'est bel et bien enfoncée dans le sol. C'est ce qui se serait passé?

— Je crois, oui, répondit le chef en regardant Lacoste ramasser la pièce de monnaie et la lui remettre. Tout à l'heure, quand j'ai essayé de comprendre ce qui avait pu se produire, j'étais à genoux, près du sol. Mais si le jeton était tombé au cours du meurtre, ç'aurait été de plus haut. La personne qui le tenait aurait été en position debout. De plus, il serait tombé avec plus de force. À mon avis, quand le meurtrier l'a empoignée par le cou, Lillian Dyson a dû lever les bras en une sorte de spasme violent, et le jeton a été projeté plus loin. Dans ce cas, il aurait heurté le sol avec suffisamment de force pour déplacer la terre ameublie.

— Voilà comment il a été enterré et pourquoi nous ne l'avons pas vu, dit l'agente Lacoste.

— Oui, répondit Gamache en se tournant pour partir. Et cela signifie donc que Lillian Dyson le tenait dans sa main. Mais pourquoi se trouvait-elle dans ce jardin avec un jeton des AA dans la main?

Beauvoir, cependant, soupçonnait que le chef devait penser à autre chose, aussi. Que son adjoint s'était lamentablement planté. C'est lui qui aurait dû voir le jeton, et non quatre folles en train de rendre un culte à un bâton. Une telle révélation en cour n'allait pas faire bonne impression. La réputation de toute l'équipe en pâtirait.

Les femmes étaient parties, les policiers de la Sûreté étaient partis. Tout le monde était parti et maintenant Peter et Clara étaient enfin seuls.

Peter prit sa femme dans ses bras et, la serrant fort, murmura :

— J'ai attendu toute la journée de pouvoir faire ça. J'ai entendu parler des critiques. Elles sont formidables. Félicitations.

— C'est vrai qu'elles sont bonnes, n'est-ce pas ? Youpi ! Je peux à peine y croire.

— Tu veux rire ?

Il relâcha son étreinte et traversa la cuisine à grands pas.

— Je n'ai jamais eu le moindre doute.

— Allons donc, dit Clara en riant. Tu n'aimes même pas mes tableaux.

— Mais bien sûr que si.

— Et qu'est-ce qui te plaît, en particulier ? demanda Clara pour le taquiner.

— Eh bien, ils sont jolis. Et tu as recouvert de peinture presque tous les numéros.

Après avoir fouillé dans le réfrigérateur, il se retourna avec une bouteille de champagne dans la main.

— Mon père m'a donné cette bouteille le jour de mon vingt et unième anniversaire, en me disant de l'ouvrir quand je connaîtrais un énorme succès. Pour trinquer à ma réussite. (Il retira le papier alu autour du bouchon.) Je l'ai mise au frigo hier avant notre départ, pour qu'on puisse te porter un toast.

— Non, Peter, attends. On devrait la conserver.

— Pourquoi ? Pour le jour où j'aurai moi aussi une exposition solo ? Nous savons tous les deux que cela n'arrivera jamais.

— Mais oui, voyons. Si ça m'est arrivé, à moi, ça…

— Ça peut arriver à n'importe qui ?

— Tu sais ce que je veux dire. Je crois réellement qu'on devrait attendre…

Le bouchon sauta.

— Trop tard, dit Peter avec un large sourire. Quelqu'un nous a appelés pendant que tu étais sortie.

En faisant bien attention, il versa le champagne dans les flûtes.

— Qui?

— André Castonguay.

Peter tendit un verre à Clara. Il y aurait bien assez de temps, plus tard, pour lui parler de tous les autres appels.

— Vraiment? Que voulait-il?

— Il voulait te parler. Nous parler. À tous les deux. *Cheers!*

Il inclina son verre et le choqua contre celui de Clara.

— Et félicitations.

— Merci. Veux-tu le rencontrer?

Le verre de Clara semblait flotter dans les airs. Il était tout près de ses lèvres, mais ne les touchait pas. Elle sentait sur son nez le joyeux pétillement des bulles du champagne, enfin libérées. Comme elle, elles avaient attendu ce moment durant des années, des décennies.

— Seulement si toi, tu le veux, répondit Peter.

— Est-ce qu'on pourrait attendre? Laisser tout ça retomber un peu?

— Comme tu voudras.

Elle perçut cependant de la déception dans sa voix.

— Si ça te tient vraiment à cœur, Peter, on peut le rencontrer. Pourquoi pas? Il est ici, aussi bien en profiter.

— Non, non, ce n'est pas important, répondit Peter en lui souriant. Si ses intentions sont sérieuses, il attendra. C'est à ton tour de briller, Clara. Et ni la mort de Lillian ni André Castonguay ne peuvent t'enlever ce moment de gloire.

D'autres bulles éclatèrent, et Clara se demanda si elles le faisaient d'elles-mêmes ou si elles avaient été piquées par de minuscules aiguilles, presque invisibles, comme celle que venait d'utiliser Peter en lui rappelant, alors même qu'ils trinquaient à son succès, le meurtre commis dans leur jardin.

Elle leva le pied de son verre et sentit le vin sur ses lèvres. Mais par-dessus la flûte elle regardait Peter, qui lui parut soudain avoir moins de «consistance». Être un peu creux. Comme s'il était lui-même une bulle. Qui flottait dans l'air, se dissipait.

«*J'ai toujours été bien trop loin toute ma vie*, pensa-t-elle en prenant une gorgée. *Et je ne faisais pas bonjour je me noyais.*»

Mais quels étaient les vers avant ceux-là?

Clara déposa lentement son verre sur le comptoir. Peter avait avalé une grande gorgée de champagne. Une lampée, plus exactement. Il l'avait engloutie d'un trait, en produisant un son guttural, si mâle, presque agressif.

Personne ne l'entendait, le mort,
Mais il gémissait encore.

«Voilà les vers», pensa Clara en regardant Peter.

Le champagne laissa dans sa bouche un goût acide. Il s'était aigri des années auparavant. Pourtant, Peter, qui en avait pris une grosse gorgée, souriait.

Comme si tout était bien.

Quand était-il mort? se demanda Clara. Et pourquoi ne s'en était-elle pas rendu compte?

— Non, je comprends, dit l'inspecteur Beauvoir.

L'inspecteur-chef tourna la tête vers son adjoint assis à la place du conducteur, les yeux braqués droit devant tandis qu'ils s'approchaient du pont Champlain menant à Montréal. Le visage de Beauvoir était placide, détendu. Inexpressif.

Mais il avait les mains crispées sur le volant.

— Pour que l'agente Lacoste puisse monter en grade et devenir inspectrice, je dois voir comment elle se débrouillerait avec de nouvelles responsabilités. Voilà pourquoi je lui ai confié le dossier.

Gamache n'était pas tenu d'expliquer ses décisions, mais il choisissait de le faire. Les gens avec qui il travaillait n'étaient pas des enfants, mais des adultes intelligents et sérieux. S'il ne voulait pas qu'ils se comportent comme des enfants, il ne devait pas les traiter comme tels. Il voulait des collaborateurs autonomes, capables de penser par eux-mêmes, et c'est ce qu'il avait. Ces hommes et ces femmes avaient acquis le droit de savoir pourquoi une décision était prise.

— Il s'agit simplement de donner un peu plus de pouvoir à l'agente Lacoste, c'est tout. Vous êtes toujours responsable de l'enquête. Elle le comprend, et je veux que vous le compreniez aussi, pour qu'il n'y ait aucun malentendu.

— Je comprends. J'aurais seulement aimé que vous m'en parliez avant.

— Vous avez raison, j'aurais dû le faire. Je suis désolé. En fait, je me disais que c'était logique que vous supervisiez l'agente Lacoste. Que vous lui serviez de mentor. Si elle monte en grade et devient votre adjointe, vous allez devoir la former.

Beauvoir hocha la tête et desserra sa poigne sur le volant. Pendant quelques minutes, ils discutèrent de l'affaire, ainsi que des forces et des faiblesses de Lacoste, puis se turent.

Tandis que Gamache regardait se rapprocher l'élégante structure du pont qui enjambait le fleuve Saint-Laurent, son esprit était ailleurs. Il pensait à quelque chose auquel il réfléchissait depuis un moment déjà.

— Il y a autre chose.

— Ah? fit Beauvoir en jetant un coup d'œil à son patron.

Gamache avait eu l'intention d'aborder le sujet avec Beauvoir à un autre moment, de lui parler tranquillement au cours du souper ce soir-là, ou d'une promenade sur le mont Royal, et non pendant qu'ils fonçaient sur l'autoroute à cent vingt kilomètres à l'heure.

Mais une occasion venait de se présenter et Gamache la saisit.

— Nous devons parler de comment vous allez. Il y a quelque chose qui ne va pas. Vous n'allez pas mieux, n'est-ce pas?

Ce n'était pas réellement une question, plutôt une affirmation.

— Je suis désolé, à propos de l'incident du jeton. C'était stupide…

170

– Je ne parle pas du jeton. Vous avez fait une erreur, tout simplement. Ça arrive. Il est bien possible que j'en aie commis quelques-unes dans ma vie.

Il vit Beauvoir sourire.

– Alors de quoi parlez-vous, monsieur?

– Des analgésiques. Pourquoi en prenez-vous encore?

Il y eut un lourd silence dans l'auto tandis que le Québec défilait à vive allure de chaque côté des fenêtres.

– Comment savez-vous ça? demanda enfin Beauvoir.

– Je le soupçonnais. Vous en avez toujours avec vous, dans la poche de votre veste.

– Avez-vous regardé? demanda Beauvoir, la voix tendue.

– Non. Mais je vous ai observé.

Et il le fit encore une fois. Son adjoint avait toujours été si leste, si énergique. Impudent. Il était plein de vie et plein de lui-même. Parfois, ça énervait Gamache. Mais la plupart du temps il avait observé la vitalité de Beauvoir avec plaisir et un certain amusement, tandis que Jean-Guy fonçait tête baissée dans la vie.

Maintenant, cependant, le jeune homme semblait épuisé. Morose. Comme si affronter chaque journée exigeait de lui de gros efforts. Comme s'il traînait une enclume derrière lui.

– Ne vous en faites pas, ça ira, dit Beauvoir.

Se rendant compte à quel point ces mots étaient creux, il ajouta:

– Le médecin et les thérapeutes disent que je vais bien. Chaque jour je me sens mieux.

Armand Gamache n'avait pas envie de poursuivre cette conversation, mais il le devait.

– Vos blessures vous font encore souffrir.

Encore une fois, il ne s'agissait pas d'une question.

– Ça prend du temps, c'est tout, répondit Beauvoir en jetant un regard au chef. Je me sens réellement mieux, tout le temps.

Mais il ne paraissait pas aller mieux. Et Gamache était inquiet.

L'inspecteur-chef garda le silence. Lui-même n'avait jamais été en meilleure forme, ou, du moins, pas depuis des années. Il marchait plus souvent, maintenant, et grâce à la physiothérapie il avait recouvré sa force et sa souplesse. Il allait à la salle de gym du quartier général de la Sûreté trois fois par semaine. Au début, il avait trouvé ça humiliant, quand il avait de la difficulté à soulever des poids à peine plus gros que des beignes au miel, ou à rester sur l'exerciseur elliptique plus de quelques minutes.

Mais il avait persévéré, encore et encore. Et, lentement, non seulement sa force était-elle revenue, mais il en avait plus maintenant qu'avant l'attaque au cours de laquelle il avait été blessé.

Il éprouvait encore quelques problèmes physiques. Sa main droite tremblait quand il était fatigué ou particulièrement stressé. Et il se sentait courbaturé au réveil ou lorsqu'il se levait après avoir été assis trop longtemps. Ce type de douleurs, cependant, n'était rien comparé à la douleur morale qui l'accablait tous les jours.

Il y avait de bons jours. D'autres, comme celui-ci, ne l'étaient pas.

Il avait soupçonné que Jean-Guy avait de la difficulté à se rétablir, et, il le savait bien, le chemin de la guérison n'était jamais une ligne droite. Mais l'état de Beauvoir semblait se détériorer de plus en plus.

— Puis-je faire quelque chose? demanda-t-il. Avez-vous besoin d'un congé pour vous concentrer sur votre santé? Je sais que Daniel et Roslyn seraient très heureux si vous alliez leur rendre visite à Paris. Ça vous ferait peut-être du bien.

Beauvoir rit.

— Vous voulez ma mort?

Gamache sourit. Il était difficile d'imaginer ce qui pourrait gâcher un voyage à Paris, mais une semaine dans un petit appartement avec son fils, sa belle-fille et leurs deux jeunes enfants y parviendrait peut-être. Reine-Marie et lui louaient un appartement non loin, maintenant, lorsqu'ils leur rendaient visite.

— Merci, patron. Je préfère traquer des meurtriers sans pitié.

Gamache rit. De l'autre côté du fleuve, la silhouette de Montréal se découpait dans le ciel. Et le mont Royal se dressait au milieu de la ville. L'énorme croix au sommet était invisible à cette heure, mais chaque soir elle apparaissait, illuminée comme un phare pour une population qui ne croyait plus en la religion, mais croyait à la famille et aux amis, à la culture et à l'humanité.

Ça ne semblait pas déranger la croix, qui continuait de briller tout autant.

— La séparation d'avec Enid n'a pas dû aider, dit le chef.

— Au contraire, en fait.

Beauvoir ralentit en raison de la circulation sur le pont. À côté de lui, Gamache contemplait le panorama urbain, comme il le faisait toujours. Mais, maintenant, le chef se tournait pour le regarder, lui.

— Comment cela a-t-il aidé?

— C'est un soulagement. Je me sens libre. Je suis désolé que notre séparation ait fait du mal à Enid, mais c'est une des meilleures choses qui aient découlé de ce qui est arrivé.

— En quel sens?

— J'ai l'impression de bénéficier d'une seconde chance. Plusieurs autres sont morts, mais pas moi. En faisant le point sur ma vie, je me suis rendu compte combien malheureux j'étais. Et la situation n'allait pas s'améliorer. Ce n'est pas la faute d'Enid, mais nous n'étions pas vraiment faits l'un pour l'autre. Mais j'avais peur de changer, de reconnaître que j'avais commis une erreur. Peur de faire de la peine à Enid. D'un autre côté, je n'en pouvais plus. D'avoir survécu à la fusillade m'a donné le courage de faire ce que j'aurais dû faire il y a des années.

— Le courage de changer.

— Pardon?

— C'est tiré de la prière sur le jeton, dit Gamache.

— Oui, c'est probablement ça. Quoi qu'il en soit, je voyais bien que la vie qui s'étalait devant moi empirerait constamment. Comprenez-moi bien, Enid est merveilleuse…

— Reine-Marie et moi l'avons toujours aimée. Beaucoup.

— Et elle vous aime tous les deux, vous le savez. Mais ce n'est pas la femme pour moi.

— Savez-vous laquelle l'est?

— Non.

Beauvoir jeta un coup d'œil au chef. L'air pensif, Gamache regardait par le pare-brise, puis il se tourna vers Beauvoir.

– Vous le saurez un jour.

Beauvoir hocha la tête, plongé dans ses pensées. Puis finalement, il parla.

– Qu'auriez-vous fait, monsieur, si vous aviez été marié avec une autre femme quand vous avez rencontré Mme Gamache?

Gamache fixa Beauvoir de son regard perçant.

– Je croyais que vous aviez dit que vous n'aviez pas rencontré la femme de votre vie.

Beauvoir hésita avant de répondre. Il avait ouvert une porte et Gamache en avait profité. Et maintenant il le regardait, attendant une réponse. Et Beauvoir faillit lui dire la vérité, faillit tout lui révéler. Il aurait tant voulu mettre son cœur à nu, se confier à cet homme. Comme il l'avait fait au sujet de tout le reste dans sa vie. Il lui avait parlé de son mariage malheureux avec Enid, de sa propre famille, de ce qu'il voulait et ne voulait pas.

Jean-Guy Beauvoir avait une confiance totale en Gamache.

Il ouvrit la bouche, les mots prêts à sortir. Comme si une pierre avait été roulée et que ces mots miraculeux s'apprêtaient à surgir, à apparaître au grand jour :

« J'aime votre fille. J'aime Annie. »

À côté de lui, l'inspecteur-chef Gamache attendait, comme s'il avait tout son temps. Comme si rien n'avait plus d'importance que la vie personnelle de Beauvoir.

La ville, avec sa croix invisible, se rapprochait de plus en plus. Puis, ils furent arrivés de l'autre côté du pont.

– Je n'ai pas encore rencontré quelqu'un, dit Beauvoir. Mais je veux être prêt. Je ne peux pas être marié. Si j'étais encore avec Enid, ce ne serait pas juste pour elle.

Gamache demeura silencieux un moment.

– Ce ne serait pas juste, non plus, pour le mari de celle avec qui vous auriez une liaison.

Ce n'était pas un reproche. Pas même une mise en garde. Beauvoir sut alors que, si l'inspecteur-chef avait eu des soupçons, il aurait dit quelque chose. Il ne se livrerait pas à un petit jeu avec Beauvoir, comme lui-même le faisait avec Gamache.

Non, il ne s'agissait pas d'un jeu. Ce n'était pas non plus un secret, pas réellement. C'était seulement un sentiment, un désir. Inassouvi. Inexprimé.

« J'aime votre fille, monsieur. »

Ces mots, cependant, furent eux aussi ravalés. Renvoyés dans l'obscurité, avec toutes les autres choses non dites.

Ils trouvèrent l'immeuble d'appartements dans le quartier Notre-Dame-de-Grâce. Trapu et gris, il aurait pu être conçu par des architectes soviétiques dans les années soixante.

Le gazon avait été blanchi par l'urine de chien et il y avait des crottes un peu partout. Les platebandes étaient envahies par les mauvaises herbes et des arbustes rabougris. L'allée en béton menant à la porte était fissurée et se soulevait par endroits.

À l'intérieur, ça sentait l'urine et on entendait les échos lointains de portes claquées et de gens qui s'engueulaient.

M. et Mme Dyson habitaient au dernier étage. La rampe de l'escalier en béton était collante, et Beauvoir retira rapidement sa main.

Gamache et lui montèrent jusqu'au troisième étage, sans s'arrêter pour reprendre leur souffle, mais sans se presser non plus. Ils gravirent l'escalier à pas mesurés. Arrivés en haut, ils trouvèrent la porte de l'appartement des Dyson.

L'inspecteur-chef Gamache leva la main, puis interrompit son geste.

Pour accorder aux Dyson encore une seconde de paix avant de détruire leur vie? Ou pour s'accorder encore un moment avant de se trouver face à face avec eux?

Toc, toc, toc.

La porte s'entrebâilla, laissant voir un visage craintif derrière la chaîne de sûreté.

– *Yes?*

– Madame Dyson? Je suis Armand Gamache, de la Sûreté du Québec.

Il avait déjà sorti sa carte d'identité et la lui montra. La femme baissa les yeux pour la regarder, puis les releva.

— Et voici mon collègue, l'inspecteur Beauvoir. Nous aimerions vous parler.

La femme au visage mince parut soulagée. Combien de fois avait-elle entrouvert la porte, pour voir des jeunes se moquer d'elle? Pour voir le propriétaire exiger le loyer? Pour voir la méchanceté prendre forme humaine?

Mais pas cette fois. Ces hommes étaient des policiers de la Sûreté. Ils ne lui feraient aucun mal. Elle appartenait à une génération qui y croyait encore. Ça se lisait sur son visage las.

La porte fut refermée, la chaîne retirée, puis la porte s'ouvrit de nouveau.

Mme Dyson était menue. Dans un fauteuil était assis un homme qui avait l'air d'une marionnette. Petit, raide, affaissé sur lui-même. Il fit un effort pour se lever, mais Gamache se dirigea rapidement vers lui.

— Non, je vous en prie, monsieur Dyson, restez assis.

Ils se serrèrent la main et Gamache se présenta de nouveau, en parlant lentement, clairement, plus fort que d'habitude.

— Aimeriez-vous du thé? demanda Mme Dyson.

«Oh non, non, non», pensa Beauvoir. L'appartement sentait le liniment et un peu l'urine.

— Oui, s'il vous plaît. C'est très gentil de votre part. Merci. Puis-je vous aider?

Gamache la suivit dans la cuisine, laissant Beauvoir seul avec le pantin. Il essaya d'engager la conversation, mais ne sut plus quoi dire après avoir fait un commentaire sur le temps qu'il faisait.

— Bel appartement, dit-il enfin, et M. Dyson le regarda comme s'il était un idiot.

Beauvoir promena son regard sur les murs. Il y avait un crucifix au-dessus de la table de la salle à manger, et un Jésus souriant entouré de lumière. Mais le reste des murs étaient couverts de photos d'une seule personne, leur fille, Lillian. Sa vie rayonnait à partir du Jésus souriant. Ses photos de bébé étaient les plus près de lui, puis la fillette vieillissait au fur et à mesure que les photos faisaient le tour des murs, parfois seules, parfois regroupées. Les parents aussi vieillissaient au fil du passage du temps. On voyait d'abord un jeune couple au visage radieux tenant sa première-née, son seul enfant, devant une jolie petite maison. Puis venaient le premier Noël et de joyeuses fêtes d'anniversaire.

Beauvoir parcourut les murs à la recherche d'une photo de Lillian et Clara, mais se rendit ensuite compte que, si une telle photo y avait déjà été accrochée, elle avait sûrement été retirée longtemps auparavant.

Il y avait des photos montrant une petite fille à la chevelure flamboyante et au sourire édenté qui tenait dans ses bras un énorme chien en peluche, ou debout à côté d'une bicyclette ornée d'une grosse boucle. Des jouets, des cadeaux : tout ce qu'une petite fille pouvait désirer.

Et de l'amour. Non, pas seulement de l'amour. De l'adoration. Lillian avait été une enfant, une femme adorée.

Beauvoir sentit quelque chose remuer à l'intérieur de lui. Quelque chose qui semblait s'être insinué en lui lorsqu'il gisait dans son sang sur le plancher de l'usine.

Du chagrin.

Depuis ce moment, pour lui, la mort n'avait plus été la même, ni, en fait, la vie.

Il n'aimait pas ça.

Il essaya de se rappeler Lillian Dyson telle qu'elle était quarante ans après qu'avait été prise la photo où on la voyait à côté du vélo. Trop maquillée, ses cheveux teints couleur paille. Vêtue d'une robe tape-à-l'œil d'un rouge vif. Presque une caricature, une imitation grotesque d'une personne.

Mais Beauvoir avait beau essayer, c'était trop tard. Il la voyait maintenant sous les traits d'une jeune fille. Adorée. Sûre d'elle. Prête à voler de ses propres ailes, à découvrir le monde. Ses parents, cependant, savaient qu'il fallait garder le monde à l'extérieur, avec des chaînes.

Malgré tout, ils avaient entrouvert la porte, et l'entrebâillement avait été suffisant. Si quelque chose de méchant, malveillant, aux intentions meurtrières attendait de l'autre côté, un entrebâillement était tout ce qu'il lui fallait.

– Bon, dit la voix du chef derrière Beauvoir, qui se retourna pour voir Gamache apportant sur un plateau en fer-blanc une théière, du lait, du sucre et des tasses en porcelaine. Où aimeriez-vous que je dépose ça ?

Son ton était chaleureux, amical. Mais pas jovial. Le chef ne voulait pas induire les Dyson en erreur, leur donner l'impression que Beauvoir et lui étaient venus leur annoncer une merveilleuse nouvelle.

– Ici, s'il vous plaît.

Mme Dyson se dépêcha pour aller enlever le guide télé et la télécommande sur une table en similibois à côté du canapé, mais Beauvoir arriva le premier, les prit et les lui tendit.

Elle croisa son regard et sourit. Il ne s'agissait pas d'un large sourire, mais d'une version plus douce, plus triste de celui de sa fille. Beauvoir savait, maintenant, d'où venait le sourire de Lillian.

Et il avait le sentiment que ces deux personnes âgées savaient pourquoi Gamache et lui étaient là. Elles ne se doutaient probablement pas de la nouvelle exacte, que leur fille était morte, avait été assassinée, mais la façon dont Mme Dyson venait de regarder Beauvoir lui révélait qu'elle savait que quelque chose n'allait pas.

Et malgré tout elle se montrait gentille. Ou essayait-elle simplement de tenir la nouvelle à distance, quelle qu'elle soit, d'empêcher les deux policiers de parler pendant une précieuse minute de plus ?

– Un peu de lait et de sucre ? demanda-t-elle à la marionnette.

M. Dyson s'avança dans son fauteuil.

– C'est une grande occasion, dit-il en faisant mine de confier un secret à leurs visiteurs. Habituellement, elle n'offre pas de lait.

Beauvoir en eut le cœur brisé. Ces deux retraités, pensa-t-il, n'avaient probablement pas les moyens d'acheter beaucoup de lait, mais le peu qu'ils avaient, ils l'offraient maintenant à leurs invités.

– Ça me donne des gaz, expliqua le vieil homme.

– Allons, papa, dit Mme Dyson en tendant au chef une tasse avec sa soucoupe pour qu'il la donne à son mari.

Elle aussi fit semblant de faire une confidence aux deux policiers.

– C'est vrai. Selon moi, il faut compter environ vingt minutes après la première gorgée.

Lorsqu'ils furent tous assis, une tasse à la main, l'inspecteur-chef prit une gorgée, puis déposa la délicate tasse en porcelaine sur sa soucoupe et se pencha vers le couple âgé. Mme Dyson tendit le bras et saisit la main de son mari.

Après cette journée, continuerait-elle de l'appeler «papa»? se demanda Beauvoir. Ou venait-elle de le faire pour la dernière fois? Est-ce que ce serait trop pénible, dorénavant? Ce devait être ainsi que l'appelait Lillian.

Serait-il encore un père, même s'il n'y avait plus d'enfant?

– J'ai une très mauvaise nouvelle, dit le chef. À propos de votre fille, Lillian.

Il les regarda dans les yeux et vit leur vie changer. Ce moment marquerait le reste de leur existence. Il y aurait l'époque avant la nouvelle et l'époque après la nouvelle. Deux périodes, deux vies complètement différentes.

– Malheureusement, elle est morte.

Il utilisait des phrases courtes, déclaratives, et parlait d'une voix calme, grave. Nette. Il devait les informer rapidement, sans faire traîner les choses. Et clairement. Il ne devait y avoir aucun doute possible.

– Je ne comprends pas, dit Mme Dyson.

Dans ses yeux, cependant, on voyait bien qu'elle comprenait parfaitement. Elle était terrifiée. Le monstre que toute mère craignait s'était faufilé à l'intérieur par l'entrebâillement de la porte. Il avait emporté son enfant, et était maintenant assis dans sa salle de séjour.

Mme Dyson se tourna vers son mari, qui essayait péniblement de s'avancer encore plus dans son fauteuil, peut-être de se lever. Pour affronter cette nouvelle, ces mots. Pour les faire battre en retraite, les chasser de son séjour, de sa maison, loin de sa porte. Pour s'attaquer à ces paroles jusqu'à ce qu'elles ne soient plus que des mensonges.

Mais il en était incapable.

– Il y a plus, reprit l'inspecteur-chef, sans cesser de les regarder dans les yeux. Lillian a été assassinée.

– Oh mon Dieu, non! s'exclama la mère de Lillian.

Elle plaqua sa main devant sa bouche, puis la laissa glisser sur sa poitrine, sur son cœur, où elle resta appuyée, inerte.

Le mari et la femme fixaient Gamache, et lui les regardait.

– Je suis vraiment désolé de vous apprendre une telle nouvelle, dit-il.

Ces paroles apportaient peu de réconfort, il le savait, mais ne pas les prononcer aurait été pire encore.

M. et Mme Dyson n'étaient plus là, maintenant. Ils étaient rendus sur le continent où vivent les parents en deuil. Cet endroit ressemble au reste du monde, mais ne l'est pas. Les couleurs sont fades, délavées. La musique est seulement des notes. Les livres n'émeuvent pas, ne réconfortent pas, du moins pas complètement. La nourriture ne sert qu'à s'alimenter, guère plus. Chaque respiration est un soupir.

Et les gens qui s'y trouvent savent quelque chose que les autres ignorent. Ils savent à quel point le reste du monde a de la chance.

– Comment? murmura Mme Dyson.

Son mari, lui, était furieux, si fou de colère qu'il était incapable de parler. Mais son visage était contorsionné et ses yeux lançaient des éclairs. À Gamache.

– On lui a brisé le cou, répondit le chef. La mort a été instantanée. Elle ne l'a même pas vue venir.

– Pourquoi? demanda Mme Dyson. Pourquoi quelqu'un aurait-il voulu tuer Lillian?

– Nous ne le savons pas. Mais nous découvrirons qui a fait ça.

Gamache colla ses larges mains l'une contre l'autre pour former une coupe et les approcha de la vieille femme, comme s'il lui faisait une offrande.

Jean-Guy Beauvoir remarqua le tremblotement de la main droite du chef. Un tremblement à peine perceptible.

Ça aussi, c'était nouveau, depuis la fusillade dans l'usine.

Mᵐᵉ Dyson laissa tomber sa petite main de sa poitrine dans les mains de Gamache, qui les referma et tint la sienne comme s'il s'agissait d'un moineau.

Il ne dit rien, et elle non plus.

Ils resteraient assis là en silence le temps qu'il faudrait.

Beauvoir regarda M. Dyson. Sa rage s'était transformée en désarroi. Autrefois un homme d'action, il était maintenant prisonnier d'un fauteuil, incapable de sauver sa fille, incapable de réconforter sa femme.

Beauvoir se leva et offrit ses bras au vieil homme. M. Dyson les regarda, puis s'y agrippa. Beauvoir l'aida à se lever et le soutint pendant qu'il se tournait vers sa femme, et lui tendait les bras.

Elle se leva à son tour et vint s'y réfugier.

Ils s'étreignirent et se soutinrent l'un l'autre pour ne pas tomber. Et pleurèrent.

Après un moment, ils se séparèrent.

Beauvoir avait trouvé des papiers-mouchoirs et leur en donna une poignée. Quand il les jugea prêts à lui répondre, Gamache leur posa des questions.

– Lillian a vécu à New York durant de nombreuses années. Pouvez-vous nous parler de sa vie là-bas ?

– Elle était une artiste, dit son père. Une merveilleuse artiste. Nous ne lui rendions pas visite souvent, mais elle venait nous voir tous les deux ans environ.

Gamache trouva la réponse vague. Elle lui sembla une exagération.

– Elle réussissait à gagner sa vie comme artiste ? demanda-t-il.

– Absolument, répondit Mᵐᵉ Dyson. Elle réussissait très bien.

– Elle était mariée, à un moment donné ? demanda le chef.

– Son mari s'appelait Morgan, dit Mᵐᵉ Dyson.

– Non, pas Morgan, dit son mari. Mais presque. Madison.

– Oui, c'est ça. C'était il y a des années, et le mariage n'a pas duré longtemps. Nous ne l'avons jamais rencontré, mais ce n'était pas quelqu'un de bien. Il buvait. Il a complètement séduit la pauvre Lillian. Il était très charmant, mais les hommes comme ça le sont souvent.

Gamache vit Beauvoir sortir son calepin.

– Il buvait, avez-vous dit? Comment le savez-vous? demanda le chef.

– Lillian nous l'a dit. Elle l'a finalement flanqué dehors. Mais c'était il y a longtemps.

– Savez-vous s'il a arrêté de boire? S'il s'est joint aux Alcooliques anonymes?

Le couple parut perdu.

– Nous ne l'avons jamais rencontré, inspecteur-chef, répéta Mme Dyson. C'est possible qu'il l'ait fait, je suppose, avant qu'il meure.

– Il est mort? demanda Beauvoir. Savez-vous quand?

– Oh, il y a quelques années, maintenant. C'est probablement la boisson qui l'a tué.

– Votre fille vous parlait-elle de ses amis?

– Elle avait beaucoup d'amis. Nous nous parlions une fois par semaine et, d'après ce qu'elle disait, elle était continuellement invitée à des fêtes ou à des vernissages.

– A-t-elle mentionné le nom de certains de ses amis? (M. et Mme Dyson secouèrent la tête.) A-t-elle fait allusion à une amie québécoise nommée Clara?

– Clara? C'était la meilleure amie de Lillian. Elles étaient inséparables. Clara venait souvent souper chez nous, quand nous avions la maison.

– Mais elles ne sont pas restées proches?

– Clara a volé quelques idées de Lillian. Puis elle l'a laissée tomber. Elle s'est servie d'elle et l'a rejetée dès qu'elle a eu ce qu'elle voulait. Ç'a profondément blessé Lillian.

– Pourquoi votre fille est-elle allée à New York? demanda Gamache.

– À Montréal, elle ne se sentait pas très appréciée par la communauté artistique. Les artistes n'étaient pas contents lorsqu'elle critiquait leurs œuvres, mais c'était son travail, après tout, en tant que critique. Elle voulait déménager dans un endroit où les artistes étaient plus raffinés.

– Vous a-t-elle parlé de quelqu'un en particulier? D'une personne qui aurait pu lui vouloir du mal?

— À cette époque-là ? Selon elle, tout le monde lui en voulait.

— Et plus récemment ? Quand est-elle revenue à Montréal ?

— Le 16 octobre, répondit M. Dyson.

— Vous connaissez la date exacte ? dit Gamache en se tournant vers lui.

— Vous vous en souviendriez aussi, si vous aviez une fille.

Le chef hocha la tête.

— Vous avez raison. En fait, j'ai une fille, moi aussi, et je me souviendrais en effet du jour de son retour à la maison.

Les deux hommes se regardèrent pendant un moment, puis Gamache demanda :

— Lillian vous a-t-elle dit pourquoi elle était revenue ?

Il fit un rapide calcul. Son retour remontait à environ huit mois. Peu après, elle avait acheté une voiture et avait commencé à visiter des expositions d'œuvres d'art dans la ville.

— Elle a seulement dit qu'elle avait le mal du pays et voulait revenir chez elle, dit Mme Dyson. Nous nous estimions les personnes les plus chanceuses de la terre.

Gamache fit une pause pour la laisser se ressaisir. Les deux policiers de la Sûreté savaient qu'après avoir annoncé la triste nouvelle à des êtres chers ils disposaient d'une courte période de temps avant que ceux-ci s'effondrent, avant que, une fois le choc absorbé, la douleur les assaille.

Ce moment approchait rapidement. Comme il restait très peu de temps, il fallait poser des questions pertinentes afin d'obtenir de l'information utile.

— Était-elle heureuse à Montréal, cette fois ? demanda Gamache.

— Je ne l'ai jamais vue aussi heureuse, répondit son père. Je pense qu'il y avait peut-être un homme dans sa vie. Nous avons abordé le sujet à quelques occasions, mais chaque fois elle a ri et nié que ce soit le cas. Mais je n'en suis pas si sûr.

— Pourquoi dites-vous cela ?

— Quand elle venait souper avec nous, elle repartait toujours tôt, dit Mme Dyson. Avant dix-neuf heures trente. Pour la taquiner, nous disions qu'elle avait rendez-vous avec un amoureux.

— Et que répondait-elle ?

– Elle se contentait de rire. Mais… (Elle sembla hésiter à poursuivre.) Il y avait quelque chose.

– Que voulez-vous dire?

Mme Dyson inspira profondément, comme si elle voulait pouvoir tenir le coup, assez longtemps pour aider ce policier. L'aider à trouver le meurtrier de leur fille.

– Je ne sais pas ce que je veux dire, mais elle n'avait jamais eu l'habitude de partir tôt, et soudain c'est ce qu'elle faisait. Mais elle ne voulait pas nous dire pourquoi.

– Votre fille buvait-elle?

– Si elle buvait? dit M. Dyson. Je ne comprends pas la question. Buvait quoi?

– De l'alcool. Sur les lieux du crime, nous avons trouvé un objet qui pourrait venir des Alcooliques anonymes. Savez-vous si votre fille était membre des AA?

– Lillian?

Mme Dyson paraissait stupéfaite.

– De toute ma vie, je ne l'ai jamais vue soûle. La plupart du temps, quand elle allait à des soirées arrosées, c'était elle, le conducteur désigné. Parfois elle prenait quelques verres, mais jamais beaucoup.

– Nous n'avons même pas d'alcool dans l'appartement, dit M. Dyson.

– Pourquoi? demanda Gamache.

– Ça ne nous intéresse tout simplement plus, répondit Mme Dyson. Nous dépensons notre pension de retraite pour acheter d'autres choses.

Gamache hocha la tête et se leva.

– Puis-je? demanda-t-il en indiquant les photos sur les murs.

– Mais bien sûr.

Mme Dyson se leva à son tour pour aller le rejoindre.

– Très joli, dit-il tandis qu'ils regardaient les photographies.

À mesure qu'ils faisaient le tour de la modeste pièce, Lillian vieillissait. La nouveau-née tendrement chérie devenait une adolescente adorée, puis une belle jeune femme à la chevelure d'une couleur rappelant un coucher de soleil.

— Votre fille a été trouvée dans un jardin, dit Gamache en essayant de donner l'information de manière pas trop macabre. Le jardin de son amie Clara.

Mme Dyson s'immobilisa et fixa l'inspecteur-chef.

— Clara? Mais c'est impossible. Lillian ne serait jamais allée chez elle. Elle aurait préféré rencontrer le diable plutôt que de rencontrer cette femme.

— Avez-vous dit que Lillian a été tuée chez Clara? demanda M. Dyson.

— Oui. Dans sa cour arrière.

— Vous savez donc qui a tué notre fille. L'avez-vous arrêtée?

— Non, répondit Gamache. Il y a d'autres possibilités. Votre fille a-t-elle parlé d'autres personnes depuis son retour à Montréal? De quelqu'un qui aurait pu lui vouloir du mal?

— Personne d'aussi évident que Clara, répliqua sèchement M. Dyson.

— Je sais que ceci est difficile pour vous, dit Gamache doucement, calmement.

Il attendit un peu avant de poursuivre.

— Mais j'aimerais que vous réfléchissiez à ma question. C'est très important. Lillian a-t-elle parlé de quelqu'un d'autre, d'une personne avec qui elle aurait eu des problèmes récemment?

— Non, elle n'a mentionné personne, répondit Mme Dyson après un moment. Comme nous l'avons dit, elle n'avait jamais paru plus heureuse.

L'inspecteur-chef Gamache et Beauvoir remercièrent les Dyson pour leur aide et chacun leur remit sa carte.

— Appelez-nous, s'il vous plaît, dit Gamache lorsqu'ils furent rendus à la porte, si vous vous rappelez quelque chose, ou si vous avez besoin de quoi que ce soit.

— À qui devons-nous parlé au sujet de..., commença Mme Dyson.

— J'enverrai quelqu'un qui pourra discuter avec vous des dispositions à prendre. Est-ce que ça vous va?

Ils hochèrent tous les deux la tête. M. Dyson s'était levé péniblement et, debout à côté de sa femme, regardait fixement

Gamache. Deux hommes, deux pères. Mais qui se trouvaient maintenant sur des continents différents.

Tandis que Beauvoir et lui redescendaient les marches, le bruit de leurs pas se répercutant sur les murs, Gamache se demanda comment la femme que Clara avait décrite pouvait être issue d'un tel couple.

Une femme détestable, jalouse, amère, méchante.

Mais, fallait-il reconnaître, les Dyson percevaient Clara de la même façon.

Cela donnait matière à réflexion.

Mme Dyson avait été certaine que jamais sa fille ne serait allée chez Clara. Pas intentionnellement.

Lillian Dyson pouvait-elle avoir été dupée, attirée à cet endroit sans qu'elle sache qu'il s'agissait de la maison de Clara ? Mais si c'était le cas, pourquoi l'avait-on tuée, et pourquoi là ?

10

Après avoir chassé tous les mauvais esprits du jardin, Dominique, Ruth et Myrna s'installèrent dans le loft de cette dernière pour boire une bière.

– Et alors, à votre avis, que signifie la présence de ce jeton dans le jardin ? demanda Dominique, confortablement calée dans le canapé.

– C'est une autre manifestation du mal, dit Ruth.

Les deux autres la regardèrent.

– Que veux-tu dire ? demanda Myrna.

– Les AA ? Une bande d'adorateurs de Satan. Une secte. Ils font de la manipulation mentale. Ce sont des démons. Ils détournent les gens du droit chemin.

– Qui est d'être alcoolique ? demanda Myrna en riant.

Ruth la dévisagea avec suspicion.

– Je ne m'attends pas à ce que la jardinière sorcière comprenne.

– Tu serais surprise de voir tout ce qu'on peut apprendre dans un jardin, dit Myrna. Et d'une sorcière.

Sur ces entrefaites, Clara arriva, paraissant légèrement troublée.

– Ça va ? demanda Dominique.

– Ça va. Peter avait mis du champagne au frais pour célébrer le succès de mon vernissage. C'était la première fois qu'on avait l'occasion de trinquer.

Elle alla au réfrigérateur, se versa un verre de thé glacé et vint rejoindre les autres femmes.

– C'était gentil de sa part, dit Dominique.

– Oui, oui.

Myrna fixa son amie, mais ne dit rien.

– De quoi parliez-vous? demanda Clara.

– Du corps dans ton jardin, répondit Ruth. As-tu oui ou non tué cette femme?

– OK. Je ne répéterai pas ce que je vais dire, alors j'espère que vous vous en souviendrez. Vous m'écoutez attentivement?

Elles hochèrent la tête, sauf Ruth.

– Ruth?

– Quoi?

– Tu as posé une question et je m'apprête à y répondre.

– Trop tard. Ça ne m'intéresse plus. Y a rien à manger?

– Ouvre grandes tes oreilles.

Clara les regarda les unes après les autres, puis d'une voix claire articula lentement:

– Je. N'ai. Pas. Tué. Lillian.

– As-tu un bout de papier? demanda Dominique. Je ne suis pas sûre de me rappeler tout ça.

Ruth rit.

– Bon, dit Myrna. Supposons qu'on te croie, pour le moment. Qui, alors, l'a assassinée?

– Certainement quelqu'un qui était à la fête, répondit Clara.

– Mais qui, Sherlock? demanda Myrna.

– Qui la détestait suffisamment pour la tuer? demanda Dominique.

– Quiconque faisait sa connaissance, répondit Clara.

– Ce n'est pas juste de dire ça, dit Myrna. Tu ne l'as pas vue depuis plus de vingt ans. Elle s'est peut-être montrée méchante seulement envers toi. Ça arrive, parfois. On déclenche quelque chose chez quelqu'un. On réveille en soi et chez l'autre les pires instincts.

– Pas Lillian, dit Clara. Elle était généreuse avec son mépris. Elle détestait tout le monde et tout le monde finissait par la détester. C'est comme tu l'as mentionné ce matin. La grenouille dans la casserole d'eau chaude. Elle avait augmenté la chaleur.

– Ce n'est pas une suggestion pour le souper, j'espère, dit Ruth, parce que c'est ce que j'ai mangé au petit-déjeuner.

Les autres la regardèrent. Elle sourit.

– C'était peut-être un œuf, en fin de compte.

Clara et Dominique se tournèrent vers Myrna.

– Et ce n'était peut-être pas une casserole, mais un verre, poursuivit Ruth. Maintenant que j'y pense, il ne s'agissait pas du tout d'un œuf.

Les trois femmes la regardèrent de nouveau.

– C'était du scotch.

Clara et Dominique se retournèrent vers Myrna, qui expliqua le phénomène psychologique.

– Je m'en suis toujours voulu, je crois, d'être restée si longtemps avec elle, dit Clara, de l'avoir laissée me blesser si profondément avant de la quitter. Plus jamais.

Myrna ne dit rien, et cela la surprit.

– Gamache doit me croire coupable, ajouta-t-elle après un silence. Je suis fichue.

– Je suis d'accord avec toi, dit Ruth.

– Mais pas du tout, dit Dominique. En fait, c'est tout le contraire.

– Que veux-tu dire ?

– Tu as quelque chose que l'inspecteur-chef n'a pas. Tu connais le milieu artistique et la plupart des gens qui étaient à la fête. Quelle est la plus importante question que tu te poses ?

– À part qui a tué Lillian ? Eh bien, que faisait-elle ici ?

– Parfait, répondit Dominique en se levant. Excellente question. Pourquoi ne la posons-nous pas ?

– À qui ?

– Aux invités encore à Three Pines.

Clara réfléchit un moment.

– Ça vaut la peine d'essayer.

– C'est une perte de temps, dit Ruth. Je crois encore que c'est toi qui l'as assassinée.

– Attention, la vieille, dit Clara. Tu es la prochaine.

L'équipe médicolégale rejoignit l'inspecteur-chef Gamache et l'inspecteur Beauvoir au logement de Lillian Dyson, à Montréal. Tandis que les techniciens relevaient les empreintes et prenaient des échantillons, Gamache et Beauvoir firent le tour des pièces.

Il s'agissait d'un appartement modeste au dernier étage d'un triplex. Le quartier Plateau-Mont-Royal ne comptait pas beaucoup de grands bâtiments, si bien que, même petit, le logement était très éclairé.

Sans tarder, Beauvoir se rendit à la pièce principale et se mit au travail. Mais Gamache s'immobilisa, cherchant à se laisser imprégner par l'atmosphère des lieux. Ça sentait le renfermé. Il se dégageait une odeur de peinture à l'huile et d'air confiné. Les meubles étaient vieux sans être vintage. Le genre que l'on trouvait à l'Armée du Salut, ou sur le bord du chemin.

Çà et là, des tapis ternes recouvraient les parquets. Certains artistes se soucient de la décoration de leur chez-soi, mais ce ne semblait pas être le cas de Lillian Dyson. Ce qui se trouvait à l'intérieur des murs ne paraissait pas avoir d'importance pour elle. En revanche, ce qui était accroché aux murs, oui.

Il y avait plein de tableaux. Lumineux, éblouissants. Pas dans le sens tape-à-l'œil, mais éblouissants de par leurs images. Les avait-elle achetés? D'un ami artiste à New York, peut-être?

Gamache se pencha pour voir la signature : Lillian Dyson.

Il recula d'un pas et fixa les toiles, stupéfié. Elles avaient été réalisées par la victime. Il alla d'une peinture à l'autre, regardant la signature et les dates pour s'en assurer. Mais il n'y avait aucun doute, elles étaient de la même personne. Le style était si affirmé, si original.

Toutes avaient été peintes par Lillian au cours des sept derniers mois.

Gamache n'avait jamais rien vu de tel.

Les couleurs étaient riches, vives. Les tableaux représentaient des paysages urbains, de Montréal, qui donnaient l'impression d'une forêt. Les édifices étaient hauts et penchés, comme de solides arbres poussant dans tous les sens. C'étaient les immeubles qui s'adaptaient à la nature, et non l'inverse. Lillian avait réussi à les rendre vivants, comme quelque chose qu'on aurait planté, arrosé et dont on aurait pris soin, et qui aurait surgi du béton. Quelque chose d'attrayant, comme l'est tout ce qui est vital.

L'univers de Lillian n'était pas paisible, mais pas menaçant non plus.

Gamache aimait les toiles. Énormément.

– Il y en a d'autres ici, lança Beauvoir en remarquant le chef planté devant les tableaux. La victime semble avoir transformé sa chambre à coucher en atelier.

L'inspecteur-chef passa à côté des techniciens plongés dans leur travail et rejoignit Beauvoir dans la petite chambre. La pièce contenait un lit à une place aux draps impeccablement remontés, poussé contre un mur, et une commode. Le reste de l'espace restreint était occupé par des toiles vierges adossées aux murs et des boîtes en métal dans lesquelles trempaient des pinceaux. Le sol était recouvert d'une bâche et l'air était chargé d'une odeur de peinture à l'huile et de produit nettoyant.

Gamache alla voir le tableau sur le chevalet.

Il n'était pas terminé. L'œuvre représentait une église d'un rouge vif, presque comme si elle était en feu. Mais elle ne l'était pas. Elle rutilait. À côté, des chemins serpentaient telles des rivières et des gens ondulaient comme des roseaux. Gamache ne connaissait aucun autre artiste qui peignait de cette façon. Comme si Lillian Dyson avait créé un tout nouveau mouvement artistique, comme l'avaient fait les cubistes, les impressionnistes, les peintres postmodernes et les expressionnistes abstraits.

Et maintenant il y avait ceci.

Il arrivait difficilement à détacher ses yeux de la toile. Lillian avait reproduit Montréal comme si la ville avait été créée non pas par l'homme, mais par la nature, et avait réussi à rendre toute la force, la puissance, la vigueur et la beauté de celle-ci. De même que son côté sauvage.

De toute évidence, elle avait fait des essais avant d'en arriver à ce style. Elle l'avait graduellement peaufiné. On le devinait déjà dans les tableaux plus anciens, exécutés sept mois plus tôt, mais il était encore au stade de développement. Puis, vers Noël, elle sembla avoir fait une percée, et le style fluide, audacieux prit sa forme définitive.

– Chef, regardez ceci.

L'inspecteur Beauvoir était près de la table de chevet, sur laquelle se trouvait un grand livre bleu. L'inspecteur-chef sortit un stylo de sa poche et l'utilisa pour ouvrir le livre à la page marquée d'un signet.

Une phrase était surlignée en jaune et on l'avait aussi soulignée. Presque avec violence.

– « L'alcoolique est comme un ouragan qui ravage la vie des autres sur son passage, lut Gamache. Il brise des cœurs, détruit de tendres relations, déracine des affections. »

Il laissa le livre se refermer. Sur la couverture bleu roi apparut, en gros caractères blancs, le titre *Les Alcooliques anonymes*.

– Eh bien, nous savons maintenant qui était membre des AA, dit Beauvoir.

– En effet. Je crois que nous devrions poser des questions à ces gens.

Lorsque l'équipe médicolégale eut terminé son travail, l'inspecteur-chef tendit à Beauvoir une des brochures rangées dans le tiroir. Les pages étaient écornées et sales. Visiblement, on l'avait consultée souvent. Beauvoir la feuilleta rapidement, puis revint à la page couverture.

Liste des réunions des Alcooliques anonymes.

Une rencontre devant avoir lieu dimanche soir était encerclée. Beauvoir pouvait imaginer ce que le chef et lui feraient à vingt heures ce soir-là.

Les quatre femmes formèrent des équipes de deux, croyant ainsi être plus en sécurité.

– De toute évidence, tu n'as pas vu beaucoup de films d'horreur, dit Dominique. Les femmes sont toujours deux par deux. Il en faut une pour mourir de manière horrible et l'autre pour hurler.

– Je prends les hurlements, lança Ruth.

– Désolée, ma chère, mais j'ai bien peur que tu sois l'horreur.

— Ouf, quel soulagement! Viens-tu? demanda Ruth à Dominique, qui jeta à Myrna et à Clara un regard de haine feinte.

Myrna les regarda s'éloigner, puis se tourna vers Clara.

— Comment va Peter?

— Peter? Pourquoi me demandes-tu ça?

— Je me posais simplement la question.

Clara étudia le visage de son amie.

— Tu ne te poses jamais *simplement* une question. Qu'est-ce qu'il y a?

— Tu n'avais pas l'air très heureuse à ton arrivée chez moi. Peter et toi avez trinqué à ton succès, as-tu dit. C'est tout ce qui s'est passé?

Clara revit Peter dans la cuisine, buvant du champagne acide, trinquant à la réussite de son exposition solo avec un vin aigre, et un sourire.

Mais elle n'était pas encore prête à en parler. D'ailleurs, elle avait peur de ce que dirait son amie.

— C'est un moment difficile pour Peter, dit-elle plutôt. Nous le savons tous, je crois.

Myrna la fixa d'un regard intense, puis son visage s'adoucit.

— Il fait de son mieux, dit-elle.

C'était une réponse diplomatique, pensa Clara.

De l'autre côté du parc, elles virent Gabri et Olivier, assis sur la galerie de leur gîte, en train de boire tranquillement une bière avant la frénésie de l'heure de l'apéro au bistro.

— Mutt et Jeff, dit Clara.

D'un geste de la main, Gabri invita les deux femmes à venir les rejoindre.

— Bert et Ernie, dit Myrna alors qu'elles montaient les marches menant à la galerie.

— Tes amis artistes sont encore ici, dit Olivier en se levant pour embrasser les femmes sur les deux joues.

— Ils restent quelques jours de plus, apparemment, ajouta Gabri, l'air mécontent.

Pour lui, un gîte parfait était un gîte sans clients.

— L'équipe de Gamache a dit aux autres qu'ils pouvaient s'en aller, et ils sont partis. Ils trouvaient l'endroit ennuyeux, je crois. Un seul meurtre, semble-t-il, ne suffit pas à retenir leur attention.

Laissant les deux hommes surveiller le village, Myrna et Clara entrèrent dans le gîte.

– Sur quoi travaillez-vous en ce moment ? demanda Clara à Paulette.

Depuis quelques minutes, Paulette, Normand, Myrna et elle bavardaient du temps qu'il faisait, bien sûr, et de l'exposition de Clara. Les deux artistes accordant autant d'importance à l'un et à l'autre.

– Toujours sur cette magnifique série sur le vol ?

– Oui. En fait, une galerie à Drummondville s'est montrée intéressée, et nous pensons présenter nos tableaux à une exposition-concours à Boston.

– C'est merveilleux, dit Clara.

Se tournant vers Myrna, elle ajouta :

– Leur série sur les ailes est renversante.

Myrna eut la nausée. Si elle entendait le mot « renversant » encore une fois, elle vomirait certainement. C'était un mot codé pour dire quoi : merdique, affreux ? Jusqu'à maintenant, Normand avait qualifié les toiles de Clara – qu'il n'aimait visiblement pas – de renversantes. Et Paulette leur avait raconté que Normand préparait des pièces saisissantes qu'elles trouveraient, les avait-elle assurées, renversantes.

Et, bien sûr, tous deux étaient renversés par le succès de Clara. Mais ils avaient aussi été renversés par le meurtre de Lillian, avaient-ils avoué.

– Je me demandais comment Lillian avait abouti ici, hier, dit Clara en piochant nonchalamment dans un bol de réglisses sur la table du salon. Savez-vous qui l'a invitée ?

– Ce n'est pas toi ? demanda Paulette.

Clara secoua la tête.

Myrna se cala dans le fauteuil et écouta attentivement tandis que le couple d'artistes s'interrogeait sur qui pouvait avoir été en contact avec Lillian.

– Elle était de retour à Montréal depuis quelques mois, tu sais, dit Paulette.

Clara ne le savait pas.

– C'est vrai, dit Normand. Elle nous a même abordés à un vernissage et s'est excusée d'avoir été une horrible garce dans le passé.

– Vraiment? demanda Clara. Lillian a fait ça?

– On s'est dit qu'elle faisait de la lèche, répondit Paulette. Quand elle est partie, nous étions des artistes inconnus, mais maintenant nous jouissons d'une certaine notoriété.

– Maintenant, elle a besoin de nous, dit Normand. Avait besoin de nous.

– Pour quoi? demanda Clara.

– Elle a dit qu'elle avait recommencé à peindre et voulait nous montrer son portfolio.

– Que lui avez-vous répondu?

Le couple se regarda.

– Que nous n'avions pas le temps. Nous avons été polis, mais nous ne voulions pas avoir affaire à elle.

Clara hocha la tête. Elle aurait eu la même réaction, du moins l'espérait-elle. Elle serait restée polie, tout en gardant ses distances. Pardonner était une chose, mais retourner dans la cage avec l'ours, même s'il portait un tutu et souriait, en était une autre. Ou retourner dans… Quelle était l'analogie utilisée par Myrna, encore?

La casserole d'eau chaude.

– Elle s'est peut-être simplement présentée à la fête sans y avoir été invitée. Beaucoup de personnes l'ont fait, dit Normand. Denis Fortin, par exemple.

Il prononça le nom du galeriste d'un ton neutre, le glissa comme si de rien n'était dans la conversation, comme un mot tranchant enfoncé entre les os. Un mot destiné à blesser. Il observa Clara. Et Myrna l'observa, lui.

Myrna se redressa dans son fauteuil, curieuse de voir comment Clara allait réagir à cette attaque, car c'en était une, formulée de manière affable et subtile, et accompagnée d'un sourire. Une sorte de bombe à neutrons sociale, conçue pour tuer la personne sans toucher à la structure du langage poli.

Après avoir écouté le couple durant une demi-heure, Myrna pouvait dire qu'elle n'était pas particulièrement « renversée » par cette attaque. Clara non plus, d'ailleurs.

– Mais il a été invité, dit Clara sur le même ton neutre que celui utilisé par Normand. J'ai personnellement demandé à Denis de venir à la fête.

Myrna réprima un sourire. Clara avait porté son coup de grâce en nommant Fortin par son prénom, comme si le galeriste bien en vue et elle étaient de bons amis. Et, oui, oui… Voilà, ça y était : Normand et Paulette étaient renversés.

Cependant, deux questions extrêmement troublantes demeuraient sans réponse.

Qui avait invité Lillian à la fête ?

Et pourquoi avait-elle accepté de venir ?

11

– Franchement, tu es la pire enquêteuse qui ait jamais existé, dit Dominique.

– Au moins je posais des questions, rétorqua sèchement Ruth.

– Seulement parce que je n'arrivais pas à placer un mot.

Myrna et Clara étaient venues rejoindre les deux autres femmes au bistro et étaient maintenant assises devant la cheminée, où un feu avait été allumé davantage pour l'effet que par nécessité.

– Elle a demandé à André Castonguay s'il avait une grosse bite.

– Pas du tout. Je lui ai demandé s'il était une grosse tête de nœud. Il y a une différence.

Avec le pouce et l'index, Ruth indiqua une longueur d'environ cinq centimètres.

Clara ne put s'empêcher de sourire d'un air satisfait. Elle avait souvent voulu poser la même question à des galeristes.

Dominique secoua la tête.

– Ensuite, elle a demandé à l'autre…

– François Marois? demanda Clara.

Elle avait été tentée de laisser les artistes à Dominique et Ruth et de se charger des marchands d'art, mais elle n'avait pas vraiment eu envie de voir Castonguay – pas encore. Pas après son appel téléphonique, et la conversation qu'elle avait eue avec Peter.

– Oui, François Marois. Elle lui a demandé quelle était sa couleur préférée.

– J'ai cru que ça pourrait être utile de le savoir, dit Ruth.

– Et est-ce que ce l'était ? demanda Dominique.

– Pas autant qu'on pourrait le croire, reconnut Ruth.

– Donc, malgré les interrogatoires serrés, aucun n'a avoué avoir tué Lillian Dyson ? voulut savoir Myrna.

– Ils ont étonnamment bien tenu le coup, dit Dominique. Bien que Castonguay ait laissé échapper que sa première voiture était une Gremlin.

– Vous ne trouvez pas que c'est le signe d'un désaxé ? dit Ruth.

– Et comment ça s'est passé pour vous deux ? demanda Dominique en tendant la main vers son verre de citronnade.

– Je ne sais pas trop, à vrai dire, répondit Myrna.

Elle prit une poignée de noix de cajou, vidant presque le bol, puis poursuivit :

– J'ai aimé, Clara, la façon dont tu as désarçonné Normand lorsqu'il a fait allusion à Denis Fortin.

– Qu'est-ce que tu veux dire ?

– Eh bien, quand tu lui as dit que tu avais toi-même invité Fortin. En fait, maintenant que j'y pense, voilà un autre mystère. Qu'est-ce que Denis Fortin faisait ici ?

– Désolée de te l'apprendre, mais je l'ai vraiment invité.

– Mais pourquoi diable, ma pauvre enfant ? Après ce qu'il a fait ?

– Eh bien, si j'avais exclu tous les galeristes et marchands d'art qui m'ont rejetée, il n'y aurait pas eu grand monde à la fête.

Myrna fut impressionnée par son amie – et ce n'était pas la première fois –, qui pouvait pardonner tant de choses. Et qui en avait beaucoup à pardonner. Clara se considérait comme une personne relativement équilibrée, mais Myrna doutait qu'elle puisse survivre longtemps dans l'impitoyable monde des arts et ses cocktails mondains.

À quelle autre personne Clara avait-elle pardonné ? se demanda aussi Myrna. Qui d'autre avait-elle invité qui n'aurait pas dû l'être ?

* * *

Gamache, qui avait d'abord passé un coup de fil, gara sa voiture à l'arrière de la galerie de la rue Saint-Denis, à Montréal. L'aire de stationnement était réservée aux membres du personnel, mais il était dix-sept heures trente, un dimanche, et la plupart étaient rentrés chez eux.

Il sortit de l'auto et jeta un coup d'œil autour de lui. La rue Saint-Denis avait un côté cosmopolite, mais la ruelle à l'arrière était sordide, jonchée de préservatifs usagés et de seringues vides.

Les fières devantures cachaient ce qui était répugnant.

Quelle était la vraie rue Saint-Denis? se demanda-t-il tandis que, après avoir verrouillé la portière, il se dirigeait vers cette rue si animée.

La porte vitrée de la Galerie Fortin était fermée à clé. Gamache chercha une sonnette, mais Denis Fortin apparut, tout sourire, et l'ouvrit.

– Monsieur Gamache, dit-il en tendant la main et serrant celle de l'inspecteur-chef. Quel plaisir de vous revoir!

– Mais non, dit Gamache en inclinant légèrement la tête, tout le plaisir est pour moi. Merci d'avoir accepté de me recevoir si tard.

– Ça m'a donné l'occasion de me mettre à jour dans le travail. Vous savez ce que c'est.

Fortin verrouilla soigneusement la porte, puis d'un geste du bras invita l'inspecteur-chef à s'avancer dans la galerie.

– Mon bureau est à l'étage.

Gamache le suivit. Les deux hommes s'étaient déjà rencontrés quelques fois, à Three Pines, quand Fortin envisageait de monter une exposition des œuvres de Clara. Le galeriste aux manières engageantes et au caractère jovial était âgé d'environ quarante ans. Il portait une veste taillée sur mesure, une chemise repassée, col déboutonné, et un jean noir. Très chic.

Tandis qu'ils montaient les marches, Gamache écouta Fortin décrire avec beaucoup d'enthousiasme quelques-uns des tableaux accrochés sur ses murs. Tout en l'écoutant attentivement, le chef parcourut la galerie du regard à la recherche d'une toile de Lillian Dyson. Son style était si unique qu'il ne passerait pas inaperçu. Mais, bien qu'il y eût des tableaux remarquables parmi les œuvres exposées, il n'y avait aucun Dyson.

– Du café? demanda Fortin en indiquant la machine à cappuccinos à côté de la porte de son bureau.

– Non, merci.

– Une bière, peut-être? La journée a été chaude, finalement.

– Oui, ce serait très bien, répondit Gamache en s'installant confortablement dans le bureau de Fortin.

Lorsque celui-ci fut hors de vue, l'inspecteur-chef se pencha au-dessus de sa table de travail et jeta un rapide coup d'œil sur les papiers qui y étaient étalés. Des contrats pour des artistes. Des maquettes de publicités pour des expositions à venir: l'une de toiles d'un peintre québécois renommé, l'autre de celles de quelqu'un dont Gamache n'avait pas entendu parler. Un artiste prometteur, sans doute.

Mais il ne vit aucune mention du nom de Lillian Dyson. Ni de Clara Morrow.

Gamache entendit des bruits de pas et se rassit à l'instant même où Fortin entrait dans la pièce avec un plateau contenant deux bières et une assiette de fromages.

– Voilà. Nous avons toujours une provision de vins, de bières et de fromages. Les outils du métier.

– Ce ne sont pas les toiles et les pinceaux? demanda l'inspecteur-chef en prenant la bière froide dans le verre givré.

– Ça, c'est pour ceux à l'esprit créatif. Moi, je ne suis qu'un simple homme d'affaires. Un pont entre le talent et l'argent.

– À votre santé!

Gamache leva son verre, ce que fit aussi Fortin, puis les deux hommes prirent une gorgée qui fit du bien.

– Vous avez employé le terme «créatif», dit Gamache en abaissant son verre et en acceptant un morceau de stilton délicieusement parfumé. Mais les artistes sont aussi des êtres émotifs, parfois instables, j'imagine.

– Les artistes? Je me demande bien ce que vous voulez dire! s'exclama Fortin en riant.

Son rire, spontané, avait un petit côté espiègle, et Gamache ne put s'empêcher de sourire. Il était difficile de ne pas aimer cet homme.

Le charme aussi était un outil de la profession de galeriste. Fortin offrait du fromage et du charme. Lorsqu'il le voulait.

– Ça dépend, je suppose, reprit Fortin, de ce à quoi on les compare. Comparé à une hyène enragée, par exemple, ou à un cobra affamé, un artiste ne paraît pas si mal.

– On dirait que vous n'aimez pas beaucoup les artistes.

– Au contraire. Je les aime, mais, plus important encore, je les comprends. Je comprends leur ego, leurs peurs, leurs angoisses. Très peu d'artistes se sentent bien en compagnie d'autres personnes. La plupart préfèrent travailler tranquillement dans leur atelier. Quiconque a dit que «l'enfer, c'est les autres» devait être un artiste.

– C'est Sartre, dit Gamache. Un écrivain.

– À mon avis, si vous parliez à des éditeurs, ils vous décriraient des expériences avec les auteurs semblables aux miennes avec les artistes. Dans mon cas, on a des artistes qui, sur un petit morceau de toile plate, réussissent à représenter non seulement la réalité de la vie, mais aussi les mystères, l'âme, les émotions profondes et conflictuelles qui caractérisent les êtres humains. Et pourtant, la majorité d'entre eux détestent et craignent les autres. Je comprends ça.

– Vraiment? Comment?

Il y eut un silence embarrassant. Malgré son air de bonhomie, Denis Fortin n'aimait pas les questions inquisitrices. Il préférait mener la conversation plutôt que d'être mené lui-même. Il était habitué, se rendait compte Gamache, à ce qu'on l'écoute, lui obéisse, le flatte servilement. À ce qu'on accepte sans discuter ses décisions et ses opinions. Denis Fortin était un homme puissant dans un monde composé de personnes vulnérables.

– J'ai une théorie, inspecteur-chef, dit enfin Fortin en croisant les jambes et en lissant le tissu de son jean. Soit que, dans la plupart des cas, c'est le métier qui nous choisit. On finit par s'y adapter, s'y épanouir, mais on s'engage dans une carrière donnée principalement parce qu'elle correspond à nos aptitudes. J'aime l'art. Comme peintre, cependant, je suis nul. Je le sais parce que j'ai essayé. Je pensais réellement vouloir être un artiste, mais mon échec lamentable m'a mené à ce que j'étais prédestiné à faire : reconnaître le talent chez les autres. Ça me convient parfaitement. Je gagne très bien ma vie et je suis entouré d'œuvres magnifiques. Et d'artistes remarquables. Je fais partie intégrante de cette culture de créativité sans souffrir de l'angoisse existentielle associée au processus de création.

— Votre domaine non plus, j'imagine, n'est pas exempt d'angoisses.

— C'est vrai. Si je décide de représenter un artiste et que l'exposition est un fiasco, ça peut nuire à ma réputation. Mais alors, je m'assure de faire circuler le mot que ça signifie simplement que je suis audacieux, prêt à prendre des risques. Avant-gardiste. Cette stratégie fonctionne bien.

— Mais l'artiste…, dit Gamache sans terminer sa phrase.

— Eh bien voilà, le tour est joué : il s'en prend plein la gueule.

Gamache regarda Fortin et essaya de ne pas montrer son dégoût. Comme la rue où était installée sa galerie, derrière une façade attrayante Fortin dissimulait un intérieur répugnant. C'était un opportuniste. Il profitait du talent des autres. S'enrichissait grâce au talent des autres. Alors que la plupart des artistes, eux, réussissaient à peine à survivre, et prenaient tous les risques.

— Protégez-vous vos artistes ? demanda Gamache. Essayez-vous de les défendre contre les critiques ?

Fortin parut à la fois étonné et amusé.

— Ce sont des adultes, monsieur Gamache. Ils acceptent les louanges quand ils en reçoivent et doivent accepter les critiques lorsqu'on leur en adresse. Traiter les artistes comme des enfants n'est jamais une bonne idée.

— Peut-être pas comme des enfants, mais comme des associés respectés. Est-ce que vous ne vous porteriez pas à la défense d'un associé respecté si on s'attaquait à lui ?

— Je n'ai pas d'associés.

Fortin souriait toujours, mais son sourire était peut-être un peu trop figé.

– Ça peut devenir très compliqué, poursuivit-il. Comme vous le savez sûrement. Mieux vaut n'avoir personne à défendre. Sinon ça peut fausser votre jugement.

– C'est un point de vue intéressant.

Gamache sut alors que Fortin avait vu la vidéo de l'attaque dans l'usine. Sa remarque était une allusion voilée à ce qui s'était produit. Fortin, comme le reste de la planète, avait constaté son incapacité à défendre les siens. À les sauver.

– Comme vous le savez, je n'ai pas pu protéger mes gens. Mais au moins j'ai essayé. Vous, vous ne le faites pas?

De toute évidence, Fortin ne s'était pas attendu à ce que l'inspecteur-chef fasse directement référence aux événements. Cela le déstabilisa.

« Finalement, vous n'êtes pas aussi équilibré que vous prétendez l'être, pensa Gamache. Peut-être ressemblez-vous davantage à un artiste que vous aimeriez le croire. »

– Heureusement, personne ne tire réellement sur mes artistes, dit enfin Fortin.

– Non, mais il existe d'autres formes d'attaques. D'autres moyens de blesser. Et même de tuer. On peut démolir la réputation de quelqu'un, saper son énergie, son moral, et même étouffer sa créativité, si on y consacre suffisamment d'efforts.

Fortin éclata de rire.

– Si un artiste est à ce point fragile, il devrait ou bien trouver autre chose à faire, ou bien ne jamais s'aventurer hors de chez lui. Il ne devrait ouvrir la porte que pour lancer ses toiles à l'extérieur, puis rapidement la refermer à clé. Mais la majorité des artistes que je connais ont un gros ego. Et de grandes ambitions. Ils veulent les éloges, ils veulent être reconnus. Ça, c'est leur problème. C'est ce qui les rend vulnérables. Pas leur talent, mais leur ego.

– Mais vous êtes d'accord que, quelle que soit la raison, ils sont vulnérables?

– Oui. C'est ce que j'ai dit.

– Et êtes-vous d'accord que la vulnérabilité de certains artistes peut les rendre craintifs?

Fortin hésita un moment avant de répondre. Il flairait un piège, mais ne savait pas trop où il se situait. Finalement, il hocha la tête.

– Et que des personnes qui ont peur peuvent s'en prendre violemment à d'autres?

– Je suppose que oui. Mais de quoi parlons-nous, exactement? J'imagine que vous n'êtes pas simplement venu faire un brin de causette en ce dimanche après-midi. J'imagine, aussi, que vous ne cherchez pas à acquérir un de mes tableaux.

«Tiens, constata Gamache, il s'agit maintenant de *ses* tableaux.»

– Vous avez raison, monsieur. Je répondrai à votre question dans un moment, si vous voulez bien m'accorder un peu de temps.

Fortin regarda sa montre. Disparus, ses belles manières et son charme subtil.

– Je me demande pourquoi vous êtes allé à la fête de Clara Morrow, hier.

Loin de constituer la dernière poussée pour ébranler fortement le galeriste, la question de Gamache le laissa d'abord bouche bée, puis le fit rire.

– C'est de cela qu'il s'agit? Je ne comprends pas. Je n'ai violé aucune loi, que je sache. De plus, Clara elle-même m'avait invité.

– Vraiment? Pourtant, votre nom ne figure pas sur la liste des invités.

– Non, je sais. J'avais évidemment entendu parler du vernissage au musée et avais décidé d'y aller.

– Pourquoi? Vous l'aviez laissée tomber en tant qu'artiste et aviez mis fin à la relation dans des circonstances plutôt regrettables. En fait, vous l'avez profondément humiliée.

– C'est elle qui vous a dit ça?

Gamache demeura silencieux, le regard planté dans celui de Fortin.

– Bien sûr que c'est elle. Qui d'autre aurait pu vous parler de ça? Je me souviens, maintenant: vous et elle êtes des amis. Est-ce pour cela que vous êtes venu? Pour me menacer?

— Ai-je une attitude menaçante ? À mon avis, vous auriez de la difficulté à en convaincre qui que ce soit.

Gamache inclina son verre de bière en direction du galeriste toujours aussi étonné.

— Il y a d'autres façons de menacer à part pointer une arme sur moi, répliqua sèchement Fortin.

— Très juste. Voilà exactement ce que je voulais dire tout à l'heure. Il y a différentes formes de violence. Différentes façons de tuer tout en gardant le corps en vie. Mais je ne suis pas venu pour vous menacer.

Fortin se sentait-il réellement menacé pour si peu ? se demanda Gamache. Était-il à ce point vulnérable qu'une simple conversation avec un policier puisse paraître une attaque à ses yeux ? Peut-être ressemblait-il davantage qu'il le croyait aux artistes qu'il représentait. Et peut-être vivait-il davantage dans l'angoisse qu'il voulait bien l'admettre.

— J'ai presque terminé. Je vous laisserai ensuite profiter du reste de votre dimanche, dit Gamache d'un ton aimable. Si, selon vous, ça ne valait pas la peine d'organiser une exposition des œuvres de Clara Morrow, pourquoi êtes-vous allé à son vernissage ?

Fortin inspira très profondément, retint son souffle durant un moment en regardant Gamache, puis expira lentement, en exhalant une haleine de bière.

— J'y suis allé parce que je voulais lui présenter mes excuses.

C'était maintenant au tour de Gamache d'être étonné. Fortin ne semblait pas le genre de personne à reconnaître facilement ses torts.

Fortin respira à fond encore une fois. Manifestement, cet aveu lui coûtait.

— Lorsque j'étais à Three Pines l'été dernier pour discuter de l'exposition, Clara et moi sommes allés prendre un verre au bistro. Un gros homme nous a servis et, quand il est parti, j'ai dit quelque chose de stupide à son sujet. Plus tard, Clara m'a demandé des explications, et j'ai été si offusqué que j'ai réagi violemment. J'ai annulé l'exposition prévue. C'était une décision ridicule et je l'ai regrettée presque aussitôt. Mais c'était alors trop tard. Je l'avais déjà annoncée et je ne pouvais pas revenir en arrière.

Armand Gamache dévisageait Denis Fortin en essayant de déterminer s'il le croyait. Il y avait cependant un moyen très simple de confirmer son histoire. Il suffisait de demander à Clara.

— Vous êtes donc allé au vernissage pour vous excuser auprès de Clara? Pourquoi vous donner cette peine?

Fortin rougit légèrement, tourna la tête vers la droite et regarda par la fenêtre, dans la lumière du début de soirée. Dehors, les gens devaient commencer à se réunir sur les terrasses le long de la rue Saint-Denis pour boire de la bière ou des martinis, du vin ou de la sangria, profitant de l'une des premières journées réellement chaudes et ensoleillées du printemps.

À l'intérieur de la galerie, cependant, l'ambiance n'était ni chaude ni ensoleillée.

— Je savais qu'elle connaîtrait un immense succès. Je lui avais offert une exposition solo parce que ses œuvres sont uniques, elle a un style bien à elle. Avez-vous vu ses toiles?

Fortin se pencha en avant, vers Gamache. Il n'était plus préoccupé par ses propres soucis, n'était plus sur la défensive. Maintenant, il était presque gai. Tout excité. Parler de grandes œuvres d'art semblait le ragaillardir.

Denis Fortin aimait vraiment l'art, se rendait compte Gamache. C'était peut-être un homme d'affaires opportuniste et un parfait égoïste, mais il s'y connaissait en art et aimait les œuvres remarquables. Il aimait les œuvres de Clara.

Et celles de Lillian Dyson?

— Oui, je les ai vues, répondit l'inspecteur-chef. Et je suis d'accord, Clara est une artiste exceptionnelle.

Fortin se lança dans une analyse passionnée des portraits de Clara, décrivant toutes les nuances qu'on y notait, jusqu'aux minuscules traits ajoutés par-dessus des coups de pinceau plus longs et gracieux. Gamache trouvait cela fascinant. Et il se surprit à apprécier, malgré lui, ce temps passé en compagnie de Fortin.

Mais il n'était pas venu pour discuter des tableaux de Clara.

— Si je me souviens bien, vous avez traité Gabri de «sale pédé».

Les mots produisirent l'effet désiré. Ils étaient non seulement choquants, mais aussi dégoûtants, honteux. Surtout comparés à ce que Fortin venait de décrire : la lumière, la grâce et l'espoir que Clara avait créés.

— C'est vrai, reconnut Fortin. C'est quelque chose que je dis souvent. Disais souvent. Je ne le fais plus.

— Mais pourquoi dire une telle chose ?

— Il y a un lien avec ce que vous disiez tout à l'heure à propos des différentes façons de tuer. Beaucoup de mes artistes sont gais. Souvent, quand je me trouvais avec un nouvel artiste que je savais être gai, je montrais quelqu'un et disais les mots que vous venez de prononcer, pour l'ébranler, le déconcerter, le maintenir dans la crainte. C'était une manière de le manipuler, de jouer avec ses nerfs. Si les personnes avec qui je me prêtais à ce petit jeu ne ripostaient pas, je savais alors que je les avais.

— Et le faisaient-elles ?

— Riposter ? Clara a été la première à le faire. Cela aussi aurait dû me convaincre qu'elle était spéciale. Qu'elle était une artiste avec une voix, une vision et du cran. Mais une telle force de caractère peut constituer un problème. Je préfère de beaucoup des artistes dociles, obéissants.

— Vous l'avez donc balancée, puis avez essayé de salir sa réputation.

— Ça n'a pas fonctionné, répondit Fortin avec un petit sourire contrit. Le MAC s'est empressé de lui proposer une exposition. Je suis allé au vernissage pour lui présenter mes excuses. Je savais qu'en peu de temps ce serait elle qui aurait tout le pouvoir, qu'elle deviendrait une personne influente dans le monde des arts.

— Vous avez agi par intérêt personnel ?

— Mieux vaut ça que rien du tout.

— Que s'est-il passé lorsque vous êtes arrivé ?

— Je suis arrivé tôt, et la première personne que j'ai vue était cet homme que j'avais insulté.

— Gabri.

– Oui. J'ai compris que je lui devais aussi des excuses, alors je me suis excusé auprès de lui en premier. Un vrai festival du repentir.

Gamache sourit. Fortin paraissait enfin sincère. Et son histoire pourrait toujours être vérifiée. À vrai dire, elle était si facile à vérifier que, pensa Gamache, ce devait être la vérité. Denis Fortin était allé au vernissage, sans y avoir été invité, pour présenter ses excuses.

– Vous êtes ensuite allé voir Clara. Qu'a-t-elle dit?

– En fait, c'est elle qui est venue vers moi. Elle m'avait probablement entendu demander pardon à Gabri. Nous nous sommes mis à parler et je lui ai dit à quel point j'étais désolé. Et je l'ai félicitée pour sa superbe exposition. J'aurais préféré qu'elle ait lieu à la Galerie Fortin, ai-je aussi dit à Clara, en ajoutant cependant que pour elle c'était mieux au MAC. Elle a été très chic avec moi.

Gamache perçut du soulagement, et même de la surprise, dans la voix de Fortin.

– Elle m'a invité à la fête organisée à Three Pines ce soir-là. J'avais déjà quelque chose de prévu, mais je me voyais mal décliner son invitation. Je me suis donc éclipsé pour annuler le souper avec mes amis et suis allé au barbecue à la place.

– Combien de temps êtes-vous resté?

– Honnêtement? Pas très longtemps. Le trajet aller-retour est assez long. J'ai parlé à quelques collègues, repoussé quelques artistes médiocres…

Gamache se demanda si ces derniers incluaient Normand et Paulette, et supposa que oui.

– … et bavardé avec Clara et Peter pour qu'ils se rendent compte que j'étais venu. Puis je suis parti.

– Avez-vous parlé à André Castonguay ou à François Marois?

– Je leur ai parlé à tous les deux. La galerie de Castonguay est un peu plus loin dans la rue, si jamais vous le cherchez.

– Je me suis déjà entretenu avec lui. Il est toujours à Three Pines, de même que M. Marois.

– Vraiment? Je me demande pourquoi.

Gamache plongea la main dans sa poche et sortit le jeton. Levant le sac en plastique, il demanda :

– Avez-vous déjà vu un objet semblable ?

– Un dollar en argent ?

– Regardez-le plus attentivement, s'il vous plaît.

– Puis-je ?

Fortin fit un geste en direction du sac et Gamache le lui tendit.

– C'est léger, commenta Fortin.

Il examina le jeton d'un côté puis de l'autre avant de le remettre à Gamache.

– Je suis désolé, mais je n'ai aucune idée de ce que c'est.

Il observa l'inspecteur-chef avec attention.

– J'ai été patient, il me semble, dit-il. Peut-être pourriez-vous maintenant m'expliquer pourquoi vous êtes ici.

– Connaissez-vous une femme du nom de Lillian Dyson ?

Fortin réfléchit, puis secoua la tête.

– Devrais-je ? Est-ce une artiste ?

– J'ai une photo d'elle. Cela vous ennuierait-il d'y jeter un coup d'œil ?

– Pas du tout.

Tout en fixant Gamache d'un air perplexe, Fortin tendit la main pour prendre la photo, puis la regarda et fronça les sourcils.

– On dirait qu'elle…

Gamache ne termina pas la phrase de Fortin. Celui-ci allait-il dire qu'elle avait un visage familier ? Qu'elle était morte ?

– … dort. Est-ce le cas ?

– La connaissez-vous ?

– Je l'ai peut-être aperçue à quelques vernissages, mais je vois tellement de monde.

– L'avez-vous vue à l'exposition de Clara ?

Après avoir réfléchi, Fortin secoua la tête.

– Elle n'était pas présente au vernissage lorsque j'y étais. Mais c'était tôt et il n'y avait pas encore beaucoup de monde.

– Et au barbecue ?

– Il faisait noir quand je suis arrivé, alors il se peut qu'elle ait été là, mais que je ne l'aie tout simplement pas remarquée.

– Elle était là, il n'y a aucun doute, dit Gamache en remettant le jeton dans sa poche. Elle a été tuée ce soir-là à Three Pines.

Fortin le dévisagea bouche bée.

– Quelqu'un a été tué à la fête? Où? Comment?

– Avez-vous déjà vu ses toiles, monsieur Fortin?

– De cette femme? demanda le galeriste, en indiquant d'un signe de la tête la photo qui reposait maintenant entre eux sur la table. Jamais. Je ne l'ai jamais vue, elle, et je n'ai jamais vu ses toiles, du moins pas à ma connaissance.

Soudain, une autre question vint à l'esprit de Gamache.

– Supposons qu'il s'agit d'une grande artiste. Pour une galerie, vaudrait-elle plus morte ou vivante?

– Quelle horrible question, inspecteur-chef!

Fortin prit cependant la peine d'y réfléchir.

– Si elle était vivante, elle continuerait de créer des œuvres que la galerie pourrait vendre, en empochant vraisemblablement de plus en plus d'argent. Mais morte?

– Oui?

– Si elle était réellement une peintre de grand talent? Dans un tel cas, moins il y a de tableaux, mieux c'est. Une guerre des enchères se déclencherait et les prix…

Fortin leva les yeux au plafond.

Gamache avait sa réponse. Mais avait-il posé la bonne question?

12

– C'est quoi, ça?

Clara était à côté du téléphone dans la cuisine. Dehors, le barbecue était allumé et Peter tapotait des steaks provenant de la ferme Bresee.

– Quoi? cria-t-il à travers la porte moustiquaire.

– Ça.

Clara sortit en brandissant un morceau de papier. Le visage de Peter se décomposa.

– Oh, merde! Oh, mon Dieu, Clara, j'ai complètement oublié. Avec tout le chamboulement causé par la découverte du corps de Lillian, les interruptions…, dit-il en agitant les pinces.

Il s'interrompit. Plutôt que de se radoucir, comme cela se produisait souvent, le visage de Clara s'était durci. Dans sa main, elle tenait la liste des messages et des félicitations. Il l'avait laissée près du téléphone. Glissée sous l'appareil, pour ne pas la perdre. Il avait eu l'intention de la lui montrer.

Il avait tout simplement oublié.

D'où elle était, Clara voyait le ruban de la police qui délimitait un cercle irrégulier dans son jardin. Autour d'un trou. Où une vie avait pris fin.

Mais maintenant, un autre trou s'ouvrait, là où se tenait Peter. Et elle pouvait presque voir le ruban jaune l'entourer, l'encercler. L'avaler, comme ç'avait été le cas avec Lillian.

Peter la fixa d'un air implorant. La supplia des yeux de comprendre.

Puis, tandis que Clara le regardait, son mari sembla disparaître, ne laissant qu'un espace vide à l'endroit où il s'était trouvé.

Assis dans son bureau chez lui, Armand Gamache parlait au téléphone avec Isabelle Lacoste, à Three Pines, et prenait des notes.

– L'inspecteur Beauvoir m'a suggéré de vous appeler, chef, pour vous faire part de ce que je lui ai dit. La plupart des invités ont été interrogés et nous avons une image assez nette de la soirée, mais Lillian Dyson est absente du tableau. Nous avons demandé à tout le monde, y compris au personnel qui servait. Personne ne l'a vue.

Gamache hocha la tête. Il avait lu les rapports qu'elle avait envoyés tout au long de la journée. Ils étaient impressionnants, comme toujours. Clairs, détaillés, avec des observations intuitives. L'agente Lacoste ne craignait pas de suivre son instinct. Elle n'avait pas peur de se tromper.

Et ça, savait le chef, c'était une grande qualité.

Cela signifiait qu'elle était prête à explorer des ruelles obscures qu'un agent moins expérimenté n'aurait même pas remarquées. Ou, s'il les avait vues, ne s'y serait pas arrêté, les jugeant sans intérêt. Une perte de temps.

Où, demandait Gamache à ses agents, les meurtriers étaient-ils susceptibles de se cacher ? Là où on s'attendrait à les trouver ? Peut-être. La plupart du temps, cependant, on les découvrait ailleurs. Dans des endroits inattendus. Enfouis à l'intérieur de gens, de personnalités, qu'on ne soupçonnerait pas.

Au fond des ruelles sombres, très souvent sous un vernis d'affabilité.

– Donc, personne n'a remarqué Lillian à la fête. À votre avis, qu'est-ce que cela signifie ? demanda-t-il.

L'agente Lacoste réfléchit un moment.

– Eh bien, je me suis demandé si elle avait pu être tuée ailleurs, puis transportée dans le jardin des Morrow. Ça expliquerait pourquoi personne ne l'a vue à ni l'une ni l'autre des célébrations.

– Et ?

– J'ai parlé aux spécialistes de l'équipe médicolégale et ça semble peu probable. D'après eux, elle est morte là où on l'a trouvée.

– Quelles sont les autres possibilités?

– À part la plus évidente? Qu'elle a été téléportée par des extraterrestres?

– À part celle-là, oui.

– Selon moi, à son arrivée à Three Pines elle s'est rendue directement dans le jardin des Morrow.

– Pourquoi?

Isabelle Lacoste marqua une pause et repassa toutes les possibilités dans sa tête. Elle ne craignait pas de commettre une erreur, mais ne voulait pas non plus aller trop vite et en faire une.

– Pourquoi conduire pendant une heure et demie pour se rendre à une fête, puis, au lieu d'y assister, se diriger droit vers un jardin paisible? demanda-t-elle, réfléchissant à haute voix.

Gamache attendit. Il sentait l'arôme du repas préparé par Reine-Marie. Un de leurs plats de pâtes préférés: asperges fraîches, pignes et fromage de chèvre sur un lit de fettucines. C'était presque prêt.

– Lillian était dans le jardin pour rencontrer quelqu'un, dit enfin Lacoste.

– Je me le demande, dit Gamache.

Il avait mis ses lunettes de lecture et prenait des notes. Son équipe et lui avaient passé en revue tous les faits, tous les résultats des analyses médicolégales, les rapports préliminaires de l'autopsie et les interrogatoires des témoins. Ils en étaient maintenant à l'interprétation.

Ils entraient dans la ruelle sombre. Là où on débusquait un meurtrier, ou le perdait de vue.

Annie parut à la porte avec une assiette de pâtes dans la main.

– Ici? articula-t-elle en silence.

Il secoua la tête, sourit et leva un doigt pour signifier qu'il irait les rejoindre, sa mère et elle, dans une minute. Une fois sa fille partie, il se concentra de nouveau sur l'agente Lacoste.

– Que vous a dit l'inspecteur Beauvoir ?

– Il a posé des questions similaires. Il voulait savoir qui, à mon avis, Lillian Dyson avait pu rencontrer.

– C'est une bonne question. Que lui avez-vous répondu ?

– Que, selon moi, elle venait rencontrer son tueur.

– Oui, mais était-ce la personne qu'elle s'attendait à voir ? Ou est-ce quelqu'un d'autre qui s'est présenté ?

– Vous pensez qu'elle a été attirée là-bas par la ruse ?

– Je pense que c'est une possibilité.

– L'inspecteur Beauvoir le croit aussi. Lillian Dyson était ambitieuse. Elle venait de revenir à Montréal et avait besoin de relancer sa carrière. Elle savait qu'il y aurait beaucoup de galeristes et de marchands de tableaux à la fête de Clara. Il n'y avait pas meilleur endroit pour réseauter. Selon l'inspecteur Beauvoir, quelqu'un a employé la ruse pour l'attirer au jardin. Une personne qui se prétendait un galeriste réputé. Et qui l'a ensuite assassinée.

Gamache sourit. Jean-Guy prenait son rôle de mentor au sérieux. Et se montrait à la hauteur.

– Vous, que pensez-vous ? demanda-t-il.

– Selon moi, il lui fallait une très bonne raison pour se présenter à la fête de Clara Morrow. Au dire de tous, les deux femmes se détestaient. Alors à quel stratagème a-t-on eu recours pour inciter Lillian à s'y rendre ? Qu'est-ce qui a pu lui faire surmonter une telle rancune ?

– Ce devait être quelque chose auquel elle tenait énormément. Qu'est-ce que ça pourrait être ?

– Rencontrer un galeriste de grande renommée. L'impressionner avec ses œuvres, répondit Lacoste sans hésitation.

– Peut-être, dit le chef en se penchant au-dessus du bureau pour parcourir les rapports. Mais comment aurait-elle trouvé Three Pines ?

– Quelqu'un a dû l'inviter à la fête en lui promettant, peut-être, un entretien privé avec un important marchand d'art, répondit Lacoste, qui suivait le fil de la pensée du chef.

– Il aurait fallu que cette personne lui indique comment se rendre au village, dit Gamache en se rappelant les cartes routières inutiles sur le siège passager de l'auto de Lillian. Puis, elle l'aurait tuée dans le jardin de Clara.

– Mais pourquoi?

C'était maintenant au tour de l'agente Lacoste de poser des questions.

– L'assassin savait-il qu'il s'agissait du jardin de Clara, ou aurait-il pu commettre le meurtre n'importe où? Chez Ruth ou Myrna, par exemple?

Gamache inspira profondément.

– Je ne sais pas. Pourquoi, d'ailleurs, donner rendez-vous à quelqu'un à une fête? Si le meurtrier avait l'intention d'assassiner Lillian, n'aurait-il pas choisi un endroit plus tranquille? Et plus commode? Pourquoi Three Pines et pas Montréal?

– Three Pines convenait peut-être très bien, chef.

– Peut-être.

Il avait songé à cette hypothèse. Le meurtre avait été commis à Three Pines parce que l'assassin s'y trouvait. Habitait dans le village.

– Et puis, ajouta Lacoste, l'assassin devait savoir qu'il y aurait beaucoup de suspects à la fête, plein de gens qui avaient connu Lillian Dyson dans le passé et la détestaient. Et il lui serait facile de se fondre dans la foule après le meurtre.

– Mais pourquoi le jardin des Morrow? demanda Gamache en revenant à cette question. Pourquoi pas dans les bois, ou à n'importe quel autre endroit? L'assassin a-t-il délibérément choisi le jardin de Clara?

Non, se dit-il en se levant, il y avait encore trop de points nébuleux. La ruelle était encore trop sombre. Il aimait lancer des idées, des hypothèses, se livrer à des spéculations, en prenant toutefois garde de ne pas laisser son imagination s'emballer. Maintenant, son équipe et lui avançaient à tâtons et couraient le risque de s'égarer.

– A-t-on une idée au sujet du mobile? demanda-t-il.

– À nous deux, l'inspecteur Beauvoir à Montréal et moi ici, nous avons interrogé presque toutes les personnes qui étaient à la fête, et tout le monde dit la même chose. Pratiquement personne n'a été en contact avec Lillian depuis son retour, mais tous ceux qui l'avaient connue quand elle était critique d'art la détestaient et la craignaient.

– Donc, ce serait la vengeance, le mobile?

– Ou ça, ou alors le meurtrier voulait l'empêcher de faire encore plus de mal.

– Bien. (Gamache marqua une pause.) Il existe une autre possibilité, cependant.

Il parla à Lacoste de sa rencontre avec Denis Fortin, pour qui un talentueux artiste mort valait beaucoup plus qu'un talentueux artiste vivant.

Selon l'inspecteur-chef, il ne faisait aucun doute que Lillian Dyson était à la fois une personne exécrable et une artiste de grand talent.

Une talentueuse artiste morte. Tellement plus vendable. Et gérable. Oui, ses tableaux pouvaient maintenant rendre quelqu'un très riche.

Gamache dit bonsoir à l'agente Lacoste, griffonna encore quelques notes, puis rejoignit Reine-Marie et Annie dans la salle à manger pour un repas de pâtes servi avec du pain baguette moelleux. Il leur offrit du vin, mais décida de ne pas en prendre lui-même.

– Tu veux garder les idées claires? demanda Reine-Marie.

– En fait, j'ai l'intention d'aller à une réunion des AA ce soir. À mon avis, ce serait préférable si mon haleine ne sentait pas l'alcool.

Sa femme rit.

– Tu ne serais peut-être pas le seul, remarque. Tu reconnais enfin que tu as un problème?

– Oh, j'ai effectivement un problème, mais pas avec l'alcool.

Il sourit aux deux femmes. Regardant sa fille plus attentivement, il dit:

– Tu as été plutôt silencieuse. Quelque chose ne va pas?

– Je dois vous parler à tous les deux.

13

L'inspecteur-chef Gamache fixait l'église massive en briques rouges de l'autre côté de la rue Sherbrooke, dans le centre-ville de Montréal. Elle n'avait pas réellement été construite avec des briques, mais plutôt avec d'énormes pierres rectangulaires sang de bœuf. Il était passé devant en auto des centaines de fois sans jamais vraiment la regarder.

Mais maintenant il le faisait.

De couleur foncée, elle était laide et peu invitante. Elle n'évoquait pas la rédemption. Pas même de façon subtile. Elle évoquait cependant très nettement la pénitence et l'expiation des fautes. La culpabilité et le châtiment.

On aurait dit une prison pour pécheurs. Peu de personnes devaient y entrer d'un pas léger et le cœur en paix.

Une autre image vint à l'esprit de Gamache. Celle de l'église rutilante, qui n'était pas vraiment en feu, mais flamboyante. Et la rue où il se trouvait lui rappelait une rivière, et les passants lui faisaient penser à des roseaux.

Il s'agissait de l'église sur la toile posée sur le chevalet de Lillian Dyson. Un tableau inachevé, mais déjà un chef-d'œuvre. Si Gamache avait entretenu des doutes quant au talent de cette femme, ceux-ci s'envolèrent à la vue de l'édifice. Lillian avait transformé un bâtiment, une scène, que la plupart des gens considéreraient comme menaçants, en quelque chose de dynamique, de vivant. Et d'extrêmement attrayant.

Il avait l'impression que les autos roulant devant lui étaient un cours d'eau et les gens s'apprêtant à entrer dans l'église des roseaux. Qui flottaient, entraînés à l'intérieur.

Comme lui était sur le point de l'être.

– Bonsoir, bienvenue à la réunion.

Avant même de passer la porte, l'inspecteur-chef Gamache fut accueilli par des bonsoirs fusant de partout. De chaque côté de lui, des gens lui tendaient la main en souriant. Il essaya de ne pas penser qu'ils souriaient de manière démente, bien que ce fût le cas de quelques-uns.

– Bonsoir, bienvenue à la réunion, dit une jeune femme en le faisant entrer.

Elle le conduisit ensuite dans un sous-sol miteux, mal éclairé. Ça sentait le renfermé, le tabac froid et le mauvais café, le lait suri et la sueur.

Le plafond était bas, et Gamache eut l'impression que tout dans la pièce, y compris la plupart des personnes présentes, était couvert d'une couche de crasse.

– Merci, dit-il en lui serrant la main.

– C'est votre première fois ? demanda-t-elle en l'examinant attentivement.

– Oui. Je ne suis pas certain d'être au bon endroit.

– Moi aussi, au début, j'avais des doutes. Mais attendez, donnez-vous le temps. Je vais vous présenter quelqu'un. Bob ! beugla-t-elle.

Un homme plus vieux, à la barbe mal taillée et aux vêtements mal assortis, s'approcha. Il remuait son café avec un doigt.

– Je vous laisse avec lui, dit la jeune femme. Les hommes devraient rester avec les hommes.

Cette phrase laissa l'inspecteur-chef encore plus songeur quant à la situation dans laquelle il s'était fourré.

– Bonsoir. Je m'appelle Bob.

– Armand.

Ils se serrèrent la main. Celle de Bob semblait collante. Bob paraissait collant.

– Alors, vous êtes nouveau ?

Gamache se pencha et chuchota :

– C'est ici, les Alcooliques anonymes ?

Bob rit. Son haleine sentait le café et la cigarette. Gamache se redressa.

– Oui, monsieur. Vous êtes au bon endroit.

– En fait, je ne suis pas un alcoolique.

Bob le regarda d'un air amusé.

– Bien sûr que non. Allons vous chercher du café, puis on discutera. La réunion commencera dans quelques minutes.

Bob servit une tasse de café – à moitié remplie – à Gamache.

– Au cas où, dit Bob.

– Au cas où quoi?

– Vous auriez la tremblote.

Il observa Gamache d'un œil critique et remarqua le léger tremblement de sa main qui tenait la tasse.

– Ça m'est arrivé. Ce n'est pas agréable. À quand remonte votre dernier verre?

– À cet après-midi. J'ai bu une bière.

– Seulement une?

– Je ne suis pas un alcoolique.

Bob sourit. Les quelques dents qui lui restaient étaient tachées.

– Donc, vous êtes à jeun depuis quelques heures. Bravo.

Gamache constata qu'il était plutôt content de lui-même et se félicita de ne pas avoir pris ce verre de vin au souper.

– Hé, Jim! cria Bob à un homme aux cheveux gris et aux yeux d'un bleu vif à l'autre bout de la pièce. Nous avons une nouvelle recrue.

Gamache tourna la tête. Jim parlait de façon animée à un jeune homme qui semblait ne pas vouloir l'écouter.

C'était Beauvoir.

L'inspecteur-chef sourit et croisa le regard de son adjoint. Jean-Guy se leva, mais l'homme le fit se rasseoir.

– Venez avec moi, dit Bob en conduisant Gamache à une longue table pleine de livres, de brochures et de jetons.

Gamache prit un jeton.

– C'est un jeton de débutant, dit-il en l'examinant.

Il était identique à celui trouvé dans le jardin de Clara.

– Je croyais que vous aviez dit que vous n'étiez pas un alcoolique.

– Je n'en suis pas un.

– Alors vous êtes bon, vous avez deviné juste, dit Bob dans un éclat de rire.

– Est-ce que beaucoup de personnes en ont un ?

– Bien sûr.

Bob sortit un jeton brillant de sa poche et, lorsqu'il le regarda, son visage s'adoucit.

– Je l'ai pris à ma première réunion. Je le garde constamment avec moi. C'est comme une médaille, Armand.

Prenant la main de Gamache, il mit le jeton dans sa paume.

– Non, monsieur, je ne peux pas accepter, dit l'inspecteur-chef. Vraiment pas.

– Vous devez l'accepter, Armand. C'est moi qui vous le donne. Un jour, vous le donnerez à quelqu'un d'autre. À quelqu'un qui en a besoin. Je vous en prie.

Bob replia les doigts de Gamache sur le jeton. Avant que l'inspecteur-chef puisse dire quelque chose, Bob se tourna vers la longue table.

– Vous aurez également besoin de ceci, dit-il en brandissant un gros livre bleu.

– J'en ai déjà un.

Gamache ouvrit son sac à bandoulière pour lui montrer le livre.

Bob haussa les sourcils.

– Ceci pourrait vous être utile, je pense, dit-il en tendant à Gamache une brochure intitulée *Vivre dans le déni*.

Gamache sortit de son sac la liste des réunions trouvée dans l'appartement de Lillian et vit dans les yeux de son nouvel ami ce qu'il en était venu si rapidement à s'attendre à y trouver : de l'amusement.

– Vous prétendez toujours ne pas être alcoolique ? Peu de personnes abstinentes trimbalent avec elles le livre des AA, un jeton de membre débutant et une liste de réunions. (Bob jeta un coup d'œil à la liste.) Je vois que vous avez encerclé plusieurs dates. Même celles de réunions pour femmes. Vraiment, Armand.

– Ce n'est pas à moi.

— Je vois. Est-ce que la liste appartient à un de vos amis? demanda Bob avec infiniment de patience.

Gamache réprima un sourire.

— Pas exactement. La jeune femme qui nous a présentés l'un à l'autre a dit que les hommes devraient rester avec les hommes. Que voulait-elle dire?

— De toute évidence, il faut vous le préciser, répondit Bob en agitant la feuille devant Gamache. Ce n'est pas un lieu de drague, ici. Il arrive que des gars essaient de séduire des femmes et que des femmes cherchent à se trouver un petit ami. Ils pensent que ça les sauvera, mais ils se trompent. En fait, c'est tout le contraire. C'est déjà suffisamment difficile de devenir abstinent. Si en plus il fallait se laisser distraire... Donc, les hommes parlent habituellement entre eux, et les femmes entre elles. De cette façon, nous pouvons nous concentrer sur ce qui est important.

Bob fixa Gamache d'un regard pénétrant.

— Nous sommes gentils, Armand, mais nous sommes des gens sérieux. Nos vies sont en jeu. Votre vie est en jeu. L'alcool nous tuera si nous ne réagissons pas. Mais, croyez-moi, si un vieil ivrogne comme moi peut arrêter de boire, vous aussi le pouvez. Si vous voulez de l'aide, je suis ici pour ça.

Armand Gamache le crut. S'il le pouvait, ce petit homme collant à l'allure débraillée lui sauverait la vie.

— Merci, dit Gamache, sincèrement.

Derrière lui, il entendit quelques vigoureux coups de marteau frappés sur du bois. Il pivota et vit un homme âgé à l'air distingué assis à une longue table à l'avant de la pièce. Une femme d'un certain âge se trouvait à côté de lui.

— La réunion commence, chuchota Bob.

Gamache se retourna et vit Beauvoir qui essayait d'attirer son attention en lui indiquant de la main un siège vide à côté de lui, probablement celui qu'avait occupé Jim. Celui-ci était maintenant assis à côté de quelqu'un d'autre à l'autre bout de la pièce. Il s'était peut-être dit que Beauvoir était un cas désespéré, pensa Gamache, un sourire sur les lèvres, en se frayant un passage pour se rendre à la chaise.

Bob le suivit et prit place à sa droite.

– Comme ils sont tombés de haut, les puissants! murmura Gamache à Beauvoir. Hier soir, vous étiez le critique d'art du *Monde* et ce soir vous êtes un ivrogne.

– Je suis en bonne compagnie, répondit Beauvoir. Je vois que vous vous êtes fait un ami.

Beauvoir et Bob se sourirent et se saluèrent d'une inclination de la tête.

– Je dois vous parler, monsieur, chuchota Beauvoir.

– Après la réunion.

– Nous devons rester? demanda Beauvoir, la mine déconfite.

– Vous pouvez vous en aller, mais moi, je reste.

– D'accord, je vais rester.

L'inspecteur-chef Gamache hocha la tête et tendit le jeton de débutant à Beauvoir, qui l'examina et haussa les sourcils.

Gamache sentit une légère pression sur son bras droit. Tournant la tête, il vit Bob qui le lui pressait en souriant.

– Je suis content que vous restiez, murmura-t-il. Et vous avez même réussi à convaincre ce jeune homme de ne pas s'en aller. Et vous lui avez donné votre jeton. Bravo. Vous avez la bonne attitude. Nous ferons de vous un homme abstinent, comptez sur nous.

– C'est très gentil, dit Gamache.

L'homme présidant la réunion souhaita la bienvenue à tout le monde, puis invita le groupe à observer un moment de silence, qui serait suivi de la prière de la Sérénité.

– Mon Dieu, donnez-moi la sérénité…, récitèrent en chœur les membres.

– C'est la même prière que celle sur le jeton, dit Beauvoir à voix basse.

– En effet, dit Gamache.

– C'est quoi, ce regroupement? Une secte?

– Le fait que des personnes prient ensemble ne signifie pas qu'elles font partie d'une secte, chuchota Gamache.

– Vous avez remarqué tous ces visages souriants et toutes ces poignées de main? C'était quoi, ça? Vous ne me ferez pas croire que ces gens n'ont pas recours à la manipulation mentale.

– Le bonheur n'est pas non plus synonyme de secte.

Beauvoir, cependant, ne sembla pas convaincu et regarda autour de lui d'un air soupçonneux.

La salle était bondée d'hommes et de femmes de tous âges. De temps en temps, certains parmi eux, à l'arrière, poussaient des cris. Des disputes éclataient. Mais tout rentrait rapidement dans l'ordre. Les autres souriaient en écoutant le président.

Aux yeux de Beauvoir, ces gens paraissaient fous.

Qui pouvait bien être heureux, assis un dimanche soir dans un sous-sol d'église dégoûtant? À part des ivrognes, des drogués ou des fous.

– N'avez-vous pas l'impression de l'avoir déjà vu quelque part? demanda-t-il en indiquant le président, une des rares personnes qui semblaient saines d'esprit.

Le chef se le demandait justement. C'était un bel homme. Rasé de près, cheveux gris bien coupés. Début soixantaine. Ses lunettes étaient à la fois classiques et chics, et il portait un cardigan léger qui paraissait en cachemire.

Un vêtement sport, mais cher.

– Un médecin, peut-être? demanda Beauvoir.

Gamache réfléchit. Peut-être un médecin. Plus probablement un thérapeute. Un conseiller en toxicomanie responsable de ce groupe d'alcooliques. Il voulait lui parler à la fin de la réunion.

Le président venait de présenter sa secrétaire, qui n'en finissait pas de lire des messages, dont la plupart n'étaient plus d'actualité, et qui semblait chercher des papiers.

– Mon Dieu, chuchota Beauvoir. Pas étonnant que les gens boivent. Cette réunion est aussi amusante qu'une noyade.

– Chut! fit Bob en lançant à Gamache un regard qui contenait un avertissement.

Le président présenta ensuite celui qui parlerait au groupe ce soir-là, et Gamache entendit quelque chose à propos d'un «parrain». À côté de lui, Beauvoir gémit et regarda sa montre. Il semblait agité.

Un jeune homme s'avança en traînant les pieds. Son crâne rasé était couvert de tatouages, dont l'un représentait une main au majeur levé. Sur son front étaient tatoués les mots *Fuck You*.

Sa figure était pleine de piercings. Il en portait dans le nez, les sourcils, les lèvres, la langue, les oreilles. Mode ou automutilation ? Le chef ne le savait pas.

Il jeta un coup d'œil à Bob, qui demeurait impassible, comme si son grand-père venait de se présenter à l'avant de la salle.

Il ne paraissait aucunement alarmé.

Gamache se demanda si Bob ne souffrait pas d'imprégnation alcoolique. S'il n'avait pas le cerveau ramolli à cause de l'alcool et s'il avait perdu toute capacité de réfléchir. De percevoir une menace. Parce que tout chez ce jeune homme hurlait : « Danger ! »

Le chef regarda le président, qui observait attentivement le jeune homme. Lui, au moins, semblait éveillé et ne manquait rien de ce qui se passait.

Il était obligé de faire preuve de vigilance, pensa Gamache, s'il était le parrain de ce garçon qui paraissait capable de tout.

— Je m'appelle Brian, et je suis un alcoolique et un toxicomane.

— Bonsoir, Brian, répondirent d'une même voix les gens dans la salle.

Sauf Gamache et Beauvoir.

Brian parla durant environ trente minutes. Il raconta comment il avait grandi dans le quartier Griffintown, à Montréal, de l'autre côté de la voie ferrée. Sa mère était accro au crack et sa grand-mère à la méthamphétamine. Pas de père. Les membres d'un gang de rue étaient devenus son père, ses frères, ses professeurs.

Son récit était ponctué de jurons.

Il leur raconta les vols commis dans des pharmacies, les cambriolages de domiciles. Un soir, il était même entré par effraction chez lui. Et avait volé des objets.

La salle éclata de rire. En fait, les gens rirent pendant tout le récit du jeune homme. Quand il leur parla du temps qu'il avait passé dans l'aile psychiatrique d'un hôpital et du médecin qui lui avait demandé quelle quantité d'alcool il buvait, auquel il avait répondu «une bière par jour», les gens hurlèrent de rire.

Gamache et Beauvoir échangèrent un regard. Même le président semblait amusé.

Brian avait subi des traitements par électrochocs, dormi sur des bancs de parc. Un jour, il s'était réveillé à Denver, ce qu'il ne s'expliquait toujours pas.

D'autres rires fusèrent.

Au volant d'une auto volée, il avait heurté un enfant.

Et fui les lieux.

Brian avait alors quatorze ans. L'enfant était mort. Plus personne ne rit.

— Même après ça, je n'ai pas arrêté de boire ni de me droguer, avoua Brian. C'était la faute de l'enfant, la faute de la mère. Pas la mienne.

Le silence se fit.

— Mais, finalement, il n'y avait pas assez de putain de drogues dans le monde pour me faire oublier ce que j'avais fait.

Le silence était total, maintenant.

Brian se tourna vers le président. Celui-ci soutint son regard, puis inclina légèrement la tête.

— Voulez-vous savoir ce qui a finalement eu raison de moi? demanda Brian à l'assemblée.

Personne ne répondit.

— J'aimerais pouvoir dire que c'est la culpabilité, ou ma conscience. Mais ce n'est ni l'une ni l'autre. C'est la solitude.

Bob, à côté de Gamache, hocha la tête. Les gens assis en avant hochèrent eux aussi la tête, lentement. Comme si celle-ci s'inclinait sous l'effet d'un grand poids, puis se redressait.

— J'étais si terriblement seul. Je l'ai été toute ma vie.

Il baissa la tête, révélant ainsi une énorme croix gammée tatouée sur le dessus. Puis il la releva et regarda tout le monde dans la salle, s'arrêtant à Gamache avant de passer à quelqu'un d'autre.

Il y avait de la tristesse dans ses yeux. Mais autre chose aussi. Une lueur. «La folie?» se demanda Gamache.

– Mais plus maintenant, poursuivit Brian. Toute ma vie, j'ai cherché une famille. Qui aurait cru que ce serait vous, bande de losers?

La salle rugit de rire. Mais pas Gamache ni Beauvoir. Puis, Brian cessa de rire et promena son regard sur les gens.

– Je me sens à ma place ici, dit-il doucement. Dans ce sous-sol d'église de merde. Avec vous.

Il s'inclina légèrement, maladroitement, et l'espace d'un instant il eut l'air du garçon qu'il était en réalité, ou aurait pu être. Vingt ans à peine. Timide. Et beau. Malgré les cicatrices laissées par les tatouages, le piercing et la solitude.

On l'applaudit. Le président se leva, prit un jeton sur la table et le brandit en disant:

– Ceci est un jeton de débutant. Il y a un chameau sur une face parce que, si cet animal peut se passer de boire durant vingt-quatre heures, vous le pouvez aussi. Nous pouvons vous montrer comment cesser de boire, un jour à la fois. Y a-t-il des nouveaux qui aimeraient en prendre un?

Il tenait le jeton dans les airs comme s'il s'agissait d'une hostie, une hostie magique.

Et il avait le regard braqué sur Armand Gamache.

Gamache sut alors immédiatement qui était cet homme et pourquoi il avait eu l'impression de le connaître. Ce n'était pas un thérapeute ni un médecin. Il s'agissait de Thierry Pineault, juge en chef de la Cour supérieure du Québec.

Et M. le juge l'avait de toute évidence reconnu, lui.

M. Pineault posa finalement le jeton sur la table, marquant ainsi la fin de la réunion.

– Aimeriez-vous aller boire un café? demanda Bob. Nous sommes quelques-uns à nous réunir chez Tim Hortons après la réunion. Vous êtes le bienvenu.

– Je vous rejoindrai peut-être. Merci. Mais je dois d'abord lui parler, répondit Gamache en désignant le président.

Bob et Gamache se serrèrent la main.

Le juge en chef leva les yeux des feuilles devant lui au moment où Gamache et Beauvoir arrivaient à sa table.

— Armand, dit-il en se levant et en regardant l'inspecteur-chef directement dans les yeux. Bienvenue.

— Merci, monsieur le juge.

Celui-ci sourit et se pencha en avant.

— Ici, nous respectons l'anonymat des gens, Armand. Vous êtes au courant?

— Ça s'applique même à vous? Mais vous dirigez la réunion. Les gens doivent savoir qui vous êtes.

Le juge rit et contourna la table.

— Je m'appelle Thierry et je suis un alcoolique.

Gamache haussa les sourcils.

— Je pensais…

— Que j'étais le responsable du groupe? Le gars abstinent guidant les ivrognes?

— Eh bien, que vous étiez la personne responsable de la réunion.

— Nous sommes tous responsables.

L'inspecteur-chef jeta un coup d'œil à un homme discutant avec sa chaise.

— À divers degrés, reconnut Thierry. Nous présidons la réunion à tour de rôle. Quelques personnes savent ce que je fais dans la vie, mais la plupart me connaissent simplement comme Thierry P., un gars ordinaire.

Gamache, cependant, connaissait le juriste et savait qu'il n'avait rien d'ordinaire.

Le juge se tourna vers Beauvoir.

— Je vous ai déjà vu au tribunal.

— Je suis l'inspecteur Jean-Guy Beauvoir, du service des homicides.

— Bien sûr. J'aurais dû vous reconnaître. Je ne m'attendais tout simplement pas à vous voir ici, mais, manifestement, vous ne vous attendiez pas à me voir non plus. Qu'est-ce qui vous amène?

Son regard alla de Beauvoir à Gamache.

— Une enquête, répondit Gamache. Pouvons-nous parler en privé?

— Bien sûr. Venez avec moi.

Thierry les fit passer par une porte arrière et longer des couloirs de plus en plus sales pour finalement aboutir à une cage d'escalier. Il leur indiqua une marche, comme s'il les invitait à prendre un siège dans une loge au théâtre, puis s'assit lui-même sur l'une d'elles.

– Ici ? demanda Beauvoir.

– C'est ce qu'il y a de plus privé, j'en ai bien peur. Alors, de quoi s'agit-il ?

– Nous enquêtons sur le meurtre d'une femme dans un village des Cantons-de-l'Est, expliqua Gamache en prenant place à côté du juge. Un endroit appelé Three Pines.

– Je le connais, dit Thierry. Excellent bistro et bonne librairie.

– C'est exact, répondit Gamache, un peu surpris. Comment connaissez-vous Three Pines ?

– Nous avons une résidence secondaire tout près. À Knowlton.

– Eh bien, la victime vivait à Montréal, mais était en visite dans ce village. Nous avons trouvé ceci près du corps, dit Gamache en donnant le jeton de débutant au juge. Et ça dans son appartement, avec d'autres brochures. (Il lui remit la liste des réunions.) La réunion de ce soir était encerclée.

– Qui est la victime ? demanda Thierry en regardant la feuille et le jeton.

– Lillian Dyson.

Levant la tête, Thierry regarda directement dans les yeux brun foncé de l'inspecteur-chef.

– Vous êtes sérieux ?

– Vous la connaissiez.

Thierry Pineault hocha la tête.

– Je me demandais pourquoi elle n'était pas ici ce soir. D'habitude, elle vient.

– Depuis combien de temps la connaissiez-vous ?

– Oh, je ne sais pas exactement. Depuis quelques mois, en tout cas. Un an tout au plus.

Thierry regarda attentivement Gamache.

– Elle a été assassinée, si je comprends bien.

L'inspecteur-chef fit oui de la tête.

– Elle a eu le cou brisé.

– Pas à la suite d'une chute? D'un accident?

– Absolument pas, répondit Gamache.

Thierry P., le «gars ordinaire», avait disparu, constata-t-il, et l'homme assis à côté de lui sur les marches crasseuses était le juge en chef de la Cour supérieure du Québec.

– Des suspects?

– Environ deux cents. Il y avait une fête pour célébrer le succès d'une exposition de peintures.

Thierry hocha la tête.

– Vous savez, n'est-ce pas, que Lillian était une artiste? demanda-t-il.

– Oui. Vous, comment le savez-vous?

Gamache se rendit compte qu'il se tenait sur ses gardes. Cet homme avait beau être juge en chef, il connaissait la victime et le petit village où elle était morte.

– Elle en parlait.

– Mais je croyais que vous ne parliez pas de choses personnelles, que l'anonymat des gens était préservé, dit Beauvoir.

Thierry sourit.

– Eh bien, certaines personnes sont moins discrètes que d'autres. Lillian et sa marraine sont toutes deux des artistes. Je les entendais bavarder lorsqu'elles prenaient une tasse de café. Après un certain temps, on apprend à se connaître les uns les autres plus intimement. Et pas seulement à travers les partages.

– Les partages? demanda Beauvoir.

– Désolé. C'est du jargon des AA. Un partage est ce que vous avez entendu de la part de Brian ce soir. C'est un discours, mais nous n'aimons pas lui donner ce nom. Ça fait trop officiel. Alors nous appelons ça partager.

L'expression de Beauvoir n'échappa pas aux yeux intelligents du juge en chef.

– Vous trouvez ça drôle?

– Non, monsieur, répondit rapidement Beauvoir.

Mais ils savaient tous les trois qu'il mentait. Il trouvait ça à la fois drôle et pitoyable.

— Moi aussi, je trouvais ça drôle, avoua le juge. Avant que je me joigne aux AA. Des mots comme «partager» me semblaient ridicules. À mes yeux, il ne s'agissait que d'une béquille pour des imbéciles. Mais j'avais tort. C'est une des choses les plus difficiles que j'aie jamais faites. Pendant les séances de partage, nous devons être d'une franchise totale, brutale. C'est très pénible. Comme ce que Brian a fait ce soir.

— Pourquoi le faire si c'est si pénible? demanda Beauvoir.

— Parce que c'est libérateur, aussi. Personne ne peut nous blesser si nous sommes prêts à reconnaître nos défauts, à avouer nos secrets. Parler a un effet très puissant.

— Vous dévoilez vos secrets aux autres? demanda Gamache.

Thierry hocha la tête.

— Pas à tout le monde. Nous ne publions pas une annonce dans la *Gazette*. Mais nous nous confions aux membres des AA.

— Et ça vous mène à l'abstinence? demanda Beauvoir.

— Ça aide.

— Mais certains détails sont plutôt horribles. Ce Brian a tué un enfant. Nous pourrions l'arrêter.

— En effet, mais il a déjà été arrêté. En fait, il s'est livré lui-même à la police. Il a purgé une peine de prison de cinq ans et est sorti il y a environ trois ans. Il a affronté ses démons. Ça ne veut pas dire qu'ils ne ressurgissent pas, comme vous le savez, dit Thierry Pineault en se tournant vers l'inspecteur-chef. (Gamache soutint son regard, mais ne dit rien.) Ils ont cependant beaucoup moins de pouvoir s'ils sont exposés au grand jour. C'est de ça qu'il s'agit, inspecteur. Faire sortir toutes les choses horribles de là où elles se terrent.

— Le simple fait de pouvoir les «voir» ne les fait pas disparaître, dit Beauvoir qui ne voulait pas lâcher prise.

— C'est vrai, mais, tant que vous ne les voyez pas, vous n'avez aucune chance de vous en débarrasser.

— Lillian avait-elle pris la parole devant les membres dernièrement? demanda Gamache.

— Elle ne l'a jamais fait, que je sache.

— Donc, personne ne connaissait ses secrets?

— Seulement sa marraine.

– Comme vous et Brian ?

Thierry fit oui de la tête.

– Nous choisissons une personne parmi les membres des AA et elle devient une sorte de mentor, un guide, que nous appelons notre parrain ou marraine. J'ai un parrain, et Lillian avait une marraine. C'est le cas de tout le monde ici.

– Et vous révélez tout à cette personne ? demanda Gamache.

– Tout.

– Qui était la marraine de Lillian ?

– Une femme prénommée Suzanne.

Les deux enquêteurs attendirent qu'il en dise davantage. Un nom de famille, par exemple. Mais Thierry les regarda, prêt pour la question suivante.

– Pourriez-vous nous fournir plus de détails ? demanda Gamache. Une Suzanne habitant Montréal n'est pas très utile.

Thierry sourit.

– Je suppose que non. Je ne peux pas vous donner son nom de famille, mais je peux faire mieux. Je vais vous la présenter.

– Parfait, dit Gamache en se levant.

Il essaya de ne pas s'arrêter au fait que son pantalon collait légèrement à la marche.

– Mais nous devons nous dépêcher, dit Thierry en marchant devant à grands pas rapides, se mettant presque à courir. Elle a peut-être déjà quitté les lieux.

Les hommes refirent le chemin inverse, repassèrent dans les couloirs et débouchèrent dans la grande salle où avait eu lieu la réunion. Elle était vide. Non seulement les gens étaient partis, mais il n'y avait ni chaises, ni tables, ni livres, ni café. Tout avait été enlevé.

– Merde, dit Thierry. Nous l'avons manquée.

Il alla parler à un homme qui rangeait les tasses dans un placard, puis revint vers les policiers.

– Il a dit qu'elle est au Tim Hortons.

– Vous voulez bien… ? dit Gamache en montrant la porte.

Thierry passa devant pour les mener au restaurant. Tandis qu'ils attendaient que la circulation soit moins dense pour traverser la rue, Gamache demanda :

– Que pensiez-vous de Lillian ?

Thierry se tourna et fixa l'inspecteur-chef. Celui-ci avait déjà vu ce regard quand le magistrat siégeait au tribunal, jugeant les autres. Et il était bon juge.

Détournant les yeux pour surveiller la circulation automobile, Thierry répondit :

– Elle était très enthousiaste, toujours prête à donner un coup de main. Elle s'offrait souvent pour faire le café ou installer les chaises et les tables. Ça représente beaucoup de travail, préparer une réunion, puis nettoyer et ranger après. Ce n'est pas tout le monde qui veut aider, mais Lillian se portait toujours volontaire.

Voyant en même temps une ouverture dans la circulation, les trois hommes s'élancèrent et atteignirent sains et saufs l'autre côté de la rue à quatre voies.

Thierry s'immobilisa et pivota pour regarder Gamache.

– C'est vraiment triste, vous savez. Lillian commençait à remettre de l'ordre dans sa vie. Tout le monde l'aimait. Je l'aimais.

– Cette femme-là ? demanda Beauvoir, visiblement surpris, en tirant une photographie de sa poche. Lillian Dyson ?

Thierry jeta un coup d'œil à la photo et fit oui de la tête.

– C'est bien Lillian. C'est affreux.

– Et vous dites que tout le monde l'aimait ? insista Beauvoir.

– Oui. Pourquoi ?

– Eh bien, votre description ne correspond pas à celle d'autres personnes, répondit Gamache.

– Vraiment ? Que disent-elles ?

– Que Lillian était cruelle, manipulatrice, agressive même.

Thierry ne dit rien. Tournant le dos aux deux policiers, il s'engagea dans une rue transversale sombre. Un peu plus loin, les hommes aperçurent l'enseigne bien connue du Tim Hortons.

– La voilà, dit Thierry en entrant dans le restaurant. Suzanne ! lança-t-il en agitant la main.

Une femme aux cheveux noirs coupés court redressa la tête. Gamache lui donnait environ soixante ans. Elle portait beaucoup de bijoux clinquants, un châle léger sur son chemisier moulant et une jupe trop courte d'environ trois centimètres pour sa silhouette pomme. Six autres femmes, de différents âges, étaient assises à la table.

– Thierry!

Elle se leva d'un bond et lui sauta au cou, comme si elle ne venait pas tout juste de le voir. Puis elle posa des yeux brillants et inquisiteurs sur Gamache et Beauvoir.

– De nouvelles recrues?

Beauvoir se hérissa. Il n'aimait pas cette femme à l'allure vulgaire, tapageuse, et à la tenue tape-à-l'œil. Et maintenant, elle semblait croire qu'il était l'un d'eux.

– Je vous ai vus à la réunion. C'est OK, chéri, dit-elle en riant à la vue de l'expression sur le visage de Beauvoir. Tu n'as pas besoin de nous aimer, tu as seulement besoin de devenir abstinent.

– Je ne suis pas un alcoolique.

Même à ses oreilles, le mot paraissait être un insecte mort ou une saleté qu'il ne pouvait attendre de cracher. Mais Suzanne ne s'offusqua pas.

Gamache, cependant, oui. Il lança un regard contenant une mise en garde à son adjoint et tendit la main à la femme.

– Je m'appelle Armand Gamache.

– Son père? demanda Suzanne en indiquant Beauvoir.

Gamache sourit.

– Non, Dieu merci. Nous ne sommes pas ici pour les AA.

Elle sembla impressionnée par son air grave, et son sourire devint moins éclatant. Son regard, toutefois, demeura vif.

Vigilant, se dit Beauvoir. Ce qu'il avait d'abord pris, dans ses yeux, pour l'éclat d'une imbécile était en fait quelque chose de complètement différent. Cette femme prêtait attention. Derrière le rire et la façade clinquante se cachait un cerveau actif.

– Qu'y a-t-il? demanda-t-elle.

– Pourrions-nous parler en privé?

Thierry les laissa et rejoignit Bob, Jim et quatre autres hommes à l'autre bout du restaurant.

– Voulez-vous du café? demanda Suzanne tandis que Gamache, Beauvoir et elle s'assoyaient à une table près des toilettes.

— Non, merci, répondit Gamache. Bob m'en a gentiment servi une tasse, bien qu'à moitié pleine.

Suzanne rit. Beauvoir avait l'impression qu'elle riait souvent. Qu'est-ce que ça pouvait bien cacher? se demanda-t-il. D'après son expérience, personne ne trouvait la vie si amusante.

— La tremblote? dit-elle.

Quand elle vit Gamache faire oui de la tête, elle se tourna vers Bob et le regarda tendrement.

— Il vit à l'Armée du Salut, vous savez. Il va à des réunions sept fois par semaine et présume que tout le monde qu'il y rencontre est alcoolique.

— Il y a pire supposition, dit Gamache.

— Comment puis-je vous être utile?

— Je travaille pour la Sûreté du Québec. Division des homicides.

— Vous êtes l'inspecteur-chef Gamache?

— Oui.

— Que puis-je faire pour vous?

Elle était beaucoup moins enjouée et se tenait davantage sur ses gardes, constata avec plaisir Beauvoir.

— C'est au sujet de Lillian Dyson.

Suzanne écarquilla les yeux et murmura:

— Lillian?

Gamache hocha la tête.

— Elle a été assassinée hier soir.

— Oh, mon Dieu! s'exclama Suzanne en portant une main à sa bouche. Au cours d'un cambriolage? Quelqu'un est-il entré chez elle par effraction?

— Non. Le meurtre ne semble pas être le fait du hasard. Il a eu lieu à une fête. Elle a été trouvée morte dans un jardin. Elle a eu le cou brisé.

Suzanne expira profondément et ferma les yeux.

— Je suis désolée. Je suis sous le choc. Nous avons parlé au téléphone hier.

— De quoi?

— Oh, elle voulait seulement me dire qu'elle allait bien. Elle m'appelle environ tous les deux jours. Ce n'était rien d'important.

– A-t-elle mentionné la fête?

– Non, il n'a pas été question d'une fête.

– Mais vous la connaissez bien, n'est-ce pas? dit Gamache.

– Oui.

Elle regarda par la fenêtre les hommes et les femmes qui passaient. Perdus dans leurs propres pensées, dans leur propre monde. Son univers à elle, cependant, venait tout juste de changer. C'était devenu un monde où le meurtre existait, mais pas Lillian Dyson.

– Avez-vous déjà eu un mentor, inspecteur-chef?

– Oui. Il est toujours présent dans ma vie.

– Alors vous savez à quel point la relation entre un mentor et son protégé peut être intime.

Elle regarda Beauvoir un moment, puis ses yeux s'adoucirent et elle eut un petit sourire.

– Je le sais, oui.

– Et je vois que vous êtes marié, dit-elle en montrant son propre annulaire sans alliance.

– C'est exact, répondit Gamache.

Il l'observait de ses yeux pensifs.

– Maintenant, imaginez ces deux relations combinées en une seule et approfondies. Rien au monde ne ressemble au lien qui unit un parrain et son filleul.

Les deux policiers la fixèrent.

– Que voulez-vous dire?

– La relation est intime, sans être sexuelle. Elle est basée sur la confiance, mais il ne s'agit pas d'une amitié. Je ne veux rien des personnes dont je suis la marraine. Rien. Seulement qu'elles soient honnêtes. Tout ce que je désire pour elles, c'est qu'elles deviennent abstinentes. Je ne suis ni leur mari ni leur femme et je ne suis pas leur meilleure amie ni leur patron. Elles n'ont pas de comptes à me rendre. Je ne fais que les guider, les écouter.

– Et que retirez-vous de cette relation? demanda Beauvoir.

– Ma propre sobriété. Une ivrogne qui aide une autre ivrogne. Nous pouvons raconter toutes sortes de conneries aux gens, et réussissons souvent à les berner. Mais ce n'est pas possible entre nous. Nous nous connaissons. Nous sommes complètement fous, vous savez, dit Suzanne en émettant un petit rire.

Ce n'était rien de nouveau pour Beauvoir.

– Lillian était-elle folle lorsque vous l'avez rencontrée la première fois ? demanda Gamache.

– Oh, oui. Mais seulement dans le sens qu'elle avait une perception tordue du monde. Elle avait pris tant de mauvaises décisions et ne savait plus comment faire les bons choix.

– Lillian vous a-t-elle révélé ses secrets ? Ça fait partie de la relation, d'après ce que je comprends, dit l'inspecteur-chef.

– Oui, elle l'a fait.

– Et quels étaient-ils ?

– Je ne sais pas.

Gamache fixa la femme courtaude et potelée.

– Vous ne savez pas, madame ? Ou ne voulez pas le dire ?

14

Couché dans le lit, Peter agrippait le bord du matelas. À vrai dire, le lit était trop petit pour Clara et lui. Mais, lorsqu'ils s'étaient mariés, ils avaient seulement pu se permettre un lit à deux places et s'étaient ensuite habitués à être près l'un de l'autre.

Si près qu'ils se touchaient. Même au cours des nuits les plus chaudes et humides de juillet, allongés tout nus dans le lit après avoir repoussé les draps d'un coup de pied, le corps trempé et luisant de sueur, ils se touchaient. Juste un peu. Lui, par exemple, posait sa main sur le dos de Clara, et elle appuyait un orteil sur sa jambe.

C'était un contact.

Cette nuit-là, cependant, il se cramponnait à son côté du lit et elle au sien, comme s'ils se retenaient aux parois opposées d'une falaise. Ayant peur de tomber, mais craignant que ce soit ce qui allait se produire.

Ils étaient allés se coucher tôt pour que le silence paraisse naturel.

Ce n'était pas le cas.

– Clara? murmura-t-il.

Le silence se prolongea. Peter savait reconnaître le son de Clara endormie, et ce n'était pas ça. Clara endormie était presque aussi exubérante que Clara éveillée. Elle ne s'agitait pas dans son sommeil, mais elle grognait et grommelait. Parfois, elle disait quelque chose de ridicule. Une fois, elle avait marmonné: «Mais Kevin Spacey est coincé sur la Lune.» Elle ne l'avait pas cru quand il le lui avait dit le lendemain matin, mais il avait parfaitement bien entendu ces mots.

En fait, elle ne le croyait pas non plus lorsqu'il affirmait qu'elle grognait, fredonnait et émettait toutes sortes de bruits. Pas très fort. Mais Peter était habitué à Clara et l'entendait même quand elle-même ne le pouvait pas.

Ce soir, cependant, elle était silencieuse.

– Clara? dit Peter, faisant une nouvelle tentative.

Il savait qu'elle ne dormait pas.

– Il faut qu'on parle.

Là, il l'entendit: une longue, très longue inspiration, puis un soupir.

– Qu'y a-t-il?

Peter s'assit dans le lit, mais n'alluma pas la lampe. Il préférait ne pas voir le visage de Clara.

– Je suis désolé.

Clara ne bougea pas. Il la voyait, une crête sombre dans le lit, poussée jusqu'au bord du monde. Elle ne pouvait s'éloigner davantage de lui sans tomber.

– Tu es toujours désolé.

Sa voix était étouffée. Elle parlait dans les draps, sans même lever la tête.

Que pouvait-il répondre à ça? Elle avait raison. En repensant à leur relation, il voyait toute une série d'épisodes où il faisait ou disait quelque chose de stupide que chaque fois elle lui pardonnait. Jusqu'à aujourd'hui.

Quelque chose avait changé. Il avait cru que la plus grande menace pour leur mariage serait l'exposition de Clara. Son succès. Et son soudain échec à lui. Que le triomphe de Clara rendrait d'autant plus retentissant.

Mais il avait eu tort.

– Il faut crever l'abcès, dit Peter. Il faut qu'on parle.

Clara s'assit soudainement dans le lit, en se débattant avec la couette pour dégager ses bras. Après avoir enfin réussi, elle se tourna vers son mari.

– Pourquoi? Pour que je te pardonne encore une fois? C'est ça? Tu penses que je ne sais pas ce qui se passait dans ta tête? Tu espérais que mon exposition serait un échec. Que les critiques décideraient que mes toiles ne valent rien et que le vrai artiste, c'est toi. Je te connais, Peter. Je voyais ton cerveau fonctionner. Tu n'as jamais compris mon art, ne l'as jamais aimé. Tu trouves mes tableaux enfantins et simplistes. Des portraits? Comme c'est gênant! dit-elle en prenant une voix grave pour imiter la sienne.

— Je n'ai jamais dit ça.

— Mais tu l'as pensé.

— Non.

— Merde, Peter, ne me mens pas. Pas maintenant.

La mise en garde dans sa voix était claire. Et c'était un élément nouveau. Ils s'étaient déjà querellés, mais jamais comme ça.

Peter sut alors que leur mariage était terminé, ou le serait bientôt. À moins qu'il trouve la bonne chose à dire. À faire.

Si «Je suis désolé» n'avait pas fonctionné, que pouvait-il dire?

— Tu as dû être aux anges en voyant la critique de l'*Ottawa Star*, où on me décrit comme un vieux perroquet fatigué qui imite d'authentiques artistes. Est-ce que ça t'a plu, Peter, de lire ça?

— Comment peux-tu penser une telle chose? demanda-t-il.

Mais, en vérité, ça lui avait fait plaisir. Et l'avait soulagé. Ç'avait été le premier moment vraiment heureux qu'il avait connu depuis longtemps.

— C'est la critique du *New York Times* qui importe, Clara. C'est celle-là qui compte pour moi.

Elle le dévisagea. Et il sentit le froid descendre jusqu'au bout de ses doigts et de ses orteils, et remonter le long de ses jambes. Comme si son cœur s'était affaibli et ne réussissait plus à envoyer le sang aussi loin.

Son cœur comprenait seulement maintenant ce que tout le reste de son être avait su toute sa vie. Il était faible.

— Alors cite-moi un passage de la critique du *New York Times*.

— Pardon?

— Allez, vas-y. Si elle t'a fait une si forte impression, si elle est si importante à tes yeux, tu dois sûrement pouvoir te rappeler au moins une phrase.

Elle attendit.

– Un mot ? demanda-t-elle d'une voix glaciale.

Peter fouilla dans sa mémoire, voulant à tout prix trouver quelque chose, n'importe quoi qui figurait dans l'article du *New York Times*. Quelque chose pour prouver, ne serait-ce qu'à lui-même, qu'il s'était intéressé à l'opinion exprimée.

Mais la seule chose dont il se souvenait, tout ce qu'il voyait, c'était l'éblouissante critique dans le journal d'Ottawa.

« Ses tableaux, bien que jolis, n'ont rien de révolutionnaire ni d'audacieux. »

C'était déjà assez pénible, avait-il cru, quand ses peintures étaient seulement embarrassantes. Mais c'était pire quand elles étaient sublimes. Au lieu de faire rejaillir un peu de gloire sur lui, cela mettait simplement en évidence le raté qu'il était. Comparées aux œuvres éclatantes de lumière de Clara, les siennes paraissaient ternes. Il avait donc lu et relu la phrase sur le perroquet, l'appliquant sur son ego comme si c'était un antiseptique. Et que l'art de sa femme était l'agent pathogène.

Maintenant, cependant, il savait que ce n'était pas l'art de Clara qui s'était infecté.

– C'est bien ce que je pensais, dit-elle sèchement. Pas même un mot. Eh bien, laisse-moi te rafraîchir la mémoire. « Les toiles de Clara Morrow sont non seulement sublimes, elles sont lumineuses. D'un coup de pinceau audacieux et généreux, cette artiste a réinventé l'art du portrait. » J'ai relu le texte et mémorisé ces phrases. Pas parce que je crois que c'est la vérité, mais pour avoir un choix quant à quoi croire, ce qui n'est pas toujours obligé d'être le pire.

« Comme ce doit être extraordinaire, pensa Peter tandis que le froid s'insinuait plus profondément en lui, d'avoir un choix de choses auxquelles croire. »

– Et puis il y a les messages, poursuivit Clara.

Peter ferma les yeux, lentement, comme un reptile.

Les messages. De tous les admirateurs de Clara. De propriétaires de galeries, de marchands d'art et de conservateurs de musées dans le monde entier. De la famille et des amis.

Il avait passé presque toute la matinée, après que Gamache, Clara et les autres étaient partis, après que le corps de Lillian avait été emporté, à répondre au téléphone.

Qui avait sonné sans arrêt. Comme un glas. Et chaque sonnerie l'avait rabaissé, dépouillé de sa virilité, de sa dignité, de sa confiance en lui. Il avait noté les félicitations et vœux de succès, et dit des paroles gentilles à des gens qui menaient le monde des arts. Les titans. Pour qui il n'était que le mari de Clara – l'ultime humiliation.

Finalement, il avait laissé le répondeur enregistrer les messages et était allé se cacher dans son atelier. Où il s'était caché toute sa vie. Pour échapper au monstre.

Il sentait sa présence, maintenant, dans la chambre à coucher. Il sentait sa queue cingler l'air près de lui. Sentait son haleine chaude et fétide sur sa peau.

Toute sa vie, il s'était dit que, s'il restait bien tranquille, s'il se faisait le plus petit possible, le monstre ne le verrait pas. S'il ne faisait pas d'histoires, n'élevait pas la voix, il ne l'entendrait pas et ne pourrait pas lui faire de mal. Si on ne pouvait rien lui reprocher et qu'il dissimulait sa cruauté derrière un sourire et de bonnes actions, le monstre ne le dévorerait pas.

Pourtant, il était inutile d'essayer de se cacher, se rendait-il maintenant compte. Le monstre serait toujours là, et le trouverait toujours.

Car c'était lui, le monstre.

– Tu voulais me voir échouer.

– Pas du tout.

– J'ai réellement pensé que, dans le fond, tu étais content pour moi. Que tu avais seulement besoin d'un peu de temps pour t'habituer. Mais tu es vraiment comme ça, n'est-ce pas ?

Encore une fois, un démenti vint sur les lèvres de Peter, prêt à sortir de sa bouche. Mais quelque chose l'empêcha d'aller plus loin. Quelque chose se dressait entre les mots dans sa tête et les mots qu'il voulait prononcer.

Peter regarda Clara, puis finalement, les ongles déchirés et saignants après une vie passée à s'accrocher, il lâcha prise, et d'autres mots jaillirent de sa bouche.

– Le tableau des trois Grâces, je l'ai vu, tu sais, avant qu'il soit terminé. Je suis entré discrètement dans ton atelier et j'ai retiré la bâche sur ton chevalet.

Il s'interrompit pour tenter de se ressaisir, mais il était beaucoup trop tard pour ça. Peter était en train de dégringoler.

– J'ai vu…

Il chercha le mot approprié, pour ensuite se rendre compte qu'il ne le cherchait pas, mais essayait plutôt de l'éviter.

– Une splendeur. J'ai vu une splendeur, Clara, et tant d'amour que ça m'a brisé le cœur.

Il fixa les draps, tout tortillés dans ses mains. Et soupira.

– J'ai su alors que tu étais une bien meilleure artiste que je ne le serais jamais. Parce que tu ne peins pas des objets. Tu ne peins même pas des personnes.

Il revit le portrait des trois amies âgées. Les trois Grâces. Émilie, Beatrice et Kaye. Leurs voisines à Three Pines. Elles riaient, en se tenant l'une l'autre. De vieilles femmes frêles, proches de la mort.

Et ayant toutes les raisons d'avoir peur.

Pourtant, tous ceux qui regardaient le tableau de Clara ressentaient ce que ces femmes éprouvaient.

De la joie.

Dès l'instant où il avait vu les Grâces, Peter avait su qu'il était foutu.

Et il savait autre chose aussi. Quelque chose que les gens qui contemplaient les extraordinaires créations de Clara ne percevaient peut-être pas consciemment, mais qu'ils ressentaient. Dans leurs os, jusqu'au plus profond d'eux-mêmes.

Sans un seul crucifix, ni hostie, ni Bible. Sans l'aide du clergé ni de l'Église.

Il se dégageait des peintures de Clara une foi subtile, intime, représentée par un point lumineux dans un œil. Par de vieilles mains tenant de vieilles mains, s'accrochant farouchement à la vie.

Clara peignait la vie.

Alors que le reste du monde des arts, si cynique, peignait le pire, Clara peignait le meilleur.

Durant des années, elle avait été marginalisée, ridiculisée, ostracisée à cause de cela. Par l'establishment artistique et, dans son for intérieur, par Peter.

Peter peignait des objets. Très bien. Il affirmait même peindre Dieu, et certains marchands de tableaux le croyaient. Ça faisait une bonne histoire. Mais il n'avait jamais rencontré Dieu, alors comment pouvait-il Le peindre?

Non seulement Clara avait-elle rencontré Dieu, mais elle Le connaissait. Et elle peignait ce qu'elle connaissait.

— Tu as raison. Je t'ai toujours enviée, dit Peter en la regardant droit dans les yeux.

La peur ne l'habitait plus, maintenant. Il n'avait plus rien à perdre.

— Je t'ai enviée dès la première fois que je t'ai vue, et n'ai pas cessé depuis. J'ai essayé de me débarrasser de ma jalousie, mais elle est toujours là. Au fil du temps, elle s'est même amplifiée. Oh, Clara. Je t'aime, et me déteste pour tout le mal que je te fais.

Elle demeura silencieuse, ne dit rien pour lui faciliter la tâche, mais rien non plus pour la lui rendre plus difficile. Il devait se débrouiller tout seul.

— Mais ce n'est pas ton art que je t'enviais. C'est ce que je croyais, cependant, et c'est pour ça que je ne m'y intéressais pas, feignais de n'y rien comprendre. Au contraire, je comprenais parfaitement bien ce que tu faisais dans ton studio. Ce que tu t'efforçais de rendre sur la toile. Et, au fil des ans, je t'ai vue t'approcher de plus en plus du but. Et ça me tuait. Oh mon Dieu, Clara, pourquoi est-ce que je ne pouvais pas tout simplement être heureux pour toi?

Elle continua de garder le silence.

— Et puis, quand j'ai vu *Les trois Grâces*, j'ai su que tu avais réussi. Et ensuite, il y a eu ce portrait, de Ruth. *Oh, God.* (Ses épaules s'affaissèrent.) Qui d'autre aurait eu l'idée de peindre Ruth sous les traits de la Vierge Marie? Pleine de mépris, d'amertume, de déception.

Il ouvrit les bras, puis les laissa tomber et poussa un soupir.

— Et ce point, ce minuscule éclat de blanc dans ses yeux. Des yeux remplis de haine, exception faite de ce point, qui voient quelque chose s'approcher.

Peter regarda Clara, si loin de l'autre côté du lit.

— Ce n'est pas ton art que je t'envie. Ce ne l'a jamais été.

— Tu mens, Peter, murmura Clara.

— Non, non, je ne mens pas, répondit-il d'une voix que le désespoir avait fait monter d'un ton.

— Tu as critiqué *Les trois Grâces*. Tu t'es moqué du portrait de Ruth, cria Clara. Tu voulais que je bousille ces tableaux, que je les détruise.

— Oui, mais ça n'avait rien à voir avec les peintures, dit Peter, criant lui aussi.

— *Bullshit.*

— Non, ce n'était pas ça. C'était…

— Eh bien? hurla Clara. Eh bien? Qu'est-ce que c'était? Laisse-moi deviner. C'était la faute de ta mère? De ton père? Ou c'est parce que vous aviez trop d'argent, ou pas assez? Ou que tes enseignants t'ont maltraité, ou que ton grand-père buvait? Quelle excuse es-tu en train d'imaginer?

— Non, tu ne comprends pas.

— Au contraire, Peter, je te comprends si bien. Tant que je continuais de traîner derrière toi en restant dans ton ombre, tout allait bien entre nous.

— Non.

Peter, qui était sorti du lit, recula jusqu'à ce qu'il soit acculé au mur.

— Tu dois me croire.

— Non, je ne te crois plus. Tu ne m'aimes pas. L'amour ne fait pas faire de telles choses.

— Clara, non.

À ce moment-là, la terrible, vertigineuse et désorientante chute cessa enfin. Et Peter s'écrasa au sol.

— C'était ta foi, cria-t-il avant de s'affaler sur le plancher. Tes croyances. Ton espoir, hoqueta-t-il d'une voix rauque entre ses halètements. C'était bien pire que ton art. Je voulais pouvoir peindre comme toi, mais seulement parce que ça signifierait que je verrais le monde comme tu le vois. Oh mon Dieu, Clara. Tout ce que je t'ai jamais envié, c'est ta foi.

Il enserra ses jambes dans ses bras et d'un geste brusque les tira contre sa poitrine, pour se faire le plus petit possible. Et, roulé en boule, il se berça.

D'avant en arrière, encore et encore.

Sur le lit, Clara le regardait. Réduite au silence non pas par la rage, cette fois, mais par la stupéfaction.

Jean-Guy Beauvoir ramassa une pile de linge sale et la jeta dans un coin.

— Voilà, dit-il avec un sourire, faites comme chez vous.

— Merci, répondit Gamache en s'assoyant.

Immédiatement et de façon alarmante, ses genoux s'élevèrent presque jusqu'à la hauteur de ses épaules.

— Faites attention au canapé, lança Beauvoir de la cuisine. Je pense que les ressorts sont finis.

— C'est bien possible, dit le chef en essayant de s'installer confortablement.

Il se demanda si c'était à cela que ressemblait une prison turque. Pendant que Beauvoir leur versait à chacun un verre, il jeta un coup d'œil au studio meublé, situé en plein cœur du centre-ville de Montréal.

Les seules touches personnelles semblaient être le tas de linge sale, dans le coin, et un animal en peluche, un lion, à peine visible sur le lit défait. Cela paraissait bizarre, enfantin même. Gamache n'aurait pas imaginé Jean-Guy comme un homme attaché à un jouet en peluche.

En sortant du restaurant, ils s'étaient rendus à pied jusqu'à son appartement, trois rues plus loin, en échangeant leurs points de vue dans l'air frais de la soirée.

— L'avez-vous crue? avait demandé Beauvoir.

— Quand Suzanne a affirmé ne pas se souvenir des secrets de Lillian?

Gamache avait réfléchi un moment. Les feuilles dans les arbres le long de la rue commençaient à changer de teinte de vert, passant du vert tendre à une couleur plus intense.

— Et vous?

— Pas une seconde.

— Moi non plus, avait dit le chef. La question à se poser, cependant, est: nous a-t-elle délibérément menti, pour cacher quelque chose, ou avait-elle seulement besoin d'un peu de temps pour rassembler ses idées?

— À mon avis, c'était intentionnel.

— C'est ce que vous pensez toujours.

Il avait raison. L'inspecteur Beauvoir s'imaginait toujours le pire. Selon lui, c'était plus prudent ainsi.

Suzanne avait expliqué qu'elle était la marraine de plusieurs personnes, qui lui racontaient tout au sujet de leur vie.

— C'est la cinquième étape du programme des AA, avait-elle précisé. « Nous avons avoué à Dieu, à nous-mêmes et à un autre être humain la nature exacte de nos torts. » Je suis l'« autre être humain ».

Elle avait ri et fait une petite grimace.

— Ça ne vous plaît pas? avait demandé Gamache, interprétant sa moue.

— J'aimais ça, au début, avec mes premiers filleuls. Honnêtement, j'étais plutôt curieuse de savoir quelles sortes de conneries ils avaient faites au cours de leur carrière de buveur et si elles ressemblaient aux miennes. C'était excitant d'avoir quelqu'un qui me fasse confiance. Ça n'arrivait pas souvent quand je buvais, je peux vous le dire! Dans ce temps-là, il fallait être fou pour me faire confiance. Cependant, après un moment, ça devient lassant. Tout le monde pense que ses secrets sont terribles, mais ils sont pas mal tous semblables.

— Comme quoi? avait demandé l'inspecteur-chef.

— Oh, des aventures. Le fait d'être un homosexuel qui ne s'assume pas. Voler. Avoir d'horribles pensées. Se soûler et rater des événements familiaux importants. Décevoir des êtres chers. Blesser des êtres chers. Parfois il s'agit de violence sexuelle. Je ne dis pas que ce que ces gens ont fait est bien. Ce ne l'est évidemment pas. Voilà pourquoi ils ont gardé leurs secrets enfouis si longtemps, comme moi d'ailleurs. Mais leur cas n'est pas unique. Ils ne sont pas tout seuls. Savez-vous quelle est la partie la plus difficile de la cinquième étape?

– « Nous avons avoué à nous-mêmes » ? avait répondu Gamache.

Beauvoir avait été sidéré que le chef se souvienne des mots exacts. Pour lui, ce n'était que du pleurnichage. Un tas d'alcooliques s'apitoyant sur leur sort et qui espéraient un pardon instantané.

Il croyait au pardon, mais seulement après une punition.

Suzanne avait souri.

– C'est ça. On pourrait penser que c'est facile d'avouer ces choses à soi-même. Après tout, nous étions là quand elles se sont produites. Mais, évidemment, on ne veut pas admettre que nos actions étaient si terribles, après des années passées à justifier notre comportement ou à refuser de reconnaître qu'on a mal agi.

Gamache avait hoché la tête tout en réfléchissant.

– Les secrets sont-ils souvent aussi épouvantables que celui de Brian?

– Vous parlez du fait qu'il a tué un enfant? Parfois.

– Parmi les personnes que vous avez parrainées, y en a-t-il qui ont tué quelqu'un?

– Quelques-unes, oui, ont avoué avoir tué, avait-elle finalement répondu. Jamais intentionnellement. Il ne s'agissait pas de meurtre. Mais d'un accident quelconque. De conduite en état d'ébriété, dans la plupart des cas.

– Lillian était-elle l'une de ces personnes? avait doucement demandé Gamache.

– Je ne me souviens pas.

– Je ne vous crois pas.

Il avait parlé d'une voix si basse qu'il était difficile de l'entendre. Ou peut-être étaient-ce les mots que Suzanne trouvait si difficiles à entendre.

– Personne n'écoute un tel aveu pour ensuite l'oublier.

– Croyez ce que vous voulez, inspecteur-chef.

Gamache avait hoché la tête, puis lui avait remis sa carte.

— Je reste à Montréal ce soir, mais nous retournerons à Three Pines. Et nous ne repartirons pas avant d'avoir élucidé le meurtre de Lillian Dyson. Appelez-moi quand votre mémoire sera revenue.

— Three Pines? avait dit Suzanne en prenant la carte.

— Le village où Lillian a été assassinée.

L'inspecteur-chef s'était alors levé, imité par Beauvoir, et avait ajouté :

— Vos vies dépendent de la vérité, avez-vous dit. Je ne voudrais pas que vous oubliiez cela maintenant.

Quinze minutes plus tard, les deux hommes étaient dans le nouvel appartement de Beauvoir. Pendant que Jean-Guy ouvrait et fermait des placards en marmonnant, Gamache s'extirpa de l'affreux canapé et fit le tour du séjour. S'arrêtant devant la fenêtre, il vit la pizzeria, en face, où une affiche dans la vitrine vantait la Super Pointe. Il se retourna ensuite du côté de la pièce et regarda les murs gris et les meubles Ikea. Son regard glissa vers le téléphone et le bloc de papier.

— Vous ne mangez donc pas seulement à la pizzeria, dit-il.

— Que voulez-vous dire? lança Beauvoir de la cuisine.

— Restaurant Milos, lut Gamache sur le bloc de papier près du téléphone. Très chic.

Regardant dans la pièce, Beauvoir posa les yeux directement sur le bureau et le bloc, puis les leva vers le chef.

— Je pensais vous y emmener, Mme Gamache et vous.

Durant un instant, lorsque l'ampoule nue éclaira son visage, Beauvoir ressembla à Brian. Pas au jeune fanfaron à l'attitude provocatrice au début de son partage, mais plutôt au garçon brisé. Honteux. Perplexe. Imparfait. Humain.

Sur ses gardes.

— Pour vous remercier de votre soutien, ajouta Beauvoir. La séparation d'avec Enid, et tout le reste… Les derniers mois ont été difficiles.

L'inspecteur-chef Gamache le regarda, muet d'étonnement. Milos était l'un des meilleurs restaurants de fruits de mer du Canada. Et certainement l'un des plus chers. Il s'agissait d'un de leurs préférés, à Reine-Marie et lui, mais ils n'y allaient que dans de grandes occasions.

— Merci, répondit-il enfin. Mais une pizza nous ferait tout autant plaisir, vous savez.

Jean-Guy sourit et, prenant le bloc sur le bureau, le glissa dans un tiroir.

— Pas de Milos, alors. Mais je ne regarderai pas à la dépense et vous offrirai la Super Pointe. Et je ne veux pas vous entendre protester !

— Mme Gamache sera contente, dit Gamache en riant.

Beauvoir alla dans la cuisine et revint avec leurs verres. Une bière de microbrasserie pour le chef et de l'eau pour lui.

— Pas de bière ? demanda Gamache en levant son verre.

— Après toutes ces histoires d'abus d'alcool, je n'en ai pas envie. De l'eau, c'est parfait.

Ils s'assirent, Gamache choisissant cette fois une des chaises droites autour de la petite table au dessus en verre. Il prit une gorgée.

— Est-ce que ça fonctionne, à votre avis ? demanda Beauvoir.

Le chef mit un moment avant de comprendre de quoi parlait son inspecteur.

— Les AA ?

Beauvoir hocha la tête.

— Ça me semble beaucoup de complaisance et d'apitoiement sur soi. Et comment le fait de raconter ses secrets peut-il amener quelqu'un à arrêter de boire ? Ne serait-il pas mieux d'oublier plutôt que de déterrer toutes ces vieilles affaires ? Et aucune de ces personnes n'a reçu de formation appropriée. Cette Suzanne est pitoyable. Vous n'allez pas me dire qu'elle peut aider quelqu'un.

Le chef observa son adjoint aux traits tirés.

— Je crois que la méthode des AA fonctionne parce que personne, même avec les meilleures intentions du monde, ne peut comprendre une expérience quelconque à part une personne qui a vécu la même chose, répondit doucement Gamache.

Il fit attention de ne pas se pencher en avant, de ne pas envahir l'espace de son inspecteur.

– C'est comme l'attaque dans l'usine. Personne ne sait comment c'était, sauf ceux d'entre nous qui étaient là. Les thérapeutes aident, beaucoup. Mais ce n'est pas comme parler à l'un de nous.

Gamache regarda Beauvoir, qui semblait sur le point de s'effondrer.

– Pensez-vous souvent à ce qui est arrivé dans l'usine? lui demanda-t-il.

Après un moment de silence, Beauvoir répondit:

– Parfois.

– Aimeriez-vous en parler?

– À quoi bon? J'ai déjà tout raconté aux enquêteurs, aux thérapeutes. Vous et moi avons discuté des événements. Il est temps d'arrêter d'en parler, il me semble, et de continuer notre vie, tout simplement. Vous ne croyez pas?

Gamache inclina la tête d'un côté et scruta le visage de Jean-Guy.

– Non, je ne crois pas. À mon avis, nous devons continuer d'en parler jusqu'à ce que tout ait été dit, qu'il ne reste plus de problèmes à régler.

– Ce qui s'est passé dans l'usine est terminé, répliqua sèchement Beauvoir, avant de se contenir. Excusez-moi, mais, pour moi, c'est s'apitoyer sur son sort. Je veux seulement reprendre le cours de ma vie. Le seul problème à régler, la seule chose qui me tracasse encore, si vous voulez réellement savoir, c'est qui a rendu publique la vidéo de l'attaque. Comment s'est-elle retrouvée sur Internet?

– Selon l'enquête interne, c'est un pirate informatique qui l'a diffusée.

– Je sais. J'ai lu le rapport. Mais vous ne le croyez pas vraiment, n'est-ce pas?

– Je n'ai pas le choix, répondit Gamache. Et vous non plus.

Il était impossible de ne pas percevoir l'avertissement dans la voix du chef. Un avertissement que Beauvoir décida de ne pas entendre ou d'ignorer.

– Ce n'était pas un pirate. Personne ne connaît l'existence des enregistrements, à part d'autres policiers de la Sûreté. Ce n'est pas un hacker piratant le système qui y a eu accès.

– Ça suffit, Jean-Guy.

Ce n'était pas la première fois qu'ils abordaient ce sujet. Après avoir été mise en ligne, la vidéo de l'opération policière à l'usine s'était propagée comme un virus. Des millions de personnes dans le monde entier avaient visionné le montage vidéo.

Avaient vu ce qui était arrivé.

À eux deux, et à d'autres. Ils avaient été des millions à regarder la vidéo comme s'il s'agissait d'une émission de télévision. D'un divertissement.

Après des mois d'enquête, la Sûreté avait conclu que c'était l'œuvre d'un pirate informatique.

– Pourquoi n'ont-ils pas trouvé le gars? demanda Beauvoir, revenant à la charge. Nous avons une division entière consacrée à la cybercriminalité. Et les enquêteurs n'ont pas pu trouver un trou de cul qui, selon leur propre rapport, a seulement eu de la chance?

– Laissez tomber, Jean-Guy, dit Gamache, l'air sévère.

– Nous devons découvrir la vérité, monsieur, répondit Beauvoir en se penchant en avant.

– Nous connaissons la vérité. Ce que nous devons faire, c'est vivre avec.

– Vous n'allez pas investiguer davantage? Vous allez tout simplement accepter cette conclusion?

– Oui. Et vous aussi. Promettez-le-moi, Jean-Guy. C'est le problème de quelqu'un d'autre. Pas le nôtre.

Les deux hommes se dévisagèrent durant un moment, jusqu'à ce que Beauvoir fasse un bref signe de tête.

– Bien, dit Gamache.

Il vida son verre, puis alla le porter à la cuisine.

– Il est temps pour moi de partir. Nous devons retourner à Three Pines tôt demain matin.

Après avoir souhaité bonne nuit à Beauvoir, il s'enfonça dans la nuit et marcha lentement dans les rues. Le temps était frais et il était content d'avoir mis un manteau. Il avait eu l'intention de héler un taxi, mais, finalement, il remonta toute la rue Saint-Urbain jusqu'à l'avenue Laurier.

Et, tout en marchant, il pensa aux AA, à Lillian, à Suzanne. Et au juge en chef. Ainsi qu'aux artistes et aux marchands d'art, endormis dans leurs lits à Three Pines.

Mais, surtout, il pensa à l'effet corrosif des secrets. Y compris les siens.

Il avait menti à Beauvoir. Ce n'était pas terminé. Et il n'avait pas laissé tomber.

Jean-Guy Beauvoir lava le verre à bière, puis se dirigea vers sa chambre.

«Avance, continue, s'implora-t-il. Encore quelques pas.»

Mais, évidemment, il s'arrêta. Comme il le faisait chaque soir depuis que cette vidéo était apparue.

Maintenant qu'elle était sur le Net, il n'y avait plus moyen de l'enlever. Elle était là pour toujours. Oubliée, peut-être, mais encore là, attendant d'être redécouverte, de refaire surface.

Comme un secret jamais complètement caché, jamais complètement oublié.

Et cette vidéo était loin d'être oubliée. Pas encore.

Beauvoir s'assit lourdement sur la chaise et sortit son ordinateur de l'état de veille. Le lien était dans sa liste de favoris, mais sous un titre intentionnellement trompeur.

Les yeux lourds de sommeil et le corps courbaturé, il cliqua sur le lien.

Et la vidéo apparut.

Il appuya sur PLAY. Puis une autre fois. Et une autre encore.

Encore et encore, il regarda la vidéo. Les images étaient claires, tout comme les sons. Les explosions, les coups de feu, les cris.

– Un policier touché, un policier touché!

De sa voix ferme et pleine d'autorité, Gamache donnait des ordres clairs. Il s'assurait de garder tous ses policiers autour de lui, tenant le chaos à distance tandis que l'équipe tactique s'enfonçait dans l'usine, pour coincer les tireurs. Des tireurs beaucoup plus nombreux que ce qu'ils avaient prévu.

Et encore, encore et encore Beauvoir regarda la scène où il recevait une balle dans l'abdomen. Et encore, encore et encore il regarda quelque chose de pire. L'inspecteur-chef Gamache, qui ouvrait brusquement les bras et cambrait le dos, s'élevait dans les airs, puis tombait, s'écrasant sur le sol. Immobile.

Et ensuite le chaos qui se rapprochait.

Finalement, exténué, il se détourna de l'écran et se prépara à aller se coucher. Il fit sa toilette, se brossa les dents et avala un comprimé d'OxyContin, le médicament qui lui avait été prescrit.

Puis il glissa l'autre petite boîte de pilules sous son oreiller. Au cas où il en aurait besoin pendant la nuit. Elle était en sécurité, là. Hors de vue. Comme une arme, à utiliser en dernier recours.

Une boîte de Percocet.

Dans l'éventualité où l'OxyContin ne s'avérerait pas suffisant.

Une fois couché, il attendit dans l'obscurité que l'analgésique fasse effet. Il sentait la journée disparaître lentement. Les inquiétudes, les angoisses, les images s'estompèrent. Tandis qu'il serrait son lion en peluche dans ses bras et glissait dans le sommeil, une image glissa avec lui. Pas l'image de lui atteint par la balle d'un tireur. Ni même du chef tombant après avoir été touché à son tour.

Tout ça s'était évaporé, englouti par l'OxyContin.

Il restait une pensée, cependant, qui l'accompagna jusqu'à ce qu'il sombre dans le néant.

Le restaurant Milos. Le numéro de téléphone, maintenant caché dans le tiroir du bureau. Chaque semaine depuis trois mois, il avait appelé le restaurant et fait une réservation. Pour deux personnes, pour le samedi soir, en demandant la table du fond à côté du mur blanchi à la chaux.

Et chaque samedi après-midi, il l'avait annulée. Peut-être ne prenait-on même plus la peine de noter son nom, au restaurant. Peut-être faisait-on simplement semblant. Comme lui.

Mais demain, ce serait différent, il en était persuadé.

Cette fois, il le ferait, il appellerait Annie Gamache, et elle dirait oui. Et il l'emmènerait chez Milos, où la verrerie était en cristal et les nappes et serviettes en lin d'une blancheur impeccable. Elle prendrait la sole et lui le homard.

Et elle l'écouterait, et le regarderait avec ce regard si intense. Il lui poserait toutes sortes de questions sur sa journée, sa vie, ses goûts, ses sentiments. Sur tout. Il voulait tout savoir à son sujet.

Tous les soirs, il s'endormait avec cette même image dans la tête, d'Annie assise en face de lui et qui le regardait. Ensuite, il tendrait le bras et poserait sa main sur celle de la jeune femme. Et elle le laisserait faire.

Au moment où il s'abandonnait au sommeil, il posa une main sur l'autre. Voilà la sensation que produirait ce geste.

Ensuite, l'OxyContin emporta tout. Et Jean-Guy Beauvoir ne ressentit plus rien.

15

Clara descendit pour le petit-déjeuner. Un arôme de café et de muffins anglais grillés flottait dans la cuisine.

Quand elle s'était réveillée, surprise de constater qu'elle avait dormi, le lit était vide. Il lui avait fallu un moment pour se rappeler ce qui s'était passé la veille.

Leur dispute.

Elle avait failli s'habiller et quitter Peter, prendre l'auto et aller à Montréal. Et louer une chambre dans un hôtel pas cher.

Et après?

Et après, quelque chose. Le reste de sa vie, avait-elle supposé. Cela lui avait importé peu.

Par ailleurs, Peter lui avait enfin dit la vérité.

Ils avaient parlé toute la nuit, puis s'étaient endormis. Sans se toucher. Ils n'étaient pas prêts pour ça. Tous les deux étaient trop meurtris. Elle avait l'impression qu'ils avaient été écorchés vifs et disséqués. Désossés. Que leurs entrailles avaient été arrachées, examinées et s'étaient révélées pourries.

Leur mariage n'en était pas un, mais le travestissement d'une relation conjugale.

Ils avaient cependant convenu que peut-être, peut-être, ils pourraient reconstruire leur vie ensemble.

Ce serait différent. Serait-ce mieux?

Elle ne le savait pas.

— Bonjour, dit Peter lorsqu'elle apparut.

Des touffes de cheveux se dressaient d'un côté de la tête de Clara et son visage portait encore l'empreinte du sommeil.

— Bonjour, répondit-elle.

Peter lui versa une tasse de café.

Quand Clara s'était endormie, comme le lui avaient confirmé la respiration profonde et un grognement, il était descendu dans la salle de séjour et avait trouvé les journaux et le catalogue sur papier glacé de l'exposition de sa femme.

Il était resté là toute la nuit à mémoriser les critiques du *New York Times* et du *Times* de Londres jusqu'à ce qu'il les sache par cœur.

Ainsi, lui aussi aurait un choix quant à quoi croire.

Il avait ensuite regardé longuement les reproductions des œuvres de Clara dans le catalogue.

Ses tableaux étaient magnifiques. Mais ça, il le savait déjà. Avant, cependant, il voyait des défauts dans ses portraits. Réels ou imaginés. Un coup de pinceau un peu maladroit. Les mains qui auraient pu être mieux dessinées. Il s'était délibérément concentré sur les menus détails afin de ne pas avoir à considérer l'ensemble.

Maintenant, il s'attardait à l'ensemble.

Dire qu'il était content serait un mensonge, et Peter Morrow était bien décidé à ne plus mentir. Ni à lui-même ni à Clara.

Pour dire la vérité, voir un tel talent lui faisait encore mal. Mais, pour la première fois depuis sa rencontre avec Clara, il ne cherchait plus les défauts.

Cependant, quelque chose d'autre l'avait tourmenté toute la nuit. Il avait tout raconté à Clara. Chaque petite vacherie, chaque pensée mesquine. Pour qu'elle sache tout. Pour qu'aucun secret ne puisse les surprendre, ni elle ni lui.

Il lui avait tout révélé, sauf une chose.

Concernant Lillian et ce qu'il lui avait dit à l'exposition d'œuvres d'étudiants, des années auparavant. Il pouvait compter les mots sur ses doigts. Chacun avait été une balle et avait atteint la cible : Clara.

— Merci, dit-elle en prenant la tasse remplie d'un café riche et corsé. Ça sent bon.

Elle aussi était déterminée à ne pas mentir, à ne pas faire semblant que tout allait bien dans l'espoir de voir le rêve devenir réalité. Le café sentait effectivement bon. Au moins, elle ne mentait pas en disant cela.

Peter s'assit, essayant de rassembler son courage pour lui avouer ce qu'il avait fait. Il inspira, ferma un instant les yeux, puis ouvrit la bouche pour parler.

– Ils sont déjà là, dit Clara.

D'un geste de la tête, elle indiqua la fenêtre par laquelle elle était en train de regarder.

Peter vit une Volvo arriver et se garer. L'inspecteur-chef Gamache et Jean-Guy Beauvoir en descendirent et se dirigèrent vers le bistro.

Il ferma la bouche et revint sur sa décision. Ce n'était pas le moment, après tout.

Observant les deux enquêteurs par la fenêtre, Clara sourit. L'inspecteur Beauvoir ne verrouillait plus les portières. La première fois qu'ils étaient venus à Three Pines, pour enquêter sur le meurtre de Jane, les policiers s'assuraient de toujours fermer l'auto à clé. Mais maintenant, plusieurs années plus tard, ils ne s'en donnaient plus la peine.

Ils savaient, supposa-t-elle, que les habitants du village pouvaient à l'occasion enlever la vie à quelqu'un, mais pas voler une auto.

Elle jeta un coup d'œil à la pendule. Sept heures et demie.

– Ils ont dû quitter Montréal juste après six heures.

– Oui, dit Peter en suivant du regard les deux hommes qui entraient dans le bistro.

Puis il baissa les yeux sur les mains de Clara. Une tenait la tasse, mais l'autre reposait en un poing lâche sur la vieille table en pin.

Oserait-il?

Il avança le bras et, très lentement, pour ne pas la faire sursauter ni l'effrayer, mit sa large main sur la sienne et recouvrit son poing. Le mettant à l'abri dans le petit havre ainsi créé.

Et elle le laissa faire.

Cela suffisait, se dit-il.

Il était inutile de lui dire le reste. Inutile de la contrarier.

* * *

— Je vais prendre…, dit lentement Beauvoir en fixant le menu.

Il n'avait pas d'appétit, mais savait qu'il devait commander quelque chose. Il y avait des crêpes aux bleuets, des œufs Benedict, du bacon, des saucisses et des croissants chauds.

Il était debout depuis cinq heures et avait été chercher le chef à cinq heures quarante-cinq. Il était maintenant passé sept heures et demie. Il devrait commencer à ressentir la faim.

L'inspecteur-chef abaissa le menu et regarda le serveur.

— En attendant qu'il se décide, je vais commander. Pour moi, ce sera un bol de café au lait, des crêpes aux bleuets et des saucisses.

— Merci, dit le serveur en prenant son menu.

Se tournant vers Beauvoir, il demanda :

— Et vous, monsieur ?

— Tout semble si bon. Je vais prendre la même chose que l'inspecteur-chef. Merci.

— J'étais persuadé que vous alliez choisir les œufs Benedict, dit Gamache en souriant tandis que le serveur s'éloignait. Je croyais que c'était votre plat préféré.

— Je m'en suis fait hier.

Gamache rit. Il était plus probable, savaient-ils tous les deux, que Beauvoir déjeunerait d'une Super Pointe. Dernièrement, en fait, il prenait seulement du café le matin, et peut-être un bagel.

Par la fenêtre, ils voyaient Three Pines se réveiller sous le soleil matinal. Il y avait encore peu de gens dehors. Quelques villageois promenaient leur chien, d'autres étaient assis sur leur galerie, buvant du café et lisant le journal. La plupart, cependant, dormaient encore.

— Comment se débrouille l'agente Lacoste ? demanda l'inspecteur-chef après que le serveur leur eut apporté les cafés.

— Plutôt bien. Lui avez-vous parlé hier soir ? Je lui avais conseillé de vous faire part des résultats de ses recherches.

Tout en buvant leur café, les deux hommes échangèrent leurs impressions.

Beauvoir regarda sa montre au moment où leurs plats arrivaient.

– Je lui ai demandé de venir nous rejoindre à huit heures.

Le cadran indiquait huit heures moins dix. Levant la tête, il aperçut Lacoste qui traversait le parc, un dossier à la main.

– J'aime être un mentor.

– Et vous vous acquittez bien de ce rôle. Bien sûr, vous avez eu un bon professeur. Bienveillant, juste, mais ferme.

Beauvoir regarda le chef d'un air exagérément perplexe.

– Vous ? Vous voulez dire que vous m'avez servi de mentor pendant toutes ces années ? Ça explique pourquoi j'ai besoin de suivre une thérapie.

Gamache baissa les yeux sur son assiette et sourit.

L'agente Lacoste se joignit à eux et commanda un cappuccino.

– Et un croissant, s'il vous plaît, lança-t-elle au serveur qui s'éloignait.

Déposant le dossier sur la table, elle ajouta :

– J'ai lu votre rapport hier soir, chef, et j'ai fait quelques recherches.

– Déjà ? dit Beauvoir.

– Eh bien, je me suis levée tôt et, franchement, je n'avais aucune envie de rester au gîte avec les artistes.

– Pourquoi ? demanda Gamache.

– Je les trouve ennuyeux. J'ai soupé avec Normand et Paulette pour voir si je pouvais leur soutirer d'autres renseignements sur Lillian Dyson, mais ils semblent avoir perdu tout intérêt.

– De quoi avez-vous parlé ? demanda Beauvoir.

– Pendant presque tout le repas, ils ont parlé en riant de la critique sur l'exposition de Clara publiée dans l'*Ottawa Star*, disant qu'elle détruirait sa carrière.

– Mais qui se soucie de l'opinion de l'*Ottawa Star* ? demanda Beauvoir.

– Il y a dix ans, personne. Mais maintenant, avec Internet, le monde entier peut lire la critique. Comme Normand l'a dit, les gens se souviennent seulement des mauvaises critiques.

– Je me demande si c'est vrai, dit Gamache.

— As-tu réussi à trouver cette fameuse critique écrite par Lillian Dyson? demanda Beauvoir.

— «Il a un talent naturel, produisant de l'art comme si c'était une fonction physiologique»? cita Lacoste en souhaitant qu'elle ait été écrite à propos de Normand ou de Paulette.

Mais c'était peut-être le cas, pensa-t-elle pour la première fois. Le «il» était peut-être Normand. Cela pourrait expliquer son amertume, et sa joie de voir quelqu'un d'autre rabaissé dans une critique.

Isabelle Lacoste fit non de la tête.

— Pas encore. Ça remonte à de nombreuses années, plus de vingt ans. J'ai envoyé un agent aux archives de *La Presse*. Il faut regarder chaque microfiche, une à la fois.

— Bien, dit l'inspecteur Beauvoir en hochant la tête.

Lacoste rompit son croissant feuilleté et chaud.

— J'ai fait des recherches sur la marraine de Lillian Dyson, comme vous me l'avez demandé, chef, dit-elle.

Elle mordit dans son croissant, puis le déposa et consulta ses notes.

— Suzanne Coates, soixante-deux ans, serveuse au restaurant Chez Nick sur l'avenue Greene. Vous le connaissez?

Beauvoir secoua la tête, mais Gamache hocha la sienne.

— C'est une institution dans Westmount.

— Comme l'est Suzanne, apparemment. J'ai appelé au restaurant ce matin, avant de venir ici, et parlé à l'une des serveuses. Une dénommée Lorraine. Elle a confirmé que Suzanne travaille à cet endroit depuis vingt ans. Mais elle s'est montrée un peu méfiante lorsque je lui ai demandé quel était l'horaire de Suzanne. Elle a fini par avouer que les serveuses se couvrent les unes les autres quand elles vont travailler dans des fêtes privées pour gagner un peu d'argent supplémentaire. Suzanne devait être de service samedi, mais ne s'est pas présentée au restaurant. Elle a travaillé hier, cependant, comme d'habitude. Son quart commence à onze heures.

— «Travailler dans des fêtes privées» signifie-t-il…? dit Beauvoir.

– Se prostituer ? La femme a soixante-deux ans. Mais elle a déjà pratiqué ce métier il y a des années. Deux arrestations pour prostitution et une pour introduction par effraction. Cela remonte au début des années quatre-vingt. Elle a également été inculpée de vol.

Gamache et Beauvoir haussèrent les sourcils. Mais c'était il y a longtemps, et il y avait une grande différence entre ces crimes et un meurtre.

– J'ai aussi de l'information concernant sa situation financière. L'an dernier, son revenu déclaré s'élevait à vingt-trois mille dollars. Mais elle est lourdement endettée. Elle a trois cartes de crédit, toutes utilisées au maximum. Pour elle, la limite autorisée ne semble pas un frein à la dépense, mais un but. Comme la plupart des personnes criblées de dettes, elle essaie d'échapper à ses créanciers, mais tout est sur le point de s'effondrer.

– S'en rend-elle compte ? demanda Gamache.

– Difficile de ne pas s'en rendre compte, à moins d'être complètement déconnecté de la réalité.

– Tu ne l'as pas rencontrée. C'est une de ses meilleures qualités, dit Beauvoir.

André Castonguay sentait l'arôme du café.

Il était couché dans le lit confortable, sous le drap de six cents fils et la couette en duvet d'oie. Et aurait voulu être mort.

Il avait l'impression d'être tombé de très haut. Et, étrangement, d'avoir survécu, quoique meurtri et broyé. Tendant une main tremblotante vers le verre d'eau, il but d'un trait le reste du contenu. Cela lui fit du bien.

Il se redressa lentement en se donnant le temps de s'habituer à chaque nouvelle position. Se mettant finalement debout, il enveloppa son corps flasque dans la robe de chambre. « Plus jamais, se dit-il en se traînant jusqu'à la salle de bains où il se regarda dans le miroir. Plus jamais. »

Mais il avait dit ça la veille. Et le jour d'avant. Et le jour avant ça.

*   *   *

L'équipe de la Sûreté passa toute la matinée dans le bureau provisoire installé dans l'ancienne gare ferroviaire du Canadien National. Le bâtiment en brique centenaire, pas très haut, se trouvait de l'autre côté de la rivière Bella Bella, face au village. Il ne servait plus, les trains ayant simplement cessé de s'arrêter là des décennies auparavant. Aucune explication n'avait été donnée.

Pendant un certain temps, les trains avaient continué de traverser le village, serpentant dans la vallée et entre les montagnes avant de disparaître dans un tournant.

Puis, un jour, plus aucun n'était passé. Ni l'express de midi. Ni le train de quinze heures à destination du Vermont, aux arrêts fréquents.

Il n'y avait plus rien pour permettre aux villageois de régler leurs pendules.

Les trains ne vinrent plus à Three Pines, et le temps s'immobilisa.

La gare demeura vide jusqu'à ce qu'un jour Ruth Zardo eût une idée qui ne demandait ni olives ni glaçons. Le service des pompiers volontaires de Three Pines occuperait les lieux. Avec Ruth Zardo à leur tête, les pompiers prirent donc possession du beau vieux bâtiment en brique et en firent leur quartier général. Comme l'équipe des homicides le faisait maintenant.

Dans une moitié de la salle sans cloisons s'entassaient des pièces d'équipement de lutte contre les incendies, des haches, des tuyaux, des casques. Un camion. Dans l'autre moitié se trouvaient des bureaux, des ordinateurs, des imprimantes et des numériseurs. Les murs étaient couverts de cartes détaillées de la région, d'affiches contenant des conseils sur la prévention des incendies, de photos d'anciens lauréats du Prix du Gouverneur général dans la catégorie Poésie, dont Ruth, ainsi que de grandes feuilles de papier portant des titres comme Suspects, Éléments de preuve, Victime, Questions.

Il y avait beaucoup de questions, et l'équipe consacra la matinée à essayer de trouver des réponses. Quand le rapport détaillé de la médecin légiste arriva, l'inspecteur Beauvoir se chargea de le lire et d'étudier les preuves médicolégales. Il se penchait sur la façon dont la victime avait été tuée tandis que l'agente Lacoste essayait de découvrir comment elle avait vécu, s'attardant aux années passées à New York, à son mariage, aux amis et aux collègues qu'elle avait pu avoir. À ce qu'elle avait fait, pensé. À ce que les autres avaient pensé d'elle.

Et l'inspecteur-chef Gamache établissait des liens entre toutes ces informations.

Assis à son bureau avec une tasse de café, il lut tous les rapports de la veille. Et ceux du matin.

Puis il prit le grand livre bleu sur le bureau et sortit se promener. Instinctivement, il se dirigea vers le village, mais s'immobilisa sur le pont de pierre enjambant la rivière.

Ruth était assise sur un banc dans le parc et ne semblait pas faire grand-chose. Mais c'était faux, Gamache le savait. Elle faisait ce qu'il y avait de plus difficile au monde.

Elle attendait, et espérait.

Il la regarda lever sa tête grise vers le ciel et écouter. À l'affût d'un son au loin, comme celui d'un train dans lequel se trouverait quelqu'un revenant à la maison. Puis, elle laissa retomber sa tête.

Combien de temps attendrait-elle? se demanda-t-il. C'était déjà presque la mi-juin. Combien d'autres personnes, des mères et des pères, s'étaient-elles assises sur ce même banc, attendant, espérant? Guettant l'arrivée du train. Se demandant s'il s'arrêterait et si un jeune homme à la silhouette familière en descendrait après avoir été recraché par des endroits portant de jolis noms, comme la crête de Vimy, les Flandres, Passchendaele. Par Dieppe ou Arnhem.

Combien de temps l'espoir durait-il?

De nouveau, Ruth leva la tête vers le ciel et tendit l'oreille, attendant un cri au loin. Puis, encore une fois, elle la baissa.

«Une éternité», se dit Gamache.

Et si l'espoir ne mourait jamais, combien de temps la haine durait-elle?

Il se tourna, pour ne pas la déranger. Mais lui non plus ne voulait pas se faire déranger. Il avait besoin de calme, pour lire et réfléchir. Revenant sur ses pas, il dépassa la vieille gare et s'engagea sur une des routes de terre qui rayonnaient à partir du parc. Il s'était beaucoup promené autour de Three Pines, mais jamais sur ce chemin.

De chaque côté s'élevaient d'immenses érables, leurs branches se rejoignant au sommet. Les feuilles cachaient presque complètement le soleil. Mais pas tout à fait. Quelques rayons filtraient au travers et projetaient de petites taches de douce lumière sur le sol, sur Gamache et sur le livre dans sa main.

Gamache trouva un gros affleurement rocheux en bordure du chemin. Il s'assit, mit ses lunettes de lecture, croisa les jambes et ouvrit le livre.

Il le ferma une heure plus tard et regarda droit devant lui. Puis il se leva et poursuivit sa marche dans le tunnel d'ombre et de lumière. Dans la forêt, il vit des feuilles mortes et de jeunes crosses de fougère, entendit des tamias courant se mettre à l'abri et des oiseaux. Il avait conscience de tout ça, même si son esprit était ailleurs.

Finalement, il s'immobilisa, pivota sur ses talons et rebroussa chemin en marchant d'un pas lent mais assuré.

16

– Bon, dit Gamache en prenant place à ce qui leur servait de table de conférence. Dites-moi ce que vous savez.

– Le rapport complet de la D^re Harris est arrivé ce matin, dit Beauvoir.

Debout à côté des grandes feuilles de papier fixées au mur, il agita sous son nez un marqueur non décapuchonné.

– Le cou de Lillian Dyson a été brisé net, en un seul mouvement, poursuivit-il en mimant le geste de tordre un cou. Il n'y avait pas d'ecchymoses sur son visage ni sur ses bras. Nulle part, sauf une petite sur son cou, à l'endroit où il s'est cassé.

– Ce qui signifie quoi? demanda le chef.

– Que la mort a été rapide, répondit Beauvoir.

Il l'écrivit sur une feuille, en grosses lettres majuscules. Il adorait cette étape d'une enquête : l'énumération des faits, des éléments de preuve, sur papier. Une fois écrit à l'encre, un fait devenait vérité.

– Comme nous le pensions, elle a été attaquée par surprise. D'après la D^re Harris, elle a pu être tuée aussi bien par un homme que par une femme, mais l'assassin n'est probablement pas une personne âgée parce qu'il fallait une certaine force et une bonne prise. Le meurtrier n'est sans doute pas plus petit que Mme Dyson, mais, dit Beauvoir en consultant ses notes, comme elle mesurait un mètre soixante-cinq, on peut dire que la majorité des gens sont plus grands qu'elle.

– Quelle est la taille de Clara Morrow? demanda Lacoste.

Les deux hommes se regardèrent.

— À peu près la même, à mon avis, répondit Beauvoir, et Gamache approuva d'un hochement de tête.

La question, malheureusement, était pertinente.

— Il n'y a eu aucune autre forme de sévices, continua Beauvoir. Pas d'agression sexuelle. Aucun signe, en fait, d'activité sexuelle récente. Lillian Dyson avait quelques kilos en trop, mais pas beaucoup. Elle avait mangé une ou deux heures plus tôt. Dans un restaurant McDonald's.

Beauvoir essaya de ne pas penser au Joyeux festin que la médecin légiste avait trouvé.

— Y avait-il d'autre nourriture dans son estomac ? demanda Lacoste. Des aliments servis à la fête ?

— Non, rien.

— A-t-on trouvé des traces d'alcool ou de drogues dans son sang ? demanda Gamache.

— Aucune.

Le chef se tourna vers l'agente Lacoste, qui, en regardant ses notes, résuma ce qu'elle avait appris.

— L'ex-mari de Lillian Dyson était un trompettiste de jazz à New York. Il a rencontré Lillian à une exposition. Il avait été engagé pour jouer à un cocktail et elle était une des invitées. L'attirance fut mutuelle. Ils étaient tous les deux alcooliques, apparemment. Ils se sont mariés et, pendant un certain temps, chacun d'eux a semblé mettre de l'ordre dans sa vie. Puis, tout a mal tourné. Pour les deux. Lui s'est mis à fumer du crack et à se shooter à la méthamphétamine. Et s'est fait virer de spectacles pour lesquels il avait été engagé. Ils ont été expulsés de leur appartement. Leur vie était un vrai gâchis. Lillian l'a finalement laissé et est sortie avec quelques autres hommes. J'en ai trouvé deux, mais pas les autres. D'après ce que j'ai compris, il ne s'agissait que de brèves aventures, pas de vraies relations. Et, apparemment, elle devenait de plus en plus désespérée.

— Était-elle accro au crack ou à la méthamphétamine, elle aussi ? demanda Gamache.

— Rien ne le laisse croire.

— Comment gagnait-elle sa vie ? Comme artiste ou critique ?

– Ni l'un ni l'autre. Il semble qu'elle vivait en marge du monde des arts, répondit Lacoste en jetant un coup d'œil à ses notes.

– Alors que faisait-elle? demanda Beauvoir.

– Eh bien, elle était une immigrante illégale. Elle n'avait pas de permis de travail pour les États-Unis. D'après l'information que j'ai réussi à glaner, elle travaillait au noir dans des magasins de matériel d'artiste. Elle trouvait de petits boulots ici et là.

Gamache pensa au genre de vie qu'elle avait menée. Pour une jeune de vingt ans, ce serait excitant. Pour une femme près de la cinquantaine, ce devait être épuisant, décourageant.

– Elle n'était peut-être pas une toxicomane, mais aurait-elle pu vendre de la drogue? demanda-t-il. Ou se livrer à la prostitution?

– Elle s'est peut-être adonnée à ces deux activités pendant un certain temps, mais pas récemment, répondit Lacoste.

– Selon la médecin légiste, il n'y a aucun signe de maladie transmissible sexuellement. Pas de marques de piqûres ni de cicatrices, dit Beauvoir en consultant la feuille imprimée. Comme vous le savez, la plupart des petits revendeurs de drogue sont également des toxicomanes.

– D'après les parents de Lillian, son mari serait mort, dit le chef.

– Oui, il y a trois ans, confirma Lacoste. D'une overdose.

Beauvoir biffa le nom de l'homme.

– Les registres des douanes canadiennes indiquent qu'elle a traversé la frontière dans un autobus en provenance de New York le 16 octobre de l'année dernière, dit Lacoste. Il y a huit mois. Elle a demandé de l'aide sociale et l'a obtenue.

– Quand s'est-elle jointe aux Alcooliques anonymes? demanda Gamache.

– Je ne sais pas. J'ai essayé d'appeler sa marraine, Suzanne Coates, mais il n'y avait pas de réponse. Et Chez Nick, on m'a dit qu'elle était en congé pour quelques jours.

– Un congé prévu? demanda Gamache en se redressant sur son siège.

– Je n'ai pas posé la question.

— Faites-le, s'il vous plaît, dit le chef en se levant. Lorsque vous la trouverez, dites-le-moi. J'ai aussi quelques questions à lui poser.

Il se dirigea vers son bureau et fit un appel téléphonique. Il aurait pu donner le nom et le numéro à l'agente Lacoste ou à l'inspecteur Beauvoir, mais il préférait faire cet appel lui-même.

— Bureau du juge en chef, dit une voix claire et ferme.

— Puis-je parler au juge Pineault, s'il vous plaît? Je suis l'inspecteur-chef Gamache, de la Sûreté.

— Je suis désolée, inspecteur-chef, mais M. le juge n'est pas au bureau aujourd'hui.

Gamache, surpris, ne réagit pas immédiatement.

— Ah oui? Est-il malade? Je l'ai vu hier soir et il ne m'a rien mentionné.

Ce fut maintenant au tour de la secrétaire du juge Pineault de marquer un temps d'arrêt.

— Il a appelé ce matin pour dire qu'il travaillerait de chez lui au cours des prochains jours.

— Était-ce une décision inattendue?

— Le juge en chef est libre d'agir comme il le veut, monsieur Gamache.

Elle avait répondu avec indulgence à une question visiblement déplacée.

— J'essaierai de l'appeler chez lui. Merci.

Il composa le numéro suivant dans son calepin, celui du restaurant Chez Nick.

Non, l'informa la femme préoccupée qui répondit, Suzanne n'était pas là. Elle avait appelé pour dire qu'elle ne viendrait pas.

La femme ne paraissait pas contente.

— A-t-elle dit pourquoi? demanda Gamache.

— Elle ne se sentait pas bien.

Gamache la remercia et raccrocha. Il essaya ensuite d'appeler Suzanne sur son cellulaire. Il n'y avait plus de service au numéro qu'il avait composé. Après avoir raccroché, il tapota doucement sa main avec ses lunettes.

Les personnes qu'il avait rencontrées à la réunion des AA du dimanche soir semblaient avoir disparu. Pas de Suzanne Coates. Pas de Thierry Pineault.

Y avait-il lieu de s'inquiéter? Armand Gamache savait que la disparition de n'importe qui dans une affaire de meurtre constituait un motif d'inquiétude. Mais pas de panique.

Il se leva et alla à la fenêtre, d'où il pouvait voir Three Pines de l'autre côté de la rivière Bella Bella. Tandis qu'il regardait, une auto s'arrêta dans le village, une voiture à deux places, neuve et luxueuse, aux lignes pures. Un contraste avec les autos plus vieilles garées devant les maisons.

Un homme sortit et regarda autour de lui. Il semblait hésitant, mais pas perdu.

Il se dirigea ensuite d'un pas assuré vers le bistro et y entra.

Gamache plissa les yeux en l'observant.

– Hum, grommela-t-il.

Puis il se tourna et regarda la pendule. Presque midi.

Il prit le gros livre sur son bureau.

– Je serai au bistro, dit-il.

Il vit les sourires entendus de Lacoste et Beauvoir, et dut reconnaître qu'il les comprenait.

Les yeux de Gamache s'adaptèrent à l'éclairage tamisé du bistro. Le temps se réchauffait à l'extérieur, mais on avait malgré tout allumé un feu dans les deux foyers en pierre.

C'était comme entrer dans un autre monde, avec ses propres atmosphère et saison. Il ne faisait jamais ni trop chaud ni trop froid dans le bistro. C'était l'ours du milieu.

– Salut, patron, lança Gabri en saluant Gamache de la main derrière le long bar en bois poli. Déjà de retour? Est-ce que je vous ai manqué?

– Nous ne devons jamais parler de nos sentiments, Gabri. Ça anéantirait Olivier et Reine-Marie.

– Ce n'est que trop vrai, répondit Gabri en riant.

Contournant le comptoir, il offrit une réglisse en forme de pipe à l'inspecteur-chef et ajouta:

– De plus, paraît-il, c'est toujours mieux de refouler ses émotions.

Gamache mit la pipe dans sa bouche comme s'il la fumait.

– Très européen, dit Gabri en hochant la tête en signe d'approbation. Très Maigret.

– Merci. C'est le look que je recherchais.

– Vous ne voulez pas vous asseoir dehors? demanda Gabri.

D'un geste du bras, il indiqua la terrasse avec ses tables rondes et ses parasols aux couleurs gaies. Quelques villageois sirotaient un café, d'autres un apéritif.

– Non, je cherche quelqu'un.

Armand Gamache pointa le doigt vers le fond du bistro, vers la table à côté de la cheminée où, confortablement installé et ayant l'air parfaitement à l'aise, se trouvait Denis Fortin, le galeriste.

– Mais j'aimerais d'abord vous poser une question. M. Fortin vous a-t-il parlé au vernissage de Clara?

– À Montréal? Oui, répondit Gabri en éclatant de rire. Et comment! Il s'est excusé.

– Qu'a-t-il dit?

– Il a dit, et je cite: «Je suis extrêmement désolé de vous avoir traité de sale pédé.» Fin de la citation.

Gabri regarda Gamache d'un air interrogateur.

– J'en suis un, vous savez.

– J'avais entendu les rumeurs. Mais ce ne doit pas être agréable de se faire appeler sale pédé.

Gabri secoua la tête.

– Pas la première fois, et probablement pas la dernière non plus. Vous avez raison, on ne s'y habitue jamais. Ça fait toujours l'effet d'une blessure fraîche.

Les deux hommes regardaient le marchand d'art à l'attitude décontractée. Nonchalante, détendue.

– Que pensez-vous de lui maintenant? demanda Gamache. Devrais-je faire analyser le contenu de son verre?

Gabri sourit.

– À vrai dire, je l'aime bien. Peu de gens qui me traitent de sale pédé me présentent des excuses. Il marque des points pour ça. Il s'est aussi excusé auprès de Clara de s'être si mal comporté à son égard.

Le galeriste avait donc dit la vérité, pensa Gamache.

– Il était aussi à la fête, ici, samedi soir. Clara l'a invité, dit Gabri en suivant le regard de l'inspecteur-chef. Je ne savais pas qu'il était resté.

– Il n'est pas resté.

– Alors pourquoi est-il de retour?

Gamache se le demandait aussi. Il avait vu Denis Fortin arriver quelques minutes plus tôt et était venu au bistro pour lui poser précisément cette question.

– Je ne m'attendais pas à vous voir ici, dit-il en s'approchant de Fortin, qui s'était levé.

Ils se serrèrent la main.

– Je ne m'attendais pas à venir, mais la galerie est fermée le lundi et je me suis mis à réfléchir.

– À quel sujet?

Les deux hommes s'assirent dans les fauteuils. Gabri apporta une limonade à Gamache.

– Vous disiez que vous vous étiez mis à réfléchir? dit Gamache.

– À propos de ce que vous avez dit quand vous êtes venu me voir hier.

– Au sujet du meurtre?

Denis Fortin rougit.

– Eh bien, non. Au sujet de François Marois et d'André Castonguay qui étaient encore à Three Pines.

Gamache savait ce que le galeriste voulait dire, mais il voulait l'entendre le dire tout haut.

– Continuez.

Fortin le regarda avec un sourire gamin et désarmant.

– Nous, dans le monde des arts, aimons penser que nous sommes des rebelles, des non-conformistes. Des esprits libres. Supérieurs aux autres sur le plan intellectuel et intuitif. Mais on ne parle pas de l'«establishment artistique» pour rien. En fait, la plupart de ceux qui composent ce monde sont des suiveurs. Si un marchand commence à s'intéresser à un artiste, d'autres ne tarderont pas à en faire autant. Nous suivons le bruit qui court. C'est ainsi que se créent des phénomènes. Pas parce que l'artiste est meilleur que tous les autres, mais parce que les marchands ont une mentalité de meute. Soudain, ils décident tous qu'ils veulent avoir les œuvres d'un artiste en particulier.

– Ils ?

– Nous, dit Fortin, à contrecœur.

Encore une fois, Gamache remarqua cette rougeur d'agacement qui semblait monter si facilement aux joues du galeriste.

– Et cet artiste devient la nouvelle étoile montante ?

– C'est bien possible. Si c'était seulement Castonguay, je ne m'inquiéterais pas. Ou même seulement Marois. Mais tous les deux ?

– Et pourquoi sont-ils encore ici, à votre avis ?

Gamache connaissait la réponse. Marois lui avait dit pourquoi il était resté. Mais l'inspecteur-chef voulait entendre l'interprétation de Fortin.

– Pour les Morrow, évidemment.

– Est-ce la raison pour laquelle vous êtes venu ?

– Quelle autre raison y aurait-il ?

La peur et la cupidité, avait dit M. Marois. Voilà ce qui bouillonnait derrière l'extérieur scintillant du monde des arts. Et voilà ce qui venait de s'installer dans le bistro tranquille.

Jean-Guy Beauvoir répondit au téléphone qui sonnait.

– Inspecteur Beauvoir ? C'est Clara Morrow.

Elle murmurait.

– Qu'y a-t-il ?

Instinctivement, il chuchota lui aussi. Assise à son propre bureau, l'agente Lacoste tourna la tête vers lui.

– Il y a quelqu'un dans notre jardin. Une personne que je ne connais pas.

Beauvoir se leva.

– Que fait-elle ?

– Elle fixe l'endroit où Lillian a été tuée, murmura Clara.

L'agente Lacoste se tenait en bordure du parc du village, sur le qui-vive.

À sa gauche, l'inspecteur Beauvoir se dirigeait silencieusement vers l'arrière de la maison des Morrow. À sa droite, l'inspecteur-chef Gamache marchait doucement sur la pelouse, en faisant attention de ne pas déranger quiconque était dans le jardin.

Des villageois qui promenaient leurs chiens interrompirent leur marche. Les conversations chuchotées à voix basse finirent par s'arrêter, et bientôt toute activité sembla avoir cessé dans Three Pines, comme si le village attendait et observait ce qui allait se passer.

Le rôle de Lacoste était de sauver les villageois, si la situation l'exigeait. Si jamais la personne dans la cour arrière réussissait à échapper au chef, à Beauvoir. Isabelle Lacoste représentait la dernière ligne de défense.

Elle sentait son revolver dans l'étui sur sa hanche, caché sous sa veste chic. Mais elle ne le sortit pas. Pas encore. L'inspecteur-chef Gamache leur avait répété encore et encore : « Ne dégainez jamais votre arme, jamais, à moins d'avoir l'intention de vous en servir. Et, dans ce cas, tirez pour neutraliser. Ne visez pas une jambe ou un bras. Visez le corps. »

« Personne ne tient nécessairement à tuer, disait-il, mais vous ne voulez certainement pas rater votre coup. Car si une arme est dégainée, cela signifie que tout le reste a échoué. Et que l'enfer s'est déchaîné. »

Une image vint spontanément à l'esprit de l'agente Lacoste. Elle se vit penchée au-dessus du chef étendu par terre et essayant de parler, le regard vitreux et essayant de se concentrer. Elle se revoyait lui tenir la main, collante à cause du sang, et regarder son alliance, couverte de sang. Il y avait tellement de sang sur ses mains.

Elle se força à revenir au moment présent et à se concentrer.

Beauvoir et Gamache avaient disparu. Tout ce qu'elle voyait, c'était le petit cottage tranquille au soleil. Et tout ce qu'elle entendait, c'étaient les battements de son cœur.

Après avoir tourné l'angle de la maison, l'inspecteur-chef Gamache s'immobilisa.

Devant lui se trouvait une femme, tournée dos à lui. Il était à peu près certain de savoir qui c'était, mais voulait s'en assurer. Il était aussi à peu près certain qu'elle ne représentait aucun danger, mais, avant de relâcher sa vigilance, il voulait s'assurer de cela aussi.

Gamache jeta un coup d'œil à sa gauche et vit Beauvoir. Comme lui, son adjoint se tenait sur ses gardes, mais n'était plus inquiet. Le chef leva la main gauche, un geste pour dire à Beauvoir de rester là où il était.

– Bonjour, dit Gamache, et la femme sursauta, poussa un cri et se retourna brusquement.

– *Holy shit!* s'exclama Suzanne. Vous m'avez fait une peur bleue.

Gamache sourit légèrement.

– Désolé, mais vous avez fait une peur bleue à Clara Morrow.

Suzanne tourna la tête vers la maison et vit Clara à la fenêtre de la cuisine. Elle lui fit un petit signe de la main et lui adressa un sourire d'excuse. Clara lui rendit son salut d'une main hésitante.

– Je suis désolée, dit Suzanne.

Au même moment, elle aperçut Beauvoir, quelques mètres plus loin, de l'autre côté du jardin.

– Je suis vraiment inoffensive, vous savez. Stupide, peut-être, mais inoffensive.

L'inspecteur Beauvoir lui lança un regard noir. D'après son expérience, les gens stupides n'étaient jamais inoffensifs. C'étaient les pires. Autant de crimes s'expliquaient par la bêtise que par la colère et la cupidité. Mais, se calmant, il s'approcha et murmura à l'oreille du chef:

– Je vais avertir Lacoste que tout va bien.

– D'accord. Je m'occupe de Mme Coates.

Beauvoir regarda Suzanne par-dessus son épaule et secoua la tête.

Quelle idiote!

– Alors, dit Gamache lorsqu'ils furent seuls, pourquoi êtes-vous ici?

– Pour voir l'endroit où Lillian est morte. Je n'ai pas pu dormir la nuit dernière. La réalité m'est apparue de plus en plus clairement : Lillian était morte, assassinée.

Pourtant, elle semblait à peine y croire.

– Il fallait que je vienne. Pour voir où c'était arrivé. Vous avez dit que vous seriez ici et je voulais offrir mon aide.

– Votre aide ? Et comment pourriez-vous nous aider ?

Suzanne parut surprise.

– À moins qu'il s'agisse d'une erreur ou qu'elle ait été victime d'une agression gratuite, quelqu'un a tué Lillian intentionnellement. Ne croyez-vous pas ?

Gamache hocha la tête en observant attentivement cette femme.

– Quelqu'un voulait la mort de Lillian. Mais qui ?

– Et pourquoi ? ajouta le chef.

– Exactement. Je pourrais aider avec le « pourquoi ».

– Comment ?

– Quand ? dit Suzanne avec un sourire.

Puis son sourire s'effaça lorsqu'elle se tourna pour regarder de nouveau le trou dans le jardin, entouré d'un ruban jaune agité par la brise.

– Je connaissais Lillian mieux que quiconque. Mieux que ses parents. Probablement mieux qu'elle-même se connaissait. Je peux vous aider.

Elle fixa les yeux brun foncé de l'inspecteur-chef. Elle affichait un air de défi, prête au combat. Elle ne s'était pas attendue, cependant, à ce qu'elle voyait dans ces yeux. De l'attention.

Armand Gamache prenait en considération ses paroles. Il ne les rejetait pas d'emblée, ne lui opposait pas d'arguments. Il réfléchissait à ce qu'elle avait dit, à ce qu'il avait entendu.

L'inspecteur-chef étudia la femme énergique devant lui. Ses vêtements étaient trop serrés, et mal assortis. S'agissait-il d'une façon d'être originale ou s'habillait-elle tout simplement à la diable ? Ne se voyait-elle pas ? Ou alors se fichait-elle de son apparence ?

Elle avait l'air ridicule, stupide. Et avait même affirmé l'être.

Mais ce n'était pas vrai. Elle avait des yeux intelligents, et ses propos l'étaient encore davantage.

Elle connaissait la victime mieux que quiconque. Elle était particulièrement bien placée pour aider. Mais était-ce la véritable raison pour laquelle elle était là ?

– *Hello*, dit Clara, timidement.

Elle venait de sortir par la porte de la cuisine et se dirigeait vers eux.

Suzanne se tourna immédiatement et la regarda, puis alla à sa rencontre, les bras tendus.

– Oh, excusez-moi. J'aurais dû aller frapper à votre porte et demander la permission plutôt que de me précipiter directement dans votre jardin. Je ne sais pas pourquoi je ne l'ai pas fait. Je m'appelle Suzanne Coates.

Tandis que les deux femmes se présentaient et engageaient la conversation, Gamache tourna la tête et regarda de nouveau le jardin. Le bâton de prière enfoncé dans la terre. Et il se rappela ce que Myrna avait trouvé sous ce bâton.

Un jeton de débutant des AA.

Il avait présumé qu'il appartenait à la victime, mais n'en était plus si sûr. Appartenait-il plutôt au meurtrier ? Et cela expliquerait-il pourquoi Suzanne était venue dans le jardin sans prévenir personne ?

Cherchait-elle le jeton manquant, son jeton manquant ? N'étant pas consciente que la police l'avait déjà en sa possession ?

Les deux femmes s'étaient approchées de Gamache et Clara décrivait la découverte du corps. Quand elle eut terminé, elle demanda :

– Étiez-vous une amie de Lillian ?

– En quelque sorte, oui. Nous avions des amis communs.

– Êtes-vous une artiste ? demanda Clara en examinant le drôle d'accoutrement de la femme d'un certain âge.

– Si l'on peut dire, répondit Suzanne en riant. Certainement pas du même calibre que vous. J'aime penser que mon approche est intuitive, mais les critiques ont appelé mes peintures quelque chose d'autre.

Les deux femmes rirent.

Gamache vit, derrière elles, les rubans du bâton de prière qui ondoyaient, comme s'ils captaient leurs rires.

– Eh bien, les miennes ont été qualifiées de «quelque chose d'autre» durant des années, avoua Clara. Mais, en général, on n'en parlait même pas. Personne ne les remarquait. Cette exposition est la première de toute ma vie.

Clara et Suzanne comparèrent leurs expériences artistiques pendant que Gamache les écoutait. Leur échange constituait une véritable chronique de la vie d'un artiste. Témoignait du délicat équilibre entre ego et création, de la lutte constante entre ego et création.

D'une vie passée à essayer de ne pas s'en faire. Et à s'en faire beaucoup trop.

– Je ne suis pas allée à votre vernissage, dit Suzanne. Ce genre d'événement est un peu trop chic pour moi. Je suis plus du genre à servir les sandwichs qu'à les manger. Mais j'ai entendu dire que c'était magnifique. Félicitations. J'ai l'intention d'aller voir l'exposition dès que possible.

– Nous pourrions y aller ensemble, si vous voulez, proposa Clara.

– Merci. Si j'avais su que vous étiez si gentille, il y a longtemps que j'aurais pénétré sans autorisation dans votre propriété.

Elle jeta un coup d'œil autour d'elle et se tut.

– À quoi pensez-vous? demanda Clara.

Suzanne sourit.

– Je pensais aux contrastes. À la violence dans un lieu aussi paisible. À quelque chose de si affreux qui s'est produit ici.

Tous les trois regardèrent le jardin autour d'eux, alors, jusqu'à ce que leurs yeux s'arrêtent à l'endroit encerclé d'un ruban jaune.

– C'est quoi, ça?

– Un bâton de prière, répondit Clara.

Ils fixèrent les rubans entrelacés. Puis Clara eut une idée. Elle expliqua le rituel que ses amies et elle avaient accompli, puis demanda:

– Aimeriez-vous attacher un ruban?

Suzanne réfléchit un moment.

– J'aimerais beaucoup ça. Merci.

– Je reviens dans une minute.

Après avoir salué les deux autres d'un hochement de tête, Clara se dirigea vers le village.

– Elle est sympathique, dit Suzanne en la regardant s'éloigner. J'espère qu'elle réussira à le demeurer.

– Vous avez des doutes? demanda Gamache.

– Le succès peut vous perturber. Mais, évidemment, l'échec aussi.

Suzanne rit, puis se tut.

– À votre avis, pourquoi Lillian Dyson a-t-elle été tuée? demanda Gamache.

– Pourquoi pensez-vous que je le saurais?

– Parce que je suis d'accord avec vous. Vous la connaissiez mieux que personne. Mieux qu'elle se connaissait elle-même. Vous connaissiez ses secrets, et maintenant vous allez me les révéler.

17

– *Helloooo!* lança Clara. Bonjour!

Elle entendait des voix, des cris. Mais ils semblaient métalliques, lointains. Comme s'ils sortaient d'un téléviseur. Puis ils cessèrent et ce fut le silence. L'endroit donnait l'impression d'être vide, même si ce n'était vraisemblablement pas le cas.

Elle s'avança un peu plus dans la vieille gare, passant devant le camion d'incendie rutilant et l'équipement des pompiers. Elle vit son propre casque et ses bottes. Tous les habitants de Three Pines étaient membres du service des pompiers volontaires. Et Ruth Zardo en était la chef, car elle seule était plus terrifiante que tout incendie. S'ils avaient le choix d'affronter Ruth ou un bâtiment en feu, la majorité d'entre eux choisiraient le bâtiment.

– Oui, allô?

Une voix masculine résonna dans la vaste pièce. Contournant le camion, Clara vit l'inspecteur Beauvoir assis à un bureau, qui regardait dans sa direction.

Il sourit et l'accueillit en l'embrassant sur les deux joues.

– Venez vous asseoir. Que puis-je faire pour vous?

Il était d'humeur enjouée et plein d'énergie. Clara avait cependant reçu un choc en le voyant au vernissage. Et maintenant. Les traits tirés, l'air fatigué. Maigre, même s'il avait toujours été très mince. Comme tout le monde, elle savait quelle épreuve il avait traversée. Du moins, comme tout le monde, elle connaissait les mots, l'histoire. Mais, en fin de compte, elle ne «savait» pas vraiment. Ne pourrait jamais vraiment savoir.

– Je suis venue demander conseil, répondit-elle en s'assoyant dans le fauteuil pivotant près de Beauvoir.

– À moi ?

Il paraissait visiblement surpris, et ravi.

– À vous.

Voyant sa réaction, elle se félicita de ne pas lui avoir dit pourquoi elle ne s'adressait pas à Gamache. L'inspecteur-chef n'était pas seul, mais lui, oui.

– Du café ? demanda Jean-Guy en indiquant une cafetière pleine.

– Avec plaisir, merci.

Ils allèrent se verser du café dans des tasses blanches ébréchées, prirent quelques biscuits aux figues, puis revinrent s'asseoir.

– Alors, de quoi s'agit-il ?

Beauvoir s'appuya contre le dossier du fauteuil et fixa Clara d'une façon bien à lui, mais qui rappelait un peu Gamache.

Son regard la mettait à l'aise. Elle avait eu raison de venir parler à ce jeune inspecteur.

– C'est au sujet des parents de Lillian, M. et Mme Dyson. Je les connaissais. Très bien même, à une certaine époque. Je me demandais s'ils vivaient toujours.

– Oui. Nous sommes allés les rencontrer hier. Pour leur dire ce qui était arrivé à leur fille.

Clara garda le silence, essayant d'imaginer ce que les deux parties avaient pu ressentir.

– Ç'a dû être horrible. Ses parents l'adoraient. Elle était leur unique enfant.

– C'est toujours horrible, avoua Beauvoir.

– Je les aimais beaucoup. Même quand Lillian et moi nous sommes brouillées, j'ai essayé de rester en contact avec eux, mais ils n'étaient pas intéressés. Ils croyaient ce que Lillian leur avait raconté sur moi. Ça se comprend, je suppose, dit-elle d'un ton qui manquait toutefois de conviction.

Beauvoir ne dit rien. Il se souvenait, cependant, du ton fielleux de M. Dyson quand il avait pour ainsi dire accusé Clara d'avoir assassiné sa fille.

– Je pensais leur rendre visite. Pour leur dire à quel point je suis désolée. Qu'y a-t-il?

Elle s'interrompit en voyant l'expression sur le visage de l'inspecteur.

– Ce n'est pas une bonne idée, répondit-il en posant sa tasse et en se penchant vers l'avant. Ils sont très bouleversés. À mon avis, ça ne les aiderait pas si vous alliez les voir.

– Mais pourquoi? Ils croient les horribles choses que Lillian a dites sur moi, je le sais. Mais si j'y vais, je pourrais peut-être alléger un peu leur peine. Lillian et moi étions les meilleures amies du monde quand nous étions jeunes. Ne pensez-vous pas que M. et Mme Dyson aimeraient parler de leur fille avec quelqu'un qui l'a aimée? (Elle marqua une pause.) À un moment donné.

– Un jour, peut-être. Mais pas maintenant. Laissez-leur du temps.

Myrna lui avait plus ou moins donné le même conseil. Clara était allée à la librairie pour chercher un ruban et le cigare de sauge et de foin d'odeur séchés. Et également pour demander l'avis de son amie. Devrait-elle aller rendre visite aux Dyson à Montréal?

Quand Myrna lui avait demandé pourquoi elle voulait faire ça, elle le lui avait expliqué.

– Ils sont âgés et seuls, avait-elle répondu, stupéfiée d'avoir à préciser. Ce qui vient de leur arriver est ce qu'il y a de pire. Je veux seulement leur offrir un peu de réconfort. Crois-moi, aller à Montréal pour les voir est la dernière chose que je voudrais faire, mais ça me semble *la* chose à faire. Pour en finir avec la rancune.

Le ruban était roulé serré autour de ses doigts, les comprimait.

– Ce sera peut-être le cas pour toi, avait dit Myrna. Mais pour eux?

– Comment sais-tu s'ils n'ont pas oublié tout ça?

Clara avait déroulé le ruban et joué nerveusement avec, le tortillant, le détortillant.

– Ils sont peut-être tout seuls chez eux. Anéantis, avait-elle ajouté. Et je ne leur rendrais pas visite parce que j'ai peur?

– Vas-y si tu dois y aller. Assure-toi seulement de le faire pour eux et non pour toi.

Avec ces paroles résonnant dans ses oreilles, Clara avait traversé le parc et s'était rendue au bureau provisoire pour parler à Beauvoir. Mais également pour obtenir quelque chose d'autre : l'adresse des Dyson.

Maintenant, après avoir écouté l'inspecteur, elle hocha la tête. Deux personnes lui avaient donné le même conseil. D'attendre. Clara s'aperçut qu'elle fixait le mur de la vieille gare. Et la photo de Lillian morte. Dans son jardin.

Où cette étrange femme et l'inspecteur-chef Gamache l'attendaient.

– Je crois m'être rappelé la plupart des secrets de Lillian.

– Vous croyez ? demanda l'inspecteur-chef.

Suzanne et lui marchaient dans le jardin de Clara en s'arrêtant de temps en temps pour l'admirer.

– Je ne vous mentais pas hier soir, vous savez. Ne le dites pas à mes filleuls, mais il m'arrive de mélanger leurs secrets. Après un certain temps, il est difficile de les séparer les uns des autres. En fait, tout est un peu flou.

Gamache sourit. Lui aussi était un coffre-fort contenant de nombreux secrets. Des informations obtenues au cours d'une enquête et qui n'avaient aucun rapport avec l'affaire. Qui n'avaient jamais besoin d'être connues. Il les avait donc enfermées en lieu sûr.

Si quelqu'un, soudain, exigeait de connaître les secrets de M. C, il regimberait. À l'idée, certainement, d'avoir à les dévoiler. Mais, devait-il admettre, il aurait également besoin de temps pour les séparer des autres.

– Les secrets de Lillian n'étaient pas pires que ceux de la plupart des gens, dit Suzanne. Du moins, pas ceux qu'elle m'a confiés. Des vols à l'étalage, de mauvaises créances. Prendre de l'argent dans le sac à main de sa mère. Elle avait tâté de la drogue et trompé son mari. Quand elle était à New York, elle volait de l'argent dans la caisse de son patron et ne partageait pas tous ses pourboires.

– Ce n'est rien d'épouvantable.

– Ce ne l'est jamais. La plupart d'entre nous tombent à cause de petites transgressions. De fautes mineures qui s'accumulent et finissent par nous écraser. C'est relativement facile d'éviter de faire des choses graves, mais ce sont les centaines de petits actes méchants qui finalement vous rattrapent. Si on prend le temps d'écouter les gens, on se rend compte que ce n'est ni la gifle ni le coup de poing qui rendent honteuses les personnes avec une conscience, mais le ragot chuchoté, le regard méprisant. Le dos tourné. Voilà ce que ces personnes cherchent à oublier en buvant.

– Et les gens qui n'ont pas de conscience ?

– Ils n'aboutissent pas chez les AA. Selon eux, ils n'ont aucun problème.

Gamache réfléchit un moment à ces paroles.

– Vous avez dit « du moins, pas ceux qu'elle m'a confiés ». Cela signifie-t-il qu'elle ne vous révélait pas tous ses secrets ?

Il ne regarda pas Suzanne. D'après son expérience, les gens s'ouvraient davantage si on leur donnait l'impression de ne pas envahir leur espace personnel. L'inspecteur-chef fixa plutôt les chèvrefeuilles et les rosiers grimpants sur une tonnelle, qui se réchauffaient sous le soleil du début de l'après-midi.

– Certains réussissent à tout déballer d'un coup. Mais la plupart ont besoin de temps. Ils n'essaient pas intentionnellement de cacher certaines choses. Mais comme elles sont parfois enfouies si profondément en eux, ils oublient qu'elles existent.

– Jusqu'à ce que… ?

– Jusqu'à ce qu'elles remontent à la surface. Et, au fil des ans, une toute petite chose est devenue presque méconnaissable. Elle s'est transformée en quelque chose de gros et puant.

– Que se passe-t-il ensuite ?

– Nous avons un choix. Nous pouvons regarder la vérité en face. Ou l'enterrer encore une fois, ou du moins essayer.

Un simple observateur pourrait penser qu'ils étaient deux vieux amis discutant de littérature ou du dernier concert présenté à la salle communautaire. Quelqu'un de plus perspicace, cependant, remarquerait l'expression sur leurs visages. Ils n'affichaient pas un air grave, mais peut-être un peu sombre en cette belle journée ensoleillée.

– Qu'arrive-t-il quand quelqu'un essaie d'enterrer de nouveau la vérité?

– Pour les gens normaux, je ne sais pas, mais pour les alcooliques, c'est mortel. Un secret qui pourrit vous poussera à boire. Et l'alcool vous mènera à votre tombe. Mais pas avant de vous avoir tout pris : vos êtres chers, votre emploi, votre foyer. Votre dignité. Et finalement, votre vie.

– Tout ça à cause d'un secret?

– À cause d'un secret et de la décision de refuser de voir la vérité, de se dégonfler. (Elle le fixa.) L'abstinence n'est pas pour les lâches, inspecteur-chef. Pensez ce que vous voulez d'un alcoolique, mais devenir abstinent exige beaucoup d'honnêteté, et ça, ça exige beaucoup de courage. Arrêter de boire est l'étape la plus facile. Nous devons ensuite nous regarder en face. Affronter nos démons. Combien de personnes sont prêtes à faire ça?

– Pas beaucoup, reconnut Gamache. Mais que se produit-il si les démons gagnent?

Clara Morrow marcha lentement sur le pont, s'arrêtant un instant pour regarder la rivière Bella Bella et écouter son murmure. Le soleil frappant l'eau lui donnait des éclats argentés et dorés. Elle voyait les pierres polies au fond de la rivière et, de temps en temps, une truite arc-en-ciel.

Devrait-elle se rendre à Montréal? Pour dire la vérité, elle avait déjà cherché l'adresse des Dyson et avait seulement voulu s'assurer auprès de Beauvoir que c'était la bonne. Le bout de papier était dans sa poche. Elle jeta un coup d'œil à son auto, qui attendait.

Devrait-elle se rendre à Montréal?

Qu'attendait-elle? De quoi avait-elle peur?

Qu'ils la détestent. La tiennent pour responsable. Lui disent de s'en aller. Que M. et Mme Dyson, qui à une époque avaient été comme des parents pour elle, la renient.

Mais elle devait le faire, elle le savait. Malgré ce que Myrna avait dit. Malgré ce que Beauvoir avait dit. Elle n'avait pas demandé à Peter son avis. Elle ne lui faisait pas encore confiance pour quelque chose d'aussi important. Mais, présuma-t-elle, il dirait la même chose.

« N'y va pas. Ne prends pas le risque. »

Clara détourna les yeux de la rivière et traversa de l'autre côté.

– C'est vrai, dit Suzanne. Parfois, le démon gagne. Et parfois, nous n'arrivons pas à regarder la vérité en face. C'est trop douloureux.

– Que se passe-t-il alors ? demanda Gamache.

Suzanne traînait maintenant ses pieds dans l'herbe et ne regardait plus le joli jardin.

– Humpty Dumpty, ça vous dit quelque chose, inspecteur-chef ?

– La comptine ? Je la lisais à mes enfants.

Daniel, il s'en souvenait, l'adorait. Voulait l'entendre encore et encore. Ne se lassait jamais des illustrations du personnage représenté comme un gros œuf ni de celles des nobles soldats et chevaux du roi venus à sa rescousse.

Mais Annie ? Elle avait pleuré, la première fois qu'il lui avait lu la comptine. Ses larmes n'arrêtaient pas de couler et mouillaient sa chemise à l'endroit où il la tenait contre lui. En la berçant. Essayant de la consoler. Il lui avait fallu un bon moment pour la calmer et comprendre quel était le problème. Puis, la raison était devenue claire. La petite Annie, âgée seulement de quatre ans, ne pouvait supporter l'idée que Humpty Dumpty se soit brisé en morceaux en tombant du mur. Et ne puisse guérir. Parce qu'il était trop gravement blessé.

– C'est une allégorie, bien sûr, dit Suzanne.

– Vous voulez dire que M. Dumpty n'a jamais existé ?

– C'est exactement ce que je veux dire, inspecteur-chef.

Son sourire s'effaça et elle fit quelques pas en silence avant d'ajouter :

– Comme Humpty Dumpty, certaines personnes sont trop blessées pour guérir.

– Était-ce le cas de Lillian ?

– Elle était sur la voie de la guérison. À mon avis, elle aurait réussi à s'en sortir. En tout cas, elle travaillait dur pour y arriver.

– Mais ?

Suzanne fit quelques pas de plus.

– Lillian était profondément blessée, très troublée. Mais elle recollait les morceaux de sa vie, petit à petit. Ce n'était pas ça, le problème.

L'inspecteur-chef réfléchit à ce que cette femme si peu discrète et pourtant si loyale essayait de lui dire. Puis il pensa avoir compris.

– Elle n'était pas Humpty Dumpty, n'était pas tombée du mur, dit-il. Elle poussait les autres en bas. C'étaient d'autres personnes qui faisaient une chute, par la faute de Lillian.

À côté de lui, Suzanne Coates baissait et relevait la tête presque imperceptiblement à chaque pas.

– Désolée que ç'ait pris tant de temps, dit Clara qui apparut de derrière le vieux lilas sur le côté de sa maison. J'ai été chercher ça chez Myrna, ajouta-t-elle en brandissant le ruban et le rouleau d'herbes séchées.

L'inspecteur-chef et Suzanne la regardèrent d'un air décontenancé.

– Quelle sorte de rituel est-ce, exactement ? demanda Gamache, un sourire inquiet sur les lèvres.

– C'est un rituel de purification. Aimeriez-vous vous joindre à nous ?

Gamache hésita, puis hocha la tête. Ce genre de rituel n'était pas nouveau pour lui. Certains villageois l'avaient pratiqué sur les lieux de précédents meurtres. Mais jamais il n'avait été invité à participer. Et pourtant, Dieu sait combien de fois il avait reçu de la fumée d'encens à l'église au cours de sa jeunesse. Cette cérémonie ne pouvait pas être pire.

Pour la deuxième fois en deux jours, le rouleau de sauge et de foin d'odeur fut allumé. Clara poussa doucement la fumée odoriférante vers l'artiste extravagante, l'envoyant au-dessus de sa tête et le long de son corps. Pour relâcher, expliqua-t-elle, toute pensée, toute énergie négative.

Puis, ce fut le tour de Gamache. Clara le regarda. Il paraissait légèrement perplexe, mais quand même bien détendu, attentif. Elle envoya la fumée vers lui, qui l'enveloppa dans un nuage parfumé avant de se dissiper, soufflée par la brise.

– Toute l'énergie négative a été éliminée, dit Clara, en dirigeant la fumée sur elle.

Si seulement c'était aussi simple, pensèrent-ils tous les trois.

Clara donna ensuite un ruban à Gamache et à Suzanne, puis les invita à réciter une prière en silence et à attacher leur ruban au bâton.

– Et le ruban de la police ? demanda Suzanne.

– Oh, ce n'est pas important, répondit Clara. C'est plus une suggestion qu'un ordre. Et puis, je connais le type qui l'a installé.

– Un incompétent, dit Gamache.

Il baissa le ruban jaune pour Suzanne, puis l'enjamba à son tour.

– Mais bien intentionné, ajouta-t-il.

L'agente Isabelle Lacoste ralentit presque au point d'immobiliser l'auto. Elle sortait de Three Pines pour aller à Montréal participer à la recherche des articles de Lillian Dyson dans les archives de *La Presse*, pour essayer de découvrir à propos de qui une de ses critiques, particulièrement virulente, avait été écrite.

En passant devant la maison des Morrow, elle vit quelque chose que jamais elle n'aurait cru voir un jour : un officier supérieur de la Sûreté du Québec qui semblait prier devant un bâton.

Elle sourit, et aurait souhaité pouvoir se joindre à lui. Elle avait souvent récité des prières silencieuses sur la scène d'un crime. Après que tout le monde avait quitté les lieux, Isabelle Lacoste revenait. Pour faire savoir aux morts qu'on ne les oubliait pas.

Cette fois, ce rôle, apparemment, revenait au chef. Pourquoi priait-il ? se demanda-t-elle. Elle se rappela sa main ensanglantée dans la sienne et se dit qu'elle pouvait peut-être deviner.

* * *

L'inspecteur-chef Gamache posa sa main droite sur le bâton et fit le vide dans sa tête. Après un moment, il attacha son ruban et recula d'un pas.

– J'ai récité la prière de la Sérénité, dit Suzanne. Vous?

Gamache décida de ne pas révéler aux deux femmes ce pour quoi il avait prié.

– Et vous? demanda-t-elle ensuite à Clara.

Elle était autoritaire et curieuse, remarqua Gamache. Il se demanda s'il s'agissait de bons traits de caractère pour une marraine.

Comme Gamache, Clara ne dévoila pas l'objet de sa prière.

Mais elle avait sa réponse.

– Je dois m'en aller pour un petit moment. Je vous verrai plus tard, dit-elle en se hâtant vers sa maison.

Elle était pressée, maintenant. Elle avait déjà perdu trop de temps.

18

– Tu es certaine, tu ne veux pas que je vienne avec toi ? dit Peter en accompagnant Clara jusqu'à l'auto garée devant leur barrière.

– Je ne serai pas partie longtemps. Le temps de faire une petite chose à Montréal.

– Quoi ? Je peux t'aider ?

Il essayait désespérément de prouver à Clara qu'il avait changé. Mais, bien qu'elle se montrât polie avec lui, c'était évident : sa femme, si pleine de foi, de confiance, avait finalement perdu toute confiance en lui.

– Non. Amuse-toi bien ici.

– Appelle-moi quand tu arriveras, cria-t-il lorsque l'auto démarra, mais il n'était pas sûr qu'elle l'avait entendu.

– Où s'en va-t-elle ?

Peter se tourna et vit l'inspecteur Beauvoir à côté de lui.

– À Montréal.

Beauvoir haussa les sourcils, mais ne dit rien. Puis il s'éloigna, en direction de la terrasse du bistro.

Peter le regarda s'installer sous un des parasols Campari jaune et bleu, tout seul. Olivier sortit immédiatement du bistro, comme s'il était le majordome personnel de l'inspecteur.

Beauvoir accepta deux menus, commanda à boire, et se détendit.

Peter l'enviait. De pouvoir s'asseoir tout seul et de ne pas s'ennuyer en sa propre compagnie. Il enviait cela presque autant qu'il enviait les gens assis en groupes de deux, trois ou quatre, en jouissant de la compagnie des uns et des autres. Pour lui, une seule chose était pire que la compagnie : être seul. À moins d'être seul dans son atelier. Ou avec Clara. Seulement eux deux.

Mais maintenant elle venait de le laisser planté sur le bord du chemin.

Et Peter Morrow ne savait pas quoi faire.

— Votre gars ne sera pas content que vous le fassiez attendre pour le lunch, dit Suzanne avec un mouvement de la tête en direction du bistro.

Après avoir quitté le jardin de Clara, ils avaient décidé de faire le tour du parc du village. Ruth était assise sur le banc en plein milieu du petit parc, le centre de gravité à Three Pines.

Elle contemplait le ciel, et Gamache se demanda si les prières formulées étaient réellement exaucées. Il leva lui aussi les yeux, comme il l'avait fait quand il avait posé une main sur le bâton.

Mais le ciel demeura vide, et silencieux.

Lorsqu'il ramena son regard sur terre, il vit Beauvoir assis à une table du bistro, qui les observait.

— Il n'a pas l'air de bonne humeur, dit Suzanne.

— Il n'est jamais content quand il a faim.

— Et je parie qu'il a souvent faim.

Le chef la regarda, s'attendant à voir le sourire habituel, et fut surpris de constater son air très sérieux.

Ils reprirent leur marche.

— À votre avis, pourquoi Lillian Dyson est-elle venue à Three Pines ? demanda Gamache.

— Je me suis posé la question.

— Et en êtes-vous venue à une conclusion ?

— Selon moi, il y a deux raisons possibles. Ou bien pour réparer des torts…

Suzanne s'arrêta pour regarder Gamache en face.

— … ou bien pour faire plus de mal.

L'inspecteur-chef hocha la tête. Il avait pensé la même chose. Mais il y avait tout un monde entre ces deux possibilités. Dans le premier cas, Lillian était une personne abstinente et saine. Dans l'autre, elle était cruelle, inchangée, impénitente. Était-elle un soldat du roi, ou était-elle venue à Three Pines pour pousser quelqu'un d'autre en bas du mur ?

Gamache mit ses lunettes de lecture et ouvrit le gros livre qu'il avait laissé au bistro puis récupéré.

— « L'alcoolique est comme un ouragan qui ravage la vie des autres sur son passage », lut-il d'une voix à la fois grave et douce.

Regardant Suzanne par-dessus ses demi-lunes, il précisa :

— Nous avons trouvé ce livre sur sa table de chevet. Cette phrase était surlignée.

Il leva l'ouvrage. Sur la couverture foncée étaient imprimés, en grosses lettres blanches, les mots *Les Alcooliques anonymes*.

Un large sourire apparut sur les lèvres de Suzanne.

— Pas très discret, dit-elle. Ce qui est plutôt ironique.

Gamache sourit et baissa de nouveau les yeux sur le livre.

— La phrase suivante, aussi, est surlignée. « Il brise des cœurs, détruit de tendres relations, déracine des affections. »

Il referma doucement le livre et retira ses lunettes.

— Est-ce que ça vous dit quelque chose ?

Suzanne tendit la main et Gamache lui donna le livre. Elle l'ouvrit à l'endroit où se trouvait le signet et parcourut la page, puis sourit.

— Ça me dit qu'elle était rendue à la neuvième étape. (Elle remit le livre à Gamache.) Elle devait être en train de lire cette section du livre. C'est l'étape où nous devons réparer les torts que nous avons causés à des gens. C'est pour ça, j'imagine, qu'elle était ici.

— Quelle est la neuvième étape ?

— « Nous avons réparé nos torts directement envers ces personnes dans la mesure du possible, sauf lorsqu'en ce faisant nous risquions de leur nuire ou de nuire à d'autres. »

— *Ces* personnes ?

— Celles que nous avons lésées, à qui nous avons fait du tort. À mon avis, elle est venue ici pour s'excuser.

— « Il détruit de tendres relations », cita Gamache. Est-elle venue parler à Clara, pensez-vous ? Pour… Comment avez-vous appelé ça ? Réparer des torts ?

— Peut-être. D'après ce que j'ai compris, il y avait beaucoup de monde du milieu artistique, ici, alors elle aurait pu vouloir s'excuser auprès de n'importe lequel de ces invités. Dieu sait qu'elle devait des excuses à de nombreuses personnes.

— Mais quelqu'un ferait-il vraiment ça ?

— Que voulez-vous dire ?

— Si je voulais m'excuser sincèrement, je ne crois pas que je déciderais de le faire à une fête.

— Bonne observation, reconnut Suzanne, puis elle poussa un long soupir. Il y a autre chose, quelque chose que, je crois, je ne voulais pas réellement admettre. Je ne suis pas certaine si elle avait vraiment atteint la neuvième étape. Je ne pense pas qu'elle avait fait toutes les étapes qui y mènent.

— Est-ce important ? Faut-il suivre les étapes dans l'ordre ?

— On n'est pas obligés, mais c'est évident que ça aide. Que se passerait-il si quelqu'un, après avoir terminé une première année d'études universitaires, sauterait à la dernière ?

— Cette personne échouerait probablement.

— Exactement.

— Mais, dans le cas qui nous intéresse, qu'est-ce que signifierait le fait d'échouer ? On ne se fait pas flanquer à la porte des AA, n'est-ce pas ?

Suzanne rit, mais sans joie.

— Non. Écoutez, toutes les étapes sont importantes, mais la neuvième est peut-être la plus délicate, la plus stressante. C'est la première fois qu'on essaie d'entrer en contact avec les autres. Qu'on assume la responsabilité de nos actes. Si ce n'est pas fait correctement…

— Que se passe-t-il ?

— On peut causer plus de tort. Aux autres et à soi-même.

Elle s'arrêta sur le bord de la route tranquille pour humer une grappe d'un lilas en pleine floraison. Et, soupçonna Gamache, pour se donner du temps pour réfléchir.

— C'est beau, dit-elle en levant son nez de la fleur odorante.

Jetant un coup d'œil autour d'elle comme si elle voyait le joli village pour la première fois, elle ajouta :

— Je comprends pourquoi on voudrait vivre ici. C'est un bel endroit où on doit se sentir chez soi.

Gamache ne dit rien, estimant qu'elle se préparait à dire quelque chose de particulier.

— Notre vie, quand on boit, est très compliquée. Chaotique. On se fourre dans toutes sortes de pétrins. C'est le bordel. Et tout ce qu'on veut, finalement, c'est ça : une place tranquille sous un soleil éclatant. Mais en continuant de boire on s'en éloigne un peu plus chaque jour.

Suzanne regarda les petits cottages tout autour du parc. La plupart des maisons avaient une galerie et un jardin à l'avant rempli de pivoines, de lupins et de rosiers en fleurs. Et des chats et des chiens se prélassant au soleil.

— On rêve de trouver un endroit où on se sentira chez soi. Après des années et des années passées à faire la guerre avec tout le monde autour de nous, à nous battre contre nous-mêmes, on aspire seulement à la paix.

— Et comment la trouvez-vous ?

Gamache, mieux que bien des gens, savait que la paix, comme Three Pines, pouvait être très difficile à trouver.

— Eh bien, il faut d'abord se trouver soi-même. Car, à un moment donné, on s'est perdus. Et on a fini par tourner en rond, sans but, dans un état de confusion à cause des drogues et de l'alcool. En nous éloignant de plus en plus de la personne que nous sommes vraiment.

Elle se tourna vers Gamache, un sourire de nouveau sur les lèvres.

— Mais certains d'entre nous réussissent à trouver le chemin pour revenir des régions sauvages où on s'était égarés.

Levant la tête, Suzanne regarda au-delà des yeux brun foncé de Gamache, au-delà du parc, des maisons et des boutiques, vers la forêt et les montagnes autour d'eux.

— Se soûler la gueule ne constitue qu'une partie du problème. L'alcoolisme est une maladie des émotions. De la perception. (Elle se tapota la tempe quelques fois.) Notre façon de voir les choses et de penser devient toute tordue. On appelle ça avoir des pensées qui puent. Et de telles pensées agissent sur la manière dont on se sent. Et je peux vous dire, inspecteur-chef, qu'il est extrêmement difficile et très angoissant de changer ses perceptions. La plupart n'y arrivent pas. Mais quelques-uns, plus chanceux, réussissent à le faire. Et, en faisant cela, se trouvent eux-mêmes et, dit-elle en balayant les alentours du regard, trouvent un chez-soi.

— Il faut changer sa tête pour pouvoir changer son cœur?

Suzanne ne répondit pas et continua plutôt à contempler le village.

— Comme c'est curieux que les téléphones cellulaires ne fonctionnent pas ici, dit-elle enfin. Et puis, aucune voiture n'est passée depuis que nous avons commencé notre promenade. Je me demande si le monde extérieur connaît même l'existence de cet endroit.

— C'est un village anonyme. Il ne figure sur aucune carte. Pour y venir, il faut trouver son propre chemin.

Gamache se tourna vers Suzanne.

— Êtes-vous certaine que Lillian avait arrêté de boire?

— Oh oui! Dès la première réunion.

— Et elle remonte à quand?

Suzanne réfléchit un moment.

— C'était il y a environ huit mois.

Gamache fit le calcul.

— Elle s'est donc jointe aux AA en octobre. Savez-vous pourquoi?

— Est-il arrivé quelque chose, vous voulez dire? Non. Pour certains d'entre nous, comme Brian, un événement terrible se produit. Leur monde s'écroule et ils se brisent en mille morceaux. Pour d'autres, c'est plus discret, presque imperceptible. Ça ressemble davantage à un effritement, à l'intérieur. C'est ce qui est arrivé à Lillian.

Gamache hocha la tête.

— Êtes-vous déjà allée chez elle?

— Non. Nous nous rencontrions toujours dans un café ou chez moi.

— Avez-vous vu ses tableaux?

– Non. Elle m'a dit qu'elle s'était remise à la peinture, mais je n'ai pas vu ses toiles. Je ne voulais pas les voir.

– Pourquoi? J'aurais pensé que, étant vous-même une artiste, vous auriez été curieuse de voir ce qu'elle peignait.

– En fait oui, je l'étais. J'aime fourrer mon nez un peu partout, j'en ai bien peur. Mais j'avais l'impression que je n'avais rien à gagner. Si ses toiles étaient extraordinaires, je pourrais être jalouse. Et si elles étaient nulles, qu'est-ce que je dirais? Alors non, je ne les ai pas vues.

– Auriez-vous vraiment été jalouse de votre filleule? Ça ne semble pas correspondre à la relation que vous avez décrite.

– Je parlais d'un idéal à atteindre. Je suis presque parfaite, comme vous vous en êtes certainement rendu compte, mais pas tout à fait, pas encore, dit Suzanne en se moquant d'elle-même. La jalousie est mon seul défaut.

– Et la curiosité.

– Mes deux défauts: la jalousie et la curiosité. Et je suis autoritaire, j'aime commander. Oh mon Dieu, je suis vraiment pitoyable! dit-elle en éclatant de rire.

– Et vous êtes endettée, paraît-il.

En entendant cela, Suzanne s'arrêta net.

– Comment avez-vous appris ça?

Elle dévisagea Gamache, puis, comme il ne répondait rien, elle hocha la tête d'un air résigné.

– C'est évident que vous alliez l'apprendre. Oui, je suis endettée. Je n'ai jamais su gérer mon argent, et maintenant que je n'ai pas le droit de voler, apparemment, la vie est beaucoup plus difficile.

Elle regarda Gamache avec un sourire désarmant.

– Un autre défaut à ajouter à la liste de plus en plus longue.

Une liste de plus en plus longue, en effet, pensa Gamache. Quoi d'autre ne lui révélait-elle pas? Ça lui paraissait étrange que deux artistes ne comparent pas leur travail. Que Lillian n'ait pas montré ses tableaux à sa marraine. Pour avoir un peu d'encouragement, pour qu'elle lui donne ses impressions.

Et qu'aurait fait Suzanne? Elle aurait vu à quel point ils étaient magnifiques, et ensuite quoi? Elle aurait tué Lillian dans une crise de jalousie?

Ça semblait peu probable.

Toutefois, ça paraissait étrange que durant les huit mois d'une étroite relation Suzanne ne soit jamais allée chez Lillian. N'ait jamais vu ses œuvres.

Une autre question vint alors à l'esprit de Gamache.

– Vous êtes-vous rencontrées pour la première fois à la réunion des AA ou vous connaissiez-vous avant?

Il venait de mettre le doigt sur quelque chose, se rendit-il compte. Suzanne affichait toujours le même sourire, mais son regard devint plus perçant.

– En fait, oui, nous nous connaissions. Bien que « connaître » ne soit pas tout à fait le terme juste. Nous nous croisions à des expositions il y a des années. Avant qu'elle parte pour New York. Mais nous n'étions pas des amies.

– Vos rapports étaient-ils chaleureux?

– Après quelques verres? J'étais plus que chaleureuse, inspecteur-chef, répondit Suzanne en riant.

– Mais pas avec Lillian, je présume.

– Eh bien, pas de cette façon, non. Écoutez, pour dire la vérité, elle n'avait pas de temps à perdre avec moi. Elle était la critique d'art de *La Presse*, quelqu'un d'important, et moi une simple artiste alcoolique parmi d'autres. Et, honnêtement? C'était parfait comme ça pour moi. C'était une garce, renommée pour sa méchanceté. Quelle que soit la quantité d'alcool que j'aurais pu ingérer, essayer de me rapprocher de Lillian n'aurait jamais été une bonne idée.

Gamache réfléchit un moment, puis se remit en marche.

– Depuis combien de temps êtes-vous membre des AA?

– Le 18 mars, ç'a fait vingt-trois ans.

– Vingt-trois ans?

Il était surpris, et ça paraissait.

– Vous auriez dû me voir au début, dit Suzanne en riant. Une vraie folle. Ce que vous voyez maintenant est le résultat de vingt-trois ans de travail acharné.

Ils passèrent devant la terrasse du bistro. Beauvoir montra sa bière et Gamache hocha la tête.

— Vingt-trois ans, répéta-t-il lorsqu'ils eurent repris leur marche. Vous avez arrêté de boire à peu près à l'époque où Lillian est partie à New York.

— J'imagine, oui.

— Est-ce seulement une coïncidence ?

— Elle ne faisait pas partie de ma vie. Lillian n'avait rien à voir avec le fait que je me soûlais ou que je suis devenue abstinente.

L'intonation de sa voix trahissait une légère contrariété.

— Peignez-vous toujours ? demanda Gamache.

— Un peu. En dilettante. Je suis des cours, en donne quelques-uns, vais à des vernissages où on offre à manger et à boire.

— Lillian vous a-t-elle parlé de Clara ou de son exposition ?

— Elle n'a jamais mentionné le nom de Clara. Mais elle a dit qu'elle devait faire amende honorable à de nombreux artistes, galeristes et marchands d'art. Clara faisait peut-être partie de ces gens.

— Et eux, en faisaient-ils partie, à votre avis ?

D'un petit geste de la tête, Gamache indiqua les deux personnes assises sur la galerie du gîte, et qui les observaient.

— Paulette et Normand ? Elle ne m'a pas parlé d'eux non plus. Je ne serais pas étonnée, cependant, si elle leur devait des excuses. Elle n'était pas très gentille quand elle buvait.

— Ou écrivait. « Il a un talent naturel, produisant de l'art comme si c'était une fonction physiologique », cita Gamache.

— Oh, vous êtes au courant de ça.

— Vous aussi, de toute évidence.

— Tous les artistes du Québec connaissent cette phrase. Du Lillian à son meilleur. En tant que critique, bien sûr. Sa pièce de résistance. Un assassinat presque parfait.

— Savez-vous de qui elle parlait ?

— Pas vous ?

— Est-ce que je poserais la question ?

Suzanne étudia Gamache pendant un instant.

– Peut-être bien que oui. À mon avis, vous êtes un homme pas mal rusé. Mais non, je ne le sais pas.

Un assassinat presque parfait. L'expression était juste. Lillian avait porté un coup mortel avec cette phrase. La victime avait-elle attendu durant des décennies avant de lui rendre la pareille?

– Je peux me joindre à vous?

Trop tard: Myrna s'était déjà assise et, maintenant qu'elle était installée, ce serait très difficile de la faire changer de place.

Beauvoir la regarda d'un air pas très accueillant.

– Bon, d'accord. Pas de problème.

Il balaya la terrasse du regard. Quelques autres clients étaient assis au soleil, sirotant une bière, une limonade ou du thé glacé. Mais il y avait des tables vides. Pourquoi Myrna avait-elle décidé de s'asseoir avec lui?

La seule raison possible était la seule qu'il redoutait.

– Comment allez-vous? demanda-t-elle.

Elle voulait parler. Il prit une longue gorgée de bière.

– Je vais bien, merci.

Myrna hocha la tête, en jouant avec la buée sur son propre verre de bière.

– Belle journée, dit-elle enfin.

Beauvoir continua de regarder fixement devant lui, estimant que ce commentaire ne méritait aucune réaction. Peut-être comprendrait-elle le message. Il voulait être seul avec ses pensées.

– À quoi pensez-vous?

Maintenant, il tourna les yeux vers elle. Le regard que Myrna posait sur lui était doux. Curieux, mais pas perçant, pas inquisiteur. Il était amène.

– À l'affaire, mentit-il.

– Je vois.

Ils tournèrent tous les deux la tête du côté du parc. Il n'y avait pas beaucoup d'activité. Ruth essayait de lapider les oiseaux. Quelques villageois travaillaient dans leur jardin. Il y en avait un qui promenait son chien. Et l'inspecteur-chef et une femme inconnue de Myrna se promenaient le long du chemin de terre.

— Qui est-elle ?

— Quelqu'un qui connaissait la victime, répondit Beauvoir. Pas nécessaire d'en dire trop.

Myrna hocha la tête et prit quelques grosses noix de cajou dans le bol posé sur la table.

— L'inspecteur-chef semble aller beaucoup mieux. Je suis contente. Est-il complètement rétabli, croyez-vous ?

— Bien sûr. Depuis longtemps.

— Ça ne peut pas faire si longtemps que ça. Puisque c'est arrivé juste un peu avant Noël.

« Il y a seulement six mois ? se dit Beauvoir, stupéfait. Pas plus ? » Il avait l'impression que ça faisait une éternité.

— En tout cas, il va bien, et moi aussi.

— *Bien* selon la définition de Ruth ? Bête, inquiet, emmerdeur et névrosé ?

La remarque de Myrna fit sourire Beauvoir malgré lui. Il essaya de transformer son sourire en une grimace, mais n'y parvint pas vraiment.

— Je ne peux pas parler pour le chef, mais, dans mon cas, ça me semble assez juste.

Myrna sourit et prit une gorgée de bière. Elle suivit le regard de Beauvoir, qui suivait Gamache.

— Ce n'était pas votre faute, vous savez.

Beauvoir se crispa, comme si un spasme involontaire avait contracté ses traits.

— Que voulez-vous dire ?

— Ce qui lui est arrivé, dans l'usine. Il n'y a rien que vous auriez pu faire.

— Je le sais, répliqua-t-il sèchement.

— Je me le demande. Ce devait être horrible, ce que vous avez vu.

— Pourquoi dites-vous ça ?

Beauvoir avait la tête qui lui tournait. Soudainement, tout était sens dessus dessous.

– Parce que je crois que vous devez l'entendre. Vous ne pouvez pas toujours le sauver.

Myrna regarda l'homme fatigué en face d'elle. Il souffrait, elle le savait. Elle savait aussi que seulement deux choses pouvaient causer une telle souffrance si longtemps après les événements.

L'amour. Et le sentiment de culpabilité.

– Les choses sont plus solides à l'endroit où elles ont été cassées, dit-elle.

– Où avez-vous entendu ça? demanda Beauvoir en lui lançant un regard noir.

– Je l'ai lu dans une entrevue qu'a donnée l'inspecteur-chef après l'opération policière dans l'usine. Et il a raison. Mais il faut beaucoup de temps, et de l'aide, pour récupérer. Vous pensiez probablement qu'il était mort.

C'est ce qu'il avait pensé, en effet. Il avait vu le chef recevoir une balle. Tomber. Et ne plus bouger.

Il était mort, ou mourant, Beauvoir en avait été sûr.

Et il n'avait rien fait pour l'aider.

– Il n'y a rien que vous pouviez faire, dit Myrna, devinant correctement ses pensées. Rien.

– Comment le savez-vous? demanda Beauvoir. Comment pourriez-vous le savoir?

– Parce que j'ai vu ce qui est arrivé. Dans la vidéo.

– Et maintenant vous pensez que vous savez tout?

– Croyez-vous vraiment que vous auriez pu faire quelque chose?

Beauvoir se détourna, sentant la douleur familière dans son ventre se transformer en coups de couteau. Myrna essayait de se montrer gentille, il le savait bien, mais il aurait tant voulu qu'elle s'en aille.

Elle n'avait pas été là, dans l'usine. Lui, oui, et jamais il ne croirait qu'il n'aurait rien pu faire.

Le chef lui avait sauvé la vie. L'avait traîné jusqu'à un endroit où il serait en sécurité. Lui avait mis un pansement. Mais quand Gamache lui-même avait été blessé, c'est l'agente Lacoste qui s'était précipitée vers le chef. Et lui avait sauvé la vie.

Alors que lui, Beauvoir, n'avait rien fait. Il était resté allongé là, à regarder la scène se déroulant sous ses yeux.

– Vous l'aimiez? demanda Gamache.

Après avoir fait le tour du parc, ils étaient revenus à leur point de départ, en face de la terrasse du bistro. Il voyait André Castonguay et François Marois assis ensemble à une table, appréciant, sinon la compagnie, du moins la nourriture. Ils ne semblaient pas parler beaucoup.

– Oui, répondit Suzanne. Elle était devenue gentille. Attentionnée même. Heureuse. Je ne m'attendais pas à la trouver sympathique lorsqu'elle s'est traîné le cul, la première fois, dans le sous-sol de l'église. Nous étions loin d'être les meilleures amies du monde avant son départ pour New York. Mais nous étions plus jeunes à cette époque, et plus soûles. Et nous n'étions ni l'une ni l'autre très sympathiques, j'imagine. Mais les gens changent.

– Êtes-vous certaine que Lillian avait changé?

– Êtes-vous certain que moi, j'ai changé? répondit Suzanne en riant.

La question était pertinente, dut reconnaître Gamache.

Puis une autre question lui vint à l'esprit. Une question à laquelle, à sa grande surprise, il n'avait pas pensé avant.

– Comment avez-vous trouvé Three Pines?

– Que voulez-vous dire?

– Le village. Il est presque impossible à trouver. Et pourtant, vous voici.

– Je suis venue avec lui.

Gamache se retourna et regarda dans la direction où elle pointait le doigt, plus loin que la terrasse, vers une fenêtre où se tenait un homme, dos à eux. Avec un livre dans les mains.

Même s'il ne pouvait pas voir son visage, l'inspecteur-chef reconnut qui se trouvait dans la librairie de Myrna: Thierry Pineault.

19

Assise dans l'auto, Clara Morrow fixait le vieil immeuble déla-bré. Toute une différence avec la jolie petite maison dans la-quelle les Dyson vivaient à l'époque où elle les avait connus.

Pendant tout le trajet, elle avait repensé à son amitié avec Lillian. À leur boulot ennuyeux, obtenu dans le temps de Noël, qui consistait à trier du courrier. Puis, quand elles étaient deve-nues maîtres nageuses. Ç'avait été l'idée de Lillian. Elles avaient suivi les cours de sauvetage et réussi les examens de natation en même temps. S'étaient entraidées. S'étaient cachées derrière la remise où l'on rangeait les gilets de sauvetage pour fumer des cigarettes, et de la drogue.

À l'école, toutes les deux avaient été membres des équipes de volleyball et d'athlétisme, et agissaient comme guetteur l'une pour l'autre en gymnastique.

Lillian figurait dans presque tous les souvenirs d'enfance heureux de Clara.

Et M. et Mme Dyson étaient toujours là, eux aussi. Comme de gentils personnages secondaires, tels les parents dans *Peanuts*. On les voyait rarement, mais il y avait toujours des sandwichs aux œufs, des salades de fruits et des biscuits aux pépites de chocolat frais sortis du four. Et un pichet de limonade rose vif.

Mme Dyson, se rappelait Clara, était une femme courtaude à la chevelure clairsemée toujours impeccable. Elle lui avait semblé vieille, mais, en fait, elle était plus jeune qu'elle-même l'était maintenant. Quant à M. Dyson, il était grand, maigre, avec des cheveux roux frisés qui, sous le soleil éclatant, donnaient l'impression que sa tête était couverte de rouille.

Non, il ne faisait aucun doute, c'était *la* chose à faire. Qu'elle ait hésité la consternait.

Renonçant à attendre l'ascenseur qui ne venait pas, elle monta au troisième étage en essayant de ne pas remarquer les odeurs persistantes de tabac, de drogue et d'urine.

Elle fixa la porte fermée des Dyson, en reprenant son souffle après un effort pas uniquement physique.

Fermant les yeux, elle évoqua le souvenir de la petite Lillian, vêtue d'un short vert et d'un t-shirt, dans l'encadrement de la porte. Souriant. Invitant la petite Clara à entrer.

Puis, Clara Morrow frappa à la porte.

— Monsieur le juge en chef, dit Gamache en tendant la main.

— Inspecteur-chef, dit Thierry Pineault en la lui serrant.

— Alors c'est vrai, il peut y avoir trop de chefs…, lança Suzanne. Trouvons une table.

— Nous pouvons nous joindre à l'inspecteur Beauvoir, proposa Gamache en les guidant vers son adjoint.

Celui-ci s'était levé et d'un geste indiquait sa table.

— Je préférerais m'asseoir là-bas, dit le juge Pineault.

Suzanne et Gamache s'immobilisèrent. Pineault désignait une table contre le mur en brique, dans le coin le moins intéressant de la terrasse.

— C'est plus discret, expliqua le juge en voyant leur expression perplexe.

Gamache haussa un sourcil, mais se plia à la demande du juge. Il fit signe à Beauvoir de venir les rejoindre. Pineault s'assit le premier, dos au village. Gabri prit la commande de chacun.

— Cela vous dérangera-t-il? demanda Gamache en pointant le doigt vers les bières apportées par Beauvoir.

— Pas du tout, répondit Suzanne.

— J'ai essayé de vous appeler ce matin, dit Gamache.

Déposant leurs consommations sur la table, Gabri chuchota à Beauvoir:

— Qui est l'autre type?

— Le juge en chef de la Cour supérieure du Québec.

— Oui, bien sûr…

Gabri lança un regard agacé à l'inspecteur et s'éloigna.

– Et que vous a répondu ma secrétaire? demanda Pineault en prenant une gorgée de son eau Perrier avec lime.

– Seulement que vous travailliez à partir de la maison.

Pineault sourit.

– C'est vrai, d'une certaine façon. Sauf que je n'ai pas précisé à partir de quelle maison.

– Vous avez décidé de venir à celle à Knowlton?

– Est-ce un interrogatoire, inspecteur-chef? Ai-je besoin d'un avocat?

Le juge souriait toujours, mais ni Gamache ni lui ne se faisaient d'illusions. Soumettre le juge en chef de la Cour supérieure à un interrogatoire serré comportait des risques.

Gamache sourit à son tour.

– Il s'agit d'une conversation amicale, monsieur le juge. J'espère que vous pourrez nous aider.

– Oh, pour l'amour de Dieu, Thierry! Dis-lui ce qu'il veut savoir. C'est pourquoi nous sommes ici, non?

Gamache regarda Suzanne en face de lui. Leurs plats étaient arrivés, et elle enfournait de la terrine de canard dans sa bouche. Elle n'engloutissait pas la nourriture par gourmandise, mais par peur. C'était tout juste si elle ne mettait pas le bras devant son assiette. Suzanne ne voulait pas la nourriture de quelqu'un d'autre, seulement la sienne. Et elle était prête à la défendre, au besoin.

Mais, entre deux bouchées, elle avait posé une question intéressante.

Pourquoi, si ce n'était pour l'aider dans son enquête, Thierry Pineault était-il là? se demanda Gamache.

– Oh, je suis ici pour aider, dit le juge d'un ton détaché. J'ai eu un réflexe automatique, inspecteur-chef. La réaction d'un avocat. Toutes mes excuses.

Gamache remarqua autre chose. Le juge en chef paraissait tout disposé à affronter le chef des homicides de la Sûreté du Québec, mais jamais Suzanne, artiste à ses heures et serveuse à plein temps. En fait, le juge encaissait sans broncher ses piques moqueuses, ses critiques, et demeurait impassible devant ses gestes ostentatoires. Était-ce du savoir-vivre?

Le chef ne le pensait pas. Le juge semblait intimidé par Suzanne. Comme si elle possédait une information compromettante à son sujet.

— Je lui ai demandé de m'amener ici, dit Suzanne. Je savais qu'il voudrait offrir son aide.

— Pourquoi? Suzanne aimait beaucoup Lillian, je le sais. Vous aussi, monsieur?

Le juge posa sur Gamache des yeux clairs et froids.

— Pas de la manière dont vous l'imaginez.

— Je n'imagine rien. Je pose simplement la question.

— J'essaie de vous aider.

La voix était sévère; le regard, dur. Ce n'était rien de nouveau pour Gamache, car il avait déjà entendu ce ton et vu cette expression du visage au tribunal et dans des conférences pour officiers supérieurs de la Sûreté.

Et il savait très bien ce qu'ils voulaient dire. Le juge en chef Thierry Pineault pissait sur lui. Il avait beau le faire subtilement, poliment et avec élégance, il pissait malgré tout sur lui.

Le problème, quand on joue à qui pisse le plus loin, c'est que des choses qui devraient demeurer cachées s'offrent à la vue de tous. Les parties intimes du juge étaient exposées.

— De quelle façon pensez-vous pouvoir nous aider, monsieur? Savez-vous quelque chose que j'ignore?

— Je suis ici parce que Suzanne me l'a demandé et que je sais où se trouve Three Pines. Je l'ai conduite ici. Voilà ma contribution.

Les yeux de Gamache allèrent de Thierry à Suzanne, qui, après avoir arraché un morceau de baguette, y étala du beurre et le fourra dans sa bouche. Pouvait-elle vraiment donner des ordres au juge en chef comme ça? Le traiter comme un chauffeur?

— J'ai demandé à Thierry de m'aider parce que je savais qu'il serait calme, raisonnable.

— Et parce qu'il est juge en chef? demanda Beauvoir.

— Je suis alcoolique, pas idiote, répondit Suzanne en souriant. Ça me semblait un atout.

C'en était un, se dit Gamache. Mais pourquoi pensait-elle en avoir besoin? Et pourquoi le juge en chef Pineault avait-il choisi cette table, à l'écart des autres? Le pire endroit sur la terrasse. Et pourquoi s'était-il précipité pour s'asseoir sur la chaise faisant face au mur?

Gamache jeta un coup d'œil autour de lui. Le juge se cachait-il? À son arrivée, il était entré dans la librairie et en était sorti seulement quand Suzanne était revenue. Maintenant, il était assis le dos tourné aux autres. Il ne pouvait rien voir, mais personne ne pouvait le voir non plus.

Gamache balaya tranquillement le village des yeux, embrassant du regard ce que le juge Pineault ne voyait pas. C'est-à-dire Ruth assise sur le banc, donnant à manger aux oiseaux et levant de temps en temps la tête vers le ciel. Normand et Paulette, les artistes au talent moyen, sur la galerie du gîte. Quelques villageois revenant du magasin général de M. Béliveau avec des filets remplis de provisions. Et puis, les autres clients du bistro, dont André Castonguay et François Marois.

Clara était dans le couloir, les yeux rivés sur la porte qu'on venait de lui claquer au nez. Le bruit se répercutait encore dans les corridors et la cage d'escalier et, après avoir franchi la porte, se dispersait à l'extérieur sous le soleil éclatant.

Elle avait les yeux écarquillés, le cœur qui battait fort. L'estomac retourné.

Elle pensait vomir.

– Ah, vous voilà, dit Denis Fortin.

Debout dans l'embrasure de la porte du bistro, il eut la joie de voir André Castonguay sursauter en renversant presque son verre de vin blanc.

François Marois, cependant, ne sursauta pas. C'est à peine s'il réagit.

«Un lézard se chauffant au soleil sur une pierre», pensa Fortin.

– Tabarnac! s'exclama Castonguay. Qu'est-ce que tu fous ici?

– Vous permettez?

Fortin s'assit à leur table avant que les deux hommes puissent dire non.

Ils ne l'avaient jamais invité à se joindre à eux, à faire partie de leur groupe. La clique des marchands d'art et des galeristes. Cela durait depuis des années. Ils étaient tous vieux maintenant. Quand Fortin avait décidé de ne plus être un artiste et ouvert sa propre galerie, les autres avaient serré les rangs. S'étaient ligués contre l'intrus, le petit nouveau.

Eh bien, il était là, maintenant. Et connaissait plus de succès que n'importe lequel d'entre eux. À l'exception, peut-être, de ces deux hommes. Parmi tous ceux qui formaient l'establishment artistique du Québec, les seules personnes dont l'opinion comptait à ses yeux étaient Castonguay et Marois.

Ils allaient bien devoir cesser de l'ignorer un jour. Pourquoi pas aujourd'hui ?

– J'ai appris que vous étiez ici, dit-il en faisant signe au serveur d'apporter d'autres consommations.

Castonguay, se rendit-il compte, avait déjà bu quelques verres de vin blanc. Marois, lui, sirotait du thé glacé. Quelque chose qui était austère, classique, sobre. Froid. À l'image de l'homme.

Lui-même buvait maintenant de la bière de microbrasserie. De la McAuslan. Une boisson jeune, dorée, avec du mordant.

– Qu'est-ce que tu fous ici ? redemanda Castonguay en accentuant le mot « tu », comme si Fortin devait justifier sa présence.

Il faillit le faire, d'ailleurs. Spontanément. Comme s'il ressentait le besoin d'amadouer ces hommes.

Mais il se retint, se contentant de sourire de façon charmante.

– Je suis ici pour la même raison que vous. Pour faire signer un contrat aux Morrow.

Ces paroles firent réagir Marois. Lentement, très lentement, le marchand de tableaux tourna la tête et, les yeux braqués sur Fortin, lentement, très lentement, haussa les sourcils. Chez n'importe qui d'autre, ce geste aurait pu paraître comique. Exécuté par Marois, cependant, il avait un effet terrifiant.

Fortin eut l'impression de se pétrifier, comme s'il avait regardé une des Gorgones.

Il déglutit difficilement et continua de fixer Marois. S'il avait été changé en pierre, c'était au moins, espérait-il, avec un air de mépris tranquille. Il craignait toutefois que son visage affiche une tout autre expression.

Castonguay s'étrangla de rire.

— Toi ? Représenter les Morrow ? Tu as eu ta chance et tu t'es planté.

Castonguay saisit son verre et but une grande gorgée.

Quand le serveur apporta d'autres consommations, Marois leva la main pour l'arrêter.

— Nous en avons eu assez, je crois.

Se tournant vers Castonguay, il ajouta :

— Nous pourrions peut-être aller nous promener un peu. Qu'en penses-tu ?

Mais Castonguay ne pensait pas. Il prit le verre.

— Jamais tu ne représenteras les Morrow. Sais-tu pourquoi ?

Fortin secoua la tête. Il aurait pu se gifler d'avoir réagi.

— Parce qu'ils savent qui tu es en réalité.

Il parlait fort maintenant. À tel point que les gens autour d'eux se turent.

À la table au bout de la terrasse, tout le monde se retourna, sauf Thierry Pineault, qui fixait le mur.

— Ça suffit, André, dit Marois en posant une main sur son bras.

— Non. (Castonguay se tourna vers François Marois.) Toi et moi avons trimé dur pour obtenir ce que nous avons. Nous avons étudié l'art, nous connaissons les différentes techniques. Nos opinions divergent, parfois, mais au moins nous pouvons discuter intelligemment. Celui-là, dit-il en indiquant Fortin d'un geste brusque, tout ce qu'il veut, c'est gagner du fric facile.

— Et tout ce que vous voulez, monsieur, répliqua Fortin en se levant, c'est une bouteille. Qui de nous deux est le plus pitoyable ?

Il fit un bref salut et s'en alla. Il ne savait pas où. Il voulait seulement s'éloigner. De la table. De ces représentants de l'establishment artistique. De ces deux hommes qui le fixaient des yeux. Et riaient probablement.

– Les gens ne changent pas, dit Beauvoir en écrasant son hamburger et en regardant le jus couler.

Le juge Pineault et Suzanne étaient partis au gîte. L'inspecteur pouvait enfin discuter de meurtre en paix.

– C'est ce que vous croyez? demanda Gamache.

Devant lui se trouvait une assiette contenant des crevettes grillées à l'ail et une salade de quinoa et mangues. Le barbecue fonctionnait sans arrêt, produisant des steaks, des hamburgers, des crevettes et du saumon grillés sur feu de bois pour les clients affamés du midi.

– On peut avoir l'impression qu'ils changent, dit Beauvoir en prenant son hamburger dans la main, mais si vous étiez un sale type dans votre jeunesse, vous serez un trou de cul une fois adulte et vous mourrez frustré.

Il prit une bouchée. Normalement, ce hamburger avec bacon, champignons, oignons caramélisés et fromage bleu fondu l'aurait comblé de bonheur, mais aujourd'hui il lui donnait un peu la nausée. Il se força cependant à manger, pour rassurer Gamache.

Le chef, remarqua-t-il, l'observait, et il en ressentit un léger agacement, qui disparut presque aussitôt. Pour dire la vérité, il se fichait pas mal de l'opinion de son supérieur. Après sa conversation avec Myrna, il s'était rendu à la salle de bains et avait avalé un comprimé de Percocet. Il était resté là, la tête entre les mains, jusqu'à ce qu'il sente la chaleur se répandre dans son corps et la douleur s'estomper, puis disparaître.

En face de lui, l'inspecteur-chef prit une pleine fourchette de crevettes et de salade, un air de pur ravissement sur le visage.

Tous les deux avaient levé la tête quand André Castonguay avait haussé le ton.

Beauvoir avait commencé à se lever, mais le chef l'avait arrêté. Il voulait voir ce qui allait se passer. Comme les autres clients, ils avaient regardé Denis Fortin s'éloigner d'un pas raide, le dos droit et les bras le long du corps.

Comme un petit soldat, avait pensé Gamache qui revoyait son fils, Daniel, marchant au pas dans le parc quand il était petit, prêt à livrer bataille ou revenant d'un combat. Déterminé.

Jouant à faire semblant.

Denis Fortin battait en retraite. Pour panser ses plaies.

— Vous n'êtes pas d'accord, je suppose? demanda Beauvoir.

— Que les gens ne changent pas? répondit Gamache, levant les yeux de son assiette. En effet, je ne suis pas d'accord. Les gens peuvent changer, et certains y arrivent.

— Mais pas autant que la victime semblait avoir changé. Ce serait très *chiaroscuro*.

— Très quoi? demanda Gamache qui, déposant son couteau et sa fourchette, fixa son adjoint.

— Ça signifie un gros contraste. Un jeu d'ombre et de lumière.

— Vraiment? Est-ce vous qui avez inventé ce mot?

— Pas du tout. Je l'ai entendu au vernissage de Clara et l'ai même utilisé à quelques reprises. Quelle bande de snobs! Je n'ai eu qu'à prononcer le mot de temps en temps, et les gens étaient convaincus que j'étais le critique du journal *Le Monde*.

Reprenant son couteau et sa fourchette, Gamache secoua la tête.

— Ce mot pouvait signifier n'importe quoi, et vous l'avez quand même utilisé?

— N'avez-vous pas remarqué? Plus mes propos étaient ridicules, plus on les acceptait. Avez-vous vu les visages de Paulette et de Normand quand ils ont compris que je ne travaillais pas pour *Le Monde*?

— Vous avez éprouvé de la *schadenfreude*.

Gamache ne fut pas surpris de voir le regard soupçonneux de Beauvoir.

— Alors vous avez cherché la définition de *chiaroscuro* ce matin, ajouta-t-il. C'est ce que vous faites quand je ne suis pas là? Vous cherchez des mots dans le dictionnaire?

— Oui, et je joue au FreeCell. Et je regarde de la porno, bien sûr, mais seulement sur votre ordinateur.

Beauvoir sourit et mordit dans son hamburger.

— Selon vous, la victime était très *chiaroscuro*? demanda Gamache.

— À vrai dire, non. J'ai seulement dit ça pour frimer. Pour moi, c'est de la foutaise. Un instant, elle est une garce, puis soudain elle se transforme en personne merveilleuse? Voyons donc. C'est ridicule.

— Je comprends maintenant pourquoi on a pu vous prendre pour un critique extraordinaire.

— Et comment! Écoutez, les gens ne changent pas. Pensez-vous que les truites dans la rivière Bella Bella sont là parce qu'elles aiment Three Pines? demanda Beauvoir en indiquant le cours d'eau d'un geste de la tête. Mais qu'elles iront peut-être ailleurs l'an prochain?

Gamache regarda son adjoint.

— Vous, qu'en pensez-vous? demanda-t-il.

— Les truites n'ont pas le choix. Elles reviennent parce que ce sont des truites, et c'est ce que font les truites. La vie est aussi simple que ça. Les canards reviennent au même endroit chaque année. Comme les oies. Et les saumons, les papillons, les chevreuils. Merde, les chevreuils sont des animaux si prévisibles qu'ils empruntent toujours le même sentier dans la forêt et ne s'en écartent jamais. C'est pourquoi beaucoup se font tuer, comme on le sait. Ils ne changent jamais. C'est pareil pour les êtres humains. Nous sommes ce que nous sommes. Nous sommes qui nous sommes.

— Nous ne changeons pas? demanda Gamache en prenant un morceau d'asperge.

— Non. Vous m'avez appris que les gens et les enquêtes sont, à la base, très simples. C'est nous qui compliquons les choses.

— Et l'affaire Dyson? La compliquons-nous?

— Je le crois, oui. Selon moi, la victime a été tuée par quelqu'un dont elle avait gâché la vie. Fin de l'histoire. Une histoire triste, mais simple.

— Quelqu'un de son passé?

— Non. C'est là où vous vous trompez, à mon avis. Les gens qui ont connu la nouvelle Lillian — celle qui ne buvait plus — disent qu'elle était devenue une bonne personne. Ceux qui connaissaient l'ancienne – celle qui buvait – disent qu'elle était une garce.

Beauvoir avait les deux mains dans les airs. L'une tenait l'énorme hamburger, l'autre une frite. Entre les deux, il y avait un espace, un fossé.

– Moi, je dis que l'ancienne et la nouvelle Lillian sont la même personne, dit-il en ramenant ses mains ensemble. Il n'y a qu'une seule Lillian. Comme il n'existe qu'un moi et un vous. Elle savait peut-être mieux comment cacher son côté désagréable après s'être jointe aux AA, mais, croyez-moi, la femme aigrie, méchante et horrible était toujours là.

– Et continuait de faire du mal à des gens ?

Beauvoir mangea la frite et hocha la tête. C'était la partie qu'il préférait dans une enquête. Pas manger, bien que, à Three Pines, il n'eût pas à se plaindre de la nourriture. Il se souvenait d'autres enquêtes, ailleurs, au cours desquelles le chef et lui n'avaient pratiquement rien mangé pendant des jours, ou avaient partagé des boîtes de petits pois froids et du Spam. Même ça avait été amusant, devait-il reconnaître. Avec le recul. Mais ce petit village produisait des cadavres et des repas gastronomiques en proportions égales.

Il aimait la nourriture, mais, par-dessus tout, il aimait ses conversations avec le chef. En tête-à-tête.

– Selon une hypothèse, Lillian Dyson serait venue ici pour réparer des torts qu'elle avait causés à quelqu'un, dit Gamache. Pour s'excuser.

– Si elle l'a fait, je parie qu'elle n'était pas sincère.

– Pourquoi aurait-elle été ici si elle ne l'était pas ?

– Pour faire ce qui était dans sa nature de faire. C'est-à-dire gâcher la vie de quelqu'un.

– Clara ?

– Peut-être. Ou quelqu'un d'autre. Elle avait un grand choix de victimes.

– Et son plan a foiré.

– Eh bien, il n'a certainement pas bien fonctionné. Pas pour elle, du moins.

La réponse était-elle aussi simple? se demanda Gamache. Lillian Dyson était-elle restée égale à elle-même? Une personne égoïste, méchante, au comportement destructeur, qu'elle soit soûle ou abstinente.

La même personne, avec les mêmes instincts et la même nature.

Qui étaient de faire du mal.

— Mais comment aurait-elle appris qu'une fête avait été organisée à Three Pines? demanda-t-il. C'était une fête privée. Sur invitation seulement. Et nous savons que le village est difficile à trouver. Comment Lillian a-t-elle su qu'il y avait une fête et comment s'y est-elle rendue? Et comment l'assassin savait-il qu'elle viendrait?

Beauvoir respira profondément, réfléchit, puis secoua la tête.

— J'ai fourni ma part d'effort, chef. C'est à vous, maintenant, d'apporter quelque chose d'utile à l'enquête.

Gamache prit une gorgée de bière et ne dit rien. Le silence se prolongea à tel point que Beauvoir commença à s'inquiéter. Avait-il contrarié le chef avec sa remarque désinvolte?

— Qu'y a-t-il? Quelque chose ne va pas? demanda-t-il.

— Non, pas vraiment.

Gamache regarda Beauvoir comme s'il cherchait à se former une opinion sur quelque chose.

— Selon vous, les gens ne changent pas. Mais Enid et vous étiez amoureux l'un de l'autre à un moment donné, non?

Beauvoir hocha la tête.

— Mais vous êtes séparés, maintenant. En instance de divorce. Alors, que s'est-il passé? Avez-vous changé? Ou est-ce Enid? Quelque chose a changé.

Beauvoir fixa Gamache avec étonnement. Visiblement, le chef était troublé.

— Vous avez raison, reconnut Beauvoir. Quelque chose a changé. Mais ce n'est pas nous. Nous sommes simplement arrivés à la conclusion que nous n'étions pas qui nous feignions d'être.

— Pardon? demanda Gamache en se penchant vers l'avant.

Beauvoir marqua une pause pour rassembler ses idées.

— Nous étions jeunes. Nous ne savions pas ce que nous voulions. Tous nos amis se mariaient, et ça semblait amusant. J'aimais Enid. Elle m'aimait. Mais à mon avis, ce n'était pas véritablement de l'amour. Je faisais semblant d'être amoureux, je crois. J'essayais d'être quelqu'un que je n'étais pas. D'être l'homme que voulait Enid.

— Que s'est-il passé?

— Après la fusillade, j'ai compris que je devais m'assumer. L'homme que j'étais n'aimait pas suffisamment Enid pour rester avec elle.

Gamache garda le silence pendant un moment, immobile, réfléchissant.

— Vous avez parlé à Annie samedi soir, avant le vernissage, dit-il enfin.

Beauvoir se figea. Le chef poursuivit, n'ayant pas besoin de réponse.

— Et vous avez vu David et elle ensemble à la fête.

Beauvoir s'ordonna de cligner les yeux. De respirer. Mais il en était incapable. Il se demanda dans combien de temps il perdrait connaissance.

— Vous connaissez bien Annie.

Le cerveau de Beauvoir hurlait. L'inspecteur n'en pouvait plus, il voulait que le chef dise le fond de sa pensée. Gamache finit par lever la tête et fixa son adjoint. Loin de renfermer de la colère, ses yeux se faisaient implorants.

— Vous a-t-elle parlé de son mariage?

— Pardon? souffla Beauvoir.

— Je me demandais si elle vous avait dit quelque chose, peut-être demandé votre avis. Comme elle connaît la situation entre Enid et vous…

Beauvoir eut le vertige. Il ne comprenait rien à tout ça.

Gamache s'appuya contre le dossier de sa chaise, expira profondément et jeta sa serviette roulée en boule dans son assiette.

— Je me sens tellement bête. De petits indices montraient pourtant qu'il y avait un problème: David annulait des soupers, ou arrivait en retard, comme samedi soir. Partait tôt. Ils se démontraient moins d'affection qu'avant. Mme Gamache et moi en avions discuté, mais nous avions supposé que leur relation évoluait, qu'ils n'étaient pas toujours ensemble comme au début. Et, dans un couple, l'homme et la femme s'éloignent parfois l'un de l'autre pour ensuite se retrouver.

Beauvoir sentit son cœur se remettre à battre. En donnant un énorme coup.

– Annie et David s'éloignent-ils l'un de l'autre? demanda-t-il.

– Elle ne vous a rien dit?

Beauvoir secoua la tête. Son cerveau ballottait dans son crâne, concentré sur une seule pensée, maintenant: Annie et David s'éloignaient l'un de l'autre.

– Aviez-vous remarqué quelque chose?

Avait-il vraiment remarqué quelque chose? Quelle partie était réelle? Quelle partie avait-il imaginée, à quel détail avait-il accordé une importance exagérée? Il se souvenait de la main d'Annie sur le bras de David, qui s'en fichait. Qui n'écoutait pas, avait l'esprit ailleurs.

Beauvoir avait observé la scène, mais n'avait pas osé croire qu'il pouvait s'agir d'autre chose que d'une simple situation désolante. D'une marque d'affection gaspillée sur un homme qui s'en fichait. Que c'était sa jalousie qui parlait, que ce n'était pas la réalité. Mais maintenant...

– Qu'êtes-vous en train de dire, monsieur?

– Hier, Annie est venue à la maison pour souper avec nous, et parler. David et elle traversent une période difficile. (Gamache soupira.) J'espérais qu'elle vous aurait dit quelque chose. Malgré vos disputes, je sais qu'Annie est comme une petite sœur pour vous. Vous la connaissez depuis qu'elle a l'âge de...

– Quinze ans.

– Vraiment, ça fait si longtemps? demanda Gamache, stupéfait. Cette année-là a été difficile pour Annie. Elle a eu son premier béguin, et il a fallu que ce soit pour vous.

– Elle avait le béguin pour moi?

– Vous ne le saviez pas? Oh oui. Mme Gamache et moi devions l'écouter parler de vous après chacune de vos visites.

Jean-Guy ceci, Jean-Guy cela. Nous avons tenté de vous faire passer pour un dégénéré, mais ça vous a seulement rendu plus attirant à ses yeux.

– Pourquoi ne me l'avez-vous pas dit?

Gamache le regarda d'un air amusé.

– Vous auriez voulu le savoir? Vous la taquiniez déjà, ce serait devenu intolérable. Et puis, elle nous avait suppliés de ne pas vous le dire.

– Mais vous l'avez fait, maintenant.

– J'ai trahi son secret. Vous garderez ça pour vous, n'est-ce pas?

– Je ferai de mon mieux. Quel est le problème entre David et elle? demanda Beauvoir en baissant les yeux sur son hamburger à moitié mangé, comme si celui-ci avait soudain fait quelque chose d'extraordinaire.

– Elle ne veut pas donner de détails.

– Annie se sépare-t-elle de David? demanda Beauvoir d'un ton qui, espérait-il, paraissait détaché.

– Je ne suis pas sûr. Il se passe tellement de choses dans sa vie, tellement de changements. Elle s'est trouvé un nouvel emploi, comme vous le savez. Au tribunal de la famille.

– Mais Annie déteste les enfants.

– Eh bien, elle ne s'y prend pas très bien avec eux, mais à mon avis elle ne les déteste pas. Elle adore Florence et Zora.

– Elle n'a pas le choix. Les petites font partie de la famille. Annie compte probablement sur elles, pour ses vieux jours. Elle sera la tante amère aux chocolats rances et à la collection de poignées de porte. Et ses nièces devront prendre soin d'elle. Donc, elle ne peut pas les laisser tomber sur la tête maintenant.

Gamache rit tandis que Beauvoir revoyait Annie et la première petite-fille du chef, Florence. C'était il y a trois ans. Quand Florence était un poupon. C'était peut-être la première fois qu'il prenait conscience de ses sentiments pour Annie. Il avait été sidéré par leur intensité. Ils s'étaient abattus sur lui. L'avaient submergé. Fait chavirer.

Mais le moment lui-même avait été si tendre, si doux.

Annie, souriante, berçait sa nièce dans ses bras. Chuchotait à l'oreille de la minuscule petite fille.

Et Beauvoir avait alors compris qu'il voulait avoir des enfants. Avec Annie. Personne d'autre.

Annie. Tenant leur fille ou leur fils dans ses bras.

Annie. Le tenant, lui, dans ses bras.

Il sentit son cœur s'emballer, comme si des liens, dont il n'avait même pas conscience, avaient été détachés.

— Nous lui avons conseillé d'essayer de régler le problème en discutant avec David.

— Quoi? dit Beauvoir, soudain tiré de sa rêverie.

— Nous voulons simplement ne pas la voir commettre une erreur.

— Elle en a peut-être déjà fait une.

Les pensées se bousculaient dans la tête de Beauvoir.

— C'est peut-être David, l'erreur, ajouta-t-il.

— Peut-être. Mais elle doit en être sûre.

— Alors, que lui avez-vous suggéré?

— Nous lui avons dit que nous la soutiendrions quelle que soit sa décision, mais nous lui avons malgré tout suggéré la thérapie conjugale, répondit le chef en posant ses larges mains sur la table en bois et en essayant de se concentrer sur son adjoint.

Mais il voyait seulement sa fille, sa chère petite fille, dans le séjour dimanche soir.

Elle n'avait cessé de passer des sanglots à la rage. De détester David une minute, puis de se détester elle-même la suivante, pour finir par détester ses parents d'avoir suggéré une thérapie.

— Nous caches-tu quelque chose? avait finalement demandé Gamache.

— Comme quoi?

Gamache était resté silencieux un moment. Assise à côté de lui sur le canapé, Reine-Marie avait regardé son mari, puis sa fille.

— A-t-il été violent avec toi?

Gamache avait parlé clairement en fixant sa fille. À la recherche de la vérité.

– Physiquement? M'a-t-il frappée, tu veux dire?

– Oui.

– Jamais. David ne ferait jamais ça.

– T'a-t-il agressée autrement? Psychologiquement? Se montre-t-il rude avec toi?

Annie avait secoué la tête. Gamache avait continué de regarder sa fille droit dans les yeux. Il avait scruté les visages de beaucoup de suspects pour essayer de découvrir la vérité, mais jamais cela n'avait paru aussi important que cette fois-là.

Si David l'avait maltraitée…

Seulement à y penser, il avait senti la rage bouillonner en lui. Que ferait-il si jamais il apprenait que cet homme avait…?

Il s'était éloigné de ce précipice et avait hoché la tête. Avait accepté la réponse de sa fille. Il s'était alors assis à côté d'elle et l'avait tenue dans ses bras. L'avait bercée. Avait senti sa tête dans le creux de son épaule, et ses larmes à travers sa chemise. Comme lorsqu'elle avait pleuré pour Humpty Dumpty. Mais cette fois, c'était elle qui avait fait une grande chute.

Annie s'était finalement dégagée de ses bras, et Reine-Marie lui avait tendu des mouchoirs en papier.

– Aimerais-tu que je descende David? avait demandé Gamache pendant qu'Annie se mouchait bruyamment.

Annie avait ri, secouée de hoquets.

– Tu pourrais peut-être seulement lui tirer une balle dans le genou.

– Je mets ça en tête de ma liste de choses à faire.

Gamache avait ensuite pris un air sérieux et s'était penché pour que ses yeux soient à la hauteur de ceux de sa fille.

– Quelle que soit ta décision, nous te soutiendrons. Compris?

Annie avait fait oui de la tête et s'était essuyé le visage.

– Je le sais.

Comme Reine-Marie, il avait été plus perplexe que sous le choc. Annie, avait-il l'impression, ne leur disait pas tout. Quelque chose ne collait pas. Tous les couples traversaient des périodes difficiles. Reine-Marie et lui se disputaient parfois. Se faisaient du mal. Jamais intentionnellement. Mais quand deux personnes vivaient en si étroite relation, cela arrivait forcément.

– Supposons que papa et toi ayez été mariés avec quelqu'un d'autre quand vous vous êtes rencontrés, avait enfin dit Annie en les regardant l'un après l'autre droit dans les yeux. Qu'auriez-vous fait?

Reine-Marie et Gamache étaient demeurés silencieux et avaient fixé leur fille. Beauvoir avait posé exactement la même question, récemment, s'était dit Gamache.

– Es-tu en train de dire que tu as rencontré quelqu'un d'autre? avait demandé Reine-Marie.

– Non. Je dis qu'il y a, quelque part, l'âme sœur pour David, et pour moi. Et que de s'accrocher à quelque chose qui ne fonctionne pas ne réglera rien. Ma relation avec David ne peut pas fonctionner.

Plus tard, quand Gamache et sa femme s'étaient trouvés au lit, chacun avec un livre, Reine-Marie avait posé la même question à son mari. Elle avait enlevé ses lunettes de lecture et demandé:

– Armand, qu'aurais-tu fait si tu avais été marié avec quelqu'un d'autre quand on s'est rencontrés?

Gamache avait baissé son livre et regardé droit devant lui. Essayant d'imaginer une telle situation. Comme il était immédiatement et éperdument tombé amoureux de Reine-Marie, c'était difficile pour lui de se voir avec une autre femme, marié ou pas.

– Que Dieu me pardonne, avait-il finalement répondu en se tournant vers elle, je l'aurais quittée. Une décision horrible, égoïste, mais j'aurais été un mauvais mari. Ç'aurait été ta faute, espèce de petite dévergondée.

Reine-Marie avait hoché la tête.

– J'aurais fait la même chose et emmené Julio junior et la petite Francesca, bien sûr.

– Julio et Francesca?

– Les enfants nés de mon mariage avec Julio Iglesias.

– Pauvre homme. Pas étonnant qu'il chante tant de chansons tristes. Tu lui as brisé le cœur.

– Il ne s'en est jamais remis, avait-elle dit en souriant.

– Nous pourrions peut-être le présenter à mon ex, Isabella Rossellini.

Reine-Marie avait émis un grognement et repris son livre, puis l'avait abaissé de nouveau.

– Tu ne penses pas encore à Julio, j'espère, avait dit Gamache.

– Non. Je pensais à Annie et David.

– C'est fini entre eux, tu crois?

Reine-Marie avait hoché la tête.

– À mon avis, elle a rencontré quelqu'un d'autre, mais ne veut pas nous le dire.

– Vraiment?

Ses paroles l'avaient surpris, mais maintenant il croyait qu'elle avait peut-être raison.

– Oui. C'est peut-être un homme marié. Peut-être quelqu'un de son cabinet d'avocats. Ça pourrait expliquer pourquoi elle change d'emploi.

– Mon Dieu, j'espère que ce n'est pas le cas.

Mais, de toute façon, il ne pouvait rien faire, sauf être là pour aider à recoller les morceaux. Cette image lui rappela quelque chose.

– Bon, je dois retourner travailler, dit Beauvoir en se levant. Les images pornos ne s'affichent pas d'elles-mêmes.

– Attendez.

Voyant l'expression sur le visage du chef, Beauvoir se rassit.

Gamache demeura silencieux, les sourcils froncés. Réfléchissant. Beauvoir avait souvent vu ce regard. L'inspecteur-chef Gamache suivait une piste dans sa tête. Une pensée en amenait une autre, puis une autre. L'entraînait dans l'obscurité, au fin fond d'une mine, un endroit encore plus sombre qu'une ruelle. Où il essayait de découvrir ce qui était le plus profondément enfoui. Le secret. La vérité.

– C'est la fusillade, avez-vous dit, qui vous a finalement poussé à vous séparer d'Enid.

Beauvoir hocha la tête. Ça, au moins, c'était vrai.

– Je me demande si elle a eu le même effet sur Annie.

– Que voulez-vous dire?

– Ce fut une expérience traumatisante. Pas seulement pour nous, mais pour nos proches aussi. Comme ç'a été le cas pour vous, cette épreuve a peut-être poussé Annie à s'interroger sur sa vie.

— Alors pourquoi ne vous l'a-t-elle pas dit ?

— Elle ne voulait peut-être pas que je me sente responsable. Elle n'en a peut-être même pas conscience.

Beauvoir se rappela alors sa conversation avec Annie avant le vernissage. Elle avait abordé le sujet de sa séparation. Et avait vaguement fait allusion au raid et à ses conséquences.

Elle avait eu raison, bien sûr. C'était ce qui l'avait finalement poussé à agir.

Il l'avait réduite au silence, avait refusé d'en discuter avec elle, craignant d'en dire trop. Mais était-ce de ses propres problèmes qu'elle avait voulu parler ?

— Si c'était effectivement ce qui s'est produit, comment vous sentiriez-vous ? demanda Beauvoir.

L'inspecteur-chef Gamache s'appuya contre le dossier de sa chaise, l'air légèrement troublé.

— Ça pourrait être une bonne chose, dit doucement Beauvoir. Ce serait bien si quelque chose de positif ressortait de ce qui s'est passé, non ? Annie réussira peut-être à trouver le véritable amour, maintenant.

Gamache regarda son adjoint. Vit son visage aux traits tirés, son air fatigué, sa maigreur.

— Oui. Ce serait bien si quelque chose de positif ressortait de ce qui s'est passé. Mais je doute que la fin du mariage de ma fille puisse être considérée comme une bonne chose.

Jean-Guy Beauvoir, cependant, n'était pas d'accord.

— Aimeriez-vous que je reste ? demanda-t-il.

Gamache sortit de sa rêverie.

— En fait, j'aimerais que vous alliez travailler.

— Eh bien, c'est vrai que je dois chercher la définition de « schnaugendender ».

— De quoi ?

— Le mot que vous avez utilisé.

— *Schadenfreude*, dit Gamache en souriant. Ne vous donnez pas cette peine. Ça signifie se réjouir du malheur des autres.

Beauvoir s'attarda un instant à la table.

– Selon moi, ça décrit bien la victime. Mais Lillian Dyson allait un peu plus loin. Elle créait le malheur. Elle devait être une personne très heureuse.

Gamache ne partageait pas son avis. Les gens heureux ne buvaient pas chaque soir pour s'endormir.

Après le départ de Beauvoir, l'inspecteur-chef but son café en feuilletant le livre des AA, notant des passages soulignés et des commentaires écrits dans la marge. Il s'absorba dans la lecture de ce livre au langage à la fois archaïque et beau, qui décrivait avec une grande sensibilité la descente en enfer et la longue remontée vers la sortie. Puis, il ferma le livre sur son doigt et regarda droit devant lui.

– Puis-je me joindre à vous ?

Gamache sursauta. Il se leva, s'inclina légèrement et tira une chaise.

– Je vous en prie.

Myrna Landers s'assit après avoir déposé son éclair et son café au lait sur la table.

– Vous sembliez perdu dans vos pensées.

Gamache hocha la tête.

– Je pensais à Humpty Dumpty.

– Donc, l'affaire est presque résolue.

L'inspecteur-chef sourit.

– Nous nous approchons du dénouement. (Il l'observa un moment.) Puis-je vous poser une question ?

– Toujours.

– À votre avis, les gens changent-ils ?

Myrna, qui portait l'éclair à sa bouche, interrompit son geste. Abaissant la pâtisserie, elle scruta le visage de l'inspecteur-chef.

– D'où ça sort, ça ?

– Nous nous demandions si la victime avait changé, si elle était la même personne que tout le monde connaissait vingt ans auparavant ou si elle était différente.

– Qu'est-ce qui vous fait croire qu'elle avait changé ? demanda Myrna, en prenant ensuite une bouchée de l'éclair.

– Vous vous rappelez ce jeton que vous avez trouvé dans le jardin ? Vous aviez raison, c'est un jeton des AA, et il appartenait à la victime. Elle était abstinente depuis huit mois. Les membres des AA qui la connaissaient et Clara décrivent deux personnes totalement différentes. Pas légèrement différentes, mais complètement. Une est gentille et généreuse, l'autre cruelle et manipulatrice.

Myrna fronça les sourcils et réfléchit tout en buvant une gorgée de son café au lait.

– Tout le monde change. Excepté les psychotiques.

– Mais ne s'agit-il pas plutôt de croissance ? Comme une progression harmonique, sauf que la note demeure la même.

– Une variation sur un thème ? demanda Myrna, l'air intéressé. Pas vraiment un changement ? (Elle marqua une pause.) Oui, à mon avis, c'est souvent ce qui se produit : la plupart des gens grandissent, évoluent, mais ne deviennent pas des personnes complètement différentes.

– La plupart. Mais certains changent complètement ?

– Certains, inspecteur-chef.

Elle l'observa attentivement, s'arrêtant au visage familier rasé de près, aux cheveux gris légèrement retroussés autour des oreilles. Et à la profonde cicatrice au-dessus de la tempe. Puis à ses yeux bienveillants. Elle avait craint de les trouver changés. Que, la prochaine fois qu'elle les fixerait, ils seraient durs.

Ils ne l'étaient pas. Et l'inspecteur-chef n'était pas devenu un homme dur.

Elle ne se faisait pas d'illusions, cependant. Cela ne paraissait peut-être pas, mais il avait changé. Comme toutes les personnes qui étaient sorties vivantes de cette usine.

– Les gens changent quand ils n'ont pas le choix, poursuivit-elle. Ou bien ils changent, ou bien ils meurent. Vous avez mentionné les AA. Les alcooliques cessent de boire seulement lorsqu'ils touchent le fond.

– Que se passe-t-il alors ?

– Ce à quoi on s'attendrait après une grande chute.

Soudain, elle comprit.

– Une grande chute. Comme celle de Humpty Dumpty.

Gamache inclina légèrement la tête.

– Quand les gens touchent le fond, ils peuvent rester là et mourir, ce que font la majorité d'entre eux. Ou ils peuvent essayer de reprendre leur vie en main.

– De recoller les morceaux. Comme dans le cas de notre ami M. Dumpty.

– Lui a eu l'aide de tous les chevaux et de tous les soldats du roi, dit Myrna d'un ton faussement sérieux. Et pourtant, ils n'ont pas réussi à remettre M. Dumpty comme il était avant.

– C'est vrai. J'ai lu les rapports.

– D'ailleurs, même s'ils y étaient parvenus, Humpty Dumpty serait de nouveau tombé.

Le ton, cette fois, était sérieux.

– La personne qui n'a pas changé refait la même chose stupide encore et encore. Si vous remettez tous les morceaux à leur place, comment pouvez-vous vous attendre à ce que votre vie soit différente ?

– Y a-t-il une autre option ?

Myrna sourit.

– Oui. Et vous le savez. Mais c'est la plus difficile. Peu de gens ont les nerfs assez solides pour s'engager dans cette voie.

– L'option, c'est de changer.

C'était peut-être ça, la morale de la comptine, se dit Gamache. Il ne fallait pas recoller Humpty Dumpty. Son destin était d'être quelqu'un de différent. Après tout, il serait toujours dangereux pour un œuf d'être assis sur un mur.

Humpty Dumpty devait peut-être faire une chute. Et les soldats du roi devaient peut-être échouer dans leur tentative de le remettre comme avant.

Myrna vida sa tasse et se leva. Gamache se mit debout aussi.

– Les gens peuvent changer, inspecteur-chef. Mais, dit-elle en baissant la voix, sachez ceci : le changement n'est pas toujours pour le mieux.

– Pourquoi ne vas-tu pas lui dire quelque chose ? demanda Gabri en déposant le plateau de verres vides sur le comptoir.

– Je suis occupé, répondit Olivier.

— Tu laves des verres. Un des serveurs peut faire ça. Va lui parler.

Par la fenêtre à carreaux, tous les deux observaient l'homme imposant, seul à une table, avec une tasse de café et un livre devant lui.

— Je vais le faire. Seulement, ne me pousse pas.

Prenant le torchon à vaisselle, Gabri se mit à essuyer les verres qu'Olivier rinçait sous l'eau.

— Il a commis une erreur, et il s'est excusé.

Olivier regarda son partenaire qui portait un tablier rouge et blanc en forme de cœur. Celui qu'il l'avait supplié de ne pas acheter deux ans auparavant. Supplié de ne pas porter, parce qu'il en avait honte. Il avait prié pour qu'aucun de leurs amis de Montréal ne leur rende visite et voie Gabri dans un pareil accoutrement.

Mais maintenant, il adorait le tablier. Ne voulait pas voir Gabri en porter un autre.

Il ne voulait pas que Gabri change quoi que ce soit.

Tout en lavant les verres, il vit Armand Gamache prendre une gorgée de son café et se lever.

Beauvoir s'avança vers les feuilles punaisées sur le mur de la vieille gare. Décapuchonnant le marqueur, il le passa sous son nez en lisant les mots, en noir, alignés en parfaites colonnes.

Lisibles, ordonnés, ils avaient un effet calmant.

Il lut et relut les listes d'éléments de preuve, d'indices, de questions. Inscrivit d'autres informations obtenues ce jour-là.

La majorité des invités à la fête avaient été interrogés. Comme on pouvait s'y attendre, personne n'avait avoué avoir brisé le cou de Lillian Dyson.

Alors qu'il avait les yeux rivés sur les feuilles, une pensée lui vint en tête.

Son esprit se vida de toutes les autres.

Était-ce possible?

Il y avait d'autres personnes à la fête. Des villageois, des membres de la communauté artistique, des amis, des proches.

Et quelqu'un d'autre. Quelqu'un dont le nom avait été mentionné plusieurs fois, mais auquel les enquêteurs ne s'étaient jamais vraiment arrêtés. Quelqu'un qu'ils n'avaient jamais interrogé, du moins pas de façon poussée.

L'inspecteur Beauvoir décrocha le téléphone et composa un numéro de Montréal.

20

Clara ferma la porte et s'y appuya. Elle tendit l'oreille pour savoir si Peter était là, en espérant, espérant... Espérant qu'elle n'entendrait rien. Espérant qu'elle était seule.

Et elle l'était.

« *Oh non non*, pensa-t-elle. *Le mort gémissait encore.* »

Lillian n'était pas morte. Elle était toujours vivante sur le visage de M. Dyson.

Clara était revenue à la maison en roulant à toute vitesse, réussissant à peine à garder son auto sur la route, sa vue masquée par ce visage. Ces visages.

Ceux de M. et Mme Dyson, le père et la mère de Lillian. Vieux, malades. Presque méconnaissables, si différents des personnes robustes et joyeuses qu'elle avait connues.

Leurs voix, cependant, avaient été fortes. Et leurs paroles, brutales, cinglantes.

Il n'y avait aucun doute, Clara avait commis une terrible erreur. Et au lieu d'améliorer les choses, elle les avait rendues pires.

Comment avait-elle pu se tromper à ce point ?

– Maudit petit con !

André Castonguay poussa la table et se leva, en vacillant.

– J'ai deux mots à lui dire.

François Marois se leva aussi.

– Pas maintenant, mon ami.

Ils regardèrent tous les deux Denis Fortin descendre la colline et entrer dans le village. Celui-ci marchait d'un pas résolu, ne tourna pas la tête dans leur direction, ne dévia pas du chemin qu'il avait manifestement choisi.

Denis Fortin se dirigeait vers la maison des Morrow. C'était on ne peut plus clair pour Castonguay, Marois et l'inspecteur-chef Gamache qui, lui aussi, l'observait.

– Mais on ne peut pas le laisser leur parler, dit Castonguay en essayant de s'éloigner de Marois.

– Il ne réussira pas, André. Tu le sais bien. Laisse-le faire sa tentative. De toute façon, Peter n'est même pas là, je l'ai vu partir il y a quelques minutes.

Castonguay, flageolant sur ses jambes, se tourna vers Marois.

– Vraiment?

Un sourire un peu niais apparut sur son visage.

– Vraiment, confirma Marois. Tu devrais retourner à l'auberge pour te reposer.

– Bonne idée.

André Castonguay traversa le parc du village d'un pas lent et mesuré.

Après avoir observé la scène pendant un moment, Gamache tourna son regard vers Marois. Le marchand d'art affichait un air las et paraissait presque perplexe.

L'inspecteur-chef quitta la terrasse et alla rejoindre Marois, qui avait gardé les yeux fixés sur le cottage des Morrow, comme s'il s'attendait à le voir faire quelque chose qui valait la peine d'être vu. Son regard se déplaça ensuite du côté de Castonguay qui remontait péniblement le chemin de terre.

– Pauvre André, dit Marois à Gamache. Ce n'était vraiment pas gentil de la part de Fortin.

– Qu'est-ce qui n'était pas gentil? demanda Gamache en regardant lui aussi le galeriste.

Après avoir atteint le sommet de la colline, Castonguay s'était arrêté, avait tangué un peu, puis s'était remis en marche.

– À ce qu'il m'a semblé, c'est M. Castonguay qui s'est montré grossier.

– Mais il a été provoqué. Fortin savait comment André réagirait dès qu'il s'assoirait à la table. Et puis…

– Oui?

— Eh bien, il a commandé d'autres verres, et André s'est enivré.

— Sait-il que M. Castonguay a un problème?

— Son petit problème inavouable? (Marois sourit, puis secoua la tête.) C'est devenu un secret de Polichinelle. La plupart du temps, il se contrôle. Il est obligé de le faire. Mais parfois…

Il fit un geste éloquent avec ses mains.

«Oui, se dit Gamache. Parfois…»

— Et puis, il a carrément dit à André qu'il était venu pour essayer de conclure une entente avec les Morrow. C'était s'attirer des ennuis. Fortin n'est qu'un type prétentieux, suffisant.

— N'êtes-vous pas un peu hypocrite? Après tout, vous êtes ici pour la même raison.

Marois rit.

— Très juste! Mais nous étions ici les premiers.

— Êtes-vous en train de dire qu'il existe un système de priorités? Il y a tant de choses du monde des arts que j'ignorais.

— Ce que je voulais dire, c'est que personne n'a besoin de me dire ce qu'est du grand art. Je vois des œuvres et le sais immédiatement. Les tableaux de Clara sont magnifiques. Je n'ai pas besoin que le *Times*, Denis Fortin ou André Castonguay me le dise. Mais certaines personnes achètent de l'art avec leurs oreilles et d'autres avec leurs yeux.

— Denis Fortin a-t-il besoin qu'on lui dise quelles œuvres sont remarquables?

— À mon avis, oui.

— Et propagez-vous votre opinion autour de vous? Est-ce pour cela que Fortin vous déteste?

François Marois accorda alors toute son attention à l'inspecteur-chef. Son visage n'était plus une énigme qu'il fallait déchiffrer. Sa stupéfaction était évidente.

— Me déteste? Je suis certain que non. Nous sommes des concurrents, oui, et nous nous intéressons souvent aux mêmes artistes et acheteurs. La compétition peut parfois devenir assez féroce, mais je pense qu'il y a entre nous du respect, un esprit de collégialité. Et je garde mes opinions pour moi.

— Vous venez de m'en exprimer une.

Marois hésita un instant.

— Vous m'avez posé une question. Sinon, je n'aurais jamais rien dit.

— Est-il probable que Clara signe un contrat avec Fortin ?

— C'est possible. Tout le monde aime un pécheur repentant. Et je suis certain qu'il est en train de faire son mea-culpa en ce moment même.

— Il l'a déjà fait. Voilà pourquoi il était au vernissage et a ensuite été invité à la fête.

— Ah…, fit Marois en hochant la tête. Je me demandais comment il s'était retrouvé là.

Pour la première fois, il parut troublé. Puis, au prix d'un certain effort, son beau visage se détendit.

— Clara n'est pas stupide. Elle ne se laissera pas duper. Il ne savait pas ce qu'il avait avec elle avant, et il ne comprend toujours pas ses peintures. Il a travaillé fort pour se créer une réputation de galeriste visionnaire, mais il ne l'est pas. Un faux pas, une mauvaise exposition, et tout s'effondrera. C'est fragile, une réputation, comme Fortin le sait mieux que bien des gens.

Marois fit un geste en direction d'André Castonguay, presque rendu à l'auberge.

— Lui, en revanche, est moins vulnérable. Il a de nombreux clients, dont une multinationale, Kelley Foods.

— Le fabricant d'aliments pour bébés ?

— Exactement. Un gros acheteur institutionnel. Cette société investit d'énormes sommes dans l'art pour ses bureaux partout dans le monde. Ça la fait paraître moins cupide et plus raffinée. Et devinez qui lui trouve les œuvres ?

La réponse était évidente. Tête baissée, André Castonguay venait d'entrer dans l'auberge, et disparut.

— Les dirigeants ont des goûts assez classiques, évidemment, poursuivit le marchand d'art. Mais André aussi.

— Pourquoi, dans ce cas, s'intéresse-t-il au travail de Clara Morrow ?

— Il ne s'y intéresse pas.

— À celui de Peter ?

– Je crois, oui. Il aurait ainsi deux artistes pour le prix d'un, en quelque sorte. Un peintre dont il pourrait vendre les tableaux à Kelley Foods, un artiste respecté au style conventionnel, sans risque, pas trop audacieux ni suggestif. Mais aussi, en s'occupant d'une véritable artiste d'avant-garde comme Clara Morrow, il s'attirerait beaucoup de publicité et accroîtrait sa crédibilité. Ne sous-estimez jamais le pouvoir de l'appât du gain, inspecteur-chef. Ni de l'orgueil.

– J'en prends bonne note, merci.

Gamache sourit et regarda Marois monter la colline à son tour.

– « On ne brise pas le cœur avec un gourdin. »

Gamache se tourna vers la voix. Ruth était assise sur le banc, dos à lui.

– « Non plus qu'avec une pierre, dit-elle, apparemment à personne en particulier, comme si elle s'adressait à l'air. Un fouet, éclair minime, je l'ai vu. »

Gamache s'assit à côté d'elle.

– Emily Dickinson, dit Ruth en regardant fixement devant elle.

– Armand Gamache, dit l'inspecteur-chef.

– Pas moi, imbécile. Le poème.

Elle tourna vers lui des yeux furibonds, mais, en voyant le chef qui souriait, elle s'esclaffa.

– « On ne brise pas le cœur avec un gourdin », répéta Gamache.

Ce vers lui parut familier. Il lui faisait penser à quelque chose que quelqu'un avait dit récemment.

– Beaucoup d'agitation aujourd'hui, dit Ruth. Trop de bruit. Ça fait fuir les oiseaux.

En effet, on ne voyait aucun oiseau. Gamache savait, cependant, que Ruth ne pensait pas à beaucoup d'oiseaux, mais à un en particulier : Rose, son canard, qui s'était envolée vers le sud l'automne précédent. Et qui n'était pas revenue avec les autres. N'était pas revenue au nid.

Ruth continuait toutefois d'espérer.

Assis tranquillement sur le banc, Gamache se rappela pourquoi le vers du poème d'Emily Dickinson lui paraissait familier. Ouvrant le livre qu'il tenait toujours dans ses mains, il regarda les mots surlignés par une femme maintenant morte.

«Il brise des cœurs, détruit de tendres relations, déracine des affections.»

Puis il remarqua quelqu'un qui les observait, Ruth et lui, du bistro. Olivier.

– Comment va-t-il? demanda Gamache en faisant un petit geste en direction du bistro.

– Qui?

– Olivier.

– Je ne sais pas. Qu'est-ce que ça peut bien faire?

Gamache demeura silencieux un moment, puis dit:

– C'est un bon ami à vous, si je me souviens bien.

Ruth garda le silence à son tour, le visage impassible.

– Les gens font des erreurs, reprit Gamache. C'est un homme bon, vous savez. Et je sais qu'il vous aime.

Ruth fit un bruit incongru.

– Tout ce qui l'intéresse, c'est l'argent. Pas moi, ni Clara, ni Peter. Pas même Gabri. Pas vraiment. Il nous vendrait tous pour quelques dollars. Vous devriez le savoir mieux que quiconque.

– Je vais vous dire ce que je sais. Je sais qu'il a commis une erreur, et je sais qu'il le regrette. Et je sais aussi qu'il essaie de se racheter.

– Mais pas auprès de vous. C'est à peine s'il vous regarde.

– Et vous, me regarderiez-vous? Si je vous arrêtais pour un crime que vous n'aviez pas commis, me pardonneriez-vous?

– Olivier nous a menti. M'a menti.

– Tout le monde ment. Tout le monde cache des choses. Les siennes étaient plutôt méprisables, mais j'ai vu pire. Bien pire.

Les lèvres déjà minces de Ruth disparurent presque entièrement.

– Parlant de mensonge, je vais vous dire qui en a raconté un, dit-elle. Cet homme avec qui vous parliez il y a un instant.

– François Marois?

— Je ne connais pas son foutu nom, mais à combien d'hommes venez-vous tout juste de parler ? Quel que soit son nom, il ne vous disait pas la vérité.

— À quel sujet ?

— Ce n'est pas seulement le jeune homme qui a commandé des boissons. Lui aussi en a commandé. L'autre homme était soûl longtemps avant l'arrivée du plus jeune.

— En êtes-vous certaine ?

— J'ai le nez fin quand il est question d'alcool et des yeux qui savent reconnaître un ivrogne.

— Et, apparemment, de bonnes oreilles pour déceler les mensonges.

Ruth esquissa un sourire qui la surprit elle-même.

Gamache se leva et jeta un regard du côté d'Olivier, puis salua Ruth en inclinant la tête et murmura, pour qu'elle seule puisse l'entendre :

— « Maintenant en voici une bonne : tu es allongé sur ton lit de mort. Il te reste une heure à vivre. »

— Ça suffit, l'interrompit-elle en levant une main osseuse devant le visage de Gamache, sans le toucher, mais assez près pour empêcher les mots de sortir. Je sais comment ça finit. Et je me demande si vous connaissez vraiment la réponse à la question, ajouta-t-elle en le dévisageant. « À qui, exactement », inspecteur-chef, avez-vous eu « besoin toutes ces années de pardonner » ?

Il se redressa et la quitta. Perdu dans ses pensées, il se dirigea vers le pont enjambant la rivière Bella Bella.

— Chef.

Tournant la tête, il vit l'inspecteur Beauvoir qui, après être sorti du bureau provisoire, venait à sa rencontre à grands pas.

Il savait ce que signifiait l'expression sur le visage de son adjoint. Jean-Guy avait du nouveau à lui annoncer.

21

Tout ce que Clara Morrow voulait, c'était être seule. Mais elle se trouvait plutôt dans sa cuisine en train d'écouter Denis Fortin, avec son air de petit garçon, plus penaud que jamais.

– Du café? proposa-t-elle avant de se demander pourquoi elle lui en offrait, alors que tout ce qu'elle voulait, c'était qu'il parte.

– Non, merci, répondit-il en souriant. Je ne veux vraiment pas vous déranger.

«Vous me dérangez déjà», pensa Clara, tout en sachant que ce n'était pas très charitable de sa part. C'était elle qui avait ouvert la porte. Elle commençait à détester les portes. Fermées ou ouvertes.

Si, un an plus tôt, on lui avait dit qu'elle souhaiterait voir ce galeriste réputé quitter sa maison, elle ne l'aurait pas cru. Tous ses efforts, les efforts de tous les artistes qu'elle connaissait, y compris Peter, avaient pour objectif d'attirer l'attention de Fortin.

Pourtant, elle ne pensait qu'à une chose : se débarrasser de lui.

– Vous savez pourquoi je suis ici, j'imagine, dit Fortin avec un sourire. En fait, j'espérais pouvoir vous parler à tous les deux. Peter est-il là?

– Non. Voulez-vous revenir lorsqu'il sera à la maison?

– Je ne veux pas vous faire perdre votre temps, répondit-il en se levant. Je suis conscient que les rapports entre nous ont très mal débuté, et c'est entièrement de ma faute. J'aimerais pouvoir tout effacer. J'ai été très, très stupide.

Clara commença à dire quelque chose, mais Fortin leva la main et sourit.

– Vous n'avez pas besoin de vous montrer gentille, je sais quel imbécile j'ai été. Mais j'ai appris ma leçon et ne me comporterai plus de cette manière avec vous. Ni avec personne d'autre, j'espère. Si vous permettez, j'aimerais vous faire une proposition, puis je m'en irai, pour vous laisser, et peut-être votre mari, y réfléchir. D'accord ?

Clara hocha la tête.

– J'aimerais vous représenter tous les deux. Je suis jeune, et nous pourrons avancer ensemble. Je serai là pendant de nombreuses années encore pour vous aider à mener vos carrières. C'est important, à mon avis. Mon intention serait de préparer une exposition solo pour chacun de vous, puis de présenter une exposition combinée. Pour profiter de vos talents à tous les deux. Ce serait excitant. L'exposition de l'année, de la décennie. Réfléchissez à ma proposition, s'il vous plaît. C'est tout ce que je demande.

Clara hocha encore une fois la tête et regarda Fortin partir.

L'inspecteur Beauvoir rejoignit l'inspecteur-chef sur le pont.

– Regardez ça, dit-il en lui tendant une feuille imprimée.

Gamache remarqua l'en-tête, puis se mit à lire rapidement la page, s'arrêtant soudainement aux trois quarts, comme s'il venait de heurter un mur. Il leva les yeux vers Beauvoir, qui attendait, un sourire sur les lèvres.

Le chef revint à la feuille et lut plus lentement cette fois, jusqu'à la fin.

Pour que rien ne lui échappe, comme ça leur était presque arrivé.

– Bravo, dit-il en remettant la feuille à Beauvoir. Comment avez-vous trouvé ça ?

– En relisant mes notes sur les interrogatoires, je me suis rendu compte que nous n'avions peut-être pas parlé à toutes les personnes présentes à la fête.

Gamache hochait la tête.

– Bien. Excellent.

Il regarda dans la direction du gîte, le bras étendu.

– On y va ?

Quelques instants plus tard, ils quittaient le soleil chaud et brillant pour l'ombre rafraîchissante de la galerie. Normand et Paulette les avaient regardés traverser le parc. Comme, soupçonnait Gamache, tous les habitants de Three Pines avaient dû le faire. Le village paraissait peut-être endormi, mais tout le monde avait parfaitement conscience de ce qui s'y passait.

Les deux artistes levèrent la tête lorsque les enquêteurs s'approchèrent.

– Puis-je vous demander une très grande faveur ? dit Gamache avec un sourire.

– Bien sûr, répondit Paulette.

– Pourriez-vous peut-être aller faire une promenade dans le village, ou prendre un verre au bistro ? C'est moi qui paie.

Ils le dévisagèrent, d'abord sans comprendre. Puis ça a fait tilt pour Paulette. Elle hocha la tête et prit son livre et un magazine.

– Une promenade est une très bonne idée. Qu'en penses-tu, Normand ?

D'après son air, Normand aurait autant aimé rester là, dans la balançoire confortable sur la galerie où il faisait frais, avec un vieux *Paris Match* et une citronnade. Gamache le comprenait, mais il avait besoin que le couple s'en aille.

Les deux enquêteurs attendirent que les artistes soient hors de portée de voix, puis se tournèrent vers la troisième personne installée sur la galerie.

Suzanne Coates était assise sur une chaise berçante, un verre de citronnade à la main. Mais au lieu d'avoir un magazine sur les genoux, elle avait son carnet de croquis.

– *Hello*, dit-elle, sans toutefois se lever.

– Bonjour, dit Beauvoir. Où est le juge en chef ?

– Il est allé à sa maison de Knowlton. J'ai pris une chambre ici pour la nuit.

– Pourquoi ?

Beauvoir approcha une chaise pendant que Gamache s'assoyait sur une autre chaise berçante, non loin, et se croisait les jambes.

– J'ai l'intention de rester jusqu'à ce que vous découvriez qui a tué Lillian. Je me suis dit que ma présence vous inciterait à trouver le coupable rapidement.

Elle sourit, de même que Beauvoir.

– Ça irait beaucoup plus vite si vous nous disiez la vérité.

Cette remarque fit disparaître son sourire.

– À quel sujet?

Beauvoir lui tendit la feuille de papier. Suzanne la prit, la lut, puis la lui rendit.

Sa formidable énergie ne faiblit pas, mais sembla plutôt se contracter, comme en une implosion. Elle tourna la tête vers Gamache, qui demeura impassible, se contentant de l'observer avec intérêt.

– Vous étiez ici le soir du meurtre, dit Beauvoir.

Suzanne ne réagit pas immédiatement, et Gamache fut surpris de constater que même maintenant, alors qu'il n'y avait aucun espoir de fuite, elle semblait envisager de mentir.

– C'est vrai, reconnut-elle enfin, en jetant des regards à un policier puis à l'autre.

– Pourquoi ne nous l'avez-vous pas dit?

– Vous m'avez demandé si j'étais présente au vernissage au musée, et je ne l'étais pas. Vous ne m'avez posé aucune question concernant la fête.

– Êtes-vous en train de dire que vous n'avez pas menti? demanda Beauvoir, en jetant un coup d'œil à Gamache comme pour dire: «Vous voyez? Un autre chevreuil sur le même vieux sentier. Les gens ne changent pas.»

– Écoutez, répondit Suzanne en se tortillant sur sa chaise, je vais à beaucoup de vernissages, mais en général c'est moi qui sers les saucisses cocktail. Je vous l'ai dit, ça. C'est comme ça que je gagne un peu d'argent comptant. Je ne le cache pas. Eh bien, euh, disons que je le cache à Revenu Canada, mais je vous en ai parlé, à vous.

Elle jeta un regard implorant à Gamache, qui hocha la tête.

– Mais vous ne nous avez pas tout dit à ce sujet, continua Beauvoir. Vous avez omis de mentionner que vous étiez ici quand votre amie a été assassinée.

– Je n'étais pas une invitée, je travaillais. Et même pas comme serveuse. Je suis restée dans la cuisine toute la soirée. Je n'ai pas vu Lillian. Je ne savais même pas qu'elle était là. Comment aurais-je pu le savoir ? Écoutez, cette fête était prévue depuis longtemps et j'avais été engagée des semaines auparavant.

– En avez-vous parlé à Lillian ?

– Bien sûr que non. Je ne lui parlais pas de toutes les fêtes où j'allais travailler.

– Saviez-vous pour qui cette fête avait été organisée ?

– Je n'en avais aucune idée. Je savais qu'il s'agissait d'un artiste, comme dans la plupart des cas. Les traiteurs qui m'engagent se spécialisent dans les vernissages. Je n'ai pas décidé de venir ici, c'est l'endroit où on m'a envoyée. Je n'avais pas la moindre idée en l'honneur de qui cette fête avait lieu, et je m'en fichais. Tout ce qui comptait pour moi, c'est que personne ne se plaigne et que je me fasse payer.

– Quand nous vous avons appris que Lillian était morte au cours d'une fête à Three Pines, vous avez dû faire le lien, non ? Pourquoi ne nous avez-vous rien dit à ce moment-là ?

– J'aurais dû, reconnut Suzanne. Je le sais. En fait, c'est une des raisons pour lesquelles je suis venue. Je savais que je devais vous dire la vérité. J'essayais de rassembler mon courage pour vous parler.

Beauvoir la regarda avec un mélange de dégoût et d'admiration.

Quelle magistrale démonstration de fourberie ! Il jeta un coup d'œil au chef, qui étudiait lui aussi la femme. Son expression, cependant, était indéchiffrable.

– Pourquoi ne nous avez-vous pas dit ça hier soir ? redemanda Beauvoir. Pourquoi mentir ?

– J'étais sous le choc. Quand vous avez mentionné Three Pines, j'ai d'abord pensé avoir mal entendu. C'est seulement après votre départ que j'ai compris ce que ça signifiait. J'étais ici, ce soir-là. Peut-être même au moment où elle est morte.

– Et pourquoi ne nous l'avez-vous pas dit dès votre arrivée aujourd'hui ? demanda Beauvoir.

Elle secoua la tête.

– Je sais, c'était stupide. Mais plus le temps passait, plus je me rendais compte à quel point ça pouvait paraître suspect. Je me suis ensuite persuadée que ça n'avait pas d'importance puisque je n'étais pas sortie de la cuisine du bistro de toute la soirée. Je n'avais rien vu. Vraiment.

– Possédez-vous un jeton de débutant? demanda Gamache.

– Pardon?

– Un jeton de débutant des AA. Selon Bob, tout le monde en prend un. En avez-vous un?

Suzanne hocha la tête.

– Puis-je le voir?

– J'avais oublié, je l'ai donné.

Les deux hommes la dévisagèrent et elle rougit.

– À qui? demanda Gamache.

Elle sembla hésiter à répondre.

– À qui? demanda à son tour Beauvoir en se penchant en avant.

– Je ne sais pas. Je n'arrive pas à réfléchir.

– C'est à un mensonge que vous n'arrivez pas à penser. Nous voulons la vérité. Maintenant, dit sèchement Beauvoir.

– Où est votre jeton de débutant? demanda Gamache.

– Je ne sais pas. Je l'ai donné à une de mes filleules il y a des années. Nous faisons ça, parfois.

Le chef, cependant, avait l'impression que le jeton n'était pas très loin. D'après lui, il était dans un sac de pièces à conviction, ayant été trouvé recouvert de terre à l'endroit où Lillian était tombée. Et, soupçonnait-il, c'était une des raisons pour lesquelles Suzanne Coates était venue à Three Pines. Pour essayer de trouver son jeton manquant. Pour voir comment se déroulait l'enquête et, peut-être, essayer de brouiller les pistes.

Mais certainement pas pour leur dire la vérité.

Tandis qu'il marchait sur la route de terre, Peter aperçut l'auto garée un peu de travers, sur la bordure de gazon.

Clara était à la maison.

Il avait passé une bonne partie de l'après-midi dans l'église anglicane Saint-Thomas, répétant des prières apprises dans son enfance et dont il se souvenait, ce qui se résumait, en fin de compte, au *Notre Père* et au bénédicité – «Seigneur, bénissez ce repas…» Il pouvait aussi réciter les *Vêpres,* mais s'était rappelé qu'il s'agissait d'un poème au sujet d'un petit garçon nommé Christopher Robin, ce qui n'avait rien à voir avec les apôtres.

Tranquillement assis, il avait prié, réfléchi. Il avait même chanté un hymne du livre de cantiques.

Il ne s'était senti ni joyeux ni triomphant et avait fini par avoir mal aux fesses. Alors il était parti. Si Dieu était dans l'église Saint-Thomas, il se cachait de Peter.

Dieu et Clara l'évitaient tous les deux. Ce n'était pas, selon la plupart des critères de comparaison, une bonne journée. Toutefois, tandis qu'il revenait au village, il s'était dit que Lillian aurait volontiers changé de place avec lui.

Il y avait des choses bien pires que de ne pas rencontrer Dieu. Le rencontrer, par exemple.

Alors qu'il s'approchait de leur maison, il vit Denis Fortin qui venait d'en sortir et s'éloignait. Les deux hommes se sa-luèrent d'un geste de la main tandis que Peter remontait l'allée.

Il trouva Clara dans la cuisine, dos à lui, les yeux braqués sur un mur. S'avançant vers elle, il dit :

– Je viens de voir Fortin. Qu'est-ce qu'il voulait ?

Clara se retourna et le large sourire de Peter se figea.

– Qu'y a-t-il ? Qu'est-ce qui ne va pas ?

– J'ai fait quelque chose de terrible. Il faut que je parle à Myrna.

Clara commença à le contourner pour se diriger vers la porte.

– Non, attends, Clara. Parle-moi. Raconte-moi ce qui s'est passé.

– Avez-vous vu son visage ? demanda Beauvoir en se hâtant de rattraper Gamache.

Les deux hommes traversaient le parc après avoir laissé Suzanne assise sur la galerie. La chaise berçante était immobile, et l'aquarelle sur ses genoux qui représentait le jardin luxuriant de Gabri avait été chiffonnée, écrasée. Par sa propre main. La main qui l'avait créée l'avait détruite.

Mais Beauvoir avait aussi vu le visage de Gamache. Ses yeux devenus durs, froids.

– Pensez-vous que ce jeton de débutant était le sien? demanda Beauvoir, marchant maintenant à côté du chef.

Gamache ralentit. Ils avaient presque atteint le pont.

– Je ne sais pas, répondit-il, le visage inexpressif. Grâce à vous, nous savons qu'elle a menti au sujet de sa présence à Three Pines le soir où Lillian est morte.

– Elle affirme n'avoir jamais quitté la cuisine, dit Beauvoir en embrassant le village du regard. Mais il aurait été facile pour elle, en passant derrière les boutiques, de se faufiler en douce dans le jardin de Clara.

– Et d'y rencontrer Lillian.

Gamache se tourna et regarda dans la direction de la maison des Morrow. Les deux enquêteurs étaient maintenant sur le pont. Gamache remarqua les arbres et les lilas qui avaient été plantés pour assurer un peu d'intimité à Clara et Peter. Même des invités se trouvant sur le pont n'auraient pu voir Lillian, ou Suzanne, dans leur jardin.

– Elle a dû parler à Lillian de la fête organisée pour Clara, sachant que celle-ci figurait sur sa liste de personnes à qui elle devait des excuses, dit Beauvoir. Je parie qu'elle l'a même encouragée à venir. Et lui a donné rendez-vous dans le jardin. (Il jeta encore une fois un coup d'œil autour de lui.) C'est le jardin le plus près du bistro, le plus facile d'accès. Cela expliquerait pourquoi Lillian a été trouvée là. Ç'aurait pu être le jardin de n'importe qui, c'est seulement un hasard si c'est celui de Clara.

– Elle aurait donc menti quand elle a déclaré ne pas avoir parlé de la fête à Lillian. Et menti aussi en disant ignorer pour qui la fête avait été organisée.

– J'en suis persuadé, monsieur. Tout ce que dit cette femme est un mensonge.

Gamache hocha la tête. C'était en effet l'impression qu'il commençait à avoir.

– Lillian est peut-être même venue avec Suzanne, dit Beauvoir.

– Non. Elle avait sa propre voiture.

– C'est vrai.

Beauvoir réfléchissait, essayait de visualiser comment les événements avaient pu se dérouler.

– Mais, ajouta-t-il, elle aurait pu suivre Suzanne jusqu'ici.

Gamache, en hochant la tête, considéra cette possibilité.

– Ça expliquerait comment elle a réussi à trouver Three Pines, dit-il. Elle aurait suivi Suzanne.

– Mais personne n'a vu Lillian à la fête. Pourtant, avec cette robe rouge, quelqu'un aurait dû la remarquer.

Gamache réfléchit à ce commentaire.

– Lillian ne voulait peut-être pas qu'on la voie, avant qu'elle soit prête.

– Prête pour quoi?

– Prête à s'excuser auprès de Clara. Elle est peut-être restée dans son auto jusqu'à l'heure où elle avait convenu de rencontrer sa marraine dans le jardin, peut-être avec la promesse d'un dernier mot d'encouragement avant de présenter des excuses difficiles. Elle a dû penser que Suzanne lui faisait une grande faveur.

– Toute une faveur… Suzanne l'a tuée.

Gamache réfléchit un moment, puis secoua la tête. Cette conclusion pouvait paraître logique, mais avait-elle du bon sens? Pourquoi Suzanne aurait-elle tué sa filleule? Tué Lillian? Et d'une manière si préméditée. Et si personnelle.

Qu'est-ce qui aurait pu pousser Suzanne à tordre le cou de Lillian pour le lui briser?

Se pouvait-il que la victime ne soit pas tout à fait la femme décrite par Suzanne? Beauvoir aurait-il raison, encore une fois? Lillian n'avait peut-être pas changé, demeurant au contraire la même femme cruelle, railleuse, manipulatrice que Clara avait connue. Avait-elle poussé Suzanne à bout?

Suzanne avait-elle fait une grande chute, mais, cette fois, avait-elle levé les bras pour entraîner Lillian avec elle? En l'empoignant à la gorge.

Quiconque avait tué Lillian la détestait. Il ne s'agissait pas d'un crime commis froidement. Il avait été prémédité, mûrement réfléchi. L'assassin avait aussi délibérément choisi son arme : ses propres mains.

– J'ai fait une terrible erreur, Peter.

Gamache se tourna dans la direction de la voix, imité par Beauvoir. C'était celle de Clara et elle provenait de l'autre côté de l'épais rideau de feuilles et de lilas.

– Raconte-moi. Tu peux me le dire.

Peter avait parlé d'une voix douce et rassurante, comme s'il essayait de convaincre un chat de sortir de sous un canapé.

– *Oh, God*, dit Clara en haletant. Qu'est-ce que j'ai fait ?

– Qu'est-ce que tu as fait ?

Gamache et Beauvoir échangèrent un regard et s'approchèrent tout doucement du parapet en pierre.

– Je suis allée rendre visite aux parents de Lillian.

Les deux policiers de la Sûreté ne pouvaient pas voir le visage de Peter – ni celui de Clara, d'ailleurs –, mais ils pouvaient imaginer son air.

Il y eut un long silence.

– C'était gentil, dit enfin Peter, mais d'une voix mal assurée.

– Ce n'était pas gentil, répliqua Clara. Tu aurais dû voir leurs visages. C'est comme si j'avais trouvé deux personnes presque mortes et avais ensuite décidé de les dépouiller. Oh, mon Dieu, Peter, qu'est-ce que j'ai fait ?

– Es-tu certaine de ne pas vouloir une bière ?

– Non, je ne veux pas une bière. Je veux Myrna. Je veux...

« N'importe qui sauf toi. »

Elle n'avait pas ajouté ces mots, mais tout le monde les avait entendus. L'homme dans le jardin et les hommes sur le pont. Et Beauvoir éprouva de la pitié pour Peter. Pauvre Peter, si visiblement déconcerté.

– Non, attends, Clara, lança Peter. (Il était évident qu'elle s'éloignait de lui.) Raconte-moi, s'il te plaît. Moi aussi, je connaissais Lillian. Je sais que vous étiez de bonnes amies, à une époque. Tu devais aussi aimer ses parents.

– Oui, je les aimais, dit-elle, s'arrêtant. Les aime encore.

Sa voix était plus claire. Clara s'était tournée pour faire face à Peter, et faire face aux enquêteurs cachés derrière les arbres.

– Ils ne m'ont toujours montré que de la gentillesse. Et maintenant, j'ai fait ça.

– Raconte-moi.

– J'en ai parlé à plusieurs personnes avant d'aller les voir, et tout le monde m'a conseillé la même chose, dit Clara en revenant vers Peter. De ne pas y aller. Parce que, en me voyant, les Dyson auraient trop mal. Mais j'y suis allée quand même.

– Pourquoi?

– Je voulais leur dire à quel point j'étais désolée. Au sujet de ce qui est arrivé à Lillian, mais aussi de notre brouille. Je voulais leur donner l'occasion de parler du passé, de Lillian enfant. D'échanger des souvenirs, peut-être, avec quelqu'un qui l'avait connue et aimée.

– Mais ils ne voulaient pas?

– C'était horrible. J'ai frappé à la porte et M\ua Dyson est venue ouvrir. Il était évident qu'elle avait beaucoup pleuré. Elle avait l'air effondrée. Il lui a fallu un moment avant de me reconnaître, mais quand elle a compris qui j'étais…

Peter attendit. Ils attendaient tous la suite, imaginant la vieille femme à la porte.

– Je n'ai jamais vu autant de haine. Jamais. Elle m'aurait tuée sur place, si elle avait pu. M. Dyson est venu la rejoindre. Il est minuscule, à peine là, à peine en vie. Dans le temps, je me souviens, il était costaud. Il nous soulevait, Lillian et moi, et nous portait sur ses épaules. Mais maintenant il est voûté et…

Elle marqua une pause, cherchant manifestement des mots pour exprimer sa pensée.

– … minuscule. Tout simplement minuscule.

Il n'existait pas de mots. Ou très peu.

– «Tu as tué notre fille, a-t-il dit. Tu as tué notre fille.» Ensuite, il a essayé de me frapper avec sa canne, mais elle s'est prise dans le cadre de porte et, frustré, il s'est mis à pleurer.

Beauvoir et Gamache voyaient très bien la scène: le frêle, éploré et courtois M. Dyson réduit à une rage meurtrière.

– Tu as essayé, Clara, dit Peter d'une voix apaisante, réconfortante. Tu as essayé de les aider. Tu ne pouvais pas savoir comment ils réagiraient.

– Mais tous les autres le savaient. Pourquoi pas moi? demanda Clara avec des sanglots dans la voix, et Peter, encore une fois, eut la sagesse de ne pas répondre. Tout le long du trajet du retour, je n'ai pas cessé d'y penser, et sais-tu ce que j'ai fini par comprendre?

Peter continua de garder le silence, attendant qu'elle poursuive, mais Beauvoir, caché environ cinq mètres plus loin, faillit parler, faillit demander: «Quoi?»

– Je m'étais convaincue qu'aller voir les Dyson pour les réconforter était un geste courageux de ma part, presque digne d'un saint. Mais, à vrai dire, c'est plutôt pour moi que je l'ai fait. Et maintenant, regarde ce que j'ai fait. S'il n'était pas aussi vieux, je crois que M. Dyson m'aurait tuée.

Gamache et Beauvoir entendirent les sanglots étouffés quand Peter serra sa femme dans ses bras.

L'inspecteur-chef pivota et, s'éloignant du parapet, se dirigea vers le bureau provisoire de l'autre côté de la rivière Bella Bella.

Une fois rendus au bureau provisoire, les deux enquêteurs se séparèrent, Beauvoir pour explorer des pistes prometteuses et Gamache pour aller à Montréal.

– Je serai de retour avant le souper, dit-il en se glissant derrière le volant de sa Volvo. Je veux parler des œuvres de Lillian Dyson avec la directrice Brunel. Et de leur valeur.

– Bonne idée.

Comme Gamache, Beauvoir avait vu les tableaux sur les murs de la victime. À ses yeux, il ne s'agissait que d'images bizarres, déformées de rues de Montréal. Les scènes étaient familières, reconnaissables, mais alors que dans la vraie vie les rues et les bâtiments étaient anguleux, sur les toiles ils avaient des formes arrondies, ondulantes. Ces œuvres lui avaient donné un léger mal de cœur. Il se demandait ce qu'en penserait la directrice Brunel.

L'inspecteur-chef Gamache se posait la même question.

Il arriva à Montréal vers la fin de l'après-midi et se faufila dans la circulation de l'heure de pointe jusqu'à l'appartement de Thérèse Brunel, à Outremont.

Un peu plus tôt, il avait téléphoné aux Brunel pour s'assurer qu'ils seraient là, et, tandis qu'il montait l'escalier, Jérôme ouvrit la porte. Il avait presque la forme d'un carré parfait, et était certainement un hôte parfait.

– Armand, dit-il en tendant la main pour serrer celle de l'inspecteur-chef. Thérèse est dans la cuisine, en train de préparer un petit plateau. On pourrait s'installer sur le balcon. Qu'est-ce que je peux vous offrir à boire?

– Seulement un Perrier, s'il vous plaît, Jérôme.

Il suivit son hôte à travers la salle de séjour qu'il connaissait bien, passant à côté des piles d'ouvrages de référence et des codes cryptés de Jérôme. Ils sortirent sur le balcon avant, qui donnait sur la rue et, au-delà, un parc verdoyant. Il était difficile de croire qu'à deux pas se trouvait l'avenue Laurier, remplie de bistros, de brasseries et de boutiques.

Armand et Reine-Marie habitaient à quelques rues de là et étaient souvent venus dans cet appartement, pour souper ou prendre l'apéro. Et les Brunel avaient souvent été invités chez eux aussi.

Même si Gamache ne leur faisait pas vraiment une visite amicale, les Brunel réussirent à créer une atmosphère détendue. S'il était nécessaire de parler d'un crime, d'un meurtre, pourquoi ne pas le faire en prenant un verre accompagné de fromage, de saucisson épicé et d'olives?

Armand Gamache était parfaitement d'accord.

– Merci, Jérôme, dit Thérèse Brunel en tendant le plateau de nourriture à son mari et en prenant le verre de vin blanc qu'il lui avait versé.

Debout sur le balcon inondé de soleil, ils regardèrent tous les trois le parc en face.

– Quelle belle période de l'année, n'est-ce pas? dit Thérèse. Le temps est si doux.

Elle reporta ensuite son attention sur l'homme à côté d'elle, qui tourna lui aussi la tête pour la regarder.

Armand Gamache vit une femme qu'il connaissait depuis plus de dix ans. Qu'il avait formée, en fait. À qui il avait enseigné à l'école de police, où elle se distinguait de tous les autres élèves, non seulement en raison de son évidente intelligence, mais parce qu'elle était assez vieille pour être leur mère. Elle avait même dix ans de plus que Gamache.

Elle s'était jointe à la Sûreté après une brillante carrière à titre de conservatrice en chef du Musée des beaux-arts de Montréal. Historienne réputée et ardente défenseur de l'art, elle avait été consultée par la Sûreté au sujet de l'apparition d'une mystérieuse peinture – pas la disparition, mais bien l'apparition soudaine d'un tableau.

À cette occasion, en participant à la résolution du crime, elle s'était découvert une passion pour les puzzles, les énigmes. Après avoir collaboré avec la police dans quelques enquêtes, elle avait compris que c'était ce qu'elle voulait vraiment faire, était censée faire.

Elle s'était donc présentée devant un agent recruteur très étonné pour se faire embaucher.

Cela remontait à une douzaine d'années. Et maintenant, elle était une haut gradée du corps policier, d'un rang plus élevé que son professeur et mentor. Mais seulement, savaient-ils tous les deux, parce qu'il avait choisi de suivre une autre voie.

– Comment puis-je aider, Armand? demanda-t-elle en indiquant un fauteuil d'un geste élégant de sa main délicate.

– Est-ce que je vous laisse seuls? demanda Jérôme en se levant de son siège avec un peu de difficulté.

– Non, non, répondit Gamache en lui faisant signe de se rasseoir, vous pouvez rester, si vous voulez.

Jérôme voulait toujours. Toute sa vie, cet urgentologue à la retraite avait adoré les énigmes et, maintenant, il trouvait cela particulièrement drôle de voir sa femme, qui l'avait longtemps taquiné au sujet de ses éternels codes secrets, plongée elle aussi dans des mystères à élucider – d'un genre plus sérieux, il va sans dire.

L'inspecteur-chef Gamache déposa son Perrier et sortit une chemise de son sac à bandoulière.

– J'aimerais que vous regardiez ces photos et me donniez votre opinion.

La directrice Brunel étala les photographies sur la table en fer forgé, en les coinçant sous les verres et le plateau de nourriture pour éviter que la brise légère les emporte.

Les deux hommes attendirent sans rien dire pendant qu'elle les étudiait. Elle prit son temps. Des voitures passèrent. Dans le parc en face, des enfants tapaient dans un ballon et d'autres s'amusaient sur les balançoires.

Armand Gamache but une gorgée de son eau gazéifiée et, en faisant tourner avec un doigt le quartier de lime qui y flottait, observa Thérèse pendant qu'elle examinait les peintures photographiées dans l'appartement de Lillian Dyson. L'air sévère de la directrice était celui d'une enquêteuse d'expérience à qui avait été remis un élément lié à une affaire de meurtre. Elle promena d'abord rapidement son regard d'un côté puis de l'autre, pour avoir une vue d'ensemble des peintures. Ensuite, le mouvement de ses yeux ralentit et elle fixa une image, puis une autre. Elle déplaça les photos sur la table, et inclina sur le côté sa tête bien coiffée.

Bien que son regard demeurât sévère, l'expression sur son visage s'adoucit lorsqu'elle commença à s'absorber dans la contemplation des toiles.

Armand ne lui avait rien dit à leur sujet. Ni qui les avait peintes, ni ce qu'il voulait savoir. Il ne lui avait donné aucune information, à part le fait qu'elles avaient un lien avec une enquête sur un meurtre.

Il voulait qu'elle se forme sa propre opinion, sans être influencée par ses questions ou ses commentaires.

À l'école de police, l'inspecteur-chef lui avait appris qu'une scène de crime n'était pas seulement sur le sol, mais aussi dans la tête des gens. Dans leurs souvenirs, leurs perceptions, leurs sentiments, qu'il ne fallait pas risquer de contaminer avec des questions pouvant orienter la pensée.

Finalement, Thérèse se redressa et leva les yeux, regardant d'abord Jérôme, comme c'était son habitude, puis Gamache.

– Eh bien, madame la directrice ?

– Eh bien, inspecteur-chef, je peux vous dire que je n'ai jamais vu les œuvres de cet artiste. Le style est singulier, unique.

Trompeusement simple. Pas primitif, mais pas trop étudié non plus. Ces peintures sont très belles.

— Auraient-elles de la valeur ?

— Voilà une bonne question. (Elle jeta un autre coup d'œil aux photos.) Le beau n'est pas en vogue. Les galeristes et les conservateurs sont à la recherche d'œuvres torturées, noires, austères, cyniques. Ils semblent penser qu'elles sont plus complexes, qu'elles provoquent davantage la réflexion, mais, croyez-moi, c'est faux. La lumière suscite la réflexion tout autant que ce qui est noir. Nous pouvons découvrir beaucoup de choses sur nous-mêmes en regardant la beauté.

— Et que vous révèlent ces peintures ? demanda Gamache en indiquant les photos sur la table.

— Sur moi-même ? demanda Thérèse avec un sourire.

— Si vous voulez, mais j'avais plutôt en tête l'artiste.

— Qui est-il, Armand ?

Il marqua un moment d'hésitation.

— Je vous le dirai dans un instant, mais j'aimerais d'abord entendre votre opinion sur les toiles.

— La personne qui les a peintes est un merveilleux artiste. Pas un jeune artiste, à mon avis. Il y a trop de nuances. Comme je l'ai dit, elles sont trompeusement simples, mais, si on regarde attentivement, on remarque des notes d'accentuation. Comme là.

Elle pointa le doigt sur l'endroit où une rue contournait un édifice comme une rivière faisant le tour d'un rocher.

— Ce subtil jeu de lumière. Et ici, dans le lointain, là où le ciel, l'édifice et la rue se rencontrent et deviennent difficiles à distinguer.

Thérèse regardait les peintures avec un air presque mélancolique.

— Elles sont magnifiques. J'aimerais rencontrer l'artiste.

Elle plongea ses yeux dans ceux de Gamache et soutint son regard juste un peu plus longtemps que nécessaire.

— Mais je soupçonne que ça n'arrivera pas. Il est mort, n'est-ce pas ? La victime, c'est lui ?

— Qu'est-ce qui vous fait dire ça ?

– À part le fait que vous êtes le chef des homicides?

Elle sourit et, à côté d'elle, Jérôme, amusé, se racla la gorge.

– Si vous m'avez apporté ces photos, poursuivit Thérèse, c'est parce que l'artiste est soit un suspect, soit la victime, mais la personne qui a peint ces toiles serait incapable de tuer.

– Pourquoi?

– Les artistes ont tendance à peindre ce qu'ils connaissent. Une peinture correspond à une émotion. Les meilleurs artistes se révèlent dans leurs œuvres, dit la directrice en jetant de nouveau un coup d'œil sur les photos. L'artiste qui a peint ces tableaux était heureux. Il n'était peut-être pas parfait, mais c'était un homme heureux.

– Ou une femme, dit l'inspecteur-chef. Et vous avez raison, elle est morte.

Il parla de Lillian Dyson aux Brunel, de sa vie et de sa mort.

– Savez-vous qui l'a tuée? demanda Jérôme.

– Pas encore, mais ça ne saurait tarder, répondit Gamache en reprenant les photographies. Que pouvez-vous me dire au sujet de François Marois et d'André Castonguay?

Thérèse haussa un sourcil finement épilé.

– Les marchands d'art? Sont-ils impliqués?

– Oui, ainsi que Denis Fortin.

– Eh bien, dit Thérèse après avoir pris une petite gorgée de son vin blanc, Castonguay a une galerie, mais ses revenus proviennent principalement de son contrat avec Kelley Foods, signé il y a de nombreuses années et qu'il a réussi à conserver.

– À vous entendre, on pourrait penser qu'il s'agit d'une situation précaire.

– Honnêtement, je suis très étonnée qu'il le détienne encore. Il a perdu beaucoup de son influence au cours des dernières années, depuis l'ouverture de nouvelles galeries plus modernes.

– Comme celle de Fortin?

– Exactement comme celle de Fortin, qui est très entreprenant et combatif. Il n'a pas eu peur de s'attaquer à ce qui était la chasse gardée de ces messieurs, et, je l'avoue, je le comprends.

Ils l'ont exclu de leur groupe, alors sa seule option était de défoncer les portes.

– Denis Fortin ne me semble pas se satisfaire de défoncer des portes, dit Gamache en prenant une fine tranche de saucisson italien et une olive. J'ai l'impression qu'il veut que tout s'écroule autour de Castonguay. Il veut tout, et a l'intention de l'obtenir.

– L'oreille de Van Gogh.

Thérèse sourit en voyant Gamache interrompre son geste avant de mettre la rondelle de saucisson dans sa bouche.

– Pas la charcuterie, Armand. Ne vous inquiétez pas, vous n'avez rien à craindre. Bien que je ne puisse pas me prononcer au sujet des olives.

Elle le regarda d'un air malicieux.

– Venez-vous de dire «l'oreille de Van Gogh»? demanda l'inspecteur-chef. Quelqu'un d'autre – pour l'instant je ne me rappelle plus qui – a utilisé la même expression au cours de l'enquête. Qu'est-ce que ça signifie?

– Ça veut dire s'emparer de tout de peur de rater quelque chose d'important. Comme, à une autre époque, les galeristes n'ont pas su reconnaître le génie de Van Gogh. Denis Fortin fait exactement ça: il met la main sur tous les artistes prometteurs, au cas où l'un d'entre eux s'avérerait être le nouveau Van Gogh, ou Damien Hirst ou Anish Kapoor.

– La prochaine révélation. Il a raté son coup avec Clara Morrow.

– En effet. Il doit donc vouloir éviter à tout prix de se tromper de nouveau.

– Alors il voudrait cette artiste? demanda Gamache en indiquant la chemise maintenant fermée sur la table.

La directrice Brunel hocha la tête.

– Je crois, oui. Comme je l'ai dit, le beau n'est pas à la mode, mais si on veut trouver la prochaine star, il ne faut pas chercher parmi un tas de gens qui font tous la même chose. Il faut découvrir quelqu'un au style unique. Comme elle.

Thérèse tapota la chemise avec un doigt manucuré.

— Et François Marois? Comment s'insère-t-il dans le tableau?

— Excellente question. Il affiche une indifférence tranquille, par rapport aux luttes intestines, en tout cas. Il semble toujours rester au-dessus de la mêlée. Il affirme vouloir seulement promouvoir le grand art et les artistes. Et c'est quelque chose qu'il connaît très bien. À mon avis, de tous les marchands d'art au Canada, et certainement dans cette ville, il est le plus apte à reconnaître le talent.

— Et ensuite?

Thérèse Brunel observa Gamache attentivement.

— Vous avez manifestement passé du temps avec lui, Armand. Vous, qu'en pensez-vous?

Gamache réfléchit un moment.

— Je pense que, de tous les marchands, il est le plus apte à obtenir ce qu'il veut.

Thérèse hocha lentement la tête.

— C'est un prédateur, dit-elle enfin. Patient, impitoyable. Parfaitement charmant, comme vous l'avez certainement remarqué, jusqu'à ce qu'il aperçoive ce qu'il veut. Et ensuite? Mieux vaut se cacher jusqu'à ce que cesse le massacre.

— C'est si terrible?

— Oui. Je n'ai jamais vu François Marois ne pas parvenir à ses fins.

— A-t-il déjà contrevenu à la loi?

Elle secoua la tête.

— Aucune loi des hommes, en tout cas.

Les trois amis gardèrent le silence pendant un moment, jusqu'à ce que Gamache reprenne la parole.

— Au cours de l'enquête, une citation a été portée à mon attention et je me demande si vous la connaissez. « Il a un talent naturel, produisant de l'art comme si c'était une fonction physiologique. »

Il se cala dans son fauteuil et observa la réaction des Brunel. Thérèse, si sérieuse un instant plus tôt, sourit légèrement alors que son mari s'esclaffa.

— Je connais cette citation, dit Thérèse. Elle est tirée d'une critique, je crois. Mais publiée il y a de nombreuses années.

— Oui, dans *La Presse*. La critique avait été écrite par la victime.

— Par elle ou à son sujet?

— La phrase fait allusion à un «il», Thérèse, dit son mari d'un air amusé.

— C'est vrai, mais Armand aurait pu mal la citer. Il est reconnu pour son travail bâclé, tu sais, dit-elle avec un sourire, et Gamache rit.

— Eh bien, cette fois, par un heureux hasard, je ne me suis pas trompé. Vous rappelez-vous au sujet de qui cette phrase a été écrite?

Thérèse Brunel réfléchit, puis secoua la tête.

— Désolée, Armand. C'est devenu une phrase célèbre, mais je soupçonne que l'artiste, lui, n'est pas devenu célèbre.

— Les critiques sont-elles si importantes?

— Pour Kapoor ou Twombly, non. Pour un débutant, une première exposition, elles sont cruciales. Ce qui me fait penser: j'ai lu les merveilleuses critiques à propos de l'exposition de Clara. Nous n'avons pas pu assister au vernissage, mais je ne suis pas surprise. Ses œuvres sont extraordinaires. J'ai essayé de l'appeler pour la féliciter, mais la ligne était toujours occupée. Elle doit être très prise.

— Les peintures de Clara sont-elles meilleures que celles-là? demanda Gamache en indiquant la chemise.

— Elles sont différentes.

— Oui. Mais si vous étiez toujours conservatrice en chef au musée, lesquelles achèteriez-vous, celles de Clara Morrow ou de Lillian Dyson?

Thérèse y pensa un moment.

— Vous savez, je dis qu'elles sont différentes, mais elles ont une chose importante en commun. Dans les deux cas, elles sont joyeuses, à leur façon. C'est formidable si c'est dans cette direction que s'oriente l'art.

— Pourquoi?

— Parce que ça pourrait signifier que l'esprit humain aussi prend la même direction, et sortira d'une période sombre.

— Ce serait une bonne chose, en effet, dit Gamache.

Il prit sa chemise, mais, avant de se lever, il regarda Thérèse, puis se décida à lui poser une question.

— Que savez-vous au sujet du juge en chef Thierry Pineault ?

— Oh, mon Dieu, Armand, ne me dites pas qu'il est impliqué ?

— Eh oui.

La directrice Brunel respira profondément.

— Je ne le connais pas personnellement, seulement comme juriste. Il semble droit, probe. Sa réputation de magistrat est sans tache. Tout le monde peut faire un faux pas, mais je n'ai entendu aucun commentaire défavorable sur son comportement lorsqu'il siège à la cour.

— Et hors du tribunal ?

— J'avais entendu dire qu'il aimait lever le coude et pouvait parfois se montrer très désagréable. Mais ça se comprend. Il a perdu un petit-fils, ou était-ce une petite-fille ? L'enfant a été fauché par un conducteur en état d'ébriété. Thierry Pineault a cessé de boire, après ça.

Gamache se leva et aida à débarrasser la table, emportant le plateau dans la cuisine. Puis il se dirigea vers la porte, où il s'immobilisa.

Il s'était interrogé sur la pertinence d'aborder un certain sujet avec Thérèse et Jérôme. S'il voulait leur parler, pensa-t-il, il n'y aurait pas meilleur moment. Et il n'y avait pas meilleures personnes avec qui en discuter.

Lorsqu'ils se trouvèrent tous les trois sur le seuil de l'appartement, Gamache ferma lentement la porte et regarda les Brunel.

— J'ai une autre question pour vous, dit-il doucement. Qui n'a rien à voir avec l'affaire. Ça concerne autre chose.

— Oui ?

— La vidéo de l'attaque, dit-il en les observant attentivement. Qui, croyez-vous, l'a vraiment diffusée sur Internet ?

Jérôme eut l'air perplexe, mais pas la directrice Brunel.

Elle paraissait en colère.

22

Thérèse les ramena vers l'intérieur sombre de l'appartement, loin de la porte et de la porte-fenêtre ouverte.

— Il y a eu une enquête interne, dit-elle sèchement à voix basse. Vous le savez, ça, Armand. Elle a permis d'établir que c'était l'œuvre d'un pirate informatique, un jeune qui a trouvé le fichier et n'avait probablement aucune idée de quoi il s'agissait. C'est tout.

— Si c'était seulement un jeune qui a eu de la chance, pourquoi les enquêteurs ne l'ont-ils pas trouvé ? demanda Gamache.

— Laissez les enquêteurs s'occuper de ça, répondit-elle sur un ton adouci.

Gamache regarda les deux personnes devant lui. Un homme et une femme âgés. Ridés, usés.

Comme lui, d'ailleurs.

C'est pourquoi il avait fortement déconseillé à Beauvoir de poursuivre ses investigations, pourquoi il n'avait pas discrètement confié cette tâche à l'un de la centaine d'agents sous ses ordres. N'importe lequel d'entre eux aurait été heureux de creuser un peu plus cette affaire.

Mais qu'auraient-ils trouvé, profondément enfoui ?

Non, mieux valait se charger lui-même de ce travail. Avec l'aide de deux personnes en qui il avait confiance. Et les Brunel possédaient une autre des qualités requises, remarquable à ses yeux : ils étaient plus proches de la fin que du début. De la fin de leur carrière, de leur vie. Comme lui. Même s'ils mouraient subitement ou si leurs carrières prenaient abruptement fin, leurs vies auraient été malgré tout bien remplies.

Gamache ne voulait pas affecter un jeune agent à cette affaire. Il n'était pas question pour lui d'en perdre un autre.

— J'ai attendu le rapport de l'enquête interne, dit-il, et je l'ai lu. J'ai ensuite passé deux mois à l'étudier, à y réfléchir.

La directrice Brunel prit son temps avant de poser la question qu'elle avait en tête, car elle ne voulait pas vraiment entendre la réponse.

— Et à quelle conclusion êtes-vous arrivé?

— Que l'enquête a été bâclée, peut-être même délibérément. En fait, j'en suis presque certain. Quelqu'un à l'intérieur de la Sûreté essaie de cacher la vérité.

Cela ne servait à rien de biaiser, c'était son opinion.

— Qu'est-ce qui vous fait dire ça? demanda Jérôme.

— Il était pratiquement impossible pour un pirate informatique de trouver le fichier de la vidéo. Si ç'avait été le cas, les enquêteurs seraient remontés jusqu'à lui. C'est leur métier. La Sûreté a une division qui se consacre exclusivement à la cybercriminalité. Ces policiers auraient trouvé le hacker.

Thérèse et Jérôme demeurèrent silencieux. Puis, se tournant vers sa femme, Jérôme demanda:

— Qu'est-ce que tu penses, toi?

Elle regarda son mari, puis Gamache.

— Quelqu'un de la Sûreté essaie de cacher la vérité, avez-vous dit. Quelle est cette vérité, d'après vous?

— La fuite est l'œuvre de quelqu'un de la Sûreté, qui a intentionnellement diffusé la vidéo, répondit Gamache.

Il ne lui disait rien, se rendit-il compte, qu'elle ne savait ou ne soupçonnait déjà.

— Mais pourquoi faire ça? demanda-t-elle.

Manifestement, elle s'était déjà posé la question.

— À mon avis, le «pourquoi» dépend du «qui». (Gamache l'observa attentivement.) Ça ne vous surprend pas, n'est-ce pas?

Thérèse Brunel hésita, puis secoua la tête.

— J'ai moi aussi lu le rapport, comme tous les directeurs, d'ailleurs. Je ne sais pas ce qu'ils en ont pensé, mais, moi, je suis arrivée à la même conclusion que vous. Mais pas nécessairement qu'il s'agit d'un coup monté par quelqu'un de la Sûreté, dit-elle en lui jetant un regard contenant une mise en garde, mais que, pour une étrange raison, l'enquête n'a pas donné de résultats probants. Comme elle concernait la mort de quatre policiers et le préjudice subi par leurs familles et la section des homicides, je m'attendais à plus de rigueur. Je pensais que les enquêteurs auraient mobilisé toutes les ressources à leur disposition. Ils ont affirmé l'avoir fait. Pourtant, malgré toutes les belles paroles, la conclusion a été extrêmement simpliste : l'enregistrement a été piraté par un mystérieux hacker.

Thérèse secoua la tête, inspira profondément, puis expira.

— Nous avons un problème, Armand.

Gamache hocha la tête et regarda le couple.

— En effet, un gros problème.

La directrice Brunel s'assit et d'un geste indiqua des fauteuils aux deux hommes. Elle ne parla pas immédiatement, étant sur le point de franchir le Rubicon.

— Qui, selon vous, a diffusé la vidéo ? demanda-t-elle.

Gamache soutint son regard vif et intelligent.

— Je pense que vous savez qui l'a fait.

— C'est vrai, mais je veux vous l'entendre dire.

— Le directeur général Sylvain Francœur.

Ils entendirent, dehors, les cris et les rires d'enfants qui couraient les uns après les autres.

— Voilà qui s'annonce amusant, dit Jérôme en se frottant les mains.

L'idée de s'attaquer à un problème épineux le réjouissait.

— Jérôme ! N'as-tu pas écouté ? Le directeur général de la Sûreté du Québec a très probablement fait quelque chose non seulement d'illégal, mais d'extrêmement cruel. En portant atteinte à des policiers, morts et vivants. Et à leurs familles. Pour servir ses propres intérêts.

Thérèse se tourna vers Gamache.

— Si c'était Francœur, pourquoi aurait-il agi ainsi ?

— Je ne sais pas. Mais il essaie de se débarrasser de moi depuis des années. Il pensait peut-être que la diffusion de la vidéo serait la goutte d'eau qui ferait déborder le vase et que je m'en irais.

— Mais l'enregistrement ne vous a pas fait mal paraître, Armand, dit Jérôme. Au contraire.

— Qu'est-ce qui vous paralyserait, Jérôme? demanda Gamache en regardant l'homme en face de lui avec affection. Être faussement accusé ou recevoir des éloges non mérités? Surtout qu'il y a eu tant de conséquences douloureuses et si peu de choses méritant des éloges.

— Ce n'était pas votre faute, dit Jérôme en plantant ses yeux dans ceux de son ami.

— Merci, répondit Gamache en inclinant la tête. Mais ce n'était pas, non plus, mon heure de gloire.

Jérôme hocha la tête. Être sous les projecteurs n'était pas toujours facile. Une personne dans cette situation pourrait être portée à se précipiter vers un endroit sombre, pour se cacher. Pour se soustraire aux regards scrutateurs et paralysants des gens.

Gamache n'avait pas fui, mais, Jérôme et Thérèse le savaient, la tentation avait été forte. Il avait été à un doigt de remettre sa carte de policier et de prendre sa retraite. Et personne ne l'aurait blâmé. Comme personne, d'ailleurs, ne le tenait pour responsable de la mort de ces jeunes agents. Personne, sauf lui-même.

Mais au lieu de quitter la Sûreté, de battre en retraite, il était resté.

Jérôme se demanda si l'inspecteur-chef Gamache n'avait pas, en fait, une dernière tâche à accomplir. S'il ne devait pas s'acquitter d'une ultime obligation envers les vivants et les morts.

Découvrir la vérité.

L'agente Isabelle Lacoste se passa les mains sur la figure, puis consulta sa montre.

Dix-neuf heures trente-cinq.

Un peu plus tôt, le chef l'avait appelée et lui avait demandé quelque chose d'un peu étrange. En fait, c'était moins une requête qu'une suggestion. Cela exigeait un surcroît de travail, mais elle avait affecté un autre policier à la tâche de fouiller les archives de *La Presse*. Maintenant, cinq agents parcouraient les microfiches du quotidien montréalais.

La recherche allait plus vite, mais le fait de ne pas savoir quand – ni l'année ni même la décennie – la critique avait été publiée compliquait la tâche. Et l'inspecteur-chef venait de la rendre encore plus difficile.

– Regardez ceci, dit l'un des agents subalternes en se tournant vers Lacoste. Je crois l'avoir trouvée.

– Oh, Dieu merci, lança un autre dans un soupir de soulagement.

Les trois autres agents se rapprochèrent de l'écran.

– Pouvez-vous zoomer ? demanda Lacoste.

L'agent tourna un bouton. Aussitôt l'image s'agrandit et devint plus claire.

À l'écran, en caractères gras, apparurent les mots : « Une exposition qui produit tout un effet. » Ce qui suivait était moins une critique qu'un texte satirique contenant des jeux de mots d'un goût douteux sur l'expression « fonction physiologique ».

Même les agents épuisés ricanèrent en lisant l'article.

Le texte avait quelque chose de puéril, d'immature. Mais il était drôle, malgré tout. Comme lorsqu'on voit quelqu'un glisser sur une peau de banane. Et tomber. Ça n'a rien de subtil, mais ça fait rire quand même.

Isabelle Lacoste, toutefois, ne rit pas.

Contrairement aux autres policiers, elle savait par quoi cette critique se terminait. Pas par un point au bas de la page, mais par la découverte d'un corps étendu dans un jardin à la fin du printemps.

Ce qui avait commencé par une farce avait fini par un meurtre.

S'assurant que la date de publication était bien visible, Isabelle Lacoste fit imprimer plusieurs copies. Puis elle remercia et laissa partir les autres agents. Elle monta ensuite dans son auto pour retourner à Three Pines, convaincue d'avoir en sa possession une preuve de culpabilité.

23

Peter était assis dans le studio de Clara.

Immédiatement après le souper, qui s'était déroulé plutôt dans le silence, sa femme était partie pour aller parler à Myrna. Finalement, il n'avait pas suffi. Il avait passé un test, et avait échoué.

Toute sa vie, il avait été à la recherche de quelque chose, mais n'avait pas su exactement ce qu'il cherchait, jusqu'à maintenant. Alors il avait couru plusieurs lièvres à la fois.

Aujourd'hui, au moins, il savait ce qu'il voulait.

Assis dans l'atelier de Clara, il attendait. Dieu n'habitait pas seulement dans l'église Saint-Thomas en haut de la colline, mais également ici. Dans la pièce en désordre, avec les trognons de pomme séchés et les boîtes de conserve dans lesquelles étaient plantés des pinceaux aux poils durcis par la peinture à l'huile séchée. Avec les toiles, les immenses pieds en fibre de verre et les tableaux d'utérus qui traînaient un peu partout.

Dans son propre studio immaculé et bien rangé de l'autre côté du couloir, il avait fait de la place pour l'inspiration. Mais celle-ci s'était trompée d'adresse et avait abouti ici.

Non, se dit-il, ce n'était pas seulement l'inspiration qu'il cherchait, mais plus.

Ç'avait été ça, le problème. Tout au long de sa vie, il avait confondu création et Créateur, pensant qu'il suffisait d'être inspiré.

Il avait apporté une Bible dans le studio de Clara, au cas où cela l'aiderait. Au cas où Dieu aurait besoin d'une preuve de sa sincérité. Il la feuilleta et trouva les apôtres.

Thomas. Le nom du saint patron de leur église. Thomas l'incrédule.

Comme il était curieux, pensa-t-il, que le village ait une église nommée d'après un sceptique.

Et son nom à lui? Peter, l'apôtre Pierre. Il était la pierre.

Pour passer le temps jusqu'à ce que Dieu le trouve, il parcourut la Bible à la recherche de références à son nom.

Il y en avait beaucoup, qui lui plurent.

Peter, la pierre; Peter, l'apôtre; Peter, le saint. Un martyr, même.

Mais cet apôtre était autre chose aussi. Quelque chose que Jésus lui avait dit quand il avait été témoin d'un miracle évident: un homme marchant sur l'eau, mais auquel Pierre, même si lui-même marchait sur l'eau, n'avait pas cru.

«Oh, homme de peu de foi.»

On avait dit ça de Peter.

Il ferma le livre.

Le soleil se couchait lorsque l'agente Lacoste gara sa voiture et entra dans le bureau provisoire. Comme elle les avait appelés avant son départ, l'inspecteur-chef Gamache et l'inspecteur Beauvoir l'attendaient.

Elle leur avait lu la critique au téléphone, mais ils étaient impatients de la voir.

Isabelle Lacoste leur remit à chacun une copie et les observa.

— Putain de merde! s'exclama Beauvoir après avoir rapidement parcouru l'article.

Lacoste et lui se tournèrent vers Gamache qui, ses lunettes de lecture sur le nez, prenait son temps pour lire. Abaissant enfin la feuille, il enleva ses demi-lunes.

— Excellent travail, dit-il à l'agente Lacoste en hochant la tête.

Qualifier d'étonnant ce qu'elle avait trouvé était peu dire.

— Eh bien, tout est clair, maintenant, non? dit Beauvoir. «Il a un talent naturel, produisant de l'art comme si c'était une fonction physiologique», cita-t-il sans regarder la critique. Comment tant de personnes ont-elles pu se tromper?

— Avec le temps, les gens ont tendance à déformer un peu les choses, répondit Gamache. Nous l'avons tous constaté au cours d'interrogatoires. Ils se rappellent différemment les événements et comblent les trous de leur mémoire défaillante.

— Alors, que faisons-nous, maintenant? demanda Beauvoir.

De toute évidence, il savait ce qui devrait se passer. Gamache réfléchit un instant, puis se tourna vers Lacoste.

— À vous l'honneur, agente Lacoste. Inspecteur, vous pourriez peut-être l'accompagner.

— Vous ne vous attendez pas à du grabuge, quand même? dit Isabelle Lacoste en riant.

Elle regretta immédiatement ses paroles.

Le chef, toutefois, sourit.

— Je m'attends toujours à du grabuge.

— Moi aussi, dit Beauvoir en vérifiant son arme.

Lacoste fit de même, et les deux policiers sortirent dans la nuit. L'inspecteur-chef Gamache s'assit, et attendit.

Le lundi étant une journée plutôt tranquille, le bistro n'était qu'à moitié plein ce soir-là.

En entrant, Lacoste balaya la pièce du regard. Elle ne tenait rien pour acquis. Même si elle connaissait le bistro et s'y sentait bien, cela ne signifiait pas qu'il n'y avait pas de danger. La plupart des accidents se produisent près d'où on habite, et la plupart des meurtres là où on habite.

Non, ce n'était pas le temps – ni l'endroit – de baisser sa garde.

Assises à une table devant la fenêtre à meneaux, Myrna, Dominique et Clara buvaient de la tisane et mangeaient un dessert tout en bavardant tranquillement. Dans le coin au fond de la pièce, près de la cheminée en pierre, Lacoste vit les artistes Normand et Paulette. En face d'eux se trouvaient Suzanne, le juge en chef Thierry Pineault et Brian, vêtu d'un jean troué et d'une veste en cuir usée.

Denis Fortin et François Marois partageaient une table. Fortin racontait une anecdote qu'il trouvait amusante. Marois l'écoutait poliment, mais paraissait s'ennuyer. Il n'y avait aucune trace d'André Castonguay.

— Après toi, murmura Beauvoir à Lacoste au moment où ils s'avançaient à l'intérieur.

La plupart des clients avaient remarqué les deux agents de la Sûreté. Quelques-uns avaient souri, puis étaient retournés à leurs conversations. Après un moment, cependant, certains d'entre eux relevèrent la tête, pressentant que quelque chose était sur le point de se produire.

Myrna, Clara et Dominique se turent et regardèrent les agents se faufiler entre les tables en laissant un silence derrière eux.

Dépassant la table des trois femmes et celle des marchands d'art, les policiers s'arrêtèrent devant celle de Normand et Paulette, puis pivotèrent.

— Puis-je vous parler? demanda l'agente Lacoste.

— Ici? Maintenant?

— Non. Nous serions mieux dans un endroit plus tranquille, ne croyez-vous pas? répondit Lacoste en posant doucement la photocopie de l'article sur la table en bois ronde.

À cette table aussi, les gens se turent.

Sauf Suzanne qui, en gémissant, laissa échapper:

— Oh, non…

L'inspecteur-chef Gamache se leva à leur arrivée et les accueillit comme s'il se trouvait chez lui et qu'ils étaient des invités de marque.

Mais personne n'était dupe. Gamache n'avait pas agi de façon à donner l'illusion que tout allait bien. C'était un acte de politesse, rien de plus.

— Veuillez vous asseoir, s'il vous plaît, dit-il en faisant un geste vers la table de conférence.

— Pourquoi sommes-nous ici? demanda Thierry Pineault.

Gamache ignora le juge et se concentra sur Suzanne.

— Madame, dit-il en lui indiquant un fauteuil. Messieurs, ajouta-t-il en se tournant ensuite vers le juge et Brian.

Thierry Pineault et le jeune homme tatoué, aux nombreux piercings et à la tête rasée, s'assirent en face de Gamache. Beauvoir et Lacoste prirent place de chaque côté du chef.

– Pouvez-vous expliquer ceci, s'il vous plaît? demanda l'inspecteur-chef sur le ton de la conversation.

Il pointa le doigt vers le vieil article de *La Presse* au centre de la table, une île au milieu de l'océan séparant les deux groupes qui s'affrontaient.

– De quelle façon? demanda Suzanne.

– De la façon qu'il vous plaira, répondit doucement Gamache en posant une main dans le creux de l'autre.

– S'agit-il d'un interrogatoire, monsieur Gamache? demanda le juge d'un ton autoritaire.

– Si c'était le cas, vous ne seriez pas assis avec nous, répondit l'inspecteur-chef en regardant Thierry Pineault, puis Brian. Il s'agit d'une conversation, monsieur Pineault. J'essaie de comprendre une incohérence.

– Il veut dire un mensonge, précisa Beauvoir.

– Vous allez trop loin, lui lança le juge.

Il se tourna vers Suzanne.

– Je te conseille de ne plus répondre aux questions.

– Êtes-vous son avocat? demanda Beauvoir.

– Je suis *un* avocat, répliqua sèchement Thierry Pineault. Heureusement. Vous pouvez appeler cette rencontre comme vous voulez, mais utiliser une voix rassurante et des mots polis ne cache pas vos intentions.

– Et qui sont…? demanda Beauvoir sur le même ton que celui du juge.

– De la coincer, la déstabiliser.

– Nous aurions pu attendre qu'elle soit seule pour la questionner, dit Beauvoir. On vous permet d'être présent, estimez-vous chanceux.

– C'est assez, dit Gamache en levant une main.

Sa voix, cependant, était calme. La bouche ouverte, Pineault et Beauvoir marquèrent une pause, prêts à s'affronter de nouveau.

– Ça suffit. J'aimerais vous parler, monsieur le juge. Mon adjoint a posé une question pertinente.

Mais avant de s'entretenir avec le juge, Gamache prit Beauvoir à part et chuchota :

– Contrôlez-vous, inspecteur. Je ne veux plus voir un tel comportement, dit-il en fixant son adjoint.

– Oui, monsieur.

Beauvoir se rendit aux toilettes, entra dans une cabine et s'assit, pour rassembler ses idées. Puis il s'aspergea le visage avec de l'eau et se lava les mains. Prenant un demi-comprimé, il se regarda dans le miroir.

– Le mariage d'Annie et David bat de l'aile, murmura-t-il.

Il sentit qu'il se calmait.

«Le mariage d'Annie et David bat de l'aile», se répéta-t-il.

La douleur au ventre commençait à se dissiper.

L'inspecteur-chef Gamache et le juge Pineault s'étaient éloignés des autres et se trouvaient près du gros camion d'incendie rouge.

– Votre agent a presque dépassé les bornes, inspecteur-chef.

– Mais il a raison. Vous devez choisir. Êtes-vous ici en tant qu'avocat de Suzanne Coates ou en tant que son…

Il marqua une pause, cherchant le mot approprié.

– … son ami des AA.

– Je peux être les deux.

– Non, vous ne le pouvez pas, et vous le savez. Vous êtes juge en chef. Décidez-vous, monsieur. Maintenant.

Armand Gamache fixa Thierry Pineault, attendant une réponse. Le juge fut décontenancé. Visiblement, il était surpris de voir l'inspecteur-chef lui tenir tête.

– Je suis ici en tant que son ami des AA. En tant que Thierry P.

Gamache ne cacha pas son étonnement.

– Vous croyez que c'est le rôle le plus facile, inspecteur-chef?

Gamache ne répondit pas, mais, de toute évidence, il le croyait.

Thierry esquissa un sourire, puis devint très sérieux.

– N'importe qui peut s'assurer que les droits de Suzanne sont protégés. Vous, par exemple. Mais vous ne pouvez pas la protéger contre une rechute. Seul un autre alcoolique peut l'aider à traverser cette épreuve et rester abstinente. Si elle recommence à boire, elle perd tout.

– Il est si difficile de demeurer abstinent?

– Ce n'est pas demeurer abstinent qui est difficile, c'est résister au caractère insidieux de la dépendance. Je suis ici pour protéger Suzanne contre sa dépendance. Vous, vous pouvez protéger ses droits.

– Vous me faites confiance?

– À vous, oui. Mais à votre inspecteur? (Le juge fit un signe de la tête en direction de Beauvoir qui sortait des toilettes.) Vous devriez le tenir à l'œil.

– C'est un officier supérieur de la section des homicides, répondit Gamache d'un ton froid. Je n'ai pas besoin de le surveiller.

– Tout le monde doit être surveillé.

Gamache frissonna en entendant ces paroles, et il se posa des questions au sujet de cet homme au pouvoir si grand, qui avait tant de qualités, et tant de défauts. Encore une fois, il se demanda qui pouvait bien être le parrain du juge en chef. Que murmurait-il à l'oreille de cet homme puissant?

– M. Pineault a accepté d'aider Mme Coates à titre d'ami des AA, annonça l'inspecteur-chef lorsque le juge et lui revinrent s'asseoir.

Lacoste et Beauvoir parurent surpris, mais ne dirent rien. Cela facilitait leur travail.

– Vous nous avez menti, dit Beauvoir en levant la critique devant le visage de Suzanne. Tout le monde s'est trompé en citant la célèbre phrase, n'est-ce pas? Les gens croyaient qu'elle s'appliquait à un homme dont ils ne se rappelaient plus le nom. Mais elle concernait une femme. Vous.

– Suzanne…, dit Thierry pour la mettre en garde.

Se tournant vers Gamache, il ajouta:

– Désolé. Je ne peux m'empêcher d'être un juriste.

– Faites un effort, monsieur, dit Gamache.

– D'ailleurs, c'est un peu tard pour la mise en garde, tu ne penses pas, Thierry?

Suzanne regarda ensuite les enquêteurs de la Sûreté.

– Nous voilà réunis, le numéro un de la Cour, le numéro un des homicides et moi qui semble devenue le suspect numéro un.

– Tous de beaux numéros? dit Gamache avec un sourire en coin.

– C'est vous qui le dites, répondit Suzanne.

Puis, agitant la main en direction de la feuille de papier, elle émit un grognement.

– Maudite critique. La phrase est déjà insultante, mais c'est pire encore quand les gens la citent incorrectement. Ils pourraient au moins ne pas se tromper.

Elle semblait plus amusée que fâchée.

– Cette erreur nous a lancés sur une fausse piste, reconnut Gamache en posant les coudes sur la table. Tout le monde qui nous citait la phrase disait : « Il a un talent naturel », alors qu'elle commence par « Elle a un talent naturel ».

– Qu'est-ce qui vous a mis la puce à l'oreille? demanda Suzanne.

– Lire le livre des AA a aidé, répondit Gamache en indiquant de la tête le gros livre sur son bureau. Le genre masculin est souvent utilisé pour parler des alcooliques, même s'il y a aussi des femmes alcooliques. Quand les gens interrogés au cours de l'enquête faisaient référence à la personne visée par la critique, ils disaient « il », présumant qu'il s'agissait d'un homme. J'ai compris que c'était un réflexe. Comme ils ne se souvenaient plus de l'artiste, ils disaient naturellement « il ». Mais en réalité la critique de Lillian portait sur vous. L'agente Lacoste l'a finalement trouvée dans les archives de *La Presse*.

Tout le monde regarda l'article photocopié. Quelque chose qu'on avait extirpé des entrailles du journal où il était profondément enterré, mais loin d'être mort.

Il y avait une photo de Suzanne. Tous la reconnurent immédiatement, même si elle avait vingt-cinq ans de moins. Debout devant une de ses peintures, elle souriait. Fière. Radieuse. Son rêve se réalisait enfin. On remarquait enfin ses œuvres. Après tout, la critique de *La Presse* était là.

Le sourire de la Suzanne sur la photo était permanent, mais celui sur les lèvres de la Suzanne en chair et en os s'effaça, remplacé par un air assez curieux, presque amusé.

– Je me rappelle ce moment. Le photographe m'avait demandé de me mettre à côté d'un de mes tableaux et de sourire. Je n'avais aucune difficulté à le faire. C'est arrêter de sourire qui n'aurait pas été facile. Le vernissage avait lieu dans un café de quartier. Il y avait beaucoup de monde. Puis, Lillian s'est avancée et s'est présentée. Je l'avais vue à des expositions, mais l'avais toujours évitée. Elle semblait revêche. Mais cette fois-là elle a été vraiment gentille. Elle m'a posé des questions et m'a dit qu'elle allait écrire une critique sur mon exposition pour *La Presse*. Cette photo, dit Suzanne en indiquant la feuille sur la table, a été prise environ trente secondes après qu'elle m'a annoncé ça.

Tout le monde regarda de nouveau la photographie.

Elle montrait une jeune Suzanne au sourire éblouissant, éclatant, qui illuminait la pièce encore aujourd'hui. Cette jeune femme, cependant, n'avait pas encore compris que le sol venait de se dérober sous elle. Qu'elle allait disparaître, envoyée aux oubliettes. Par la gentille femme à côté d'elle, qui prenait des notes et souriait, elle aussi.

C'était une image qui vous glaçait. Comme si on voyait une personne s'avancer juste avant l'arrivée du camion. Des millisecondes avant la catastrophe.

– «Elle a un talent naturel, produisant de l'art comme si c'était une fonction physiologique», cita Suzanne sans avoir besoin de lire la critique.

Levant les yeux de la table, elle sourit et ajouta :

– Après ça, je n'ai plus jamais fait d'exposition solo. L'humiliation avait été trop grande. Les galeristes avaient peut-être oublié, mais pas moi. Je n'aurais pas pu survivre à une autre critique comme celle-là.

Elle regarda l'inspecteur-chef Gamache.

– Tous les chevaux du roi et tous les soldats du roi, dit-il doucement.

Suzanne hocha la tête.

– J'étais tombée de haut.

– Vous nous avez menti.

– C'est vrai, répondit-elle en fixant Gamache droit dans les yeux.

– Suzanne…, dit le juge en mettant sa main sur son bras.

– Ça va, dit-elle. De toute façon, j'allais leur dire la vérité, tu le sais, ça. Malheureusement, ils sont venus me chercher avant que je puisse la leur révéler de mon plein gré.

– Vous avez eu beaucoup d'occasions, dit Beauvoir.

Pineault fit un mouvement brusque, comme s'il s'apprêtait à la défendre, mais il se contint.

– Vous avez raison, dit Suzanne.

– Elle dit la vérité.

Ils se tournèrent tous vers Brian, surpris par les mots, mais également par la voix, extrêmement juvénile. Elle leur rappelait que sous les tatouages et la peau percée se trouvait un garçon.

– Suzanne nous a demandé, à Thierry et à moi, de nous joindre à elle pour le souper. Pour parler. Elle nous a mis au courant de ça, dit Brian en désignant l'article de sa main tatouée. Et elle a dit qu'elle irait vous voir le lendemain à la première heure.

Entendre ce garçon tatoué et aux nombreux piercings appeler le juge en chef par son prénom était également très surprenant. Gamache regarda Pineault et ne put dire s'il l'admirait d'aider un jeune homme si brisé ou s'il trouvait qu'il avait perdu tout bon sens.

Quelles autres erreurs de jugement l'éminent juriste était-il en train de commettre ?

L'inspecteur-chef posa sur Brian des yeux habitués à jauger les gens. Le jeune homme était détendu, à l'aise même. Avait-il pris de la drogue ? En tout cas, la situation paraissait le laisser indifférent, elle ne semblait ni l'amuser ni le contrarier. Comme s'il était complètement détaché de ce qui se passait.

– Et que lui avez-vous dit ? demanda Beauvoir tout en gardant un œil sur Brian.

Il avait déjà eu affaire à des voyous comme lui, et les rencontres s'étaient rarement bien terminées.

– J'étais déchiré, reconnut Pineault. Le juriste en moi pensait qu'elle devait avoir un avocat, qui lui conseillerait probablement de ne pas donner de l'information de son plein gré. Le membre des AA croyait qu'elle devait immédiatement dire la vérité.

— Qui a gagné? demanda Beauvoir.

— Vous êtes arrivés avant que je puisse dire quoi que ce soit.

— Vous auriez dû savoir, cependant, que vous vous trouviez en situation de conflit d'intérêts, dit Gamache.

— Le juge en chef qui conseille une personne soupçonnée de meurtre? dit Thierry. Évidemment, je le savais. C'était peut-être même contraire à la déontologie. Mais si votre fille ou votre fils était un suspect dans une affaire de meurtre et venait vous demander de l'aide, l'enverriez-vous voir quelqu'un d'autre?

— Bien sûr que non. Êtes-vous en train de dire qu'il existe un lien de parenté entre Suzanne et vous?

— Je dis que je connais Suzanne mieux que la plupart des gens, et qu'elle me connaît. Mieux que n'importe quel parent, frère, sœur, enfant. Comme nous connaissons bien Brian, et que lui nous connaît.

— De toute évidence, vous comprenez votre dépendance à l'alcool, dit Gamache, mais vous ne pouvez pas savoir ce qu'il y a dans le cœur de chacun. Vous n'essayez quand même pas de me dire que, en raison du fait qu'elle est abstinente et fait partie des AA, Suzanne est innocente. Vous ne pouvez même pas savoir si elle dit la vérité maintenant. Et certainement pas si elle est coupable de meurtre.

Thierry se hérissa, et les deux hommes à la personnalité très forte se dévisagèrent.

— Nous nous devons aux uns et aux autres d'être en vie, dit Brian.

Gamache se pencha en avant et fixa le jeune homme de ses yeux perçants.

— Pourtant, l'un de vous est mort.

Tout en gardant les yeux braqués sur Brian, il pointa le doigt vers le mur derrière lui, couvert de photos de Lillian étendue dans le jardin des Morrow. Gamache avait délibérément fait asseoir les trois amis face au mur. Et aux photographies. Pour qu'ils n'oublient pas pourquoi ils étaient là.

— Vous ne comprenez pas, dit Suzanne avec un accent de désespoir dans la voix. Quand Lillian m'a fait ça, poursuivit-elle en désignant la critique, nous étions des personnes différentes. Deux ivrognes. J'allais bientôt arrêter de boire et elle venait de commencer. Et, oui, je l'ai détestée pour ce qu'elle m'avait fait. J'étais déjà fragile, et j'ai craqué. Après ça, j'ai passé mes journées à me soûler et à me droguer. Pour pouvoir boire, j'aurais été prête à faire n'importe quoi, à me prostituer. C'était dégoûtant. J'étais dégoûtante. J'ai finalement touché le fond et je me suis jointe aux AA. Et j'ai commencé à reprendre ma vie en main.

— Qu'avez-vous ressenti quand Lillian s'est présentée à une réunion des AA vingt ans plus tard? demanda Gamache.

— J'ai été surprise de constater à quel point je la détestais encore et…

— Suzanne, dit le juge pour lui rappeler de faire attention.

— Écoute, Thierry, aussi bien tout déballer, tu ne crois pas?

Il paraissait mécontent, mais hocha la tête pour signifier son accord.

— Puis, Lillian m'a demandé d'être sa marraine, dit Suzanne en se tournant vers les enquêteurs. Et quelque chose de bizarre s'est produit.

— Quoi? demanda Beauvoir.

— Je lui ai pardonné.

Ces paroles furent accueillies par un silence, finalement brisé par Beauvoir.

— Juste comme ça?

— Pas tout à fait juste comme ça, inspecteur. Je devais d'abord accepter d'être sa marraine. Il y a quelque chose de libérateur quand on aide ses ennemis.

— S'est-elle excusée d'avoir écrit cette critique? demanda le chef.

— Oui, il y a environ un mois.

— Était-elle sincère, croyez-vous? demanda l'agente Lacoste.

Suzanne réfléchit, puis hocha la tête.

— Je n'aurais pas accepté ses excuses si je ne l'avais pas crue sincère. À mon avis, elle regrettait vraiment de m'avoir fait ça.

— Et d'avoir fait la même chose à d'autres? demanda Lacoste.

— Oui.

– Donc, si elle vous a demandé pardon pour cet article, dit l'inspecteur-chef en indiquant de la tête la feuille sur la table, on peut présumer qu'elle s'est excusée auprès d'autres artistes pour des critiques qu'elle avait écrites sur eux.

– C'est bien possible. Mais, si elle l'a fait, elle ne m'en a pas parlé. Comme j'étais sa marraine et elle ma filleule, j'ai pensé qu'elle s'excusait pour dissiper tout malaise. En y repensant, cependant, je crois que vous avez raison. Je ne suis pas la seule personne à qui elle a présenté des excuses.

– Et pas l'unique artiste dont elle a détruit la carrière? demanda Gamache.

– Probablement pas. Toutes ses critiques n'étaient pas aussi extraordinairement cruelles que celle écrite sur moi – je tire une certaine fierté de ça –, mais certainement tout aussi efficaces.

Suzanne sourit, mais les enquêteurs ne furent pas dupes. Ils avaient perçu le ton coupant quand elle avait prononcé les mots « extraordinairement cruelles ».

« Elle n'a pas oublié, pensa Gamache. Du moins, pas complètement. »

Après le départ de Suzanne et de ses compagnons, les trois policiers restèrent assis à la table de conférence.

– Avons-nous suffisamment d'éléments pour procéder à une arrestation? demanda Lacoste. Suzanne avoue entretenir depuis longtemps une haine pour la victime et avoir été ici le soir du crime. Elle avait une raison et l'occasion de tuer.

– Mais il n'y a pas de preuves, dit Gamache en s'appuyant contre le dossier de son fauteuil.

C'était frustrant. Ils avaient un bon dossier contre Suzanne Coates, mais il n'était pas en béton.

– Il s'agit de conjectures. Uniquement de conjectures.

Gamache prit la critique, la fixa, puis l'abaissa et regarda Lacoste.

– Vous devez retourner aux archives de *La Presse*.

Le visage d'Isabelle Lacoste s'assombrit.

– Tout mais pas ça, patron. Ne pouvez-vous pas simplement me tirer une balle dans la tête?

– Je suis désolé, répondit le chef, l'air un peu las. Mais cet endroit n'a pas fini de livrer ses secrets.

– Que voulez-vous dire? demanda Beauvoir.

– Je pense aux autres artistes dont la carrière a été brisée par Lillian.

– Les autres personnes à qui elle a fait des excuses, dit Lacoste d'un ton résigné en se levant. Elle est peut-être venue à la fête pour s'excuser non pas auprès de Clara, mais de quelqu'un d'autre.

– Vous ne croyez pas que Suzanne Coates a tué Lillian? demanda Beauvoir.

– Je ne sais pas, répondit Gamache, mais à mon avis, si Suzanne avait voulu la tuer, elle l'aurait fait bien avant. Et pourtant... (Il marqua une pause.) Avez-vous remarqué sa réaction quand elle a parlé de la critique?

– Elle en veut encore à Lillian, répondit Lacoste.

Gamache hocha la tête.

– Elle a passé vingt-trois ans dans les AA à essayer de se débarrasser de sa rancœur, et elle lui en veut encore. Vous vous imaginez quelqu'un qui n'a pas essayé? À quel point cette personne doit être en colère?

Beauvoir prit la feuille et fixa la jeune femme souriante.

Que se passait-il quand ce n'était pas seulement l'espoir, mais aussi les rêves et une carrière qu'on brisait? Une vie entière? Il connaissait la réponse, bien sûr. Ils la connaissaient tous.

Elle se trouvait punaisée sur le mur derrière eux.

Jean-Guy Beauvoir s'aspergea la figure d'eau et sentit la repousse de sa barbe sous ses doigts. Deux heures trente, et il n'arrivait pas à dormir. Il avait été réveillé par une douleur et était resté couché dans l'espoir qu'elle disparaîtrait. Mais, évidemment, elle n'était pas disparue.

Alors il s'était péniblement levé et traîné jusqu'à la salle de bains.

Fixant son reflet dans le miroir, il tourna la tête d'un côté puis de l'autre. L'homme devant lui avait les traits tirés, le visage traversé de rides. De profonds plis, qui n'avaient pas été créés par le rire, creusaient la peau autour de ses yeux, de sa bouche et entre ses sourcils. Barraient son front. Il se frotta les joues avec la main pour essayer d'effacer les rides. Mais elles ne disparurent pas non plus.

Il approcha son visage du miroir. Sous la lumière crue de la salle de bains du gîte, les poils de sa barbe étaient gris.

Tournant de nouveau la tête d'un côté et de l'autre, il aperçut du gris sur ses tempes. Et ses cheveux étaient striés de gris. Quand cela s'était-il produit?

«Mon Dieu, pensa-t-il, c'est ça qu'Annie voit? Un vieil homme? Usé et grisonnant? Oh, Seigneur!»

«Le mariage d'Annie et David bat de l'aile», se dépêcha-t-il de se dire. Mais c'était trop tard.

Beauvoir retourna dans la chambre, s'assit sur le bord du lit et regarda droit devant lui. Il glissa ensuite la main sous l'oreiller pour prendre le flacon, en retira le couvercle et fit tomber une pilule dans sa paume. De ses yeux encore voilés par le sommeil, il fixa le comprimé et referma sa main sur lui. Puis il ouvrit rapidement son poing, mit la pilule dans sa bouche et but une gorgée d'eau du verre qui se trouvait sur la table de chevet. Il attendit la sensation qui lui était maintenant familière. La douleur s'atténua graduellement. Mais il en sentit une autre, plus aiguë.

Jean-Guy Beauvoir s'habilla, sortit sans bruit du gîte et disparut dans la nuit.

Pourquoi n'avait-il pas vu ça, avant?

Beauvoir approcha son visage de l'écran, consterné par ce qu'il voyait. Il avait visionné la vidéo des centaines de fois. Encore et encore. Avait vu et revu toutes les horribles scènes, filmées par les caméras sur les casques des policiers.

Alors, comment avait-il pu manquer ça?

Il cliqua sur REPLAY et regarda de nouveau la vidéo. Puis cliqua encore sur REPLAY.

Le voilà à l'écran, son arme pointée sur un des tireurs. Soudain, il est poussé vers l'arrière, ses jambes se dérobent sous lui. Jean-Guy se vit tomber à genoux, puis tête première vers le sol. Ça, il s'en souvenait.

Il voyait encore le sol crasseux venir rapidement vers lui, et la saleté quand sa figure s'écrasa contre le béton.

Il se rappelait la douleur, aussi. Indescriptible. Il avait agrippé son ventre, mais la douleur était hors d'atteinte.

Dans la vidéo, il entendit un cri : «Jean-Guy!» et vit Gamache, un fusil d'assaut dans les mains, traverser en courant la section de l'usine où il se trouvait. L'agripper par sa veste tactique, le tirer jusque derrière un mur.

Ensuite apparut la scène au caractère intime. Les images en gros plan de Beauvoir qui oscillait entre conscience et inconscience. De Gamache qui lui parlait, lui ordonnait de rester éveillé. Qui appliquait un pansement sur sa blessure et appuyait la main de Beauvoir sur le bandage, pour étancher le sang.

Beauvoir vit aussi le sang sur la main du chef. Tout ce sang sur ses mains.

Gamache s'était penché en avant. Et avait fait un geste que personne d'autre n'était censé voir. Il avait embrassé Jean-Guy sur le front. Il y avait tant de tendresse dans l'acte qu'il était aussi bouleversant à regarder que la fusillade.

Puis il était parti.

Ce n'était pas le baiser qui stupéfiait Beauvoir, mais ce qui avait suivi. Pourquoi n'avait-il rien vu avant? Bien sûr, il avait vu la scène, mais n'avait pas compris ce qu'elle signifiait.

Gamache l'avait laissé là, seul, prêt à le laisser mourir.

Il l'avait abandonné, condamné à mourir seul sur un plancher d'usine crasseux.

Beauvoir appuya sur REPLAY, encore et encore. Et chaque fois, il va sans dire, la même chose se produisait.

Myrna avait tort. Il n'était pas bouleversé parce qu'il n'avait pas pu se porter au secours de Gamache. Il était fâché parce que le chef ne l'avait pas secouru, lui.

Et le monde de Jean-Guy Beauvoir s'écroula.

Armand Gamache gémit et regarda le réveil : 3 h 12.

Son lit au gîte était confortable. La couette remontée jusqu'au cou le tenait au chaud alors que l'air frais de la nuit entrait par la fenêtre ouverte en entraînant avec lui le ululement d'un hibou au loin.

Il resta allongé en essayant de se convaincre qu'il était sur le point de s'endormir.

3 h 18.

Il se réveillait rarement au milieu de la nuit, maintenant, mais cela arrivait à l'occasion.

3 h 22.

3 h 27.

Sachant qu'il ne se rendormirait pas, il se leva, s'habilla et descendit sans bruit. Il enfila son manteau Barbour et, coiffé d'une casquette, sortit du gîte. L'air était frais, et le silence régnait. Même le hibou s'était tu.

Rien ni personne ne bougeait. Sauf un enquêteur des homicides.

Il fit lentement le tour du parc dans le sens contraire des aiguilles d'une montre. Il n'y avait pas de mouvement dans les maisons plongées dans le noir. Les gens dormaient.

Les trois grands pins bruissaient légèrement sous la brise.

L'inspecteur-chef Gamache marcha d'un pas mesuré, les mains jointes derrière le dos. Faisant le vide dans sa tête, ne pensant à rien. Du moins essayait-il de ne penser à rien. De profiter simplement de l'air rafraîchissant et du calme.

Passé la maison de Peter et Clara, il s'immobilisa et regarda dans la direction du bureau provisoire, de l'autre côté du pont. Une lumière était allumée. Elle n'était pas très forte. À peine visible. C'était moins une lumière que l'absence d'une obscurité totale.

« Lacoste ? » se demanda-t-il. Était-elle revenue après avoir trouvé quelque chose ? Mais elle aurait sûrement attendu jusqu'au matin.

Il traversa le pont et se dirigea vers la vieille gare.

Jetant un coup d'œil par la fenêtre, il vit que la lueur venait d'un des écrans. Quelqu'un était assis dans le noir devant un ordinateur.

Il n'arrivait pas à voir de qui il s'agissait. C'était peut-être un homme, mais la personne était trop loin et se trouvait dans l'ombre.

Gamache n'avait pas de revolver. Il évitait, le plus possible, d'en avoir un sur lui. En quittant le gîte, il avait instinctivement pris ses lunettes de lecture sur la table de chevet. Il n'allait nulle part sans d'abord glisser ses demi-lunes dans sa poche. Selon lui, elles étaient bien plus utiles et bien plus puissantes qu'une arme. Il dut admettre, cependant, qu'en ce moment elles ne lui servaient pas à grand-chose. Il pensa un instant retourner au gîte et réveiller Beauvoir, mais se ravisa. Quiconque se trouvait à l'intérieur pourrait ne plus être là quand il reviendrait avec son adjoint.

Il tourna la poignée. La porte n'était pas verrouillée.

Lentement, très lentement, il l'ouvrit. Elle grinça, et il retint son souffle, mais la silhouette devant l'écran ne bougea pas. La personne était figée comme une statue.

Après avoir suffisamment poussé la porte, il entra et balaya la pièce du regard. L'intrus était-il seul? Y avait-il d'autres personnes?

Il fouilla des yeux les coins sombres, mais ne décela aucun mouvement.

Le chef s'avança encore un peu, prêt à affronter l'individu devant l'ordinateur.

Puis, il vit ce qu'il y avait sur l'écran. Des images qui apparaissaient et disparaissaient dans l'obscurité. Celles d'agents de la Sûreté, armes automatiques dans les mains, qui se déplaçaient dans une usine. Les yeux braqués sur l'ordinateur, il vit Beauvoir tomber, atteint par une balle. Le prochain plan montrait l'inspecteur-chef qui traversait en courant la vaste pièce pour se rendre jusqu'à lui.

La personne devant l'écran regardait la vidéo piratée. L'intrus, remarqua Gamache, était mince et avait les cheveux courts. C'était tout ce qu'il réussissait à voir.

D'autres images, fugaces, s'affichèrent. Gamache se vit penché au-dessus de son adjoint. Se vit lui mettre un pansement.

Il lui était très pénible de regarder l'enregistrement. Pourtant, l'individu paraissait fasciné. Il demeurait complètement immobile. Puis soudain, il y eut un mouvement. Au moment où Gamache, à l'écran, quittait Beauvoir, la main droite de l'intrus bougea, et la vidéo s'arrêta. Revint au début.

Et le raid recommença.

Gamache fit quelques pas de plus. Il voyait mieux, maintenant, et son impression se précisait. Puis, l'estomac noué, il n'eut plus de doute sur l'identité de la personne.

– Jean-Guy?

Beauvoir faillit tomber de son fauteuil. Il saisit la souris et essaya désespérément de cliquer sur un bouton. Pour arrêter le défilement des images, éteindre la vidéo. Mais il était trop tard. Beaucoup trop tard.

– Que faites-vous? demanda Gamache en s'avançant.

– Rien.

– Vous visionnez la vidéo.

– Non.

– Oui. Je vous ai vu.

Gamache marcha rapidement jusqu'à son propre bureau et alluma la lampe. Jean-Guy Beauvoir était assis à son ordinateur et fixait le chef de ses yeux rougis et voilés.

– Pourquoi êtes-vous ici? demanda Gamache.

Beauvoir se leva.

– J'avais seulement besoin de la regarder une autre fois. Notre conversation sur l'enquête interne, hier, m'a fait repenser aux événements. J'avais besoin de visionner l'enregistrement.

Beauvoir eut la satisfaction de voir une expression à la fois de souffrance et d'inquiétude dans les yeux de son supérieur.

Mais c'était un leurre, savait-il maintenant. Le chef jouait la comédie. Cet homme, qui semblait se faire tant de soucis pour lui, était un hypocrite. Il feignait de s'inquiéter pour lui. Si Gamache tenait à lui, il serait resté avec lui, là-bas. Ne l'aurait pas abandonné, prêt à le laisser mourir seul.

Derrière lui, bien qu'invisible pour les deux hommes, la vidéo continuait d'avancer et avait dépassé la scène où Beauvoir avait appuyé sur REPLAY. Maintenant, l'inspecteur-chef

Gamache, une veste tactique sur le dos et un fusil d'assaut dans les mains, poursuivait à toute vitesse un tireur dans l'escalier.

— Vous devez cesser d'y penser, Jean-Guy.

— Et oublier? répliqua sèchement Beauvoir. C'est ce que vous aimeriez, n'est-ce pas?

— Que voulez-vous dire?

— Vous aimeriez que j'oublie, que, tous, on oublie ce qui s'est passé.

— Vous sentez-vous bien? demanda Gamache en s'approchant.

Beauvoir recula.

— Qu'est-ce qui ne va pas? ajouta-t-il.

— Ça ne vous intéresse pas de savoir qui a diffusé la vidéo. Vous vouliez peut-être qu'elle soit diffusée. Que tout le monde vous voie comme un héros. Mais nous connaissons tous les deux la vérité.

Sur l'écran derrière eux, des silhouettes floues s'agitaient, couraient dans tous les sens.

— Vous avez recruté chaque membre de l'équipe, dit Beauvoir en haussant le ton. Vous nous avez servi de mentor. Puis, vous avez décidé de nous emmener dans l'usine. Nous vous avons suivi et fait confiance. Et que s'est-il passé? Des agents sont morts. Et maintenant vous vous foutez de savoir qui a diffusé la vidéo de leur mort?

Beauvoir criait, hurlait presque.

— Vous ne croyez pas plus que moi à cette histoire de petit con qui aurait eu de la chance. Vous ne valez pas mieux que le hacker. Nous ne sommes rien pour vous.

Gamache le fixa. Il avait les dents si serrées que Beauvoir voyait les muscles crispés de sa mâchoire. Ses yeux se rétrécirent et sa respiration devint rauque. À l'écran, le chef, le visage ensanglanté, traînait le tireur inconscient et menotté jusqu'au bas de l'escalier et le laissait tomber à ses pieds. Puis, son arme dans les mains, il parcourait la pièce du regard alors que des tirs fusaient autour de lui.

— Ne dites plus jamais ça, dit Gamache d'une voix râpeuse à travers les dents.

— Vous ne valez pas mieux que le hacker, répéta Beauvoir en se penchant vers son patron et en articulant bien chaque mot.

Il n'avait pas peur. Il se sentait puissant, invincible et voulait faire mal à Gamache. Voulait le repousser. Voulait faire des boulets de canon de ses poings et lui marteler la poitrine. Le frapper. Le blesser. Le punir.

— Vous êtes allé trop loin, dit Gamache sur un ton qui contenait un avertissement.

Beauvoir vit le chef serrer les poings et lutter pour contenir sa rage.

— Et vous, vous n'êtes pas allé suffisamment loin. Monsieur.

À l'écran, l'inspecteur-chef se tourna, mais trop tard. Sa tête fut brusquement projetée vers l'arrière, ses bras s'ouvrirent grands et son fusil vola dans les airs. Son dos se cambra tandis que ses pieds se soulevaient du sol.

Puis il s'écroula sur le sol. Grièvement blessé.

Les jambes molles, Armand Gamache s'affaissa dans son fauteuil. Sa main tremblait.

Beauvoir était parti en faisant claquer la porte. Le bruit résonnait encore dans le bureau provisoire.

De l'ordinateur de son adjoint lui parvenait le son de la vidéo, mais pas les images. Il entendait les policiers qui communiquaient entre eux et Lacoste qui appelait les ambulanciers. Il entendait des cris et des coups de feu.

Il n'avait pas besoin de voir l'enregistrement. Il connaissait tous les jeunes agents qui étaient morts. Savait quand et comment chacun était mort dans le raid qu'il avait mené.

Derrière lui, il entendait les balles siffler, entendait ses agents crier à l'aide.

Les entendait mourir.

Au cours des six derniers mois, il s'était efforcé de lâcher prise. Il devait les laisser partir, il le savait. Il essayait de le faire. Et, petit à petit, il y arrivait. Mais il n'avait pas été conscient du temps qu'il fallait pour enterrer quatre jeunes hommes et femmes en bonne santé.

D'autres coups de feu et d'autres cris fusèrent derrière lui. Il reconnut des voix maintenant disparues.

Il avait été à deux doigts de frapper Jean-Guy, se rendit-il compte avec consternation.

Gamache avait déjà été en colère. Il avait certainement souvent été provoqué. Par des journalistes de la presse à sensation, des suspects, des avocats de la défense et même des collègues. Mais rarement avait-il été si près de s'en prendre physiquement à quelqu'un.

Il s'était retenu, mais au prix d'un très grand effort, qui l'avait laissé essoufflé et épuisé. Et meurtri.

Il savait pourquoi des suspects et même des collègues n'étaient jamais parvenus à le faire sortir de ses gonds, malgré leurs façons d'agir frustrantes et exaspérantes. C'était parce qu'ils ne pouvaient pas le blesser profondément.

Mais une personne à qui il tenait beaucoup le pouvait. Et avait réussi.

«Vous ne valez pas mieux que le hacker», avait dit Beauvoir. Était-ce vrai?

Bien sûr que non, se dit Gamache, irrité. C'était seulement Beauvoir qui évacuait sa frustration en s'en prenant à lui.

Cependant, cela ne signifiait pas qu'il avait tort.

Gamache soupira. Il avait l'impression de ne pas pouvoir respirer à fond.

Il devrait peut-être dire à Beauvoir qu'il poursuivait son investigation sur la fuite. Il devrait peut-être lui faire confiance. Ce n'était toutefois pas une question de confiance, mais de protection. Il n'entraînerait pas Beauvoir dans cette histoire. Si jamais il avait été tenté de le faire, les quinze dernières minutes lui avaient fait changer d'idée. Beauvoir était trop vulnérable et ses blessures encore trop vives. Quiconque avait diffusé la vidéo était à la fois puissant et vindicatif. Dans son état de faiblesse, Beauvoir ne faisait pas le poids.

Non, la tâche de découvrir la vérité sur la fuite incombait à des personnes remplaçables, sur le plan professionnel ou autre.

Gamache se leva et alla éteindre l'ordinateur. La vidéo avait recommencé du début. Avant qu'il puisse l'arrêter, il vit de nouveau Jean-Guy recevoir une balle. Et tomber. Sur le sol en béton.

Jusqu'à cet instant, l'inspecteur-chef Gamache ne s'était pas rendu compte que Jean-Guy Beauvoir ne s'était jamais relevé.

24

L'inspecteur-chef Gamache se prépara du café, puis s'assit à son bureau.

Ça ne servait à rien d'essayer de dormir maintenant. Il regarda la pendule sur sa table de travail : quatre heures quarante-trois. De toute façon, c'était presque l'heure où il se serait levé – pour vrai.

Après avoir déposé sa tasse sur une pile de papiers, il tapa sur le clavier de son ordinateur, attendit que l'information s'affiche, puis tapa encore. Il cliqua, fit défiler l'écran, lut des textes, plusieurs textes.

Les lunettes s'avéraient utiles, après tout. Il se demanda ce qu'il aurait fait s'il avait eu un revolver, mais préféra ne pas y penser.

Il continua de taper à l'ordinateur et de lire. Et de lire encore.

Ç'avait été facile, finalement, de trouver les grandes lignes de la vie du juge en chef Thierry Pineault. Les Canadiens vivaient dans une société ouverte, s'en enorgueillissaient, se faisaient gloire d'être un modèle de transparence, un pays où les décisions se prenaient à la vue de tous. Où les personnalités publiques et les puissants devaient répondre de leurs actes et où leur vie pouvait être scrutée à la loupe.

Du moins, telle était l'impression qu'avaient la plupart des gens.

Et, comme dans la majorité des sociétés ouvertes, peu d'entre eux se donnaient la peine d'en tester les limites, de chercher à savoir où et quand *ouverture* devenait *fermeture*. Mais il y avait toujours une limite. L'inspecteur-chef Gamache l'avait découverte quelques minutes plus tôt.

Il avait consulté les fichiers publics sur la vie professionnelle du juge Pineault : son ascension comme procureur de la Couronne, les années où il avait enseigné le droit à l'Université Laval, sa nomination à la fonction de juge, puis de juge en chef.

Il était veuf et avait trois enfants et quatre petits-enfants, dont l'un était mort.

Gamache connaissait l'histoire. La directrice Brunel la lui avait racontée, lui avait dit que l'enfant avait été tué par un chauffeur ivre. Gamache voulait découvrir l'identité de ce chauffeur, qu'il soupçonnait être Pineault lui-même.

Quoi d'autre aurait pu anéantir cet homme à ce point, lui faire toucher le fond ? Le convaincre d'arrêter de boire, de changer sa vie du tout au tout ? Son petit-enfant mort avait-il donné une seconde chance à Thierry Pineault ?

Cela pourrait aussi expliquer l'étrange relation entre le juge en chef et le jeune Brian. Tous les deux savaient ce qu'on ressentait en entendant le bruit sourd. L'hésitation de l'auto.

Et en sachant ce que c'était.

Assis à son bureau, Gamache essaya de s'imaginer dans une telle situation, de s'imaginer au volant de sa Volvo en sachant ce qui venait de se produire, puis sortant de la voiture.

Mais il n'alla pas plus loin. Certaines choses sont impossibles à imaginer.

Pour se vider l'esprit, il revint au clavier et fit de nouvelles recherches pour trouver de l'information au sujet de l'accident. Mais il n'y avait rien.

La porte de la société ouverte s'était lentement fermée, et verrouillée.

Mais dans le bureau provisoire silencieux, à la lueur de l'aube naissante, l'inspecteur-chef Gamache se glissa sous la surface du visage public du Québec, du visage public du juge en chef, pour pénétrer dans l'endroit où étaient gardés les secrets. Ou du moins les renseignements confidentiels. Les dossiers confidentiels sur les personnalités publiques.

Là il trouva de l'information sur le problème d'alcool de Thierry Pineault, son comportement parfois imprévisible, ses prises de bec avec d'autres juges. Puis il y avait un intervalle, une absence de trois mois.

Et ensuite son retour.

Les dossiers révélaient aussi que systématiquement, au cours des deux dernières années, Thierry Pineault avait passé en revue tous les jugements qu'il avait rendus en cour. Au moins un cas avait été officiellement réexaminé, et sa décision annulée.

Il était aussi question d'un autre procès. Celui-ci n'avait pas été plaidé devant la Cour supérieure, et Pineault n'y avait pas assisté, du moins pas en tant que juge. Mais il en avait consulté le compte rendu à de multiples reprises. Selon le fichier, il s'agissait d'une affaire vite résolue, concernant un enfant tué par un chauffeur ivre.

Mais il n'y avait pas d'autres renseignements. Le dossier judiciaire avait été classé dans un endroit auquel même Gamache n'avait pas accès.

Il se cala contre le dossier de son fauteuil et retira ses lunettes, avec lesquelles il se tapota rythmiquement le genou.

L'agente Isabelle Lacoste se demandait si quelqu'un était réellement déjà mort d'ennui, ou si elle serait la première.

Elle en savait maintenant plus qu'elle n'avait jamais voulu sur la scène artistique du Québec. Sur les artistes, les conservateurs, les expositions. Les critiques. Les thèmes, les théories, l'histoire.

Sur des artistes québécois célèbres comme Riopelle, Lemieux, Molinari. Et un paquet d'autres qui lui étaient inconnus et dont elle n'entendrait plus jamais parler. Des artistes que Lillian Dyson, avec ses critiques, avait condamnés aux ténèbres.

Elle se frotta les yeux. Chaque fois qu'elle commençait à lire une nouvelle critique, elle devait se rappeler pourquoi elle était là. Elle devait se souvenir de Lillian Dyson étendue sur l'herbe tendre dans la cour de Peter et Clara. Une femme qui ne vieillirait pas, qui s'était arrêtée là, dans le joli jardin paisible. Parce que quelqu'un l'avait tuée.

Pourtant, après avoir lu toutes ces critiques odieuses, Lacoste aurait presque été tentée de donner elle-même un coup de matraque à cette femme. Elle se sentait sale, comme si on avait versé un tas de merde sur elle.

Mais quelqu'un avait tué Lillian Dyson et, qu'elle ait été une personne horrible ou pas, Lacoste était déterminée à trouver le coupable. Plus elle lisait, plus elle était persuadée que quelqu'un était caché là, dans les archives du journal, dans les microfiches. Le début de ce meurtre remontait à si loin qu'il existait seulement sur des fiches en plastique qu'il fallait regarder dans une visionneuse empoussiérée. Une technologie dépassée qui avait enregistré un meurtre. Ou, du moins, la naissance d'une mort. Le début d'une fin. Un vieil événement encore frais dans la mémoire de quelqu'un.

Non, pas frais. Il était pourri. Vieux et pourri, avec la chair qui se décomposait.

Et l'agente Lacoste le savait, si elle persévérait dans ses recherches, elle démasquerait le meurtrier.

Pendant l'heure qui suivit, tandis que le soleil et les gens se levaient, l'inspecteur-chef Gamache travailla. Lorsqu'il fut fatigué, il ôta ses lunettes, se passa les mains sur la figure, s'appuya contre le dossier de son fauteuil et regarda les feuilles de papier punaisées sur les murs de la vieille gare.

Des feuilles contenant des réponses à leurs questions, écrites à l'encre rouge, comme des traces de sang, et qui menaient à un meurtrier.

Il regarda les photos, aussi. Deux en particulier. Celle que lui avaient donnée M. et Mme Dyson, où Lillian, souriante, était en vie.

Et une prise par le photographe de scènes de crime, où Lillian était morte.

Il pensa aux deux Lillian. Vivante et morte. Mais, plus que cela, à la Lillian heureuse et abstinente. Celle que Suzanne affirmait connaître. Complètement différente de la femme pleine d'amertume que Clara avait connue.

Les gens changeaient-ils?

Gamache s'éloigna de l'ordinateur. La collecte d'informations était terminée, le temps était maintenant venu d'établir des liens entre tous les indices.

Les yeux fixés sur l'écran, l'agente Isabelle Lacoste lut et relut la fiche. La critique était même accompagnée d'une photo, quelque chose que, avait-elle fini par comprendre, Lillian Dyson réservait pour ses attaques les plus virulentes. Elle montrait l'artiste, très jeune, et une jeune Lillian debout de chaque côté d'une peinture. L'artiste affichait un sourire radieux et pointait le doigt sur le tableau comme s'il s'agissait d'un trophée de chasse, de quelque chose d'extraordinaire.

Et Lillian ?

Lacoste tourna le bouton, et l'image grossit.

Lillian aussi souriait, mais d'un air suffisant, comme pour inviter les lecteurs à rire de la farce.

Et la critique ?

En la lisant, Lacoste en eut la chair de poule, comme si elle regardait un film porno sadique, regardait quelqu'un mourir. Car c'était le but de la critique : assassiner une carrière, tuer l'artiste à l'intérieur de la personne.

Isabelle Lacoste pressa une touche et l'imprimante se mit à grogner, comme si elle avait un goût infect dans la bouche, avant de cracher les copies.

25

— Jean-Guy?

Gamache frappa à la porte, mais n'obtint pas de réponse. Il attendit un moment, puis tourna la poignée et, la chambre n'étant pas verrouillée, entra.

Beauvoir, enveloppé dans les couvertures, dormait profondément dans le lit de cuivre. Il ronflait même doucement.

Gamache l'observa un moment, puis regarda vers la salle de bains, dont la porte était ouverte. Tout en gardant un œil sur Beauvoir, il s'y dirigea, entra et jeta un coup d'œil sur la table de toilette. À côté du déodorant et du dentifrice se trouvait une boîte de pilules.

Voyant dans le miroir que son adjoint dormait toujours, le chef prit le contenant, où figuraient le nom de Beauvoir et la prescription pour quinze OxyContin.

Elle précisait que Jean-Guy pouvait prendre un comprimé chaque soir, au besoin. Gamache ouvrit le flacon et le vida dans sa paume. Il restait sept pilules.

Mais quand l'ordonnance avait-elle été exécutée? Le chef remit les comprimés dans la boîte et la referma, puis regarda au bas de l'étiquette. La date était imprimée en tout petits caractères. Gamache sortit ses lunettes de sa poche, les chaussa et reprit le flacon.

Beauvoir grogna.

Gamache se figea et fixa le miroir. Très lentement, il déposa le contenant, puis retira ses lunettes.

Dans le miroir, il vit Beauvoir bouger dans le lit.

Il sortit de la salle de bains à reculons. Un pas, deux pas. Et s'arrêta au pied du lit.

– Jean-Guy?

Il y eut d'autres grognements, plus clairs et plus forts, cette fois.

Une brise froide et humide soufflait dans la chambre de Beauvoir et agitait les rideaux en coton blanc. Il avait commencé à bruiner et le chef entendait le bruit étouffé de la pluie tombant sur les feuilles et sentait l'odeur familière des feux de bois allumés dans les maisons du village.

Il ferma la fenêtre, puis se retourna vers le lit. Beauvoir s'était enfoncé la tête dans l'oreiller.

Il était juste un peu passé sept heures et l'agente Lacoste venait d'appeler. Elle était dans son auto et quittait l'autoroute. Elle avait trouvé quelque chose dans les archives.

Gamache voulait que son inspecteur prenne part à la discussion lorsqu'elle arriverait.

Lui-même était revenu au gîte, s'était douché, rasé et changé.

– Jean-Guy? murmura-t-il encore.

Il avait penché la tête pour être nez à nez avec son inspecteur, qui avait un petit filet de bave à la commissure des lèvres.

Beauvoir souleva ses paupières lourdes et, à travers les fentes, regarda Gamache avec un sourire niais. Puis il ouvrit grands les yeux et son sourire se transforma en un hoquet de surprise tandis qu'il écartait brusquement sa tête de celle du chef.

– Ne vous inquiétez pas, dit Gamache en se redressant. Vous avez été un parfait gentleman.

Il fallut un moment à Beauvoir, encore à moitié endormi, avant de comprendre ce que le chef voulait dire, puis il lâcha un petit rire.

– Est-ce que je vous ai au moins acheté du champagne? demanda-t-il en se frottant les yeux pour en chasser le sommeil.

– Eh bien, vous avez préparé du bon café.

– Hier soir? demanda Beauvoir en s'assoyant dans le lit. Ici?

– Non, au bureau provisoire.

Gamache l'observa d'un regard interrogateur.

– Vous vous rappelez?

Beauvoir demeura interdit. Finalement, il secoua la tête.

– Désolé. Je suis encore à moitié endormi.

Il se frotta la figure, essayant de se souvenir.

Gamache tira une chaise jusqu'au bord du lit et s'assit.

– Quelle heure est-il? demanda Beauvoir en regardant autour de lui.

– Un peu passé sept heures.

– Je vais me lever.

Jean-Guy empoigna l'édredon.

– Non. Pas tout de suite, dit Gamache, d'un ton doux mais ferme, et la main de Beauvoir arrêta son geste, puis retomba sur le lit. Il faut que nous parlions de la nuit dernière.

Le chef regarda Beauvoir, encore épuisé. Son adjoint paraissait perplexe.

– Pensez-vous vraiment ce que vous avez dit? demanda Gamache. C'est réellement l'impression que vous avez? Parce que si c'est le cas, vous devez me le dire maintenant, au grand jour. Nous devons en parler.

– Que je pense quoi?

– Ce que vous avez dit cette nuit. Que je voulais que la vidéo soit diffusée, que selon vous je ne vaux pas mieux que le pirate informatique.

Beauvoir écarquilla les yeux.

– J'ai dit ça? Cette nuit?

– Vous ne vous en souvenez pas?

– Je me souviens d'avoir regardé la vidéo, et d'avoir été contrarié. Mais je ne me rappelle pas pourquoi. Est-ce que j'ai vraiment dit ça?

– Oui.

Le chef scruta le visage de Beauvoir, qui semblait réellement sidéré.

Mais était-ce mieux? Cela signifiait que Beauvoir ne croyait peut-être pas ce qu'il avait dit, mais aussi que son inspecteur ne se rappelait pas ses paroles. Avait un trou de mémoire, une sorte d'absence.

L'inspecteur-chef Gamache observa Beauvoir avec attention pendant un moment. Sentant le regard scrutateur posé sur lui, Beauvoir rougit.

— Je suis profondément désolé, dit-il. Je ne pense pas ça, évidemment. Je n'en reviens pas que j'aie pu le dire. Je suis désolé.

Il paraissait sincèrement navré.

Gamache leva la main.

— Je sais que vous l'êtes. Je ne suis pas ici pour vous punir, mais parce que, à mon avis, vous avez besoin d'aide et…

— Je n'ai pas besoin d'aide. Je vais bien, je vous assure.

— Non, c'est faux. Vous maigrissez, vous êtes stressé. Vous êtes irritable. Pendant l'interrogatoire de Mme Coates, hier soir, vous avez laissé paraître votre colère. Et vous en prendre au juge en chef était irresponsable.

— C'est lui qui avait commencé.

— Nous ne sommes pas dans une cour d'école. Les suspects essaient tout le temps de nous faire sortir de nos gonds. Nous devons rester calmes. Vous vous êtes laissé déstabiliser.

— Heureusement, vous étiez là pour me redresser, dit Beauvoir.

Gamache l'observa encore. L'aigreur dans la remarque ne lui avait pas échappé.

— Qu'est-ce qui ne va pas, Jean-Guy? Vous devez me le dire.

— Je suis seulement fatigué. (Il se frotta la figure.) Mais je vais de mieux en mieux. Je reprends des forces.

— Non. Pendant un certain temps, oui, vous sembliez vous remettre, mais maintenant vous allez plus mal. Vous avez besoin d'aide. Vous devez retourner voir les psychothérapeutes de la Sûreté.

— Je vais y penser.

— Vous allez faire plus qu'y penser, dit Gamache. Combien de comprimés d'OxyContin prenez-vous?

Beauvoir s'apprêtait à protester, mais se retint.

— Ce que dit la prescription.

— Et qu'est-ce qu'elle dit? demanda le chef, le regard sévère et pénétrant.

— Une pilule chaque soir.

— En prenez-vous plus?

— Non.

Les deux hommes se dévisagèrent, Gamache gardant ses yeux brun foncé rivés sur Beauvoir.

— En prenez-vous plus? répéta-t-il.

— Non, répondit Beauvoir, catégorique. Écoutez, nous avons affaire à assez de junkies, je ne veux pas devenir comme eux.

— Et selon vous, c'est ce que les drogués voulaient? Vous pensez que Suzanne, Brian et Pineault s'attendaient à devenir des alcooliques? Personne ne commence à consommer avec un tel objectif en tête.

— Je suis seulement fatigué, un peu stressé. C'est tout. J'ai besoin des pilules pour atténuer la douleur, pour dormir, mais rien de plus. Je vous le jure.

— Vous allez retourner en thérapie, et je vais exercer un suivi.

Gamache se leva et rapporta la chaise dans le coin de la pièce.

— Si vous allez réellement bien, le thérapeute me le dira. Mais si ce n'est pas le cas, il va vous falloir davantage d'aide.

— Comme quoi?

Beauvoir avait l'air abasourdi.

— Ce que le thérapeute et moi déciderons. Il ne s'agit pas d'une punition, Jean-Guy, dit Gamache d'un ton plus doux. Moi-même, je vois encore un thérapeute. Et j'ai encore de mauvaises journées. Je sais comment vous vous sentez. Nous traversons tous les deux une période difficile. Mais parmi tous ceux qui étaient dans l'usine, il n'y en a pas deux qui ont été blessés de la même manière, et aucun de nous ne guérira de la même manière.

Gamache observa Beauvoir pendant un moment.

— Je sais à quel point ceci est horrible pour vous. Vous êtes un homme réservé, un homme bon. Fort. Sinon, pourquoi vous aurais-je choisi, parmi des centaines d'agents? Vous êtes mon adjoint parce que j'ai confiance en vous. Je sais à quel point vous êtes intelligent et courageux. Et c'est le temps de vous montrer courageux, Jean-Guy. Pour moi, pour le service. Pour vous-même. Vous devez obtenir de l'aide pour vous rétablir. S'il vous plaît.

Beauvoir ferma les yeux. Et alors la mémoire lui revint. Au cours de la nuit, il avait regardé la vidéo encore et encore, comme si c'était la première fois. Il s'était vu tomber, atteint par une balle.

Et il avait vu Gamache s'éloigner de lui, lui tourner le dos. Le laisser là, sur le plancher crasseux, où il allait mourir seul.

Il rouvrit les yeux et vit le chef qui le regardait, avec à peu près la même expression que dans l'usine.

– Je vais le faire, dit Beauvoir.

Gamache hocha la tête.

– Très bien.

Puis il s'en alla. Comme il avait fait cet horrible jour là. Comme il le ferait toujours, savait Beauvoir.

Gamache le quitterait toujours.

Jean-Guy Beauvoir glissa la main sous son oreiller pour prendre le petit flacon et fit tomber une pilule dans sa paume. Le temps qu'il finisse de se raser, de s'habiller et descende au rez-de-chaussée, il se sentait parfaitement bien.

– Qu'avez-vous trouvé ? demanda l'inspecteur-chef.

Les enquêteurs prenaient le petit-déjeuner au bistro parce qu'ils avaient besoin de discuter et ne voulaient pas partager la salle à manger du gîte, ni leurs informations, avec les autres personnes qui y logeaient.

Le serveur leur avait apporté des bols de café au lait mousseux.

– J'ai trouvé ceci.

L'agente Lacoste posa les photocopies de l'article sur la table en bois, puis regarda par la fenêtre pendant que l'inspecteur-chef Gamache et l'inspecteur Beauvoir lisaient.

La bruine s'était transformée en crachin et un épais brouillard s'accrochait aux montagnes autour du village, ce qui créait une atmosphère particulièrement intime, comme si le reste du monde n'existait pas. Seulement Three Pines. Tranquille et paisible.

Un feu crépitait dans l'âtre, répandant juste assez de chaleur pour chasser l'humidité.

L'agente Lacoste était épuisée. Si elle avait pu, elle aurait pris son bol de café au lait et un croissant et serait allée se pelotonner sur le large canapé près de la cheminée. Et aurait lu un des livres de poche usagés de la librairie de Myrna. Un vieux Maigret. Elle aurait lu, fait un petit somme, lu, fait un petit somme. Devant le foyer. Pendant que le monde extérieur et les soucis disparaissaient dans la brume.

Mais, elle le savait, les soucis étaient là, dans le bistro. Emprisonnés dans le village avec eux.

L'inspecteur Beauvoir, le premier à lever la tête, croisa son regard.

— Beau travail, bravo, dit-il en tapotant l'article avec ses doigts. Ç'a dû prendre toute la nuit.

— Presque, oui.

Ils tournèrent les yeux vers le chef, qui semblait mettre beaucoup plus de temps que nécessaire pour lire le texte, une courte critique incisive.

Il abaissa finalement la feuille et retira ses lunettes au moment où le serveur arrivait avec leur nourriture. Des toasts avec de la confiture maison pour Beauvoir. Des crêpes aux poires et aux bleuets épicés pour Lacoste. Pour rester éveillée pendant le trajet entre Montréal et Three Pines, elle avait imaginé quel plat elle commanderait pour le petit-déjeuner. Celui-ci avait gagné. Un bol de porridge accompagné de raisins secs, de crème et de cassonade fut déposé devant le chef.

Il versa la crème et saupoudra un peu de cassonade, puis reprit la photocopie.

Le voyant faire, Lacoste posa elle aussi son couteau et sa fourchette.

— D'après vous, chef, est-ce la réponse? La raison pour laquelle Lillian Dyson a été assassinée?

Il respira profondément.

— Oui. Il va falloir confirmer certaines dates et données, compléter des informations, mais nous tenons probablement le mobile. Pour ce qui est de l'occasion de commettre le crime, nous savons qu'il y en avait une.

Le repas terminé, Beauvoir et Lacoste se rendirent au bureau provisoire. Mais pas Gamache, car il lui restait quelque chose à faire au bistro.

Il poussa la porte battante de la cuisine et vit Olivier debout derrière le plan de travail en train de trancher des fraises et des cantaloups.

— Olivier?

Olivier sursauta et laissa échapper son couteau.

— Pour l'amour de Dieu, ne savez-vous pas que ce n'est pas une chose à faire à quelqu'un avec un couteau aiguisé dans les mains?

— Je suis venu pour vous parler.

L'inspecteur-chef referma la porte derrière lui.

— Je suis occupé.

— Moi aussi, Olivier. Malgré tout, nous devons parler.

Le couteau trancha les fraises, laissant sur le billot de minces lamelles de fruit et une petite tache de jus rouge.

— Je sais que vous m'en voulez, et je comprends votre colère. Ce qui est arrivé est impardonnable. Tout ce que je peux dire pour ma défense, c'est que je n'ai pas agi par méchanceté, pour vous faire du mal.

— Mais ça m'a fait du mal! répliqua Olivier en déposant son couteau d'un geste brusque, presque violent. Croyez-vous que se retrouver en prison est moins horrible parce que vos intentions n'étaient pas malveillantes? Quand les prisonniers m'ont encerclé dans la cour, croyez-vous que j'ai pensé: «Oh, tout ira bien parce que ce gentil inspecteur-chef Gamache ne me voulait pas de mal»?

Les mains d'Olivier tremblaient si fort qu'il dut s'agripper aux rebords du comptoir.

— Vous n'avez aucune idée de comment on peut se sentir de savoir que la vérité finira par éclater au grand jour, d'avoir confiance en la justice — les avocats, les juges, vous —, d'être convaincu qu'on sera relâché… puis d'entendre le verdict. Coupable.

Pendant un instant, la rage d'Olivier disparut, remplacée par la stupéfaction, l'horreur dans lesquelles le plongeait ce mot, ce jugement.

— J'étais coupable, bien sûr, de beaucoup de choses. Je le sais. J'ai essayé de réparer les torts que j'ai causés aux gens autour de moi. Mais…

— Donnez-leur du temps, dit doucement Gamache.

Il était debout en face d'Olivier, de l'autre côté du plan de travail, les épaules redressées, le dos droit. Mais lui aussi s'agrippait au comptoir en bois, si fort qu'il en avait les jointures blanches.

— Ils vous aiment. Ce serait une honte de ne pas en être conscient.

— Ne me faites pas la leçon sur la honte, inspecteur-chef, rétorqua Olivier d'une voix rageuse.

Gamache le regarda fixement, puis hocha la tête.

— Excusez-moi. Je voulais seulement que vous le sachiez.

— Pour que je puisse vous pardonner ? Que je passe l'éponge ? Eh bien, inspecteur-chef, c'est peut-être ça, votre prison. Votre châtiment.

Gamache réfléchit.

— Peut-être.

— Est-ce tout ? demanda Olivier. Avez-vous fini ?

Gamache inspira profondément, puis expira.

— Pas tout à fait. J'ai une autre question, au sujet de la fête en l'honneur de Clara.

Olivier reprit son couteau, mais sa main tremblait encore trop pour qu'il puisse s'en servir.

— Quand Gabri et vous avez-vous engagé les traiteurs ?

— Dès que nous avons décidé d'organiser la fête, il y a environ trois mois.

— La fête, c'était votre idée ?

— Non, celle de Peter.

— Qui a dressé la liste des invités ?

— Nous tous.

— Y compris Clara ?

Olivier répondit d'un bref signe de tête.

– Donc, beaucoup de monde savait des semaines à l'avance qu'elle aurait lieu, dit l'inspecteur-chef.

Olivier hocha encore une fois la tête, mais sans regarder Gamache.

– Merci, Olivier.

Pendant un moment, Gamache regarda la tête blonde penchée au-dessus du billot, puis il demanda :

– Est-ce possible, croyez-vous, que nous nous trouvions enfermés dans la même cellule ?

Olivier ne répondant pas, Gamache se dirigea vers la porte, puis s'arrêta.

– Mais je me demande qui sont les gardiens. Et qui a la clé.

Il regarda Olivier quelques instants encore, puis s'en alla.

Armand Gamache et son équipe consacrèrent toute la matinée et tout l'après-midi à réunir de l'information.

À treize heures, le téléphone sonna. C'était Clara Morrow.

– Vos collaborateurs et vous êtes-vous libres ce soir ? demanda-t-elle. Le temps est si moche que nous pensions pocher un saumon pour le souper et voir qui pourrait venir manger avec nous.

– Ça nous ferait plaisir.

– Excellent. Ce sera une soirée très relax. En famille.

Gamache sourit en entendant cette expression. Reine-Marie l'utilisait souvent, pour parler d'un repas simple, à la bonne franquette. Mais ça voulait dire plus que cela. Elle ne l'employait pas pour chaque soirée sans cérémonie ni avec tous les invités. Elle la réservait pour des personnes considérées comme des membres de la famille – un statut privilégié. C'était un compliment, une invitation à partager un moment d'intimité.

– J'accepte, dit Gamache. Et je suis sûr que les deux autres seront également ravis. *Thank you*, Clara.

Après avoir appelé sa femme, Armand Gamache se doucha, puis regarda le lit avec envie.

Le décor de la chambre, comme celui de toutes les autres dans le gîte de Gabri et Olivier, était étonnamment simple.

Mais pas spartiate. La pièce était élégante et luxueuse, à sa façon. Avec des draps d'une blancheur impeccable et un édredon rempli de duvet d'oie. Des tapis d'Orient tissés à la main couvraient par endroits les larges lattes de pin du plancher, qui datait de l'époque où le gîte était un relais de poste. Gamache se demandait combien d'autres voyageurs s'étaient reposés dans cette chambre, faisant une halte au cours de leur trajet difficile et dangereux. Un bref instant, il se demanda même d'où ils avaient pu venir et où ils allaient.

Et s'ils étaient arrivés à destination.

Le gîte était beaucoup moins somptueux que l'auberge et spa sur la colline. Gamache se dit qu'il aurait pu loger là-bas, mais, en vieillissant, il désirait de moins en moins de choses. Pour être heureux, il avait besoin de sa famille, de ses amis. De livres. De promenades avec Reine-Marie et Henri, leur chien.

Et d'une bonne nuit de sommeil dans une chambre au décor simple.

Maintenant, tandis qu'il était assis sur le bord du lit et enfilait ses chaussettes, il avait très envie de se laisser tomber sur le dos, de sentir son corps toucher l'édredon douillet et s'y enfoncer. De fermer ses paupières lourdes et de lâcher prise.

De dormir.

Mais il lui restait encore une distance à parcourir avant d'arriver à destination.

Après avoir marché dans le parc, à travers la brume et le crachin, les enquêteurs de la Sûreté arrivèrent à la maison de Clara et Peter.

— Entrez, dit Peter avec un sourire. Non, gardez vos chaussures. Ruth est ici et elle semble avoir mis les pieds dans toutes les flaques de boue en s'en venant.

Ils regardèrent le plancher et, effectivement, virent des traces laissées par des souliers boueux.

Beauvoir secouait la tête.

— Je m'attendais à voir des empreintes de sabots fendus.

— C'est peut-être pour ça qu'elle n'enlève pas ses chaussures, dit Peter.

Les agents de la Sûreté s'essuyèrent les pieds sur le paillasson du mieux qu'ils purent.

Il flottait dans la maison une odeur de saumon et de pain frais, ainsi que de légers arômes de citron et d'aneth.

– Le souper sera bientôt prêt, dit leur hôte en les menant de la cuisine au séjour.

Quelques minutes plus tard, Beauvoir et Lacoste avaient un verre de vin. Gamache, déjà fatigué, demanda de l'eau. Lacoste alla rejoindre Normand et Paulette, les deux artistes. Beauvoir bavarda avec Myrna et Gabri – surtout, supposa Gamache, parce qu'ils étaient le plus loin possible de Ruth.

Gamache balaya la pièce du regard. C'était devenu une habitude presque instinctive. Il remarquait où tout le monde se trouvait, et ce que chacun faisait.

Olivier, le dos tourné à la pièce, regardait les livres dans la bibliothèque, comme s'ils le fascinaient. Pourtant, pensa Gamache, il avait dû voir ces étagères de nombreuses fois.

François Marois et Denis Fortin étaient debout l'un à côté de l'autre, mais ne se parlaient pas. Gamache se demanda où était l'autre, André Castonguay.

Puis il l'aperçut. Dans un coin du séjour, en train de parler avec le juge en chef Pineault, tandis que, tout près, le jeune Brian les observait.

Quelle était l'expression sur le visage de Brian? se demanda Gamache. Ça exigeait un certain effort pour déceler des expressions sous les tatouages, la croix gammée, le doigt d'honneur, le *Fuck You*. En tout cas, Brian paraissait éveillé, attentif. Ce n'était plus le jeune homme indifférent de la veille.

– Vous n'êtes pas sérieux? dit Castonguay en élevant la voix. Comment pouvez-vous dire que vous aimez ça?

Gamache se rapprocha un peu des deux hommes, alors que tous les autres, après avoir jeté un coup d'œil dans leur direction, s'en éloignèrent un peu plus. Sauf Brian, qui resta sur place.

– Je ne dis pas seulement que j'aime ça, répondit Pineault. À mon avis, c'est admirable.

– Une perte de temps, dit le marchand d'art d'une voix pâteuse.

Dans la main, il tenait un verre de vin rouge presque vide.

S'avançant encore plus, Gamache vit que les deux hommes étaient debout devant une peinture de Clara. Une étude, plus précisément, de mains. Des mains jointes, d'autres fermées en un poing, d'autres qui s'ouvraient légèrement, ou se refermaient, selon la perception de l'observateur.

– Ce n'est que pure foutaise! s'exclama Castonguay, et Pineault fit un geste discret pour essayer de l'amener à baisser la voix. Tout le monde dit que c'est extraordinaire, mais savez-vous quoi?

Castonguay se pencha vers le juge, et Gamache fixa son regard sur ses lèvres, en espérant pouvoir y lire ce que le galeriste s'apprêtait à chuchoter.

– Ceux qui pensent ça sont des idiots. Des abrutis. Des cerveaux ramollis.

Gamache n'aurait pas eu besoin de s'inquiéter pour ce qui était de saisir ses paroles. Tout le monde les entendit. Castonguay avait hurlé son opinion.

Encore une fois, le cercle autour du galeriste s'agrandit. Pineault parcourut la pièce du regard, cherchant Clara, supposa Gamache. Il devait espérer qu'elle n'entendait pas ce qu'un de ses invités disait à propos de ses œuvres.

Puis le juge en chef fixa de nouveau Castonguay, d'un regard dur que Gamache avait souvent vu au tribunal. Rarement dirigé sur lui, il se posait le plus souvent sur un pauvre avocat ayant transgressé une règle de la cour.

Si Castonguay avait été une Étoile noire, sa tête aurait explosé.

– Je suis navré d'entendre ça, André, dit Pineault d'une voix glaciale. Vous comprendrez peut-être un jour ce que je ressens et serez d'accord avec moi.

Il tourna les talons et s'éloigna.

– Ce que vous ressentez? cria Castonguay. Ressentez? Seigneur! vous devriez peut-être essayer d'utiliser votre tête.

Pineault, le dos toujours tourné à Castonguay, sembla hésiter. Maintenant, le silence régnait dans la pièce, et tout le monde observait la scène. Puis le juge continua de s'éloigner.

Et André Castonguay se retrouva tout seul.

– Il faut qu'il tombe sur le cul, touche le fond, dit Suzanne.

– J'ai touché pas mal de culs, dit Gabri, et je trouve que ça aide.

Gamache chercha Clara des yeux, mais heureusement elle n'était pas dans la pièce. Elle devait être en train de préparer le souper dans la cuisine. De délicieuses odeurs flottaient à travers la porte ouverte, et masquaient presque la puanteur des mots de Castonguay.

– Alors, dit Ruth en tournant le dos au marchand d'art chancelant sur ses jambes pour fixer son regard sur Suzanne. Il paraît que vous êtes une soûlonne.

– C'est vrai. En fait, je descends d'une longue lignée d'ivrognes. Ils auraient bu n'importe quoi. De l'essence à briquet, l'eau vaseuse des marécages, et un de mes oncles jurait pouvoir transformer l'urine en vin.

– Vraiment? dit Ruth soudain intéressée. Moi, je peux transformer du vin en urine. A-t-il réussi à mettre au point le procédé?

– Comme on pouvait s'y attendre, il est mort, avant ma naissance, mais ma mère avait un alambic et faisait fermenter toutes sortes de choses: des pois, des roses. Des lampes.

Ruth la regarda d'un air incrédule.

– Des pois? Allons donc.

Malgré tout, elle semblait prête à essayer. Elle avala une lampée de sa boisson, puis inclina son verre du côté de Suzanne.

– Votre mère n'a jamais essayé ça, je parie.

– Qu'est-ce que c'est? Parce que, s'il s'agit d'un tapis oriental distillé, elle faisait ça aussi. Le goût rappelait mon grand-père, mais c'était efficace.

Ruth parut impressionnée, mais secoua la tête.

– C'est mon mélange spécial. Gin, vermouth et larmes de petits enfants.

Suzanne ne sembla pas surprise.

Armand Gamache décida de ne pas se joindre à cette conversation.

Juste à ce moment-là, Peter lança «Le souper est prêt!» et les invités entrèrent en file dans la cuisine.

Clara avait allumé des bougies tout autour de la pièce et des bouquets de fleurs avaient été disposés au centre de la longue table en pin.

En s'assoyant, Gamache remarqua que les trois marchands d'art n'étaient pas les seuls à sembler voyager de compagnie, mais les trois membres des AA aussi. Suzanne, Thierry et Brian.

– À quoi pensez-vous? demanda Myrna.

Elle venait de prendre place à sa droite et lui tendit une corbeille contenant des baguettes tranchées encore chaudes.

– À des groupes de trois.

– Vraiment? La dernière fois que nous nous sommes parlé, vous pensiez à Humpty Dumpty.

– *Christ!* marmonna Ruth de l'autre côté de Gamache. Ce meurtre ne sera jamais résolu.

L'inspecteur-chef regarda la vieille poète.

– Essayez de deviner à quoi je pense maintenant.

Le visage dur, elle le fixa à son tour en plissant ses yeux bleus, froids et soupçonneux. Puis elle rit.

– Et vous avez parfaitement raison, dit-elle en saisissant une tranche de pain. Je suis tout cela, et plus encore.

Le plat sur lequel reposait le saumon entier circulait dans une direction autour de la table, et les légumes et la salade dans l'autre. Les gens se servaient eux-mêmes.

– Des groupes de trois, donc. Comme Curly, Larry et Moe, là-bas? dit Ruth avec un geste de la tête du côté des marchands d'art.

François Marois rit, mais André Castonguay, le regard trouble, paraissait en rogne.

– Il y a une longue tradition de groupes de trois, dit Myrna. En général, les gens pensent en termes de couples, mais les groupes de trois sont très courants. Mystiques même. Pensons à la Sainte Trinité.

– Il y a aussi les trois Grâces, dit Gabri, en se servant de légumes. Comme dans ton tableau, Clara.

– Et les trois Parques, dit Paulette.

– Et «trois sur une allumette», dit Denis Fortin. Prêts. En joue… (Il se tourna vers Marois.) Feu! Mais, ajouta-t-il, nous ne sommes pas les seuls à nous déplacer en groupe de trois.

Gamache le regarda d'un air interrogateur.

– Vous aussi le faites, dit Fortin en regardant tour à tour Gamache, Beauvoir et Lacoste.

Gamache rit.

– Je n'avais pas pensé à ça, mais c'est vrai.

– Trois souris aveugles, dit Ruth.

– Trois pins, dit Clara. C'est peut-être toi, les trois pins. Toi qui nous protèges.

– Eh bien, dans ce cas, j'ai complètement merdé, répliqua Ruth.

– Quelle conversation stupide! marmonna Castonguay.

En faisant un geste brusque, il fit tomber sa fourchette par terre. Il la regarda d'un air à la fois furieux et hébété. Le silence se fit dans la pièce.

– Ce n'est pas grave, dit Clara d'un ton enjoué. Nous en avons beaucoup d'autres.

Elle se leva, mais Castonguay étendit le bras pour l'empoigner au moment où elle passait à côté de lui.

– Je n'ai pas faim, dit-il d'une voix geignarde.

Sa main rata Clara et frappa l'agente Lacoste assise à côté de lui.

– Désolé, marmotta-t-il.

Peter, Gabri et Paulette se mirent immédiatement à parler. Fort et avec enthousiasme.

– Je n'en veux pas, dit sèchement Castonguay à Brian qui lui présentait le plat de poisson.

Le galeriste sembla ensuite concentrer son attention sur le jeune homme.

– Seigneur! qui t'a invité?

– La même personne qui vous a invité.

Peter, Gabri et Paulette parlèrent encore plus fort, et avec encore plus d'enthousiasme.

– T'es quoi, toi? demanda Castonguay, la voix pâteuse et essayant de garder les yeux fixés sur Brian. Bon Dieu, ne me dis pas que tu es un artiste, toi aussi! Tu as l'air assez dérangé pour en être un.

– J'en suis un, en effet, répondit Brian. Un artiste du tatouage.

– Hein?

– Ça va, André, tout va bien, dit François Marois d'une voix apaisante.

Ses mots semblèrent faire effet. Castonguay oscilla un peu sur sa chaise et baissa les yeux sur son assiette, comme s'il était hypnotisé.

– Qui veut se resservir? lança joyeusement Peter.

Personne ne leva la main.

26

– Alors, dit Fortin, avez-vous eu l'occasion de parler?

Clara, Peter et lui se trouvaient sur la galerie couverte avec leurs cafés et cognacs.

– De quoi? demanda Peter, en tournant son regard du village mouillé vers le galeriste.

Une petite pluie fine tombait encore.

Fortin regarda Clara.

– Vous n'en avez pas discuté avec lui?

– Pas encore, répondit Clara, qui se sentait coupable. Mais je vais le faire.

– Discuté de quoi? demanda encore Peter.

– Je suis passé aujourd'hui pour voir si Clara et vous aimeriez que je vous représente. J'ai tout gâché la première fois, je le sais, et je m'en excuse. Je veux seulement...

Il marqua une pause pour rassembler ses idées, puis se retourna vers Clara.

– Je vous demande de m'accorder une deuxième chance. S'il vous plaît, laissez-moi vous prouver que je suis sincère. Je suis convaincu que nous formerions une équipe formidable, tous les trois.

– Quelle est votre opinion?

D'un mouvement de la tête en direction de la fenêtre, l'inspecteur-chef Gamache indiqua Peter, Clara et Fortin debout sur la galerie.

– À propos d'eux? demanda Myrna.

Ils n'entendaient pas leur conversation, mais le sujet était assez facile à deviner.

— Fortin réussira-t-il à convaincre Clara de lui donner une autre chance? demanda le chef avant de prendre une gorgée de son double expresso.

— Ce n'est pas Fortin qui a besoin d'une autre chance, répondit Myrna.

Gamache se tourna vers elle.

— Peter?

Myrna garda le silence, et Gamache se demanda si Peter avait avoué à Clara sa part de responsabilité dans la critique cinglante, des années auparavant.

— Je crois que nous avons besoin de temps pour y réfléchir, dit Clara.

— Je comprends, dit Fortin avec un charmant sourire. Je ne veux pas vous bousculer. Permettez-moi seulement un dernier commentaire: vous devriez peut-être envisager de signer une entente avec une jeune galerie, une entreprise en pleine croissance. Avec quelqu'un qui ne prendra pas sa retraite dans quelques années. Je dis ça comme ça…

— Excellente observation, dit Peter.

Il n'y avait pas si longtemps, cela aurait suffi à convaincre Clara d'accepter la proposition de Fortin. L'enthousiasme évident de Peter. Elle lui avait toujours fait pleinement confiance, certaine qu'il savait ce qu'il y avait de mieux pour eux. Pour eux deux. Certaine que les intérêts de sa femme lui tenaient à cœur.

Maintenant, en regardant cet homme avec qui elle avait passé les vingt-cinq dernières années, elle se rendait compte qu'elle n'avait aucune idée de ce qu'il gardait dans son cœur. Mais elle était pas mal sûre que ce n'étaient pas ses intérêts.

Clara ne savait pas quoi faire. Elle savait, cependant, que quelque chose devait changer.

Peter faisait des efforts, elle le voyait bien. Il s'efforçait de changer. Et maintenant, c'était peut-être à son tour à elle d'essayer de changer.

* * *

– Il souffre encore, vous savez, dit Myrna.

– Peter ? demanda Gamache.

Puis il suivit son regard. Elle n'observait plus les trois personnes sur la galerie, mais quelqu'un plus proche de lui. Elle fixait Jean-Guy Beauvoir, qui se trouvait avec Ruth et Suzanne.

Ruth semblait s'être entichée de l'ex-ivrogne bizarre qui, apparemment, connaissait d'innombrables recettes pour distiller des pièces de mobilier.

– Je sais, dit doucement Gamache. J'en ai parlé avec Jean-Guy ce matin.

– Et qu'a-t-il dit ?

– Qu'il était bien, allait de mieux en mieux. Mais, évidemment, il ne va pas mieux.

Myrna demeura silencieuse un moment.

– Non, il ne va pas mieux. Vous a-t-il dit pourquoi il souffre ?

Avant de répondre, Gamache scruta le visage de Myrna.

– Je lui ai posé la question, mais il n'a rien dit. J'ai présumé que c'est à la fois à cause de ses blessures et de la perte de tant de collègues.

– Oui, la combinaison des deux, mais à mon avis la raison est plus précise que ça. En fait, je le sais. Il me l'a dit.

Gamache accorda toute son attention à Myrna. Derrière lui, il entendit Castonguay élever la voix, contrarié, geignard, de mauvaise humeur, mais rien ne lui aurait fait détourner les yeux de Myrna.

– Qu'est-ce que Jean-Guy vous a dit ?

Myrna observa Gamache pendant un instant.

– Vous n'allez pas aimer ça.

– Il n'y a rien de ce qui est arrivé dans cette usine que j'aime. Mais il faut que je sache.

– Oui, dit Myrna, se décidant à parler. Il se sent coupable.

– De quoi ? demanda Gamache, étonné.

Ce n'était pas la réponse à laquelle il s'attendait.

– De ne pas avoir pu vous aider. Il ne se pardonne pas d'avoir été incapable de vous aider lorsqu'il vous a vu tomber. Comme vous l'avez aidé.

— Mais c'est ridicule. Il ne pouvait pas.

— Vous le savez, moi aussi je le sais. Même lui le sait. Mais ce qu'on sait et ce qu'on ressent peuvent être deux choses complètement différentes.

Le cœur de Gamache se serra lorsqu'il revit le jeune homme au teint cireux assis devant l'écran dans le bureau provisoire tôt ce matin-là, son visage rendu encore plus pâle par la lumière crue de l'ordinateur, et qui regardait la maudite vidéo, encore et encore.

Mais pas la scène où lui, Gamache, s'effondrait, atteint par une balle. Jean-Guy se regardait lui-même se faire tirer dessus.

Gamache informa Myrna de ce qu'il avait découvert la nuit précédente et elle poussa un long soupir.

— À mon avis, il se punit, comme s'il s'automutilait, s'entaillait la peau avec un couteau, sauf que la lame, c'est la vidéo.

«La vidéo, pensa Gamache, sentant monter sa colère. Cette maudite vidéo.» Elle avait déjà causé tant de dommages, et maintenant elle était en train de tuer un jeune homme qu'il aimait.

— Je lui ai ordonné de retourner en thérapie…

— Ordonné?

— Au début, c'était une suggestion, mais à la fin c'était un ordre.

— Il s'est montré hostile à cette idée?

— Très.

— Il vous aime, dit Myrna. C'est sa planche de salut.

Gamache regarda Jean-Guy à l'autre bout de la pièce et lui fit un petit signe de la main. Encore une fois, le chef le vit tomber et s'écraser au sol.

Et Jean-Guy, de l'autre côté du séjour, sourit et agita la main à son tour.

Il vit Gamache, penché au-dessus de lui, le regarder avec des yeux inquiets.

Puis partir.

— Seigneur! dit Castonguay d'un air dégoûté en montrant, avec un geste du bras, la pièce en général. Ça y est, c'est la fin du monde. La fin de la civilisation.

Il avala bruyamment une gorgée de son verre, puis d'un mouvement du menton indiqua Brian.

— Il tatoue « Maman » sur des motards et se dit artiste. Maudit tabarnac !

— Venez, André, allons prendre l'air, dit Thierry Pineault.

Il prit Castonguay par le coude et essaya de le guider vers la porte avant, mais Castonguay le repoussa.

— Je n'ai pas vu un bon artiste depuis une éternité. *Elle* n'en est certainement pas une. (Il agita le bras en direction de Clara qui rentrait justement.) Elle tourne autour de la bouche d'égout depuis des années. Ne peint que des choses banales. Sentimentales. Des portraits.

Il cracha presque le mot.

Les gens autour de Castonguay s'en éloignèrent, le laissant seul dans le vide ainsi créé.

— Et lui, poursuivit Castonguay en choisissant sa prochaine victime, Peter. Ses toiles sont OK. Pas très originales, mais je pourrais les vendre à Kelley Foods. Les enterrer dans la succursale du Guatemala. Je n'aurais qu'à faire boire les acheteurs pour qu'ils deviennent assez soûls. Mais la maudite entreprise interdit la consommation d'alcool. Ça nuit à son image. Alors j'imagine qu'après tout je ne réussirai pas à vendre tes tableaux, Morrow. Mais lui non plus.

Castonguay fixa Denis Fortin avec hostilité.

— Qu'est-ce qu'il t'a promis ? Des expositions solos ? Une exposition avec ta conjointe ? Ou peut-être simplement un joint ? Il en connaît si peu sur l'art qu'il pourrait aussi bien vendre des meubles de jardin. Il ne valait rien comme artiste, et maintenant il ne vaut rien comme galeriste. La seule chose qu'il réussit bien, c'est la manipulation mentale.

Gamache accrocha le regard de Beauvoir, qui fit subtilement signe à Lacoste. Les trois policiers se placèrent autour de Castonguay, mais le laissèrent continuer.

François Marois s'approcha de Gamache et murmura :

— Mettez fin à ça.

— Il n'a rien fait de mal.

— Il s'humilie devant tout le monde, dit Marois, qui paraissait agité. Il ne mérite pas ça. Il est malade.

— Vous deux, maintenant, lança Castonguay.

Il oscilla, perdit l'équilibre et buta contre le canapé.

— Seigneur! dit Ruth. Je ne peux pas piffer les ivrognes.

Castonguay se redressa et s'en prit à Normand et Paulette.

— Ne vous imaginez pas qu'on ignore pourquoi vous êtes ici.

— Nous sommes venus à la fête en l'honneur de Clara.

— Chut! siffla Normand. Ne l'encourage pas.

Mais c'était trop tard. Castonguay avait Paulette dans sa ligne de mire.

— Mais pourquoi êtes-vous restés? Certainement pas par amitié pour Clara, cracha-t-il en riant. Il n'y a rien de pire que des poètes pour se détester les uns les autres, sauf des artistes.

Il se tourna vers Ruth et lui fit une courbette en disant:

— Madame.

— Quel con! dit Ruth, puis elle se tourna vers Gabri. Mais je ne peux pas dire qu'il ait tort.

— Vous détestez Clara, vous détestez ses œuvres, vous détestez tous les artistes, reprit Castonguay en s'acharnant sur Normand et Paulette. Vous vous détestez probablement l'un l'autre. Et vous-mêmes. Et, il n'y a aucun doute, vous détestiez la morte, et avec raison.

— Bon, ça suffit, dit Marois.

Il pénétra dans le vide créé autour de Castonguay et s'avança vers lui.

— C'est l'heure de dire bonsoir à tout le monde et d'aller au lit.

— Je ne m'en vais nulle part, cria Castonguay en se dégageant de Marois.

Gamache, Beauvoir et Lacoste firent un pas en avant tandis que tous les autres reculèrent.

— C'est ce que tu aimerais. Tu voudrais que je m'en aille. Mais je l'ai découverte en premier. Elle s'apprêtait à signer un contrat avec moi. Et tu me l'as volée, hurla-t-il.

Il lança son verre dans la direction de Marois. Le verre le frôla et alla se fracasser contre le mur.

Castonguay se jeta ensuite sur le vieux marchand d'art, l'empoignant solidement à la gorge, et ils faillirent tomber tous les deux.

Les policiers de la Sûreté se précipitèrent vers eux. Gamache et Beauvoir agrippèrent Castonguay tandis que Lacoste essayait de se glisser entre les deux hommes qui se bagarraient. Ils réussirent finalement à séparer Castonguay de Marois.

Les mains sur sa gorge, François Marois, abasourdi, fixait son collègue. Et il n'était pas le seul. Tout le monde dans la pièce garda les yeux braqués sur Castonguay pendant que les policiers procédaient à son arrestation et l'emmenaient.

Armand Gamache et Jean-Guy Beauvoir revinrent chez Peter et Clara une heure plus tard. Cette fois, Gamache accepta le verre d'alcool qu'on lui offrit et se laissa tomber dans le large fauteuil indiqué par Gabri.

Tout le monde était resté, comme il s'y était attendu. Après ce qui venait de se produire, ils étaient tous trop énervés et avaient trop de questions pour pouvoir aller se coucher. Ils n'étaient pas capables de se reposer, pas encore.

Ni lui, d'ailleurs.

– Ahh, fit-il en prenant une petite gorgée de cognac. Ça fait du bien.

– Quelle journée! dit Peter.

– Et elle n'est pas encore terminée. L'agente Lacoste s'occupe de M. Castonguay et de la paperasse.

– Toute seule? demanda Myrna en regardant Gamache puis Beauvoir.

– Elle sait ce qu'elle fait, répondit l'inspecteur-chef.

Myrna lui lança un regard sceptique, comme pour dire qu'elle espérait que lui savait ce qu'il faisait.

– Alors, que s'est-il passé? demanda Clara. Je n'ai rien compris.

Gamache se redressa dans le fauteuil et se pencha en avant. Les autres se trouvèrent un siège ou se perchèrent sur les bras de fauteuils. Seuls Beauvoir et Peter restèrent debout. Peter comme un bon hôte, et Beauvoir comme un bon policier.

Dehors, la pluie tombait plus fort et ils l'entendaient tambouriner contre les fenêtres. La porte de la galerie avait été laissée ouverte, pour laisser entrer de l'air frais, et ils entendaient aussi la pluie tomber sur les feuilles.

— Dans cette affaire de meurtre, il est question de contrastes, dit Gamache d'une voix basse, douce. De sobriété et d'alcoolisme. Des apparences et de la réalité. De changement, en bien ou en mal. De jeux d'ombre et de lumière.

Il regarda les visages attentifs autour de lui.

— Un mot a été utilisé à votre vernissage, dit-il en se tournant vers Clara, pour décrire vos peintures.

— J'ai presque peur de demander lequel, dit-elle avec un sourire las.

— *Chiaroscuro*. Ça veut dire «clair-obscur», l'effet de contraste produit par les parties sombres et les parties éclairées dans un tableau. La juxtaposition des deux. Vous employez ce procédé dans vos portraits, Clara. Non seulement dans les couleurs que vous choisissez, mais aussi dans les émotions qu'évoquent vos œuvres. Dans le portrait de Ruth, en particulier...

— Il y a un portrait de moi?

— ... il y a un contraste très évident. Tout est sombre, les teintes, les arbres en arrière-plan. Son visage est partiellement dans l'ombre. Elle a un regard noir. À l'exception d'un petit point blanc dans les yeux, une minuscule touche de lumière.

— L'espoir, dit Myrna.

— L'espoir. Ou peut-être pas. (Gamache se tourna vers François Marois.) Vous avez dit quelque chose de curieux lorsque nous regardions ce portrait. Vous en souvenez-vous?

Le marchand d'art parut perplexe.

— J'ai dit quelque chose d'utile?

— Vous ne vous rappelez pas?

Marois demeura silencieux pendant un moment. Il était l'une des rares personnes capables de faire attendre les autres sans stresser. Finalement, il sourit et dit :

— Je vous ai demandé si c'était vraiment de l'espoir.

– En effet, dit l'inspecteur-chef en hochant la tête. Ou s'il pouvait s'agir d'un leurre, d'une illusion d'optique. D'espoir offert, puis refusé. Une cruauté particulière.

Il regarda les personnes rassemblées autour de lui.

– Voilà ce qu'il fallait déterminer dans cette affaire de meurtre : à quel point la lumière était-elle réelle ? La personne était-elle vraiment heureuse, ou feignait-elle seulement de l'être ?

– « Et je ne faisais pas bonjour je me noyais », dit Clara.

De nouveau, sous la profonde cicatrice de Gamache, elle remarqua ses yeux doux et bienveillants. Puis elle cita encore :

Personne ne l'entendait, le mort,
Mais il gémissait encore :
J'étais bien plus loin que vous ne pensiez
Et je ne faisais pas bonjour je me noyais.

Mais cette fois, tandis qu'elle récitait le poème, ce n'est pas Peter qui lui vint à l'esprit, mais quelqu'un d'autre.

Elle-même. Elle qui avait fait semblant toute sa vie. Qui essayait de voir le bon côté des choses, mais ne se sentait pas toujours optimiste. Mais c'était fini, ça. Les choses allaient changer.

Il y eut un moment de silence. On entendait seulement le tambourinement sourd de la pluie.

– *Exactly*, dit Gamache. Combien de fois nous méprenons-nous sur le sens de ce que l'on voit ? Trop effrayés ou trop pressés pour voir ce qui se passe vraiment ? Pour voir quelqu'un en train de sombrer ?

– Mais, parfois, les hommes en train de se noyer sont sauvés.

Tout le monde tourna les yeux vers l'homme qui venait de parler. Le jeune homme. Brian.

Gamache l'observa en silence pendant quelques instants, voyant les tatouages, les piercings, les clous sur ses vêtements, et ceux qui lui transperçaient la peau. Il hocha lentement la tête, puis tourna son regard vers les autres.

– Ce que nous avions de la difficulté à déterminer, c'était si Lillian Dyson avait été sauvée. Avait-elle changé? Ou s'agissait-il seulement d'un faux espoir? Elle était une alcoolique. Une femme cruelle, amère, égocentrique. Elle faisait du mal à tout le monde qui la connaissait.

– Mais elle n'a pas toujours été comme ça, dit Clara. Elle était gentille, à une certaine époque. Une bonne amie.

– La plupart des gens sont gentils, au début, dit Suzanne. Personne ne naît en prison, sous un pont ou dans une piquerie. On devient alcoolique ou toxicomane.

– Les gens peuvent changer en mal, dit Gamache. Mais combien changent vraiment en mieux?

– Je crois que c'est notre cas, dit Suzanne.

– Lillian avait-elle changé? lui demanda Gamache.

– Je le pense, oui. Du moins, elle essayait.

– Et vous?

– Moi quoi? demanda Suzanne, même si elle devait savoir ce qu'il voulait dire.

– Avez-vous changé?

Il y eut un long silence.

– Je l'espère, répondit-elle.

– Mais s'agit-il d'un réel espoir?

Il avait baissé la voix, si bien que tout le monde dut écouter attentivement pour l'entendre.

– Ou seulement d'une illusion d'optique?

27

– Vous nous mentiez tout le temps. Puis, pour vous justifier, vous nous avez dit que c'était par habitude, continua Gamache en fixant toujours Suzanne. Ça ne m'apparaît pas un véritable changement, mais plutôt une éthique situationnelle : changer, oui, du moment que ça fait votre affaire. Or une grande partie de ce qui s'est produit ces derniers jours ne faisait pas du tout votre affaire. Sauf certaines choses. Par exemple, la présence de votre filleule à la fête de Clara.

– Je ne savais même pas que Lillian était ici. Je vous l'ai dit.

– C'est vrai, mais vous nous avez raconté beaucoup de choses. Entre autres, que vous ne saviez pas qui était visé par la célèbre phrase : « Il a un talent naturel, produisant de l'art comme si c'était une fonction physiologique. » C'était vous.

– Vous ? dit Clara en se tournant vers la femme pleine d'énergie à côté d'elle.

– Cette critique a eu raison de vous, poursuivit Gamache. Après sa parution, ça a été la dégringolade, la chute libre. Et vous vous êtes retrouvée chez les AA, où vous avez pu ou non changer. Mais vous n'étiez pas la seule dans votre groupe à mentir.

Gamache regarda l'homme assis à côté de Suzanne sur le canapé.

– Vous aussi, monsieur, vous nous avez menti.

Le juge Pineault paraissait stupéfait.

– J'ai menti, moi ? Comment ?

– C'était davantage un péché d'omission, mais un mensonge tout de même. Vous connaissez André Castonguay, n'est-ce pas ?

– Je ne peux pas répondre.

– Eh bien, laissez-moi le faire à votre place. M. Castonguay devait arrêter de boire s'il espérait conserver le contrat de Kelley Foods. Selon ses propres dires, la politique contre l'alcool de cette société était bien connue. Un autre fait bien connu est que Castonguay était de plus en plus souvent en état d'ébriété. Alors il s'est joint aux AA.

– Si vous le dites.

– Lorsque vous êtes arrivé à Three Pines hier, vous avez passé une heure dans la librairie de Myrna. C'est une belle boutique, mais y rester une heure semble excessif. Puis, quand nous sommes allés sur la terrasse, vous avez insisté pour que nous prenions une table près du mur et vous vous êtes assis dos au village.

– C'était par courtoisie, inspecteur-chef, si j'ai choisi la pire place.

– Ça vous arrangeait, aussi. Vous vous cachiez de quelqu'un. Pourtant, à la fin de notre entretien, vous êtes parti d'un pas léger vers le gîte avec Suzanne.

Thierry Pineault et Suzanne échangèrent un regard.

– Vous ne vous cachiez plus. En jetant un coup d'œil aux alentours, j'ai cherché ce qui avait pu changer. Il y avait seulement une chose : André Castonguay n'était plus là. Il se dirigeait d'un pas chancelant vers l'auberge.

Le juge ne réagit pas. Impassible, il fixait Gamache.

– J'ai commis une petite erreur ce soir, avoua Gamache. Lorsque nous sommes arrivés, Castonguay et vous parliez dans un coin. Vous sembliez vous disputer, et j'ai présumé que c'était au sujet des tableaux de Clara.

Il tourna la tête vers le coin de la pièce où était accrochée l'étude de mains, et tout le monde suivit son regard.

– *I'm sorry*, dit-il à Clara, qui sourit.

– On se dispute toujours au sujet de mes peintures. Y a pas de mal.

Ce n'était pas l'avis de Gamache. Du mal avait été fait. Beaucoup de mal.

– Mais je me trompais, poursuivit Gamache. Vous ne vous disputiez pas au sujet des toiles de Clara, mais des AA.

– Il ne s'agissait pas d'une dispute, dit Pineault. (Il respira profondément.) Nous discutions. Ça ne sert à rien de se quereller avec un ivrogne. Ni d'essayer de le convaincre des bienfaits des AA.

– D'autant plus que Castonguay en avait déjà fait partie, dit Gamache.

Les deux hommes se dévisagèrent un instant, puis Pineault hocha la tête.

– Il s'est présenté à une réunion il y a environ un an et cherchait désespérément à devenir abstinent, reconnut le juge. Mais ça n'a pas fonctionné.

– C'est là que vous l'avez connu, mais je soupçonne qu'il était plus qu'une simple connaissance.

Encore une fois, Thierry Pineault hocha la tête.

– Il était mon filleul. J'ai essayé de l'aider, mais il était incapable d'arrêter de boire.

– Quand a-t-il cessé d'aller aux réunions des AA?

Le juge réfléchit un moment.

– Il y a environ trois mois. Je lui ai téléphoné à quelques reprises, mais il ne m'a jamais rappelé. J'ai fini par ne plus l'appeler en me disant qu'il reviendrait quand il aurait touché le fond.

– Quand vous l'avez vu ici hier, ivre, vous avez tout de suite compris qu'il y avait un problème.

– Quel problème? demanda Suzanne.

– Lorsque André s'est joint à notre groupe, il a rencontré beaucoup de personnes, dit Pineault. Dont Lillian. Elle a immédiatement su qui il était. Elle lui a parlé de ses tableaux et même montré son portfolio. Il me l'a dit, et je lui ai conseillé de ne pas aller plus loin. J'ai ajouté que les hommes devaient rester avec les hommes et que, de toute façon, les AA n'étaient pas un endroit pour faire du réseautage.

– Lillian transgressait-elle les règlements en parlant de son art? demanda Gamache.

– Il n'existe pas de règlements, répondit Thierry. Ce n'était pas une bonne idée, c'est tout. Il est déjà suffisamment difficile de devenir abstinent sans essayer, en plus, de faire des affaires.

– Mais Lillian l'a fait.

– Je n'étais pas au courant de ça, dit Suzanne. Si elle me l'avait dit, je lui aurais conseillé d'arrêter. C'est sans doute pourquoi elle ne m'en a jamais parlé.

– Puis, André a quitté les AA, dit Gamache. (Pineault hocha la tête.) Mais il y avait un problème.

– Comme vous l'avez mentionné, André avait un gros client : Kelley Foods, dit Thierry. L'idée que les dirigeants de cette société apprennent qu'il était alcoolique le terrorisait.

– Mais il ne pouvait pas le cacher encore bien longtemps, dit Myrna. Si on se fie aux quelques jours qu'il a passés ici, il était plus souvent ivre qu'à jeun.

– C'est vrai, reconnut Thierry. Ce n'était qu'une question de temps avant qu'André perde tout.

– Quand vous l'avez vu ici, vous avez compris ce qui s'était probablement passé. Vous présidez de nombreux procès, souvent pour meurtre, et êtes donc habitué à établir des liens entre les faits.

Pineault ne répondit pas immédiatement, comme s'il réfléchissait à ce qu'il allait dire. Tout le monde se pencha naturellement en avant, vers lui. Attiré par le silence, et la possibilité d'une histoire.

– Je craignais que Lillian soit venue à la fête pour le relancer, l'ait rencontré dans le jardin de Clara et menacé, s'il ne la représentait pas, de révéler aux dirigeants de Kelley Foods qu'il était alcoolique. Vous l'avez vu ce soir. Il ne maîtrise plus rien : ni sa consommation ni sa colère.

Le juge se tut, mais Gamache, d'une voix douce, l'encouragea à poursuivre.

Les gens attendirent encore, les yeux grands ouverts, retenant leur souffle.

– J'avais peur que Lillian l'ait poussé à bout et menacé de chantage.

Pineault s'interrompit. Après un atroce silence, Gamache l'incita encore une fois à poursuivre.

– J'avais peur qu'il ait tué Lillian. Probablement dans un moment de crise aiguë qui l'empêchait d'être conscient de ce qu'il faisait. Il ne se souvenait sans doute même pas de l'avoir fait.

Gamache se demanda si un jury, ou un juge, croirait une telle explication. Et si ç'aurait de l'importance. Il se demanda aussi si quelqu'un d'autre avait perçu ce que lui avait perçu.

L'inspecteur-chef attendit.

– Mais, dit Clara, perplexe, M. Castonguay ne vient-il pas de vous accuser de lui avoir volé Lillian ?

Elle s'était tournée vers François Marois. Le marchand d'art ne dit rien. Clara fronça les sourcils tandis qu'elle réfléchissait et essayait d'assembler les pièces du puzzle. Elle regarda Gamache.

– Avez-vous vu les tableaux de Lillian ?

Il fit oui de la tête.

– Sont-ils aussi bons que ça ? Valent-ils la peine qu'on se batte pour eux ?

De nouveau, il hocha la tête.

Clara parut surprise, mais fit confiance au jugement de Gamache.

– Donc, elle n'aurait pas eu besoin de faire chanter Castonguay. En fait, il semble que Castonguay voulait à tout prix représenter Lillian. Elle n'aurait donc eu aucune raison de le relancer. Il était convaincu de son talent et voulait ses toiles. À moins, dit Clara en continuant d'établir des liens, que ce soit ce qui lui a fait perdre la tête.

Elle regarda de nouveau Gamache, mais son visage ne lui révéla rien. Il écoutait, attentif, mais c'était tout.

– Castonguay savait qu'il perdrait Kelley Foods, poursuivit Clara en revenant sur certains faits. C'était inévitable, après avoir eu quitté les AA. Son seul espoir était de trouver quelque chose pour compenser la perte de son client. Un artiste. Pas n'importe qui, cependant. Quelqu'un d'extraordinaire. Qui sauverait sa galerie et sa carrière. Mais ça devait être quelqu'un dont personne n'avait entendu parler. Ça devait être *sa* découverte.

Le silence régnait dans la pièce. Même la pluie avait cessé, peut-être pour mieux entendre.

– Lillian et ses peintures l'auraient effectivement sauvé. Mais Lillian a fait quelque chose auquel Castonguay ne s'attendait pas du tout. Elle a fait comme elle a toujours fait : elle a veillé à ses propres intérêts. Elle a parlé à Castonguay, mais également à M. Marois, le marchand d'art le plus influent. (Clara se tourna vers François Marois.) Et vous avez accepté de la représenter.

Le sourire bienveillant et affable de François Marois s'effaça, remplacé par un air méprisant.

– Lillian Dyson était majeure. Aucun contrat ne la liait à André, dit Marois. Elle était libre de choisir qui elle voulait.

– Castonguay l'a vue à la fête, reprit Clara en essayant de ne pas se laisser intimider par le regard furieux du marchand d'art, et voulait probablement avoir un entretien privé avec elle. C'est sans doute pourquoi il l'a emmenée dans notre jardin.

Tous imaginèrent la scène. Les violoneux, les gens qui dansent, rient. Castonguay qui voit Lillian descendre la rue du Moulin où elle avait garé sa voiture. Il a quelques verres dans le nez et, impatient de conclure une entente avec elle, se précipite pour l'intercepter avant qu'elle ait la chance de parler à d'autres personnes. À tous les marchands d'art, conservateurs et galeristes présents. Il l'entraîne dans le jardin le plus près.

– Il ne savait probablement pas qu'il s'agissait du nôtre.

Clara regarda de nouveau Gamache, mais l'inspecteur-chef demeurait toujours impassible. Il se contentait d'écouter.

Tous gardaient le silence le plus complet. On aurait dit que le reste du monde n'existait plus, que l'univers s'était rétréci et se résumait à cet instant, à cet endroit. À ces mots.

– Puis, Lillian lui a annoncé qu'elle avait signé un contrat avec François Marois.

Clara s'interrompit et vit dans sa tête le galeriste anéanti. Un homme dans la soixantaine avancée, ruiné. Brisé. Alcoolique. Recevant le coup de grâce. Et que fait-il ?

– Lillian était son dernier espoir, dit-elle doucement. Et maintenant cet espoir n'existe plus.

– Il invoquera les facultés affaiblies ou plaidera coupable à une accusation d'homicide involontaire, dit le juge Pineault. Il devait être soûl quand il l'a fait.

– Quand il a fait quoi ? demanda Gamache.

– Quand il a tué Lillian, répondit Thierry.

– Oh, ce n'est pas André Castonguay qui l'a tuée. C'est l'un de vous.

28

Maintenant, même Ruth prêtait attention. Il avait recommencé à pleuvoir. La pluie tombant du ciel sombre s'abattait et ruisselait sur les vieilles fenêtres. Peter alla à la porte de la galerie et la ferma.

Ils étaient enfermés.

Peter rejoignit les autres, qui étaient réunis en un cercle irrégulier et se dévisageaient.

– Castonguay n'a pas tué Lillian? répéta Clara. Qui, alors?

Ils se regardèrent furtivement, ne voulant accrocher le regard de personne. Puis, leurs yeux vinrent se poser sur Gamache. Le centre du cercle.

Les lumières vacillèrent et, malgré les fenêtres scellées, ils entendirent un grondement de tonnerre au loin. Et virent un éclair qui, un bref instant, illumina la forêt noire avant qu'elle soit replongée dans l'obscurité.

Gamache parla à voix basse, si basse qu'elle était presque enterrée par le bruit de la pluie et le grondement du tonnerre.

– Une des premières choses qui nous a frappés dans cette affaire était le contraste entre les deux Lillian. La femme exécrable que vous avez connue, dit-il en regardant Clara. Et la femme aimable et heureuse que vous avez connue, ajouta-t-il en se tournant cette fois vers Suzanne.

– *Chiaroscuro*, dit Denis Fortin.

Gamache hocha la tête.

– Précisément. Le clair-obscur. Un jeu d'ombre et de lumière. Qui était-elle réellement? Laquelle des deux était la vraie Lillian?

– Les gens changent-ils? demanda Myrna.

– Les gens changent-ils? répéta Gamache. Ou le naturel reprend-il le dessus? Il ne semblait y avoir aucun doute, Lillian Dyson avait déjà été une horrible personne, qui faisait du mal à quiconque par malheur s'approchait d'elle. Elle était pleine d'amertume et s'apitoyait sur son sort. Elle s'attendait à tout avoir sans fournir le moindre effort et, quand ça ne se produisait pas, elle réagissait mal. Cela a pris quarante ans, mais, finalement, elle a perdu le contrôle et ce fut la dégringolade vertigineuse, accélérée par sa consommation d'alcool.

– Elle est tombée de haut et a touché le fond, dit Suzanne.

– Elle s'est écrasée, en morceaux, dit Gamache. S'il était clair pour nous qu'à un moment sa vie avait été un véritable désastre, il était également clair qu'elle essayait de se remettre sur pied. De se reprendre en main avec l'aide des AA pour trouver... (Il s'interrompit et regarda Suzanne.) Comment avez-vous dit?

Suzanne parut perplexe, puis fit un petit sourire.

– Une place tranquille sous un soleil éclatant.

Gamache réfléchit un moment à ces paroles, puis hocha la tête.

– Oui, c'est ça. Mais comment la trouver?

L'inspecteur-chef scruta le visage de chacun en s'arrêtant un bref instant sur Beauvoir, qui semblait sur le point de pleurer.

– La seule façon d'y arriver était de cesser de boire. Mais, comme je l'ai appris au cours des derniers jours, arrêter de boire pour des alcooliques n'est que le début. Ils doivent aussi changer. Changer leurs perceptions, leurs attitudes. Et ils doivent réparer le gâchis qu'ils ont laissé derrière. «L'alcoolique est comme un ouragan qui ravage la vie des autres sur son passage.» Lillian avait souligné cette phrase dans son livre des AA. Elle avait également souligné un autre passage: «Il brise des cœurs, détruit de tendres relations, déracine des affections.»

Le regard de Gamache se posa maintenant sur Clara, qui paraissait consternée.

– À mon avis, elle était sincèrement désolée de ce qu'elle vous avait fait, à vous et à votre amitié. Non seulement elle ne vous avait pas soutenue, mais elle avait essayé de détruire votre carrière. C'était une des choses dont elle avait honte.

Clara eut l'impression que tous les autres avaient disparu et qu'elle se trouvait seule avec l'inspecteur-chef.

– Je n'en suis pas certain, bien sûr, poursuivit Gamache, mais je crois que le jeton de débutant que vous avez trouvé dans le jardin était le sien. Je crois qu'elle l'avait apporté et le tenait dans la main pour se donner le courage de vous parler. De vous dire qu'elle regrettait.

Il sortit un jeton de sa poche et le mit sur sa paume ouverte. C'était le jeton de débutant de Bob. Celui qu'il lui avait donné à la réunion des AA. Après un instant d'hésitation, Gamache l'offrit à Clara.

– «À qui, exactement, as-tu eu besoin toutes ces années de pardonner?» murmura Ruth.

Elle regarda Olivier au fond de la pièce, mais lui ne la regardait pas. Comme tout le monde, il avait les yeux rivés sur Clara, et Gamache.

Clara prit le jeton et le serra dans son poing.

– Mais Lillian n'a jamais eu l'occasion de s'excuser, continua Gamache. Elle a commis une terrible erreur. Dans sa précipitation à se reprendre en main, elle a sauté quelques étapes des AA. Au lieu de les suivre dans l'ordre, Lillian est immédiatement passée à l'étape neuf. Vous rappelez-vous les mots exacts? demanda-t-il aux trois membres des AA.

– «Nous avons réparé nos torts directement envers ces personnes dans la mesure du possible», répondit Suzanne.

– Mais ce n'est pas tout, n'est-ce pas? demanda Gamache.

– «Sauf lorsqu'en ce faisant nous risquions de leur nuire ou de nuire à d'autres», dit Brian.

– Comment des excuses peuvent-elles nuire à quelqu'un? demanda Paulette.

– En rouvrant de vieilles blessures, répondit Suzanne.

– Quand Lillian a essayé d'exorciser ses propres démons, dit Gamache, elle a accidentellement réveillé ceux d'une autre personne. Quelque chose qui était à l'état latent a soudain repris vie.

— Croyez-vous qu'elle a voulu présenter des excuses à quelqu'un qui ne voulait pas les entendre? demanda Thierry Pineault.

— Lillian n'était pas un ouragan, répondit Gamache. Un ouragan est un phénomène dévastateur, mais naturel. Sans volonté ni intentions. Lillian, elle, blessait des gens délibérément et avec méchanceté. Elle était déterminée à les détruire. Et, dans le cas d'artistes, elle ne s'attaquait pas seulement à un emploi ou à une carrière. Créer des œuvres définit qui ils sont. Si on détruit ça, on les détruit, eux.

— C'est une forme de meurtre, dit Brian.

Gamache regarda le jeune homme un instant, puis hocha la tête.

— C'est exactement ça. Lillian Dyson a assassiné, ou essayé d'assassiner, beaucoup de gens. Pas physiquement, mais d'une façon tout aussi cruelle. En tuant leurs rêves. En les empêchant de créer.

— Son arme, c'étaient les critiques, dit Normand.

— Il ne s'agissait pas de simples critiques, dit Gamache. Les artistes savent que les critiques, même mauvaises, font partie du métier. Ce n'est pas nécessairement agréable, mais c'est la réalité. Les mots de Lillian, par contre, étaient venimeux, choisis pour pousser à bout quelqu'un de fragile. Et ils réussissaient à le faire. Plus d'une personne a abandonné l'idée de devenir artiste à la suite d'une critique blessante et humiliante.

— Elle avait beaucoup de choses à se faire pardonner, dit Fortin.

Gamache se tourna vers le galeriste.

— C'est vrai. Et elle a vite commencé à présenter ses excuses. Mais elle n'avait peut-être pas bien saisi la seconde partie de l'étape, où il est question de la possibilité de nuire à quelqu'un. Ou peut-être que oui.

— Que voulez-vous dire? demanda Suzanne.

— Selon moi, certaines de ses excuses, même si elles étaient prématurées, étaient sincères. Mais pas toutes. Je crois que Lillian était sur la voie de la guérison, mais pas encore guérie. Les vieilles habitudes ont refait surface, déguisées en tâches nobles.

Après tout, comme certains d'entre vous viennent de le demander, comment des excuses peuvent-elles être une mauvaise chose? Mais cela arrive parfois. Dans un cas, les excuses de Lillian ont donné un mobile au meurtrier, et dans un autre lui ont fourni l'occasion de tuer.

De nouveau, les gens se regardèrent furtivement. Dans la pénombre, Gamache vit Beauvoir s'avancer doucement vers la cuisine et se poster devant la porte, seule sortie hors de la pièce.

Le dénouement approchait. Gamache le savait. Beauvoir le savait. Et quelqu'un d'autre dans le séjour faiblement éclairé le savait aussi. Le meurtrier devait sentir le souffle chaud des policiers.

Gamache se tourna vers Clara.

– Lillian est venue ici pour s'excuser auprès de vous. À mon avis, elle était sincère. Mais pas à cent pour cent. Elle n'était pas obligée de venir le soir de la célébration en votre honneur ni de porter une robe qui attirait l'attention. Elle savait qu'elle était probablement la dernière personne que vous voudriez voir à votre fête.

– Alors pourquoi est-elle venue? demanda Clara.

– Parce que la partie en elle qui était encore malade voulait vous faire du mal. Voulait gâcher votre grand jour.

Clara serra plus fort le jeton dans sa main et le sentit s'enfoncer dans sa paume.

– Mais comment a-t-elle su au sujet de la fête? demanda Myrna. C'était sur invitation seulement. Et comment a-t-elle trouvé le village? Three Pines n'est pas exactement une destination bien connue.

– Quelqu'un – le meurtrier – lui a indiqué la route à suivre, répondit Gamache. Il lui a parlé de la fête et expliqué comment s'y rendre.

– Pourquoi? demanda Peter.

– Parce que le meurtrier voulait faire du mal à Lillian. Voulait la tuer. Mais il voulait également faire du tort à Clara.

– À moi? demanda Clara, sidérée. Pourquoi? Qui?

Elle balaya la pièce du regard en se demandant qui pouvait la détester à ce point. Et ses yeux s'arrêtèrent sur une personne.

29

Tous les yeux se tournèrent pour regarder la personne.

Le meurtrier esquissa un sourire, puis jeta des regards furtifs autour de la pièce, et s'arrêta finalement sur Jean-Guy Beauvoir, qui se tenait dans l'embrasure de la porte de la cuisine, bloquant la seule issue possible.

– Vous? dit Clara d'une voix à peine plus haute qu'un murmure. Vous avez tué Lillian?

Denis Fortin se tourna pour faire face à Clara.

– Lillian Dyson n'a eu que ce qu'elle méritait. La seule surprise, c'est que personne ne lui ait tordu le cou avant.

Olivier, Gabri et Suzanne s'éloignèrent de lui, le plus loin possible à l'autre bout de la pièce. Le galeriste se leva et les toisa, de l'autre côté du gouffre entre eux.

Seul Gamache semblait à l'aise. Contrairement aux autres, il ne s'était pas réfugié en lieu sûr, il était resté assis en face de Fortin.

– Lillian était allée s'excuser auprès de vous, n'est-ce pas? demanda l'inspecteur-chef, comme s'il bavardait avec un invité nerveux.

Fortin le dévisagea, puis finalement hocha la tête et se rassit.

– Elle s'est présentée à la galerie sans même avoir pris rendez-vous, et a dit qu'elle regrettait d'avoir été si odieuse dans sa critique.

Fortin dut marquer une pause, pour se ressaisir.

– « Je suis désolée, dit-il en levant un doigt pour chaque mot, d'avoir été cruelle dans ma critique de vos œuvres. »

Il regarda ses doigts.

– Douze mots, et elle pensait que ça effaçait tout? Avez-vous vu la critique?

Gamache hocha la tête.

– Je l'ai ici, mais je ne la lirai pas.

Fortin croisa son regard.

– Eh bien, merci pour ça, au moins. Je ne me rappelle même plus les mots exacts, mais c'était comme si elle avait attaché une bombe autour de ma poitrine et l'avait fait exploser. Et c'était pire encore parce qu'à mon exposition elle s'était extasiée devant mes toiles. Elle n'aurait pas pu être plus gentille. Elle adorait mes tableaux, m'a-t-elle dit. Elle m'a laissé croire qu'elle écrirait une critique élogieuse dans *La Presse*. J'ai attendu toute la semaine, à peine capable de dormir. J'en ai parlé à toute ma famille et à mes amis.

Fortin fit de nouveau une pause pour se ressaisir. Les lumières vacillèrent, plus longtemps cette fois. Peter et Clara prirent des bougies dans le buffet et les disposèrent un peu partout dans la pièce, au cas où il y aurait une panne d'électricité.

Dehors, des éclairs zébraient le ciel derrière les montagnes, se rapprochaient de Three Pines. La pluie fouettait les vitres.

– Puis la critique a été publiée. Elle n'était pas seulement mauvaise, elle était épouvantable. Un texte malveillant, railleur. Lillian se moquait de mes créations. Mes peintures n'étaient peut-être pas extraordinaires, mais je débutais, faisais de mon mieux. Et elle les dénigrait, crachait dessus. C'était plus que simplement humiliant. J'aurais probablement survécu à la honte, mais elle a réussi à me convaincre que je n'avais aucun talent. Elle a tué ce qu'il y avait de meilleur en moi.

Denis Fortin arrêta de trembler. Il arrêta de bouger. Il sembla même arrêter de respirer. Complètement immobile, il regardait dans le vague.

Un violent éclair illumina le parc du village, immédiatement suivi d'un coup de tonnerre si fort qu'il secoua la petite maison. Tout le monde sursauta, y compris Gamache. Maintenant, la pluie cognait contre les fenêtres, comme si elle exigeait qu'on la laisse entrer. Ils entendaient le vent furieux dans les arbres, qui les tordait, les secouait. Quand l'éclair suivant déchira la nuit, ils virent des feuilles, arrachées aux érables et aux peupliers, tourbillonner dans le parc. Ils entendirent les feuilles des trembles agitées par le vent.

Et, au centre du village, ils virent la cime des trois grands pins osciller dans la tornade.

Les invités se regardèrent les uns les autres, les yeux écarquillés. Écoutant, attendant le fracas du tonnerre, le craquement, le bruit d'arbres s'écrasant au sol.

— J'ai arrêté de peindre, dit Fortin en élevant la voix pour se faire entendre par-dessus le vacarme.

Il semblait le seul à se ficher de la tempête. Il ne paraissait même pas la remarquer.

— Mais vous vous êtes fait une carrière en tant que galeriste, dit Clara, en essayant de faire abstraction de ce qui se passait dehors. Vous aviez beaucoup de succès.

— Et vous avez tout gâché.

La tempête était directement au-dessus d'eux, maintenant. Les lumières ne cessaient de vaciller, alors Peter alluma les bougies et les lampes à huile.

Clara, restée figée dans son fauteuil, fixait Denis Fortin.

— J'avais dit à tout le monde que je vous avais laissée tomber parce que vous ne valiez rien, et on m'a cru. Jusqu'à ce que le MAC vous propose une exposition solo. Une exposition solo, nom de Dieu! J'ai eu l'air d'un imbécile. J'ai perdu toute crédibilité. Je n'ai rien sauf ma réputation, et vous l'avez détruite.

— Est-ce pour ça que vous avez tué Lillian ici? demanda Clara. Dans notre jardin?

— Quand les gens se rappelleront votre exposition, je veux qu'ils se souviennent du cadavre dans votre jardin. Je veux que vous vous en souveniez, vous aussi. Qu'en pensant à votre exposition vous voyiez Lillian, morte.

Il lança un regard furieux au demi-cercle de visages. Les personnes devant lui le fixaient comme s'il était quelque chose de puant, de fécal.

Les lumières tremblotèrent, puis faiblirent. Tout le monde sentait la tension dans l'air tandis qu'elles luttaient pour rester allumées.

Puis elles s'éteignirent.

Il ne restait plus que la lueur vacillante des bougies.

Personne ne parlait. Toutes les personnes dans la pièce attendaient, se demandant si quelque chose d'autre se produirait. Quelque chose de pire. Elles entendaient le vent déchaîné mugir dans les arbres et la pluie battre les fenêtres et le toit.

Gamache, cependant, ne quitta pas Denis Fortin des yeux.

– Si vous me détestiez autant, pourquoi êtes-vous venu à mon vernissage ? demanda Clara.

Fortin se tourna vers Gamache.

– Pouvez-vous deviner ?

– Pour vous excuser.

Fortin sourit.

– Après le départ de Lillian, et quand le hurlement dans ma tête a enfin cessé, une pensée m'est venue à l'esprit.

– Comment tuer deux fois, dit Gamache.

– Asséner le coup de grâce.

– La grâce n'avait rien à voir là-dedans. C'était un plan plein de haine.

– Eh bien, la haine, c'est Lillian qui l'avait fait naître. Elle a créé le monstre. Elle n'aurait pas dû être étonnée lorsqu'il s'est attaqué à elle. Et pourtant, elle a été surprise.

– Comment saviez-vous que Lillian me connaissait ? demanda Clara.

– Elle me l'a dit. Elle m'a expliqué ce qu'elle était en train de faire : aller voir les gens à qui elle avait fait du tort pour s'excuser. Apparemment, elle avait cherché votre nom dans l'annuaire téléphonique de Montréal, mais ne l'avait pas trouvé. Elle se demandait si j'avais entendu parler de vous.

– Et que lui avez-vous dit ?

Il sourit, alors. Lentement.

– J'ai d'abord dit non, mais, après son départ, j'y ai repensé. Je l'ai appelée et lui ai parlé de votre exposition. Sa réaction a presque constitué en soi une revanche suffisante. Elle n'était pas particulièrement heureuse d'apprendre la nouvelle.

Son sourire diabolique s'étendit à ses yeux.

– Le milieu artistique québécois est petit, et j'avais entendu parler de la fête qui devait avoir lieu ici, après le vernissage, mais à laquelle, bien sûr, je n'avais pas été invité. J'ai informé Lillian au sujet de la fête, en mentionnant qu'il s'agissait d'une belle occasion pour vous parler. Après quelques jours, elle m'a rappelé. Elle voulait tous les renseignements nécessaires.

– Mais il y avait un hic, dit l'inspecteur-chef. Vous étiez déjà venu à Three Pines, alors indiquer le chemin à Lillian n'était pas un problème. Et vous saviez que ça ne la dérangeait pas de se présenter à la fête sans invitation. Cependant, il fallait que vous aussi y soyez. Et, pour cela, vous aviez besoin d'y être officiellement invité. Mais Clara et vous n'étiez pas en bons termes.

– C'est vrai, mais Lillian m'avait donné une idée.

Fortin regarda Clara.

– Je savais que, si je m'excusais, vous accepteriez. Voilà pourquoi vous ne réussirez jamais dans le monde des arts. Vous n'avez rien dans le ventre, vous ne savez pas vous tenir debout. Je savais que si je vous disais que je voulais venir à la fête, si je vous suppliais, vous seriez d'accord. Mais je n'ai même pas eu besoin de le faire, vous m'avez invité. (Fortin secoua la tête.) Non mais, franchement. Je vous traite comme de la merde et non seulement vous me pardonnez, mais vous m'invitez chez vous ? Vous devez faire preuve d'un peu plus de jugeote, Clara. Si vous ne faites pas attention, les gens vont vous exploiter.

Clara lui lança un regard noir, mais demeura muette.

Un autre éclat de tonnerre secoua la maison. Prise au piège dans la vallée, la tempête s'amplifiait, grondait de plus en plus fort.

L'atmosphère dans le séjour était presque intime. On se serait cru à une époque ancienne. Tandis qu'était révélé un vieux péché. La lumière des bougies vacillait et, en éclairant les gens et les meubles, les transformait en quelque chose de grotesque sur les murs, comme s'il y avait une autre rangée de personnages sinistres qui écoutaient.

– Comment avez-vous su que c'était moi qui avais tué Lillian ? demanda Fortin à Gamache.

– Ce fut assez simple, en fin de compte. Ce devait nécessairement être quelqu'un qui était déjà venu au village. Qui savait non seulement comment trouver Three Pines, mais aussi quelle maison était celle de Clara. Que Lillian ait été tuée dans le jardin de Clara par pur hasard me paraissait une coïncidence invraisemblable. Non, ça devait avoir été prévu ainsi. Et si ç'avait été prévu, alors quel était le but? Le fait de tuer Lillian dans ce jardin faisait du mal à deux personnes. À Lillian, bien sûr, mais aussi à Clara. Et la fête vous fournissait un village plein de suspects. D'autres personnes qui avaient connu Lillian, et auraient pu vouloir la voir morte. Cela expliquait aussi le moment choisi. Le meurtrier devait être quelqu'un de la communauté artistique qui connaissait Clara et Lillian, et Three Pines.

L'inspecteur-chef planta son regard dans les yeux brillants de Fortin.

– Vous.

– Si vous vous attendez à du remords, vous serez déçu. C'était une garce, odieuse, vindicative.

Gamache hocha la tête.

– Je sais. Mais elle essayait de devenir une meilleure personne. Elle ne vous l'a peut-être pas dit comme vous auriez voulu l'entendre, mais je crois qu'elle regrettait sincèrement le mal qu'elle vous avait causé.

– Essayez donc de pardonner à quelqu'un qui a gâché votre vie, espèce de sale prétentieux, et ensuite vous pourrez me faire la leçon sur le pardon.

– Si c'est ça, le critère, eh bien laissez-moi vous faire la leçon.

Tout le monde se tourna dans la direction d'un coin sombre, où n'était visible qu'une silhouette. D'une femme étrange aux vêtements mal assortis.

– « Elle a un talent naturel… », dit Suzanne.

Elle murmurait, mais son chuchotement s'entendait malgré tout le vacarme à l'extérieur.

– « … produisant de l'art comme si c'était une fonction physiologique. » J'ai réussi à pardonner ça. Et savez-vous pourquoi?

Personne ne répondit.

– Que Dieu me pardonne, je ne l'ai pas fait pour Lillian, mais pour moi. Je m'étais accrochée à la douleur que j'avais ressentie. Je l'avais dorlotée, nourrie, entretenue. Jusqu'à ce qu'elle me consume presque entièrement. Mais, finalement, je désirais quelque chose d'autre encore plus que je tenais à ma souffrance.

La tempête semblait s'être glissée hors de la vallée et se dirigeait lentement, pesamment, vers une autre destination.

– Une place tranquille, dit l'inspecteur-chef Gamache, sous un soleil éclatant.

Suzanne sourit et hocha la tête.

– La paix.

30

Le lendemain matin, le temps était couvert mais frais. Il ne pleuvait plus et l'humidité étouffante de la veille s'était évaporée. Au cours de la matinée, le soleil commença à percer les nuages ici et là.

– *Chiaroscuro*, dit Thierry Pineault en réglant son pas sur celui de l'inspecteur-chef Gamache qui faisait sa promenade matinale.

Des feuilles et des branches jonchaient le parc du village, mais aucun arbre n'avait été abattu par la tempête.

– Pardon?

– Le ciel, dit Pineault en pointant le doigt vers le haut. Un contraste entre l'ombre et la lumière.

Gamache sourit.

Ils continuèrent à se promener nonchalamment en silence. Pendant qu'ils marchaient, ils virent Ruth sortir de chez elle, fermer sa petite barrière, boitiller le long d'un sentier foulé de nombreuses fois et se diriger vers le banc. Après avoir passé la main sur le bois mouillé, elle s'assit, le regard perdu au loin.

– Pauvre Ruth, dit Pineault. Assise sur ce banc toute la journée à donner à manger aux oiseaux.

– Pauvres oiseaux, dit Gamache, et Pineault rit.

Tandis qu'ils regardaient la vieille poète, Brian sortit du gîte. Il salua le juge d'un geste de la main et l'inspecteur-chef d'un hochement de tête, puis traversa le parc pour aller s'asseoir à côté de Ruth.

– A-t-il envie de mourir? demanda Gamache. Ou est-il attiré par les êtres blessés?

— Ni l'un ni l'autre. Il est attiré par les êtres sur la voie de la guérison.

— Il s'intégrerait très bien ici, dit l'inspecteur-chef en parcourant le village du regard.

— Vous aimez cet endroit, n'est-ce pas ? demanda Pineault en regardant l'homme imposant à côté de lui.

— En effet.

Ils s'immobilisèrent tous les deux et observèrent Brian et Ruth assis côte à côte, chacun dans son monde, apparemment.

— Vous devez être très fier de lui, reprit Gamache. C'est incroyable qu'un garçon comme lui, avec un tel passé, ait réussi à arrêter de boire et de se droguer.

— Je suis heureux pour lui. Mais pas fier. Ce n'est pas à moi d'être fier.

— À mon avis, monsieur, vous faites preuve de modestie. Tous les parrains n'obtiennent pas autant de succès, j'imagine.

— Son parrain ? Je ne suis pas son parrain.

— Alors qu'êtes-vous ?

Essayant de ne pas montrer sa surprise, Gamache tourna son regard du juge en chef vers le jeune homme aux piercings sur le banc.

— Je suis son filleul. Lui est mon parrain.

— Pardon ?

— Brian est mon parrain. Il est abstinent depuis huit ans, moi depuis deux seulement.

Encore une fois, Gamache regarda l'élégant Thierry Pineault, vêtu d'un pantalon de flanelle grise et d'un pull léger en cachemire, puis le skinhead.

— Je sais ce que vous pensez, inspecteur-chef, et vous avez raison. Brian se montre passablement tolérant à mon égard. Ses amis se moquent de lui quand ils nous voient ensemble en public. Mes complets, mes cravates : très embarrassant, tout ça, dit Thierry avec un sourire.

— Ce n'est pas exactement ce que je pensais, mais presque.

— Vous ne pensiez pas vraiment que j'étais son parrain, n'est-ce pas ?

– En tout cas, je ne pensais certainement pas que c'était le contraire. N'y avait-il pas…

– Quelqu'un d'autre ? dit Thierry P. Il y avait beaucoup d'autres personnes, mais j'ai choisi Brian pour des raisons personnelles. Je lui suis très reconnaissant d'avoir accepté de me servir de parrain. Il m'a sauvé la vie.

– Dans ce cas, je lui suis également reconnaissant, dit Gamache. Je vous prie d'accepter mes excuses.

– Êtes-vous en train de faire amende honorable, inspecteur-chef ? demanda Thierry, sourire aux lèvres.

– En effet.

– Alors j'accepte.

Ils se remirent à marcher. C'était pire que ce qu'avait craint Gamache. Il s'était demandé qui pouvait être le parrain du juge en chef. Un membre des AA, évidemment. Un autre alcoolique, ayant une grande influence sur un homme très influent. Mais jamais il ne lui était venu à l'esprit que Thierry Pineault avait pu choisir un skinhead comme parrain.

Il devait être soûl.

– Je suis conscient d'outrepasser mon mandat…

– Alors ne le faites pas, inspecteur-chef.

– … mais il ne s'agit pas d'une situation ordinaire. Vous êtes un homme important.

– Mais pas Brian ?

– Bien sûr qu'il est important. Mais il est aussi un criminel. Un toxicomane et un alcoolique, condamné pour avoir tué une petite fille alors qu'il conduisait en état d'ivresse.

– Que savez-vous au sujet de cette affaire ?

– Je sais qu'il reconnaît son crime. J'ai entendu son partage. Et je sais qu'il a fait de la prison.

Ils marchèrent en silence autour du parc. Après la pluie de la veille, une brume légère se levait à mesure que la matinée se réchauffait. Il était encore tôt. Le village dormait encore. Seule la brume s'était levée, et les deux hommes qui faisaient le tour des trois grands pins, encore et encore. Ainsi que Ruth et Brian sur le banc.

– La fillette qu'il a tuée était ma petite-fille.

Gamache s'arrêta.

– Votre petite-fille?

Thierry s'arrêta à son tour et hocha la tête.

– Aimée. Elle avait quatre ans. Elle en aurait douze maintenant, si cette tragédie n'était pas survenue. Brian a passé cinq ans en prison pour ce crime. Le jour où il a été libéré, il est venu chez nous et nous a présenté ses excuses. Que nous n'avons pas acceptées, évidemment. Nous lui avons dit de s'en aller. Mais il est revenu. Il revenait toujours. Il tondait le gazon de ma fille, lavait sa voiture. J'avoue que beaucoup de tâches d'entretien avaient été négligées. Je buvais énormément et n'étais pour ainsi dire d'aucune aide. Puis, Brian a commencé à faire toutes sortes de choses, à venir une fois par semaine pour effectuer de petits travaux, pour ma fille, pour ma famille. Il ne disait jamais rien. Après avoir terminé ce qu'il était venu faire, il s'en allait.

Thierry se remit à marcher et Gamache le rattrapa.

– Un jour, après environ un an, il a commencé à me parler de son problème d'alcool. Des raisons qui l'avaient poussé à boire et de comment il se sentait. C'était exactement comment moi, je me sentais. Mais, bien sûr, je ne l'ai pas avoué. Je ne voulais pas avouer avoir quoi que ce soit en commun avec cette horrible créature. Mais Brian savait que j'étais comme lui. Puis, un jour, il m'a dit qu'on allait faire un petit tour en auto, et il m'a emmené à ma première réunion des AA.

Les deux hommes étaient revenus près du banc.

– Il m'a sauvé la vie. Si je le pouvais, j'échangerais volontiers ma vie contre celle d'Aimée. Brian aussi, je le sais. Quand ç'a fait quelques mois que j'étais abstinent, il est venu encore une fois me demander pardon.

Thierry s'arrêta.

– Et je lui ai pardonné.

– Non, Clara. S'il te plaît.

Peter était debout dans leur chambre à coucher, vêtu seulement de son pantalon de pyjama.

Clara le regarda. Il n'y avait pas un seul endroit de ce beau corps qu'elle n'avait pas touché. Caressé. Aimé.

Et elle aimait encore ce corps, elle le savait. Le problème, ce n'était pas le corps de Peter. Ni son esprit. C'était son cœur.

– Tu dois partir, dit-elle.

– Mais pourquoi ? Je fais de mon mieux, je te le jure.

– Je le sais, Peter. Mais nous avons besoin de temps chacun de notre côté. Nous devons tous les deux déterminer ce qui est important pour nous. Moi, en tout cas, j'ai besoin d'y réfléchir. Une séparation nous permettra peut-être d'apprécier ce que nous avons.

– Mais j'apprécie déjà tout ce qu'on a, dit Peter d'un ton implorant.

Il regarda autour de la pièce, en proie à la panique. L'idée de partir le terrifiait. De quitter cette chambre, cette maison. Leurs amis. Le village. Clara.

De monter la côte et de franchir la colline. De sortir de Three Pines.

Pour aller où ? Quel endroit pouvait être mieux que celui-ci ?

– Oh, non, non, non, gémit-il.

Cependant, si c'était ce que voulait Clara, il allait devoir s'en aller, partir.

– Seulement pour un an, dit Clara.

– Promis ?

Peter, les yeux brillants, fixait ceux de sa femme, sans oser cligner des paupières de peur qu'elle rompe le contact.

– L'année prochaine, à la même date.

– Je reviendrai à la maison.

– Et je serai ici, à t'attendre. Nous ferons un barbecue, seulement nous deux. Nous mangerons des steaks, des asperges fraîches, avec une baguette de la boulangerie de Sarah.

– J'apporterai une bouteille de vin rouge. Et nous n'inviterons pas Ruth.

– Nous n'inviterons personne.

– Il n'y aura que nous.

– Que nous.

Ensuite, Peter Morrow s'habilla, et fit sa valise.

De la fenêtre de sa chambre, Jean-Guy Beauvoir vit le chef se diriger lentement vers leur auto. Il savait qu'il devrait se dépêcher, ne pas faire attendre son patron, mais il y avait quelque chose qu'il devait faire avant.

Quelque chose qu'il était enfin capable de faire.

Après s'être levé ce matin-là, avoir pris une pilule, avoir déjeuné, Jean-Guy Beauvoir avait su que le jour était finalement arrivé.

Peter jeta la valise dans leur auto. Clara était debout à côté de lui.

Peter se sentait sur le point d'avouer la vérité.

– Il faut que je te dise quelque chose.

– N'en avons-nous pas dit assez? demanda Clara, épuisée.

Elle n'avait pas dormi de la nuit. Quand le courant avait enfin été rétabli, à deux heures et demie, elle était encore éveillée. Après avoir éteint les lumières et être allée aux toilettes, elle s'était de nouveau glissée dans le lit.

Et avait regardé Peter dormir. L'avait regardé respirer, la joue écrasée dans l'oreiller. Ses longs cils pressés les uns contre les autres. Ses mains détendues.

Elle avait étudié ce visage. Ce corps encore beau dans la cinquantaine.

Et maintenant était venu le moment de le laisser partir.

– Non, il y a vraiment quelque chose que je dois te dire.

Elle le regarda, et attendit.

– Je suis désolé que Lillian ait écrit cette horrible critique, dans le temps, quand on était à l'école d'art.

– Pourquoi me dis-tu ça maintenant? demanda Clara, l'air perplexe.

– Eh bien, j'étais à côté d'elle quand les autres regardaient tes peintures et je crois que je...

– Oui? dit Clara, sur ses gardes.

– J'aurais dû lui dire à quel point je les trouvais extraordinaires. Je lui ai dit, bien sûr, que j'aimais ce que tu faisais, mais j'aurais dû être plus clair.

Clara sourit.

– Lillian, c'était Lillian. Tu n'aurais pas pu lui faire changer d'idée. Ne t'en fais pas avec ça.

Elle prit les mains de Peter et les caressa doucement, puis l'embrassa sur les lèvres.

Et s'en alla. Elle passa leur barrière, s'avança dans leur allée et entra dans leur maison.

Juste avant que la porte se referme, Peter se rappela quelque chose d'autre.

– «Ascension», lança-t-il. «L'espoir trouve sa place parmi les maîtres modernes. »

Il garda les yeux braqués sur la porte fermée, certain d'avoir parlé à temps. Certain que Clara l'avait entendu.

– J'ai mémorisé les critiques, Clara. Toutes les bonnes critiques. Je les connais par cœur.

Mais Clara était dans sa maison. Appuyée contre sa porte.

Les yeux fermés, elle glissa la main dans sa poche et en retira le jeton, le jeton de débutant.

Elle le serra si fort qu'une prière s'imprima dans sa paume.

Jean-Guy décrocha le téléphone et commença à composer le numéro. Deux, trois, quatre chiffres. Il n'était jamais allé aussi loin avant de raccrocher. Six, sept chiffres.

Il avait les mains moites et se sentait étourdi.

Par la fenêtre, il regarda l'inspecteur-chef lancer son sac de voyage dans le coffre de l'auto.

Après avoir refermé le coffre, l'inspecteur-chef Gamache se tourna et regarda Ruth et Brian.

Puis, quelqu'un d'autre entra dans son champ de vision.

Olivier marchait lentement, comme s'il s'approchait d'un champ miné. Il hésita une seule fois, puis poursuivit son chemin, s'arrêtant seulement lorsqu'il eut atteint le banc, et Ruth.

Celle-ci ne bougea pas. Elle continua de scruter le ciel.

– Elle va rester assise là une éternité, dit Peter, venu rejoindre Gamache. À attendre quelque chose qui ne se produira pas.

Gamache se tourna vers lui.

– Selon vous, Rose ne reviendra pas?

– Non. Et vous ne le pensez pas non plus. Entretenir un faux espoir est cruel, dit Peter d'un ton dur.

– Vous ne vous attendez pas à un miracle, aujourd'hui? demanda Gamache.

– Et vous?

– Toujours. Et je ne suis jamais déçu. Je m'apprête à rentrer chez moi, auprès d'une femme que j'aime, et qui m'aime. Je fais un travail auquel je crois, avec des personnes que j'admire. Chaque matin quand je sors du lit, j'ai l'impression de marcher sur l'eau.

Gamache regarda Peter droit dans les yeux et ajouta:

– Parfois, comme l'a dit Brian hier soir, des hommes en train de se noyer sont sauvés.

Se tournant de nouveau vers le centre du parc, les deux hommes virent Olivier s'asseoir sur le banc et, comme Ruth et Brian, fixer le ciel. Puis il retira son cardigan bleu et le drapa sur les épaules de Ruth. La vieille poète ne bougea pas. Mais après un moment elle parla.

– Merci. Couille molle.

Onze chiffres.

Le téléphone sonnait. Jean-Guy faillit raccrocher. Son cœur battait si fort qu'il avait l'impression qu'il n'entendrait rien si jamais quelqu'un répondait. Ou alors qu'il s'évanouirait.

– Oui, allô? fit une voix enjouée.

– Allô? réussit-il à dire. Annie?

Armand Gamache regarda Peter remonter lentement la rue du Moulin et sortir de Three Pines.

Se retournant du côté du village, il vit Ruth se lever. Elle fixait l'horizon. Puis il entendit un cri au loin. Un cri familier.

Une main osseuse et veinée agrippant le cardigan bleu autour de son cou, Ruth scruta le ciel.

Le soleil perça à travers les nuages. La vieille poète aigrie tourna son visage du côté du son et de la lumière, s'efforçant de voir, au loin, quelque chose qui n'était pas encore visible.

Et dans ses yeux las il y avait un point minuscule. Une étincelle, une lueur.

Remerciements

De nombreuses personnes me murmuraient à l'oreille quand j'écrivais *Illusion de lumière*. Certaines sont encore présentes dans ma vie, d'autres ont maintenant disparu, mais je ne les oublie pas.

Sans entrer dans les détails, je tiens à dire à quel point je suis reconnaissante à la vie d'avoir eu la chance d'écrire ce livre, mais, plus encore, de croire aujourd'hui – après avoir longtemps résisté – que, parfois, des hommes (et des femmes) en train de se noyer sont sauvés. Et que, après avoir refait surface, ils réussissent peut-être même à trouver une certaine paix dans un petit village. Sous le soleil.

Je remercie Michael, mon mari, partenaire et âme sœur, de croire aussi à cela. Et de croire en moi, comme, moi, je crois en lui.

Je remercie également mon extraordinaire éditrice chez Minotaur Books, Hope Dellon, qui porte très bien son nom. Ses dons remarquables en tant qu'éditrice ne sont surpassés que par ses qualités admirables en tant qu'être humain. Merci aussi à Dan Mallory, mon brillant éditeur chez Little, Brown, qui a des réacteurs aux pieds et me fait faire un étourdissant et électrisant voyage avec l'une des maisons phares de l'édition. Je ne lâcherai jamais sa main.

Merci enfin à Claire Chabalier et à Louise Chabalier pour une nouvelle traduction exemplaire. Vous vous êtes surpassées encore une fois.

Je remercie Teresa Chris – qui est non seulement une merveilleuse agente littéraire, mais maintenant également une amie –

de m'avoir guidée avec assurance et gentillesse tout au long de la rédaction de ce livre et de ma carrière.

Une chose qui m'a étonnée au sujet du métier d'écrivain est la montagne de détails dont il faut s'occuper : les autorisations à obtenir, le courrier, la comptabilité, les fournitures à commander, ou simplement voir à ce que tout soit bien organisé afin que des choses importantes, comme le calendrier des tournées promotionnelles, ne se perdent pas. Honnêtement, je suis nulle pour ce genre de choses. Heureusement, la sublime Lise Desrosiers possède la rigueur et le sens de l'organisation nécessaires, contrairement à moi, qui suis plutôt paresseuse. En se chargeant de ces tâches, Lise m'a permis de me consacrer pleinement à l'écriture. Nous formons une excellente équipe et je tiens à la remercier du fond du cœur, non seulement pour tout le travail qu'elle accomplit, mais également pour son indéfectible optimisme et sa bonne humeur.

J'espère qu'*Illusion de lumière* vous a plu. Il a fallu plus d'une vie pour écrire ce roman.

Ce que la presse en a dit

En plein cœur

« *En plein cœur* est un moment béni. C'est une histoire de meurtre qui parle en fait plus de la vie. [...] Je suis tombée en amour avec ce livre-là. »

CHRISTINE MICHAUD, TVA

★★★★★ « Elle s'intéresse aussi à la psychologie des personnages, aux motivations qui conduisent au meurtre. Sans s'en rendre compte, on est happé par la fine écriture de Louise Penny, et petit conseil, si vous lisez dans le métro, prenez garde, vous pourriez rater votre arrêt. »

CHRISTINE FORTIER, *Voir*

« On a plaisir à découvrir ces personnages-là. On a le goût de les retrouver dans d'autres romans. »

JEAN FUGÈRE, Radio-Canada

Sous la glace

« Retourner avec Louise Penny dans le village fictif de Three Pines, c'est comme s'offrir une visite dans la famille. [...] L'auteure nous a concocté une sombre histoire subtile – sans hémoglobine ni sexe –, avec des personnages charmants ou tordus, voire torturés à souhait. »

FABIENNE PAPIN, *Primeurs*

« Le crime est son affaire. [...] Ses enquêtes sont menées en dehors du fracas, touchées par un filet de poésie – Margaret Atwood –, deux doigts de psychologie et trois de philosophie maison. »

CATHERINE LALONDE, *Le Devoir*

« Les tourments que vivent ses personnages, on sent que Louise Penny les a vécus avant eux. Non seulement elle n'en est pas morte, mais elle a réussi à transformer ses tourments en or. »

NATHALIE PETROWSKI, *La Presse*

Le mois le plus cruel

« Me voici conquise. Par Three Pines et sa communauté anglophone. Par Gamache et ses acolytes. Par la poésie qui règne. Par les considérations sur le genre humain qui parsèment le récit. Par les réflexions senties sur la mort, la vie, l'amour, l'amitié, l'art, le désir de pouvoir. Par l'humour, aussi. Et par l'habileté de la construction, l'entrelacement des fils narratifs. »

DANIELLE LAURIN, *Le Devoir*

« Quel est le secret de Louise Penny pour nous garder dans un tel état de dépendance ? »

MARIE-CLAUDE VEILLEUX, *Cyberpresse*

« Je suis tombée sous le charme de ce village en apparence idyllique. »

HÉLÈNE DE BILLY, *Châtelaine*

Défense de tuer

« Avec ce quatrième titre, Louise Penny pousse encore plus loin l'exploration psychologique de ses personnages et de son inspecteur. [...] L'intrigue est passionnante, et Penny conserve aussi cette dimension petits plaisirs de la vie, petites douceurs et apéro bien frais. Un régal ! »

MARIE-CLAUDE VEILLEUX, *La Tribune*

« Des quatre Louise Penny que nous avons eu la chance de lire jusqu'à présent, celui-ci est sans conteste notre préféré. Il s'en dégage une atmosphère oppressante digne d'Agatha Christie. »

KARINE VILDER, *Le Journal de Montréal*

« *Défense de tuer*, une enquête brillamment menée, se distingue par la qualité de l'écriture, fine et souvent très humoristique malgré la tragédie, l'excellence de l'intrigue, le réalisme et la profondeur des personnages, la puissance de l'histoire. Voilà un bouquin très difficile à mettre de côté, auquel on s'accroche, peu importe l'heure. »

MARIE-FRANCE BORNAIS, *Le Journal de Québec*

« Louise Penny est une véritable reine du thriller. »

CHRISTINE MICHAUD, *7 Jours*

Révélation brutale

« Décidément, on ne se lasse pas de cette série. [...] Louise Penny parvient à se surpasser d'étonnante façon dans *Révélation brutale*. »

DANIELLE LAURIN, *Le Devoir*

« Puisant dans la tradition britannique (Christie pour le type d'intrigue et la psychologie, P.D. James pour l'érudition et la poésie) et la tradition française (Vargas pour l'humanité des personnages), tout cela pimenté de références québécoises et d'un humour fin. »

MARIE-CHRISTINE BLAIS, *La Presse*

« Une histoire que j'ai trouvée intense, parfois douloureuse, mais toujours passionnante avec ces pistes brouillées que l'auteure débrouille avec finesse. Un autre bravo à Louise Penny. »

MARIE-CLAUDE VEILLEUX, *La Tribune*

Enterrez vos morts

« *Enterrez vos morts* est un puissant *page-turner* et Louise Penny possède l'art d'hameçonner son lecteur dès les premières pages, puis de le faire voyager, rire, s'émerveiller, réfléchir. »

MARIE-FRANCE BORNAIS, *Le Journal de Montréal*

« Amateur de romans policiers intelligents ? Fasciné par Champlain ? Les complots ? La ville de Québec ? [...] Pour tout cela et plus encore, il faut lire *Enterrez vos morts*. »

MARIE-CHRISTINE BLAIS, *La Presse*

« Plus que tous les autres romans de Louise Penny, *Enterrez vos morts* est profondément inscrit dans l'histoire intime, réelle ou fantasmée des Québécois. »

GEORGES-HÉBERT GERMAIN, *L'actualité*

« C'est le meilleur jusqu'ici, tout simplement. Le plus profond, le plus dense, le plus habile. »

DANIELLE LAURIN, *Le Devoir*